Anton Vögtle

Offenbarungsgeschehen und Wirkungsgeschichte

ANTON VÖGTLE

Offenbarungsgeschehen und Wirkungsgeschichte

Neutestamentliche Beiträge

HERDER

FREIBURG · BASEL · WIEN

Alle Rechte vorbehalten – Printed in Germany
© Verlag Herder Freiburg im Breisgau 1985
Fotosatz: F. X. Stückle, Ettenheim
Druck und Einband: Freiburger Graphische Betriebe 1985
ISBN 3-451-20393-6

Einführung

Unter „Wirkungsgeschichte" versteht die heutige Exegese gemeinhin das Wirksamwerden biblischer Texte in Lehre und Leben der Kirche der nachneutestamentlichen Zeit. Die Wahl des Buchtitels „Offenbarungsgeschehen und Wirkungsgeschichte" bedarf insofern einer gewissen Rechtfertigung. Alles nachösterliche Verkünden, Glauben und Leben bis hin zum vielstimmigen Chor der später im „Neuen" Testament versammelten Einzelschriften läßt sich als Ant-wort auf das durch und an Jesus erfolgte Offenbarungsgeschehen und deshalb in einem wahren Sinn als Wirkungsgeschichte begreifen.

Dem Versuch einer exakten Scheidung und Unterscheidung von Offenbarungsgeschehen und Wirkungsgeschichte sind, wie vorweg eingeräumt sei, freilich Grenzen gesetzt. Das liegt nicht nur an den uns verfügbaren Quellen, sondern auch an der als Offenbarungsgeschehen beanspruchten Sache. Mit stärksten Argumenten wird ein den Osterglauben auslösendes und begründendes Offenbarungsgeschehen befürwortet. Auch unter dieser Voraussetzung wird aber bekanntlich diskutiert, inwieweit die Artikulierung des österlichen Geschehens als Auferweckung und Erhöhung Jesu aus dem Tod in die gottgleiche aktionsmächtige Existenzweise als deutende Antwort der „Erscheinungs"-Empfänger zu verstehen ist, Offenbarungsgeschehen und Wirkungsgeschichte somit gerade hinsichtlich des entscheidenden Fortgangs der Christusoffenbarung kaum auflösbar miteinander verwoben sind.

Das ändert indes nichts daran, daß die früh einsetzende bewahrende und – bald mehr, bald weniger – aktualisierende, unterschiedliche Situationen, Hörerkreise und Fragen ansprechende Weitergabe von Inhalten des Lebens und Wirkens Jesu bis hin zur Verschriftlichung als wirkungsgeschichtlicher Prozeß des mit Ostern zum Höhepunkt und vorläufigen Abschluß kommenden Offenbarungsgeschehens gekennzeichnet werden kann. Der Illustration dieses sehr komplexen und vielgestaltigen Prozesses versucht an erster Stelle die historischer Fragestellung verpflichtete Behandlung von Themen und Einzeltexten der Evangelienüberlieferung zu dienen, die als Inhalt von Teil I (Beitrag 1 bis 7) den Schwerpunkt dieses Bandes bilden. Außer den ausführlichen Nachträgen zu den Aufsätzen über die Taufperikope Mk 1,9-11 (I,4) und die eher noch umstritteneren Verse „Mt 16,17-19" (I,5) meinte ich, in dieser Rubrik auch der heutigen Diskussion um das heilsmittlerische Todesverständnis Jesu einen eingehenderen Nachtrag schuldig zu sein (I,6). Die eingangs diskutierte Suche nach dem inneren Gefüge der Gottes- und Gottesreichverkündigung Jesu (I,1) ist hier schon deshalb am Platz, weil vor allem der ursprüngliche Stellenwert der Zukunftsaussagen Jesu zur Debatte steht, speziell auch die Frage, ob Jesus nur vom künftigen Kommen der Gottesherrschaft sprach oder die synoptische Überlieferung ihn zu Recht auch und schon deren Vorwirken behaupten läßt, Jesus selbst „die königliche Herrschaft Gottes" also doch als Inbegriff des Gegenwart und Zukunft umfassenden endzeitlichen Heilshandelns Gottes verstanden hat.

Die der Verkündigung Jesu vom Anbrechen der Gottesherrschaft anhaftende Naherwartung, deren Relativierung auch ein Anliegen des unter I,1 besprochenen genialen hermeneutischen Entwurfs ist, wurde neu inspiriert durch die auf dem Osterglauben gründende Erwartung der Parusie Christi zu Gericht und Heilsvollendung. Daraus ergeben sich zwei weitere Fragen zur Wirkungsgeschichte: Was läßt sich anhand des letzten uns erhaltenen Paulusbriefes über den Intensitätsgrad dieser Erwartung ausmachen? (II,1). Welche Bedeutung hat sodann die Vorstellung von der andringenden Nähe der Heilsvollendung für die Gültigkeit und Motivierung der ethischen Forderungen und Mahnungen des Apostels? (II,2).

Die Verpflichtung auf die von den Aposteln als heilsgeschichtlich einmaligen Offenbarungsempfängern vermittelte und ausgelegte Christusbotschaft wird uns authentisch durch Paulus bezeugt. Von zentraler Bedeutung für das ökumenische Bemühen ist die Beantwortung der Frage, wie sich die Verwiesenheit auf die Norm des Apostolischen in den sich selbst überlassenen Christengemeinden der 2. und 3. Generation auswirkte. Inwieweit und in welchem Sinne lassen die anerkannten Paulusbriefe selbst sowie die nachpaulinischen Schriften eine Legitimierung der Entwicklung ekklesialer Funktionen und Gemeindestrukturen erkennen? (III,1). Ein neuralgischer Punkt ist die Frage der personalen apostolischen Amtssukzession, wie letztlich ein neu ansetzender Versuch bestätigt, die Verbindlichkeit und Legitimität episkopaler Lehrvollmacht mit der Existenz bzw. der Verbindlichkeit des Kanons urchristlicher Schriften zu begründen (Nachtrag zu III,1). Für die speziellere Diskussion des Petrusamtes ist schließlich von Belang, welche Relevanz der Wahl des Verfassernamens „Petrus" für die Bewertung der Lehrautorität des Urapostels, nämlich zur Zeit der Abfassung von 2 Petr, zuzuerkennen ist (III,2).

Unter dem Aspekt „Wirkungsgeschichte" verdient diese späteste neutestamentliche Schrift noch in anderer Hinsicht Beachtung. Zum einen verweist sie auf eine Periode, in der man zur Bewahrung und Sicherung des Glaubensgutes im Jetzt und für die Folgezeit nach schriftlichen Zeugnissen apostolischer Überlieferung Ausschau hielt: die zur Kanonisierung urchristlicher Schriften führende Tendenz meldet sich zu Wort (IV,1). Zum anderen entzündet sich besonders an 2 Petr die Streitfrage, was sich aus diesem Schreiben hinsichtlich der Befähigung und der Befugnis zur Schriftauslegung an sicheren und möglichen Folgerungen erheben läßt (IV,2).

Ich wollte diese Auswahl von hier durchgesehenen jüngeren Studien, die überwiegend neuralgische Punkte derzeitiger neutestamentlicher Forschung ansprechen, nicht vorlegen, ohne zu einigen Beiträgen die zwischenzeitliche Diskussion in eingehenden „Nachträgen" aufzuarbeiten.

Inhalt

I
Verkündigung Jesu und Jesusüberlieferung

1

„Theo-logie" und „Eschato-logie" in der Verkündigung Jesu?*

Welchen Sinn und Stellenwert hat die Gottesreichpredigt Jesu in unserer, durch den Osterglauben bestimmten Situation? Können wir jene überhaupt noch als appellierenden Zuspruch und Anspruch übernehmen und ernst nehmen? In welchem Sinn läßt sich eine Weiterverkündigung der nicht in Erfüllung gegangenen Naherwartung Jesu verantworten? Das sind unbestreitbar die meistbedrängenden und darum aktuellsten Fragen, die wir heute an die Verkündigung Jesu stellen. Ein sinnvolles Bemühen um ihre Beantwortung setzt indes nach wie vor die Besinnung auf das Verständnis Jesu selbst bzw. den Versuch einer Klärung des historischen Befundes voraus − eine Voraussetzung, die gerade auch neuesten Beiträgen zu unserer Thematik selbstverständlich ist[1]. Vorschläge zur Erhebung und Lösung des hermeneutischen Problems der Verkündigung Jesu können deshalb des Interesses sicher sein, zumal wenn sie eine spürbare Entschärfung des eschatologischen Problems anbieten, wie es im vielzitierten Beitrag von H. Schürmann (1954) geschah[2]. R. Schnakkenburg, dem wir m. W. die erste wohlabwägende Stellungnahme zu Schürmanns Versuch verdanken, beobachtete gut, daß es Schürmann „um den ‚Stellenwert' (wie man sagen könnte) der eschatologischen Texte" geht und er diese „gegenüber den eigentlichen ‚theo-logischen' Aussagen herabsetzen" möchte[3].

Entgegen anderen „Aufteilungen" der Predigt Jesu wie R. Bultmanns Unterscheidung von Eschatologie und Ethik oder der von H. Conzelmann vorgeschlagenen Dreiteilung (Gottesanschauung − Eschatologie − Ethik) wird das hermeneutische Problem der Verkündigung Jesu nach Schürmann sachgerecht

---

* Erstveröffentlichung des hier durchgesehenen Beitrags: J. GNILKA (Hrsg.), Neues Testament und Kirche, FSR. Schnackenburg (Freiburg i. Br. 1974) 371 – 398.
[1] Vgl. vor allem G. KLEIN: „Reich Gottes" als biblischer Zentralbegriff: EvTh 30 (1970) 642 – 670. bes. 659ff.; SCHMITHALS, W.: Jesus und die Weltlichkeit des Reiches Gottes, in: Jesus Christus in der Verkündigung der Kirche (Neukirchen-Vluyn 1972) 91 – 117; GRÄSSER, E.: Die Naherwartung Jesu (SBS 61) (Stuttgart 1973) bes. 125 – 141.
[2] Das hermeneutische Hauptproblem der Verkündigung Jesu. Eschato-logie und Theo-logie im gegenseitigen Verhältnis. Erstmals erschienen in: Gott in Welt. Festgabe für K. Rahner, hrsg. von J. B. Metz u.a. Bd. I. (Freiburg i. Br. 1964) 579 – 607. Soweit nicht ausdrücklich auf die Originalveröffentlichung verwiesen wird, ist im folgenden zitiert nach SCHÜRMANN, H.: Traditionsgeschichtliche Untersuchungen zu den synoptischen Evangelien (Düsseldorf 1968) 13 – 35. Zur Illustration seiner Hypothese zum gegenseitigen Verhältnis von Eschato-logie und Theo-logie Jesu vgl. auch SCHÜRMANNS Aufsatz „Eschatologie und Liebesdienst in der Verkündigung Jesu", in: Vom Messias zum Christus. Die Fülle der Zeit in religionsgeschichtlicher und theologischer Sicht, hrsg. von K. Schubert (Wien 1964) 203 – 232.
[3] In dem „Zur jüngsten Diskussion" betitelten Nachtrag (249 – 262) der 4. Aufl. seines Buches „Gottes Herrschaft und Reich" (Freiburg i. Br. 1959) 253.

gestellt durch die Unterscheidung zweier Aussagereihen: „Eschato-logie und Theo-logie" (25). „Das gespannte Nebeneinander von eschato-logischer und theo-logischer Gottesoffenbarung" lautet deshalb die Überschrift seines ersten Abschnitts (15 – 26). In ihrem „Nebeneinander", das bestehen bleiben müsse, können die beiden Aussagereihen aber „nur verstanden werden, wenn in der Gesamtverkündigung Jesu für sie ein Beziehungspunkt aufweisbar ist, in dem sie zu einem zentrierten Miteinander finden" (27). Diesem Aufweis dient der zweite Abschnitt: „Das zentrierte Miteinander der eschato-logischen und theo-logischen Aussagen in der Verkündigung Jesu" (27 – 34). Nachdem mit K. Rahner das Sohnes-Bewußtsein Jesu als der „Einheitspunkt" bezeichnet wurde, „der die beiden Aussagereihen der Verkündigung Jesu von einer Mitte her zusammenhält und ‚psychologisch' verständlich macht" (30), fragt Schürmann weiter, ob hinter dem Sohnesbewußtsein Jesu „auch im ‚Ontologischen' eine Mitte gefunden werden kann, von der aus sich beide Aussagereihen als Notwendigkeiten erweisen" (31). Dieser hintergründige Einheitspunkt, in dem „sowohl alle eschato-logischen wie alle theo-logischen Aussagen wurzeln und zusammengehalten sind", wird im „Da-Sein des Sohnes" gefunden (34).

I

Diese originelle Hypothese wurde in der Literatur immer wieder sehr wohl als „beachtlich", „wichtig" und dergleichen bezeichnet. Es wird jedoch kaum verraten, worin diese Bedeutung konkret besteht. Das dürfte auch damit zusammenhängen, daß es nicht leicht ist, die Auffassung und Beweisführung des Verfassers auf Anhieb in allen Details exakt zu erfassen und wiederzugeben. Es sei deshalb zunächst versucht, unter diesem Aspekt einige Gesichtspunkte zu analysieren.

1. Äußerlich fallen zunächst terminologische Eigentümlichkeiten auf. Schürmann begnügt sich nicht damit, von „*eschato*-logischen und *theo*-logischen Aussagen" (15; 27 u. ö.) bzw. kurz von „*Theo*-logie" und „*Eschato*-logie" (21) in der Verkündigung Jesu zu sprechen. Darüber hinaus unterscheidet er zwischen „Gottes-*Offenbarung*" und „eschatologischer *Verkündigung*" (31; Zeile 2 f.), sogar zwischen „*theo*-logischer *Gottesoffenbarung*" und „eschatologischer Verkündigung" (15. 31) oder auch zwischen „der eschatologischen Gesamtverkündigung" Jesu und seiner „unerhört *theozentrischen Gottesoffenbarung*" (30 f. Anm. 91). Dem entspricht die weitere Unterscheidung zwischen „Gottes-*Offenbarung*" und „Basileia-*Verkündigung*" Jesu (15; 22 viermal); bzw. zwischen „Gottes-*Offenbarung*" und „Basileia-*Kunde*" (33). Der Begriff „Offenbarung" wird also auf die „eschatologischen" Aussagen bzw. auf das Reden von der „Basileia" nicht angewandt sondern bleibt den „theo-logischen" Aussagen reserviert. Es fällt auch auf, daß in den zahlreichen Gegenüberstellungen der beiden Aussagereihen der Ausdruck „Basileia *Gottes*" bzw. „Herrschaft *Gottes*" vermieden wird.

Schon diese Terminologie ist natürlich dazu angetan, den Eindruck zu erwecken und zu bekräftigen, im Sinne Jesu sei prinzipiell zwischen theo-logischen und eschato-logischen Aussagen zu unterscheiden und den theo-logischen Aussagen als „Gottes-Offenbarung" ein anderer Rang zuzuschreiben als den eschato-logischen Aussagen bzw. der Basileia-Verkündigung.

a) Ist diese Terminologie aber auch sachlich gerechtfertigt? Jesus selbst meinte jedenfalls stets und betont die Basileia *Gottes*. Und die Reservierung des Begriffes „Offenbarung" für die von ihm als „Theo-logie" bezeichnete Aussagereihe wird auch von Schürmann selbst der Sache nach nicht durchgehalten. Er spricht (S. 32) davon, daß Gottes absolutes Herr-Sein auch in seinem einstigen Kommen als Richter „sich offenbart" und sein gütiges Vater-Sein auch „darin, daß nun in Jesus Christus Gottes Gnade und Heil gegenwärtig ist". Beide Offenbarungsweisen werden daselbst als „seine (= Gottes) eschatologische Offenbarung" zusammengefaßt, auf die wir auch „entscheidend" angewiesen seien, „um Gottes Wesen zu erkennen" (32). Freilich versteht Schürmann bei seiner Redeweise von „der eschatologischen Offenbarung Gottes" den Genitiv „Gottes" subjektiv; während er also in bezug auf das „eschatologische Handeln Gottes" vom Sich-offenbaren Gottes spricht, bezeichnet der mit „Theo-logie" wechselnde Ausdruck „Gottes-Offenbarung" das durch Jesus erfolgende Offenbaren Gottes. Diese verbale Unterscheidung kann indes nicht mehr als Scheinwert beanspruchen. Denn die „Eschato-logie" Jesu, die „eschato-logische" Aussagereihe hat ja auch nach Schürmann „die eschatologische Offenbarung Gottes" zum Inhalt, „das eschatologische Werk Gottes" (wie diese im gleichen Zusammenhang genannt wird), das Sich-offenbaren der „Wirklichkeit" Gottes in seinem „Kommen" (32). Deshalb sei schon hier die Feststellung erlaubt: der Umstand, daß Schürmann in seinen thematischen Formulierungen der „Doppelpoligkeit" der Predigt Jesu den Begriff „Offenbarung" für die „theologischen" Aussagen reserviert, denselben jedoch den „eschatologischen" Aussagen bzw. der Basileia-Verkündigung Jesu vorenthält, kann aufgrund seiner eigenen Ausführungen nicht schon als echtes Argument dafür gelten, daß die Doppelpoligkeit der Predigt Jesu durch die beiden Aussagereihen „Eschato-logie und Theo-logie" bzw. „eschato-logische Verkündigung" und „Gottes-Offenbarung" „gültig" bestimmt wird (25. 27).

b) Darüber darf man aber die unseren Verfasser leitende Absicht nicht übersehen. Obgleich Gottes Herr- und Vater-Sein ihm zufolge (32) auch aus „der eschatologischen Offenbarung Gottes" erkannt wird – „denn auch und vorzüglich im eschatologischen Handeln Gottes offenbart sich seine überweltliche Wirklichkeit" –, hat es in Schürmanns Konzeption seinen guten Grund, speziell die von ihm als „theo-logisch" gekennzeichnete Aussagereihe als „Gottes-Offenbarung" = als durch Jesus erfolgende Offenbarung Gottes zu qualifizieren.

Ausgehend von der bekannten Beobachtung, daß die sittlichen Appelle Jesu weithin nicht mit der Nähe der Basileia, nicht eschatologisch begründet werden, sondern von der Heiligkeit und Güte Gottes her (22ff.), betont Schürmann, daß Jesu Wort „nicht mehr nur eschatologische Verkündigung (ist), die in die Entscheidung stellt", sondern neben sie „die Offenbarung der wahren Wirklichkeit Gottes" tritt (24f.). Hinter der Forderung Jesu – „mag sie auch akzidentell eschatologisch begründet sein" – werde ein „Vor-Wissen" Jesu um die absolute Heiligkeit und die Güte Gottes deutlich, das Jesus zur Eschato-logie drängt, zur Verkündigung „des nahenden Königtums" wie zur Botschaft „von einer gnädigen Vorankunft Gottes, vom Anbruch der Erfüllung" (23 f. 32)[4]. Gegenüber E. Gräßer, der angesichts nicht-eschatologischer Motivierungen in der Botschaft Jesu meint, die Eschatologie stehe doch überall im Hintergrund, erklärt Schürmann deshalb: „Dieses Urteil verkennt die Wirklichkeit, die Jesus als absoluten Herrn und Vater offenbart, unabhängig von der eschatologischen Stunde!"[5] In seinem späteren Aufsatzband ersetzt er „*unabhängig von* der eschatologischen Stunde!" durch „*gewiß nun in* der eschatologischen Stunde!" (24 Anm. 61). Diese Korrektur ist nur konsequent, da er selbst eindeutig und nachdrücklich die eschatologische Stunde mit Jesus da sein läßt[6]. Diese Korrektur ändert aber nichts am Sinn seiner Replik, nämlich an seiner Überzeugung, „in der Verkündigung Jesu die eschatologische Botschaft und die Offenbarung Gottes als des Herrn und Vaters (trotz aller gegenseitigen Durchdringung) *auseinanderhalten* zu müssen und von der Christologie her verstehen zu dürfen . . ."[7]. Recht und Notwendigkeit dieser Unterscheidung ist nach Schürmann letztlich mit Jesu Gottes-Verkündigung selbst gegeben: „Wenn Jesus aber Gottes Herr- und Vater-Sein nicht nur am eschatologischen Werk Gottes sichtbar macht, sondern auch an der Schöpfung und der waltenden Vorsehung Gottes und seinen absoluten Forderungen, dann zeigt das, daß Gott für Jesus größer ist als sein eschatologisches Werk und daß neben, hinter und über der eschatologischen Verkündigung auch theologische Seinsaussagen erfaßt werden müssen, wenn wir Jesu Wort ganzheitlich und unverkürzt verstehen wollen" (32). „Theo-logische" Aussagen im Sinne der hier befürworteten „Doppelpoligkeit" der Verkündigung Jesu haben somit den „eschato-logischen" Aussagen voraus, daß Jesus in jenen das „Sein" Gottes „offenbart" – im Unterschied zum eschatologischen Handeln Gottes, daß er den „seienden" Gott zu erkennen gibt – im Unterschied zum „kommenden" Gott (32 f.). Und diese „ontische Aussagereihe" darf der „eschatologischen" nicht geopfert werden, weil nur eine Theologie, die Gottes Herr- und Vater-Sein seinem „Kommen" und „Gekommensein" „radikal vorzuordnen wagt und dieses von jenem her versteht", dem in Jesu Wort aufleuchtenden vorgängigen „Vor-Wissen" um Gottes Sein gerecht wird (32). Da ja auch Aussagen vom eschatologischen Handeln Gottes unbestreitbar „theo-logische" Aussagen sind, will Schürmann durch die Qualifikation der „theo-logischen" Aussagen als „Gottes-Offenbarung" die sachliche Besonderheit der theo-logischen Aussagen (als Aussagen vom Sein Gottes) sowie den (logischen und sachlichen) Vorrang derselben gegenüber den eschato-logischen zum Ausdruck bringen.

2. Zum Zweiten empfiehlt sich eine Besinnung auf den Inhalt der „eschatologischen" Aussagereihe.

---

[4] Vgl. in diesem Sinne auch: Eschatologie 211 ff.

[5] Originalfassung 593 f. Anm. 61.

[6] Vgl. auch: Eschatologie 214: „Die eschatologische Stunde ist für Jesus nicht primär die letzte Frist vor dem nahenden Ende (wie Lk 12, 57 ff. zunächst lehren könnte), sondern viel grundlegender zuerst einmal die Stunde des schon angebrochenen Heils."

[7] Eschatologie 230 Anm. 50. Die Hervorhebung stammt von mir.

a) Bei seiner Formulierung wie bei seiner Lösung des hermeneutischen Hauptproblems der Verkündigung Jesu stellt Schürmann den „theo-logischen Aussagen" = „der Gottes-Offenbarung" sowohl die „eschato-logischen Aussagen" = „die Eschato-logie" als auch „die Basileia-Verkündigung" u. ä. gegenüber. Da er stets zwei und nur zwei Aussagereihen statuiert, entsteht immer wieder der Eindruck, „Eschato-logie" sei gleichbedeutend mit „Basileia-Verkündigung". So vor allem bei der thematischen Formulierung zu Beginn des Abschnitts I 2, die der weitverbreiteten − nach Ansicht des Verfassers inadäquaten − Aufteilung der Verkündigung Jesu in „Eschatologie und Ethik" die These entgegensetzt: „es bekundet sich vielmehr im Worte Jesu ‚Eschatologie und Theo-logie', da es Mitteilung vom Kommen der Basileia und solche von Gott macht, wie wir nunmehr (a) *negativ* in Auseinandersetzung und (b) *positiv* dartun wollen" (21). Während „Theo-logie" hier identisch ist mit Mitteilung von Gott, ist „Eschato-logie" offensichtlich gleichgesetzt mit der „Mitteilung vom Kommen der Basileia", mit „Jesu Botschaft von der nahenden Basileia" (19). Nachfolgende Formulierungen sprechen nicht weniger für dieselbe Gleichsetzung. So der Satz, „das eigentliche Problem" sei „nicht jene Dreiheit" H. Conselmanns, „sondern die *Zweiheit Basileia-Verkündigung* und *Gottes-Offenbarung,* die beide hinter Jesu sittlichen Forderungen stehen" (21 f.). Kurz darauf begegnen folgende zwei Formulierungen. Einmal: auf dem Weg der Erforschung der Motivation und der Voraussetzungen der sittlichen Botschaft Jesu „dürfte zu erkennen sein, ob Basileia-Verkündigung oder Gottes-Offenbarung, ob Kerygma oder Homologese das Denken Jesu zentraler bestimmen" (22); sodann: „In der Predigt Jesu sind zwei Aussagereihen zu unterscheiden − wir dürfen sagen: eine eschato-logische und eine theo-logische, Kerygma und Homologese" (22). Der Gottes-Offenbarung = der theo-logischen Aussagereihe als „Homologese" wird somit in beiden Sätzen die Basileia-Verkündigung und die eschatologische Aussagereihe als „Kerygma" gegenübergestellt. Auch das scheint nach ungezwungenem Verständnis für die sachliche Identität von „Basileia-Verkündigung" und „eschatologischer Aussagereihe" zu sprechen.

Trotzdem dulden Schürmanns Ausführungen jedenfalls keinen Zweifel, daß sich die „Doppelpoligkeit" der Predigt Jesu mit der Zweiheit von „Theologie" = „Gottes-Offenbarung" einerseits und „Basileia-Verkündigung" u. ä. andererseits keineswegs ausreichend bestimmen läßt. Wie bereits die unter 1 a angeführten Äußerungen zum Begriff „der eschato-logischen Offenbarung Gottes" zeigten, benötigt und verwendet er „Eschato-logie", „eschato-logische Aussagen" als den umfassenderen Begriff. So selbstverständlich Jesu Botschaft von der Basileia für ihn eine eschatologische Aussage ist, bezeichnet er es als falsch, „wenn man die Basileia mit dem Eschaton identifiziert" (33 f. Anm. 105). Die Nicht-Identifizierung der „Eschato-logie" Jesu mit seiner „Basileia-Verkündigung" o. ä. ist für ihn sogar ein wesentliches Postulat, wie nachher an seiner Auffassung vom Verhältnis der Gegenwart und Zukunft des Eschatons zu beobachten ist (2 b).

Das kann auch nicht dadurch zweifelhaft werden, daß das gegenwärtige und zukünftige eschatologische Handeln Gottes mit demselben Begriff des „Kommens" Gottes beschrieben wird, und manche diesbezügliche Formulierungen an Unschärfe leiden. So beginnt der abschließende passus von II. 2b, in dem es um die radikale Vorordnung der theo-logischen Aussagen vor die eschatologischen geht, mit dem Satz: „Der transzendente Gott, der ‚ist' und der da ‚kommt', ist es, der die theo-logischen und die eschato-logischen Aussagen zusammenbindet" (32). Der passus schließt mit dem Satz: „Weil Jesus von dem Gott weiß, der da transzendent ‚ist' und der begnadigend und richtend ‚kommt', gibt es die beiden Aussagereihen in der Botschaft Jesu, Gottes-Offenbarung und Basileia-Kunde – und zwar beides im Mit- und Ineinander" (33). Insofern Schürmann Jesu „Basileia-Kunde" „ein aus und auch noch in der Zukunft zukommendes Heil und Gericht . . ., den als Retter und Richter in die hiesige und jetzige Welt kommenden Gott" ansagen läßt (19), ist in diesem letzten Satz (33) bei „kommt" sicher ausschließlich an das noch ausstehende „Kommen" Gottes, also an das Kommen der Basileia gedacht. Weniger eindeutig ist demgegenüber das nicht näher bestimmte „kommt" des ersten Satzes (32). Statt von „Basileia-Kunde" spricht dieser von „den eschato-logischen Aussagen". Insofern hier die weitere, die „Basileia-Kunde" einschließende Kategorie verwendet wird, könnte Schürmann bei dem „kommt" dieses ersten Satzes sowohl das „Gekommensein" Gottes in der Gegenwart Jesu als auch das noch ausstehende „Kommen" Gottes (nämlich im Kommen der Basileia) im Auge haben. Insofern im Voraufgehenden als Inhalt der eschatologischen Offenbarung das „Kommen" und das „Gekommensein" Gottes unterschieden wurden (32), ist es auch möglich, wenn nicht gar wahrscheinlich, daß er ausschließlich das Kommen Gottes in Jesus, also Gottes „Gekommensein" im Blick hat, im Unterschied zum zweiten Satz, der sicher das noch ausstehende Kommen Gottes meint. Für diese Auslegung würde auch sprechen, daß er im gleichen Kontext hinsichtlich des Inhalts der eschatologischen Verkündigung Jesu unterscheidet zwischen „Gottes absolutem Herr-Sein", das sich in seinem künftigen Kommen „als Richter" offenbare, und dem „gütigen Vater-Sein" Gottes, das sich darin offenbare, „daß nun in Jesus Gottes Gnade und Heil gegenwärtig ist" (32).

b) Im Zusammenhang mit seiner Differenzierung zwischen Gegenwärtigkeit und Zukünftigkeit des eschatologischen Geschehens und Heils betont Schürmann sodann stark Jesu Deutung der eschatologischen Stunde als „Heilsgegenwart"[8], als die Gegenwart des Eschatons. So auch in seinem zusammenfassenden Satz über „die charakteristische Eigenart der Botschaft Jesu, welche die Vorankunft, die Gegenwart des Eschatons und zwar in der Form der Vergebung und des Heils proklamiert . . ." (33). Damit stellt sich die Frage, wie dieser Proklamation der Gegenwart des eschatologischen Heils nun die „Basileia-Verkündigung" Jesu zugeordnet wird. Da Schürmann „die Gegenwart des Eschatons" zugleich als „die Vorankunft" desselben kennzeichnet, scheint sich als Konsequenz die traditionelle Vorstellung vom „Anbruch" der freilich noch wesentlich zukünftigen, ausstehenden Gottesherrschaft na-

---

[8] S. 23; vgl. a.a.O. auch: „Wir sahen schon, daß Jesu eschatologische Verkündigung die Gegenwart betont und diese gegenwärtige Gegebenheit als Heil versteht."

hezulegen, zumal er in einer sehr aufschlußreichen Anmerkung (S. 33 Nr. 105) selbst davon spricht, daß sich die noch ausstehende Basileia in den Worten und Zeichen Jesu wirkmächtig ansage. Diese Folgerung wäre aber falsch, da er der vorherrschenden Hypothese von einem „Anbruch" der Gottesherrschaft offensichtlich gerade nicht beipflichten will. Nicht etwa aus der Sorge, die Gegenwart Jesu würde dadurch ungebührlich als „Heilsgegenwart" qualifiziert werden; vielmehr deshalb, weil jene Hypothese seines Erachtens „das eigentliche eschatologische Faktum" gar nicht in den Blick bekommen hat. Und das ist „das Gekommen-Sein und Da-Sein Jesu" als „des Sohnes". „Jesu Gekommensein ist das eigentliche eschatologische Faktum, in welchem Gott der Welt wesenhaft nahe gekommen ist, und in welchem sein noch zukommendes Kommen gründet und garantiert ist" (34). Deshalb der Satz: „Weil Jesus ‚gekommen' ist, ist letztlich das eschatologische Heil Gegenwart, ist Erfüllungszeit" (33).

Deshalb versteht Schürmann „die Vorankunft, die Gegenwart des Eschatons", die mit „der Erfüllungszeit" gleichbedeutend ist, nicht als Sich-Anzeigen, als Wirksamwerden der Basileia, sondern als die „gnädige Vorankunft Gottes" im Sohn[9]. Deshalb erklärt er: Jesu Proklamation „der Vorankunft", „der Gegenwart des Eschatons" und zwar in der Form der Vergebung und des Heils, „ist letztlich vorentworfen, verankert und garantiert im Sohn-Sein Jesu, in welchem Gott der Welt als der Vater und Herr gewaltig ‚nahe' ist" (33). Weil dem Autor daran liegt, die von Jesus proklamierte Gegenwart des eschatologischen Heils an sein „eigentliches eschatologisches Faktum" zurückzukoppeln, also aus dem Gekommen-Sein und Da-Sein des Sohnes herzuleiten und in diesem zu verankern, „muß man H. Conzelmann beipflichten, wenn er sich sträubt, Jesus eine ‚Präsenz des Gottesreiches' zuzuschreiben"; es entstehe aber wieder ein Fehler, „wenn man die Basileia mit dem Eschaton identifiziert. In der Verkündigung Jesu meint ‚Basileia' – einige scheinbare Ausnahmen wären freilich zu besprechen – die noch ausstehende endgültige Totalverwirklichung des Eschatons, nicht aber dieses selbst. Mit Jesus ist das Eschaton, die ‚Erfüllung der Zeit', da, die Basileia dagegen steht ‚nahe bevor' (vgl. Mk 1, 15)" (33 Anm. 105). Aus dem gleichen grundlegenden Interesse, alle eschatologischen Aussagen im Da-Sein „des Sohnes" zu verwurzeln[10], erklären sich schließlich die unmittelbar anschließenden Sätze, die „den Worten und Zeichen" Jesu höchst überraschend eine „doppelte", nämlich recht unterschiedliche eschatologische Effizienz zuschreiben: „Das Eschaton ist der Welt mit dem Gekommen-Sein und Da-Sein Jesu gegeben. In Jesu Wort und in seinen Zeichen bekundet sich dieses sein Da-Sein doppelt: Der Anbruch der eschatologischen Erfüllungszeit kommt uns in den Worten und Zeichen Jesu zu, und die noch ausstehende Basileia sagt sich in ihnen wirkmächtig – und im Gekommen-Sein Jesu garantiert – an" (33 Anm. 105). Schürmann legt

---

[9] „. . . nur von dem Vor-Wissen um Gottes Vater-Sein her versteht sich die Eschatologie Jesu, sofern sie von einer gnädigen Vorankunft Gottes, vom Anbruch der Erfüllung des verheißenen Heiles weiß" (32).

[10] Mit dem betont christologischen Interesse geht offensichtlich das Interesse an einer möglichen Lösung des Naherwartungsproblems Hand in Hand: s. u. 4.

also Wert darauf, den „Anbruch der eschatologischen Erfüllungszeit" = „die Gegenwart des Eschatons" nicht als „Vorankunft" der Gottesherrschaft zu verstehen, nicht mit der sich wirkmächtig ansagenden Gottesherrschaft gleichzusetzen[11] und auf diese Weise die ihm angelegene Vorstellung der strikten Zukünftigkeit der Basileia nicht zu gefährden. Dadurch sieht er sich eben imstande, den „Anbruch der eschatologischen Erfüllungszeit" = „die Gegenwart des Eschatons" explizit christologisch zu begründen, nämlich mit dem „Sohn-Sein" Jesu.

II

Auf exegetischer Ebene ist Schürmanns Entwurf sicher mit der am meisten anregende, aber auch mutigste Versuch, dem inneren Gefüge der Verkündigung Jesu auf die Spur zu kommen. Indem er von der „Eigenständigkeit der *theologischen* Aussagereihe neben der eschato-logischen" (31) ausgeht und im Da-Sein des Sohnes den Beziehungspunkt erblickt, von dem aus sich die beiden Aussagereihen verstehen, nämlich zugleich als Einheit begreifen lassen, geht es seinen eigenen Worten zufolge letztlich um ein am „christologische(n) Dogma der Kirche" orientiertes Schriftverständnis (35), um „die Wirklichkeit der Gottessohnschaft Jesu"[12], um eine Christologie, die „nicht nur um die ‚Bedeutung', sondern auch um ein ‚Sein' Christi weiß, und die darum . . . auch Christus-Homologese (und damit christologische Lehre) ist"[13]. Wen er als eigentlichen Kontrahenten im Auge hat, wurde in der Originalfassung besonders deutlich gesagt: „Wer nicht geneigt ist, sich dem Totalitarismus der mit hermeneutischem Absolutheitsanspruch auftretenden existentialen Interpretation bedingungslos zu beugen, wird das Nebeneinander der beiden Aussagereihen im Worte Jesu . . . unverkürzt bestehen lassen", was eben nur durch den Aufweis eines gleichzeitigen „zentrierten Miteinander" ermöglicht werde[14]. Gerade diese Betonung des „Mit- und Ineinander" (33) der beiden Aussagereihen wirkt bestechend, insofern sie das vorgängig − nämlich bei der Problemstellung − behauptete „gespannte Nebeneinander" der beiden Aussagereihen aufzuheben oder doch für sachlich geringfügig zu erklären scheint[15].

Trotzdem melden sich einige Fragen zu Wort. Sind die erzielten Ergebnisse nicht doch durch zweifelhafte Überakzentuierungen gut begründbarer Sachverhalte erkauft? Läßt sich das hier für Jesus beanspruchte Verständnis von

---

[11] Auch die Formulierung: „Jesus verkündet nicht nur das baldige Kommen des Königtums und den schon eingetretenen Anbruch der Erfüllungszeit . . ." (25) bestätigt diese Unterscheidung.

[12] Eschatologie 230 f. Anm. 52.

[13] Eschatologie 230 Anm. 50.

[14] Hauptproblem 597.

[15] Diesen Eindruck bestätigt auch R. Schnackenburg. Seiner Warnung, die Verkündigung Jesu nicht „wieder in zwei Reihen von unverbunden nebeneinanderstehenden Texten . . . auseinanderfallen zu lassen", läßt er den Satz folgen: „Aber wenn man mit Schürmann das ‚zentrierte Miteinander der eschato-logischen und theo-logischen Aussage in der Verkündigung Jesu' betont (597ff.), wird man darin tatsächlich einen entscheidenden hermeneutischen Ansatz zur Lösung des ‚eschatologischen Problems' erblicken dürfen" − womit freilich das Problem der „Naherwartungs-Texte" noch nicht gelöst sei: Gottes Herrschaft 253.

Gegenwärtigkeit und Zukünftigkeit des Eschatons aus der Überlieferung einigermaßen überzeugend begründen? Kann bereits der Ausgangspunkt, also die Problemstellung, voll überzeugen? Ist es glücklich, die Problematik der Predigt Jesu in „dem gespannten Nebeneinander" von eschato-logischen und theo-logischen Aussagen zu erblicken?

1. Zunächst zur Problemstellung. Zweifellos will Jesus „die wahre Wirklichkeit Gottes", des Gottes des Alten Testaments verkünden. Auch für Jesus war Gott sicher immer schon der absolute Herr und gütige Vater − nicht erst jetzt, da er ihn seinen Zeitgenossen nahebringen will − und wird dies in alle Zukunft sein. Insofern verdienen Sätze wie folgender volle Zustimmung: „Gott ist nicht ‚Herr' und ‚Vater', weil er sich als der ferne und nahe Gott eschatologisch offenbart, sondern er ist das wesenhaft vor und nach aller eschatologischen Offenbarung" (32). Ebenso selbstverständlich ergibt sich aus der wahren Wirklichkeit Gottes für Jesus die Forderung des „wirklichkeitsgerechte(n) Verhalten(s)". Und es ist ja gar nicht anders zu erwarten, als daß die sittlichen Weisungen Jesu „zuinnerst und wesentlich von der Theozentrik her bestimmt (bleiben)" (24).

Blicken wir auf eine Wortgruppe, die Schürmann zur Rechtfertigung der Unterscheidung zwischen „Gottes-Offenbarung" = „Theo-logie" und „Eschato-logie" Jesu geltend macht, nämlich auf Worte vom Schöpfergott und seiner waltenden Vorsehung (32). Wenn man einmal von den Implikationen absieht, die er mit der Kategorie „Gottes-Offenbarung" verbindet, braucht die Verwendung des Begriffs „Offenbarung" übrigens nicht anstößig zu wirken. Mit dem Gedanken, daß die paradoxe Schöpfergüte die Sorge verbietet, weil diese die Angelegenheit des Vaters ist (Mt 6, 26 − 32 par), zieht Jesus eine „radikale Konsequenz . . . aus dem Schöpfungsglauben", die im Judentum sonst nicht gezogen wurde[16]. Ebensowenig hat unseres Wissens ein jüdischer Lehrer aus dem Vorsehungsglauben je das strikte Verbot der Furcht gefolgert, wie es Jesus in seinem Wort von den Spatzen und den Haupthaaren tut (Mt 10, 29 − 31 par)[17]. Konnten auch jüdische Lehrer ähnlich reden, wie es Jesus in dem Wort vom Vater tut, der seine Sonne aufgehen läßt über Böse und Gute und regnen läßt über Gerechte und Ungerechte (Mt 5, 45), ist doch „ungewöhnlich" „die Konsequenz, die Jesus für das menschliche Verhalten daraus zieht"[18], nämlich die Pflicht, ausgerechnet den Feind zu lieben[19], die Barmherzigkeit nachzuahmen, die Gott in seiner grenzenlosen Liebe auch gegenüber seinen Feinden walten läßt.

Gerade diese jüdisch ungewöhnlichen Folgerungen bezeugen durch die Relation zum Verhalten der angesprochenen Menschen aber nun doch den ganz und gar existentiellen Bezug dieser Aussagen über Gott. Diese geraten deshalb

---

[16] HAUFE, G.: Gott in der ältesten Jesus-Tradition, in: Die Zeichen der Zeit 24 (1970) 203.

[17] J. Jeremias weist darauf hin, daß es die Rabbinen als unehrerbietig ablehnen, „Gott mit etwas so Geringem wie kleinen Vögeln in Verbindung zu bringen": Neutestamentliche Theologie I (Gütersloh 1971) 178.

[18] HAUFE, Gott 203.

[19] Für sich genommen ist Lk 6, 36 (Mt 5, 48) Zitat eines jüdischen Satzes: vgl. denselben bei JEREMIAS, Theologie I 205 Anm. 39.

in eine schiefe Perspektive, wenn sie als Aussagen über das Sein Gottes, als „ontische Aussagereihe", qualifiziert werden (32), als ob es Jesus um das An-sich-Sein Gottes ginge. Wie stets, sieht Jesus auch hier Gott in seiner Beziehung zur Welt und zu den Menschen, was auch durch das hier vor allem begegnende „Vater" bzw. „euer Vater" unterstrichen wird. Was Jesus zum Aufleuchten bringen will, ist doch gerade das Handeln Gottes, das von einer überraschenden, ja unverständlich grenzenlosen Güte getragene Wirken Gottes an den Menschen und anderen Geschöpfen, um nämlich die Israeliten aufzurufen, aus dieser Liebe des sorgenden und barmherzigen Vaters zu leben, angesichts der Erfahrung dieser unbegreiflichen Güte die eigene Schuld und Gottesferne zu erkennen und Kraft zu gewinnen, Gottes Verhalten mit dem entsprechenden Verhalten zu beantworten.

Außer den Worten von Gottes Walten in Schöpfung und Vorsehung „einerseits" nennt Schürmann als Belege für die Eigenständigkeit der „theo-logischen" Aussagereihe Gottes „immer gültige Forderungen anderseits" (32). Natürlich gilt: „Hinter Jesu Weisungen leuchtet Gottes Heiligkeit und Herrlichkeit auf: Gott ist der absolute Herr und König" (23). Nur zielen eben auch die ethischen Weisungen nicht auf das Wesen Gottes, auf „theologische Seinsaussagen" ab. Auch Schürmann selbst gibt sich damit zufrieden, Jesu ethische Forderungen „indirekt Gottes-Offenbarung" wiedergeben zu lassen; sie „wollen deutlich werden lassen, wer Gott ist, indem sie sagen, was er als Gott alles fordern muß" (23). Keineswegs soll sodann der späteren Theologie das Recht abgesprochen werden, Jesu ethische Weisungen als Gottes „immer gültige Forderungen" zu verstehen. Sicher wird die Intention Jesu aber verfehlt, wenn man ihn einfach für alle Welt und nur mögliche Zeit geltende Forderungen Gottes mitteilen läßt. Denn darin hat R. Bultmann gewiß recht: es geht Jesus um das Hier und Heute. Mit allen „Forderungen", ob ihnen nun mehr ein Hinweis auf den gütigen, gnädig zuvorkommenden Vater oder mehr auf den absolut heiligen Gott zu entnehmen ist, will Jesus anerkanntermaßen die von ihm angesprochenen Israeliten mit diesem wirklichen Gott, seinem wirklichen Wollen und Verhalten konfrontieren. Alles Reden Jesu von Gott ist ja nun einmal Ruf zur „Umkehr", Aufforderung, sich ohne Wenn und Aber auf das von ihm verkündete Wollen und Verhalten Gottes einzulassen. Deshalb sollte man wohl darauf verzichten, anhand der von unserem Autor beanspruchten Redeinhalte Jesu sub titulo „theologische Seinsaussagen" oder „ontische Aussagereihe" die Eigenständigkeit einer als „theo-logisch" gekennzeichneten Aussagenreihe begründen zu wollen.

2. Müssen Theo-logie und Eschato-logie aber nicht doch aus einem anderen Grund auseinandergehalten werden? Stimmt es eben nicht doch, Jesus mache Gottes Herr- und Vater-Sein nicht nur „am eschatologischen Werk Gottes" sichtbar, und beruft sich Schürmann in dieser Hinsicht nicht doch mit Recht auf die erwähnten Schöpfungs- und Vorsehungsworte sowie auf Jesu Mitteilung der absoluten Forderungen Gottes? Insofern nämlich mit Recht, als die ethischen Appelle Jesu durchaus nicht immer mit der nahenden Basileia bzw. auch nur mit dem − mit dieser verbundenen − Gericht motiviert werden, sondern einfach mit dem unverstellten Willen und Verhalten Gottes (17−26; bes. 22 f.).

Die Wortgruppe von der alltäglichen Fürsorge Gottes für die Vögel des Himmels, die Lilien des Ackers und die Notdurft der Menschen erscheint mir freilich nicht geeignet als Beleg dafür, daß sich Gottes Herr- und Vater-Sein Jesus „auch vor, neben und hinter aller Eschatologie" offenbart (32). Es könnte sehr wohl „irreführend" sein, wegen des Auftauchens des Basileia-Begriffs die Vv. Mt 6, 31 – 33 als sekundäre Weiterbildung anzusehen[20]. Die Verbindung von ἡ βασιλεία τοῦ θεοῦ[21] mit ζητεῖν zählt zu den zahlreichen neuen Wendungen, die nach J. Jeremias, „auch bei Anlegen strenger Maßstäbe", „in der Ausdrucksweise der Zeitgenossen Jesu *keine* (auch keine profanen) Parallelen haben"[22]. Es darf also durchaus damit gerechnet werden, daß schon Jesus selbst das Verbot der Sorge auf die Mahnung zulaufen ließ: „Sucht ihr die Gottesherrschaft – und dies alles wird euch (nämlich von Gott) hinzugegeben werden". „Sich der alltäglichen Fürsorge Gottes zu überlassen und sich in gespannter Erwartung ganz auf die nahende Gottesherrschaft auszurichten, fällt also nach Jesu Anschauung ganz in eins zusammen."[23] Das entspräche völlig einer mehrfach bezeugten Radikalisierung der Appelle Jesu. „Die Forderung Jesu richtet ihren Stoß jeweils aktuell gegen das, was den Menschen bannt und hindert, die Entscheidung für die Gottesherrschaft zu fällen", weshalb eben auch „konkrete Opfer nötig (sind)"[24] – bis hin zur Zerreißung der familiären und geschichtlichen Bindungen, in denen die Menschen stehen.

Im übrigen ist es gar nicht so entscheidend, ob Jesus selbst z. B. das Verbot der Sorge ausdrücklich mit dem Streben nach der Gottesherrschaft verband. Hätte er es nicht getan, würde er mit der Aufforderung, sich durch die überraschend große Schöpfergüte „zu dem paradoxen Verhalten des Nichtsorgens" befreien zu lassen[25], ja nicht zum Nichtstun auffordern wollen sondern verlangen, „daß wir uns allererst zu freiem und wirksamem Tun befreien lassen", zu der wirklich „nötigen Aktivität"[26]. Worauf sich diese wirklich nötige Aktivität zu richten hat, kann vom Gesamtkontext der Umkehrforderung Jesu her aber nicht zweifelhaft sein. Der Gesamttenor der vor allem als genuin geltenden Jesus-Überlieferung läßt nicht bezweifeln, daß Jesus das Sich-einlassen des einzelnen auf den gnädig zuvorkommenden, gütig vergebenden wie heilig fordernden Gott als Bedingung des Eingehens in das Gottesreich, als die unerläßliche, aber auch einzige Voraussetzung für das Bestehen im kommenden Gericht und damit für die Erlangung des ganz und gar als Tat und Gabe Gottes verstandenen Heils der Gottesherrschaft verstanden hat. Aus diesem Grunde kann die Beobachtung, daß die ethischen Anrufe Jesu, wie z. B. die in der

---

[20] Schulz, S.: Q. Die Spruchquelle der Evangelisten (Zürich 1972) 154.
[21] Bzw. βασιλεία αὐτοῦ: das Lk 12, 31 fehlende καὶ τὴν δικαιοσύνην ist anerkanntermaßen matthäischer Zusatz.
[22] Theologie I. 41 f.; auch nach H.-T. Wrege ist Mt 6, 33 ursprünglicher Abschluß der Einheit: Die Überlieferungsgeschichte der Bergpredigt (Tübingen 1968). Vgl. 116 – 124.
[23] Wilckens, U.: Das Offenbarungsverständnis in der Geschichte des Urchristentums, in: Offenbarung als Geschichte (Kerygma und Dogma, Beih. 1) (1961) 55 Anm. 34.
[24] Wendland, H.-D.: Ethik des Neuen Testaments (NTD Ergänzungsreihe 4) (Göttingen 1970) 24.
[25] Haufe, Gott 203.
[26] Pesch, R.: Vorsicht vor der Vorsehung (Kleine Reihe zur Bibel 7) (Stuttgart 1969) 30.

Bergpredigt gesammelten, in der uns vorliegenden Überlieferung weithin ohne sichtbare Verbindung mit der Verkündigung der „Gottesherrschaft" erscheinen, nicht schon über die Stoßrichtung und den Zielzusammenhang der ethischen Forderungen Jesu entscheiden. Das gilt sogar unabhängig von Überlegungen, die auch in diesem Fall zur Vorsicht gegenüber Schlüssen e silentio mahnen können. So darf mit E. Schweizer vielleicht doch erwogen werden, daß ethische Anrufe, die bei Jesus noch eschatologischen Bezug hatten, von der Gemeindetradition häufig „als allgemeine Gebote Jesu" tradiert wurden[27]. Gerade an diesem Punkt muß m. E. auch die Situation mitveranschlagt werden, in die Jesus hinein sprach. Er stand nun einmal dieser zeitgenössischen, vor allem pharisäisch geprägten Gottesauffassung gegenüber, die in seinen Augen in größter Gefahr war, den wirklichen Gott und seinen Willen aus dem Auge zu verlieren, die Sünde nicht mehr eigentlich als Sünde, als Auflehnung gegen Gott in den Blick zu bekommen, die sodann Gott geradezu in die Rolle eines Schuldners des „Gerechten" drängte und ihm andererseits versagte, den Sünder barmherzig anzunehmen. Aufgrund seines Gottesbildes hatte Jesus somit allen Grund gehabt, mit größtem Nachdruck immer und immer wieder den unverstellten Gotteswillen auszulegen, Gott zu verkünden als den heiligen Herrn, der den Menschen ganz und ungeteilt fordert, vor dem sich jeder als Sünder bekennen, als auf seine Gnade angewiesen wissen muß, ja noch mehr, den unendlich gütigen Vater kundzumachen, der dem Sünder nachgeht und dem Reuigen ohne jede Vorleistung mit Freuden vergibt. Ist es angesichts dieser Situation nicht ein ungebührliches Verlangen, Jesus müsse − so ihm an der eschatologischen Ausrichtung lag − sozusagen jedem Ausspruch über den begnadenden und fordernden Willen Gottes den Hinweis auf das kommende Gericht bzw. auf die (kommende, nahegekommene, anbrechende) Gottesherrschaft hinzugefügt haben? Ist es, um noch einmal auf Jesu Verbot der Sorge zurückzukommen, nicht angebrachter, nach dem Grund zu fragen, der Jesus das doch völlig paradoxe Verbot der unerläßlichen Sorge um die alltäglichen Lebensbedürfnisse aussprechen ließ? Verständlich wird dieses Verbot doch erst dann, wenn Jesus eine für die Situation seiner Hörer entscheidende Wende im Auge hatte, die das übliche vordergründige Sorgen und Besorgen der Menschen gegenüber einem anderen Ziel ihres Bemühens zur Bedeutungslosigkeit herabmindert.

Eben Jesu Verkündigung und Verständnis einer solchen Wende liefert einen weiteren Aspekt, unter dem seine „Gottes-Offenbarung" bzw. der Versuch einer Unterscheidung zwischen „Theo-logie" und „Eschato-logie" Jesu zu sehen ist; desgleichen der weitere Versuch, zwischen der Proklamation der „Gegenwart des Eschatons" = des „Anbruchs der Erfüllungszeit" einerseits und der Gottesreichverkündigung Jesu andererseits zu unterscheiden. Diese wird schwerlich schon ausreichend definiert als Ansage der „noch ausstehende(n) Basileia" (33 Anm. 105), als „Botschaft von der nahenden Basileia" (19). Fast allgemein gilt heute die Bestreitung „präsentischer" Aussagen als unmöglich,

---

[27] SCHWEIZER, E.: Der Menschensohn (Zur eschatologischen Erwartung Jesu): ZNW 50 (1959) 186.

obwohl deren Anerkennung das Sich-Verrechnen Jesu hinsichtlich der zeitlichen Nähe der Gottesherrschaft nur noch verschärft und eine ent-futurisie-
rende Auslegung erschwert. Es wird sogar mit überraschender Betonung der
Gegenwärtigkeit von der „eigentümlich doppelgesichtigen Antwort" Jesu auf
die Frage nach dem Wann und Wo des Kommens der Gottesherrschaft gesprochen: „Die Gottesherrschaft steht nahe bevor und: sie ist da"[28]. Hätten deshalb „einige scheinbare Ausnahmen" (33 Anm. 105), die den Gedanken einer
dynamischen Präsenz der Gottesherrschaft zu erfordern scheinen, nicht doch
eine Besprechung verdient?

Selbstverständlich teilt Jesus die „Naherwartung". Insofern gilt das
ἤγγικεν ἡ βασιλεία τοῦ θεοῦ zu Recht als sachgemäße Zusammenfassung
der eschatologischen Botschaft Jesu – dies freilich nur in Verbindung mit
dem vorangestellten „die Zeit ist erfüllt" (Mk 1, 14). Denn für sich genommen bringt der Satz „die Gottesherrschaft ist nahe" den Grund, den – gegenüber
bisherigen Naherwartungen von Apokalyptikern und des Täufers – neuen
Grund für die Nähe der Basileia noch keineswegs zum Ausdruck. Und dieser
Grund ist nach ganz überwiegender und gut begründbarer Auffassung der
schockierende und alarmierende Anspruch Jesu, daß in seinem Wirken die
Gottesherrschaft (als Inbegriff des endzeitlichen Handelns Gottes und Heils)
anbricht[29]. Jesu Option für den dynamischen Begriff der Gottesherrschaft,
also für den Begriff des sich in actu ereignenden Königseins Gottes, dürfte
ganz wesentlich auch darin begründet sein, daß dieser Begriff die Vorstellung
von der Kontinuität göttlichen Handelns lieferte, welche ihrerseits die span-
nungsvolle Hinordnung des eschatologischen Jetzt auf das eschatologische
Dann ermöglichte – was der Begriff des „kommenden olam" nicht ermöglicht
hätte. Der genannte Anspruch Jesu kommt nicht nur, aber doch am eindeutig-
sten in Jesu eigener Interpretation seines exorzistischen Wirkens zum Ausdruck. Daß Jesus in den diesbezüglichen Worten (Lk 11, 20 par; 10, 18; Mk 3,
27 par) dem zeitgenössischen Dualismus folgt, kann weder das Faktum noch
das völlige Novum[30], ja die Paradoxie dieses Anspruchs[31] in Frage stellen. Die
Präsenz der Gottesherrschaft als befreiender Macht schließt ihr noch ausste-

---

[28] KLEIN, „Reich Gottes" 658.

[29] Vgl. etwa SCHNACKENBURG, Gottes Herrschaft 79 – 148; BORNKAMM, G.: Jesus von Nazareth
(Stuttgart ⁵1960) 58 – 74; SCHWEIZER, E.: Jesus Christus im vielfältigen Zeugnis des Neuen Testaments (Siebenstern-Taschenbuch 126) (München-Hamburg 1968) 26 – 34; GNILKA, J.: Jesus Christus nach frühen Zeugnissen des Glaubens (München 1970) 160 ff.; KÜMMEL, W. G.: Die Theologie des Neuen Testaments (NTD Ergänzungsreihe 3) (Göttingen 1969) 29 – 35 bzw. 52; Futurische
und präsentische Eschatologie im ältesten Urchristentum, in: Heilsgeschehen und Geschichte. Ge-
sammelte Aufsätze (Marburg 1965) 351 – 363; JEREMIAS, Theologie I. 81 – 123; GRÄSSER, Naherwartung 80 f. 136 ff.; CONZELMANN, H.: Grundriß der Theologie des Neuen Testaments (München 1967) 125 – 134.

[30] Mit Recht weist man darauf hin, daß das zeitgenössische Judentum zu diesen Aussagen „keine
Analogie" liefert; „von einer schon in der Gegenwart einsetzenden Überwindung des Satans weiß
weder die Synagoge etwas noch Qumran": JEREMIAS, Theologie I. 99.

[31] Das Logion Lk 11, 20 par war für die jüdischen Hörer „zweifellos eine paradoxe Aussage; denn
der Jude erwartet, daß mit dem Kommen der Gottesherrschaft Gottes Macht sichtbar zutage tritt,
und hier ist es nur Jesu Macht über die Dämonen, die Jesus zu der Behauptung veranlaßt, in seinen Taten sei die kommende Gottesherrschaft angebrochen": KÜMMEL, Theologie 33.

hendes Kommen, von dem in den meisten Gottesreichworten die Rede ist, selbstverständlich nicht aus sondern ein, wie auch die Formulierung der in der Substanz unbestrittenen „Gegenwartsaussage" Lk 11, 20 par zu verstehen gibt. Aber in Jesu exorzistischem Wirken wird – soviel darf man aus diesem Wort sicher heraushören – ihre Wirkung erfahren, ist diese da, „comme, à l'aube, le soleil est là avant son lever par la lumière qui commence à éclairer le ciel"[32].

Weil Jesus sein Wirken als Beginn der endgültigen Intervention Gottes versteht, durch die dieser seinen Heilswillen und seine Souveränität effektiv ausübt, ist die Frage nach dem Termin des Kommens der Gottesherrschaft überholt (Lk 11, 20f.), gilt es, die Zeichen der Zeit zu verstehen (Lk 12, 54ff.; 10, 23f.), die Gegenwart als den Kairos schlechthin zu begreifen, nicht mehr mit noch verbleibender Zeit zur Umkehr zu rechnen sondern in radikaler Metanoia sich dem zuvorkommend begnadenden und heilig fordernden Gott zu öffnen. Weil buchstäblich „letzte Stunde" ist, duldet es keine halben Entscheidungen (Lk 9, 62), keinen Aufschub (Mt 8, 21f.), gilt es „Dinge daranzugeben und fahrenzulassen, die konventionsgemäß unaufgebbar erscheinen möchten und bis auf die Haut gehen"[33]. Deshalb sollen die Hörer lernen von jenem betrügerischen Verwalter des Gleichnisses, der die Dinge nicht treiben läßt, sondern resolut handelt, wo alles auf dem Spiel steht (Lk 16, 1 – 8a). „Siehst du nicht . . . daß du in der Lage des Beklagten bist, der vor dem Gerichtshaus steht und dessen Prozeß hoffnungslos ist? Es ist die letzte Minute, sich mit deinem Gegner zu vergleichen (Mt 5, 25f. par Lk 12, 28f.)"[34].

Der durchaus zutreffende Satz: „Die kommende Gottesherrschaft steht in einem geheimen und exklusiven Bezug zum gegenwärtigen Wirken Gottes"[35], darf deshalb mit gutem Gewissen im Sinne Jesu dahin präzisiert werden: Die für Jesus charakteristische Begründung und Intensivierung der Naherwartung – daß nämlich das Kommen der Gottesherrschaft, die endzeitliche Heilsaktion Gottes eingeleitet ist – verleiht Jesu Auslegung des wirklichen Gotteswillens und seinem Aufruf zur radikalen Erfüllung desselben unbestreitbar eine bislang unerhörte Aktualität und letzte Dringlichkeit. Das gilt eben auch dann, wenn Jesus nicht jedem Einzelausspruch über die Forderung Gottes unmittelbar eine eschatologische Motivation folgen ließ, einen Hinweis auf das Gericht und dessen Nähe, auf die Nähe der Gottesherrschaft, auf das Wirksamwerden ihrer Heilskräfte, etwa mit einem jener Gottesreich-Gleichnisse, die einem jüdisch nur allzu verständlichen Einwand[36] entgegenhalten, daß gegenwärtig der entscheidende Anfang des eschatologischen Geschehens erfolgt, das Gott auf die Vollendung hinausführen wird (Mk 4, 26 – 29. 30 – 32; Mt 13, 39), oder auch durch die Seligpreisung der Israeliten, die durch ihn zu sehen und zu hören bekommen, was der prophetischen Vorzeit versagt blieb (Lk 10,

---

[32] DUPONT, J.: Les Béatitudes II. La Bonne Nouvelle (Paris 1969) 111.
[33] GNILKA, Jesus Christus 169.
[34] JEREMIAS, Theologie I, 151.
[35] HAUFE, Gott 202.
[36] Zu dem, was die jüdischen Zeitgenossen Jesus abgenommen hätten, was ihnen jedoch unverständlich blieb, vgl. auch SCHWEIZER, Jesus Christus 29f.

23 f.). Entscheidend ist der Gesamtkontext, in dem die „Gottes-Offenbarung", die Verkündigung „der absoluten Forderungen" Gottes erfolgt. In der einzigartigen Situation des durch Gott herbeigeführten Anbruchs seiner Königsherrschaft – und in keiner anderen – verkündet Jesus seine „Totalforderung": „die totale Zuwendung zur Gottesherrschaft, die bedingungslose Annahme, den völligen Gehorsam".[37]

Mit anderen Autoren hat E. Käsemann also dann doch recht, man dürfe bei der Deutung der Verkündigung Jesu von der eschatologischen Ausrichtung derselben, „unter gar keinen Umständen abstrahieren". „Jesus kam nicht, um allgemeine religiöse oder moralische Wahrheiten zu verkündigen, sondern um zu sagen, wie es sich mit der angebrochenen Basileia verhält, daß nämlich Gott dem Menschen in Gnade und Forderung nahegekommen sei."[38] Die Vorstellung eines „gespannten", nämlich eine echte „Doppelpoligkeit" begründenden Nebeneinander „(der) Offenbarung der wahren Wirklichkeit Gottes" und der „eschatologischen Verkündigung, die in die Entscheidung stellt" (24f.), ist insofern zweifelhaft, als Jesus, wo und wie immer er den wirklichen Willen Gottes auslegt, „offenbart", er der Sache nach auch in die Entscheidung für oder gegen den zu seiner Herrschaft kommenden Gott, für oder gegen das Eingehen in das Gottesreich stellt. So berechtigt das Postulat eines „Vor-Wissens" Jesu um Gottes absolute Heiligkeit und Güte sein mag, dürfte die Meinung, „in der Verkündigung Jesu die eschatologische Botschaft und die Offenbarung Gottes als des Herrn und Vaters (trotz aller gegenseitigen Durchdringung) auseinanderhalten zu müssen . . ."[39], nicht überzeugend zu begründen sein, ja der eschatologischen Ausrichtung der Predigt Jesu nicht gerecht werden[40]. Gibt das Schürmann nicht selbst zu, wenn er versichert: „Jede theo-logische Aussage wird irgendwie ihren eschato-logischen Aspekt und damit ihren soterio-logischen Sinn haben müssen" (32)? Noch stärker betont er das „Mit- und Ineinander von Eschato-logie und Theo-logie" in seiner Analyse der Liebesforderung Jesu[41]. „Ohne Zweifel durchdringen sich die beiden Aussagereihen: die Botschaft vom nahenden Königtum und die Offenbarung Gottes als des Herrn und Vaters. Ihr Miteinander ist ein lebendiges Ineinander."[42]

Warum und wozu wird dann aber überhaupt vorgängig „das gespannte Nebeneinander" der beiden Aussagereihen als das durch die Predigt Jesu aufgegebene hermeneutische Problem statuiert? Man kann diese Frage nur schwer unterdrücken, zumal sich ergab, daß sich die Unterscheidung zwischen „Theologie" und „Eschato-logie" auch nicht durch die Qualifizierung der „theo-logi-

---

[37] WENDLAND, Ethik 6; vgl. auch NEUHÄUSLER, E.: Anspruch und Antwort Gottes (Düsseldorf 1962) 17–42.

[38] Das Problem des historischen Jesus, in: Exegetische Versuche und Besinnungen I (Göttingen 1960) 212; vgl. dazu SCHÜRMANN, Hauptproblem 20.

[39] SCHÜRMANN, Eschatologie 230 Anm. 50.

[40] Denselben Eindruck äußert jetzt auch GRÄSSER: „Die Rede von der Doppelpoligkeit in der Verkündigung Jesu (H. Schürmann) scheint mir . . . nicht glücklich zu sein" (Naherwartung 88f.). Vgl. auch sein Urteil im Hinblick auf sämtliche Versuche einer Aufteilung der Predigt Jesu: „Eine *Alternative* liegt meines Erachtens in keinem Falle vor" (a.a.O. 87).

[41] Eschatologie 231 Anm. 55; 229 Anm. 44.

[42] Eschatologie 219.

schen" Aussagen als „theologische *Seins*aussagen", als „ontische Aussagereihe" begründen läßt (s. o. II 1). Nachdem Schürmann selbst zum Schluß die „hermeneutische Bemerkung" als „notwendig" erachtet, daß seiner Problemstellung wie deren Lösung „von außen — ohne konstitutives exegetisches Erkenntnisprinzip zu werden — die Idee des Sohn-Seins Jesu voran(leuchtet)" (34), ist es sicher nicht ungebührlich zu fragen: Was wäre, wenn das „gespannte Nebeneinander" der beiden Aussagereihen nicht behauptet würde? Dann würde eben kein Grund bestehen, nach einem dieses Nebeneinander verständlich machenden Beziehungspunkt zu fragen, die „Spannungseinheit . . . in einem Übergeordneten" zu verankern, nämlich im Sohn-Sein Jesu. Und das ist eben das Telos der ganzen Konzeption: „Beide Aussagereihen verweisen letztlich — jede auf ihre Weise — zurück auf die Christologie. Das Spannungsverhältnis von Eschatologie und Theozentrik hat seinen Ursprungs- und Einheitspunkt im Sohn-Sein Jesu. Weil Jesus als der ‚Sohn' ‚gekommen' ist, ist letztlich das eschatologische Heil Gegenwart, ist Erfüllungszeit; und weil ‚der Sohn' da ist, kann Offenbarung erfolgen über den ‚Vater', den Herrn des Himmels und der Erde' (Mt 11, 25)."[43] Daß Schürmann ein gespanntes Nebeneinander von „Theo-logie" und „Eschato-logie" als das Problem der Predigt Jesu bezeichnet, wird man eben nicht zuletzt aus seinem Bemühen um die Legitimierung „theologischer" und „christologischer" Seinsaussagen, und vor allem der letzteren, verstehen dürfen.

3. Das Bemühen um die Begründung christologischer Aussagen in der Verkündigung Jesu ist gewiß ein berechtigtes Anliegen. Eindeutig knüpft Jesus in seiner Gottes- und Gottesreichpredigt an die jüdische Tradition an, eben auch mit der Idee Gottes als des absoluten Herrn und gütigen Vaters. „Indem aber Jesus" — urteilt G. Haufe treffend — „zugleich den Rahmen der Tradition überschreitet, ohne dieses Überschreiten durch Verweis auf eine andere Autorität zu rechtfertigen, enthält seine Gottesverkündigung unausgesprochen eine christologische Komponente."[44] Jesu Anspruch, aus eigener Autorität den wirklichen und endgültigen Willen Gottes zu kennen und auf diesen absolut verpflichten zu können, setzt das Bewußtsein einer Gottunmittelbarkeit voraus, das es rechtfertigt, mit Schürmann von einem „Vor-Wissen" Jesu um das absolute Herr-Sein und Vater-Sein Gottes (32) zu sprechen. Ich hätte keine Bedenken, etwa zu sagen, dieses — für uns nicht weiter erklärbare — Vor-Wissen dränge und legitimiere Jesus zu seiner Gottes- und Gottesreichverkündigung. Anders steht es m. E. mit einer zwischen dem Herr-Sein und Vater-Sein Gottes unterscheidenden Formulierung: Jesu Vor-Wissen um das absolute Herr-Sein Gottes dränge ihn „zur Verkündigung des nahenden Königtums", nämlich des einstigen Kommens Gottes „als Richter"; und nur vom Vor-Wissen um Gottes Vater-Sein her versteht sich Jesu Wissen „von einer gnädigen Vorankunft Gottes, vom Anbruch der Erfüllung des verheißenen Heiles", nämlich Jesu Wissen davon, „daß nun in Jesus Gottes Gnade und Heil gegenwärtig ist" (32). Gewiß steht für Jesus an erster Stelle nicht das, was der

---

[43] Eschatologie 219 f.; vgl. auch Anm. 44 auf 227 – 229; hier: 228 f.
[44] Gott 206; vgl. dazu auch GNILKA, Jesus Christus 164 ff.

Mensch tun muß, insofern auch nicht der fordernde und richtende Gott, sondern der allem menschlichen Tun gnädig zuvorkommende, begnadende Gott; die Verkündigung der Gottesherrschaft ist anerkanntermaßen primär Ansage und Zuspruch des Heils, sosehr sie zugleich Anruf und Anspruch an das Handeln des Menschen ist. Trotzdem läßt sich das Vater-Sein Gottes nicht einfach dem gegenwärtigen eschatologischen Handeln zuordnen und das Herr-Sein Gottes dem noch ausstehenden. Auch Schürmann selbst besteht übrigens keineswegs auf dieser Zuordnung, wie mehrfach zu belegen wäre. Es sieht so aus – und das ist das Bedenkliche –, als solle die vorhin zitierte Aufteilung des Herr-Seins und des Vater-Seins Gottes auf das gegenwärtige und das zukünftige Eschaton die dem Autor eigentümliche Unterscheidung zwischen „Gegenwartseschatologie" und „Zukunftseschatologie"[45] (s. u. 4 b) stützen. Das mit dieser Unterscheidung verbundene Verständnis der Eschatologie Jesu ist der eigentlich problematische Punkt.

Jesu Anspruch, Gottes letztes, über Heil und Unheil entscheidendes Wort zu sagen und die endzeitliche Heilsaktion Gottes einzuleiten, läßt sich in der Tat von der Person Jesu nicht ablösen. Diesen Gesichtspunkt bringt in seiner Art gerade auch Schürmann stärkstens zur Geltung. Auch wenn Jesus nicht gesagt hätte: „Hier ist mehr als Jona", „hier ist mehr als Salomo" (Mt 12, 41 f.), hat es deshalb einen guten Sinn, Jesus selbst als „eschatologische" Größe zu bezeichnen. Andererseits wird man heute aber ebenso einräumen müssen, daß Jesus darauf verzichtete, sein Selbst- und Sendungsbewußtsein kategorial zu bestimmen, gar etwa von einem verfügbaren Heilbringertitel der Überlieferung seines Volkes her zu legitimieren. Aufgrund meiner eigenen derzeitigen Beurteilung des Menschensohnproblems nehme ich es unserem Autor auch gar nicht übel, daß er die Frage der Verwendung der Menschensohnbezeichnung Jesu bzw. sogar eines Menschensohn-Anspruchs Jesu aus dem Spiel läßt. Ohne bestreiten zu wollen, daß wir Jesu Bewußtsein seiner Gottunmittelbarkeit als ihn auszeichnendes vorgegebenes „Sohnesbewußtsein" verstehen und bezeichnen dürfen, kann man aber doch nicht übersehen, wozu der Überlieferungsbefund nicht berechtigt. Nach gut begründeter Auffassung hat Jesus weder von sich als „dem Sohn" (nämlich als Gegenbegriff zu „der Vater") gesprochen noch sich zur Begründung seines Sendungsanspruchs auf seine Gottessohnschaft berufen. Auch Schürmann scheint dieser Auffassung übrigens nicht zu widersprechen, sosehr er das „Sohnesbewußtsein" Jesu als Einheitspunkt seiner beiden Aussagereihen betont (30) und jenes im „Sohn-Sein" Jesu begründet wissen will (33). Aber eben deshalb verdient die genannte Fehlanzeige Beachtung. Soweit die Person Jesu hinter der von ihm vertretenen Sache nicht völlig zurücktritt, bringt er die Bedeutung seiner Person z. B. zum Ausdruck mit Bildworten wie dem vom „Bräutigam" und vom „Starken" oder durch das in seiner Art unerhörte ἐγὼ λέγω in drei Antithesen der Bergpredigt, die als genuine Formulierung der Forderung Gottes gelten können. Daß die Israeliten in seinen Exorzismen die Heilskraft der Gottesherrschaft erfahren, führt er auf die durch ihn wirksame Gotteskraft zurück. Jesus kann

---

[45] Eschatologie 212.

aber auch lediglich indirekt auf sein Reden und Tun als Erfüllung der Heilsprophetie verweisen, wie z.B. mit der Seligpreisung Lk 10, 23f. Und doch
kündigt sich in dieser die „mit Jesus gegebene proleptische Heilssituation" an,
„die . . . mehr ist als Ankündigung des Heils, die vielmehr das zukünftige Heil
im Wirken Jesu real erfahrbar macht . . ."[46]. In allen derartigen Worten
kommt der Gedanke der Repräsentation Gottes durch „den Sohn" so wenig
zum Zug wie z.B. in jenen Gleichnissen, in denen Jesus seine ärgerniserregen-
de Zuwendung zu den Sündern mit der unbegreiflich großen Liebe des verge-
bungswilligen Gottes rechtfertigt.

Daß uns die Überlieferung kaum zur Annahme berechtigt, Jesus habe seine
Gottes- und Gottesreichverkündigung speziell mit seiner Gottessohnschaft begründet, also damit, daß in ihm „der Sohn" gekommen, da ist, ist freilich
nicht die einzige Schwierigkeit des neuen Entwurfs. Ihr volles Gewicht erhält
diese erst in Verbindung mit dem Umstand, daß der Verfasser den Anbruch
der eschatologischen Erfüllungszeit, der Heilsgegenwart nicht als in actu-Wer-
den des Königseins Gottes, als „Anbruch" der endzeitlichen Gottesherrschaft
verstehen und ernstnehmen kann. Und damit hat seine Konzeption ein weiteres Mal das bereits zu einem anderen Fragepunkt angeführte, fast allgemein
akzeptierte Verständnis der Gottesreichpredigt Jesu gegen sich, das sich auf
der Ebene der historischen Rekonstruktion kaum überzeugend widerlegen
läßt. Warum er hier gegen den Strom schwimmen und sogar eine doppelte
eschatologische Effizienz der „Worte und Zeichen" Jesu annehmen muß, ergab sich schon zur Genüge im analytischen Teil (I. 2b). Der Begriff „Königtum Gottes" hat als solcher mit der Vorstellung eines bzw. des Sohnes Gottes
nichts zu tun, schon gar nicht mit dem Gedanken, daß Gott durch den Sohn
wesenhaft repräsentiert werde. Würde Schürmann bei seiner Begründung der
Gegenwärtigkeit des eschatologischen Heils aber schlicht von der Idee des
eschatologischen Handelns Gottes, der endzeitlichen Gottesherrschaft ausgehen, die Gegenwart des Eschatons also als Anbruch der Gottesherrschaft bestimmen, könnte er die Gegenwart des Eschatons eben nicht explizit christologisch, nämlich vom Gekommen- und Dasein des Sohnes her, erklären, „in welchem Gott der Welt als der Vater und Herr gewaltig ‚nahe' ist" (33), „in welchem Gott der Welt wesenhaft nahegekommen ist und in welchem sein noch
zukommendes Kommen gründet und garantiert ist" (34). Einmal mehr wird
verständlich, daß der Verfasser in seinem Schlußwort betont, es habe im
Raum der Kirche „von Anfang an immer nur *ein* Schriftverständnis gegeben:
vom Sohn-Sein Jesu her", und daß er dieses Verständnis, wie schon erwähnt,
auch offen als sein Vorverständnis erklärt (34).

4. Mit dem Bemühen um die Sicherung „seinstheologischer" Aussagen und
einer Christologie, die als Kern „das Sohn-*Sein,* die Wirklichkeit der Gottessohnschaft Jesu" lehrt[47], verbindet sich der Versuch einer entsprechenden Ein-
stufung der „Eschatologie" Jesu überhaupt und einer Lösung des Naherwartungsproblems im besonderen.

---

[46] GNILKA, Jesus Christus 166.
[47] Eschatologie 230f. Anm. 52.

a) Aus dem Spannungsverhältnis zwischen der Eschato-logie und der Theo-logie Jesu bzw. „Theozentrik" (wie Schürmann in diesem Zusammenhang offenbar lieber sagt) ergebe sich eine „Relativierung" der Eschatologie[48]. „So sehr es auch wahr ist, daß für uns Gottes Herr- und Vatersein letztlich erst in seinem eschatologischen Handeln offenbar wird – [1] die Theozentrik bewegt Jesus ganz ohne Zweifel doch mehr als die Eschatologie, [2] die Offenbarung und Sichtbarmachung des Herr- und Vaterseins Gottes letztlich doch grundlegender als die Kunde von der Nähe der Basileia" (28). Man würde sich freilich gerne des genaueren und in allen Einzelheiten richtigen Verständnisses dieses Satzes versichern. Im Rahmen der „Doppelpoligkeits"-Hypothese darf man den Vordersatz gedanklich sicher dahin ergänzen: Obwohl Jesus das unabhängig vom eschatologischen Werk Gottes geltende Herr- und Vatersein offenbart (= „Gottes-Offenbarung" = „Theo-logie" = „seinstheologische Aussagen"), wird dieses Herr- und Vatersein Gottes für uns „letztlich erst in seinem eschatologischen Handeln offenbar", das nach Schürmann bekanntlich die Qualifikation der Gegenwart Jesu als Eschaton, als Vergebung und Heil einerseits sowie die noch ausstehende Basileia andererseits umfaßt. Insofern wäre im ersten Nachsatz statt „die Theozentrik" als Subjekt zu erwarten: „die Theo-logie", „die Gottes-Offenbarung" oder auch – wie im zweiten Nachsatz – „die Offenbarung und Sichtbarmachung des Herr- und Vaterseins Gottes". Man könnte also die Formulierung erwarten: die Gottes-Offenbarung (= theologische Seinsaussagen) bewegt Jesus doch mehr als die Eschatologie (= die Verkündigung des eschatologischen Handelns Gottes). Diese Formulierung entspräche zugleich der des zweiten Nachsatzes. Obwohl der Begriff „Theozentrik" nicht gleichbedeutend ist mit „Theo-logie" (= der Offenbarung Gottes durch Jesus), könnte man die vorliegende Formulierung des ersten Nachsatzes (mit der Gegenüberstellung „Theozentrik" – „Eschatologie") im sachlich gleichen Sinne verstehen wie die oben genannte Formulierung, also sagen lassen: daß Gott der Herr und Vater „ist", bewegt Jesus doch mehr als sein eschatologisches Handeln, nämlich (nach Schürmanns anderwärtiger Diktion): mehr als Gottes „Gekommensein" und sein „noch zukommendes Kommen". Diese Aussageabsicht entspräche seinem nachdrücklichen Interesse an „theologischen Seinsaussagen" und seiner Betonung, daß das Herr- und Vater-Sein Gottes seinem „Gekommensein" (im Sohn) und seinem noch ausstehenden „Kommen" (= Basileia) „radikal vorzuordnen" sei (32). Natürlich ist das Sein dem Handeln logisch vorzuordnen. Aber hier würde es ja um die Behauptung eines unterschiedlichen Anliegens Jesu hinsichtlich des Seins und des Handelns Gottes gehen. In diesem Sinne von einem Mehr und Weniger des Bewegtwerdens Jesu zu sprechen, dürfte aber schon von der Voraussetzung her verfehlt sein: wir sind kaum berechtigt, Jesus speziell auf das An-sich-sein Gottes als solches abheben und ihn zwischen einem nicht-eschatologischen und einem eschatologischen Bezug seines Redens vom Herr- und Vater-Sein Gottes unterscheiden zu lassen.

Nun schreibt unser Autor vor den beiden oben (eingangs 4. a) zitierten Sätzen: „Aber nicht nur die Eschatologie überhaupt, auch speziell das Drängen

---

[48] Vgl. Eschatologie 230 Anm. 50.

der eschatologischen Naherwartung dürfte seinen letzten Grund haben in dem theozentrischen Wunsch, daß doch endlich Gottes Name ‚geheiligt‘ werde" (28). Soll jener erste zur Diskussion stehende Nachsatz dann also etwa meinen: die Mittelpunktstellung Gottes, die Durchsetzung und Manifestation seines Herr- und Vaterseins bewege Jesus letztlich doch mehr als die Eschatologie, mehr als das eschatologische Handeln Gottes? In diesem Fall würde aber doch mit einer völlig schiefen Alternative operiert werden, insofern das Herr- und Vatersein Gottes im Sinne Jesu doch gerade durch das eschatologische Handeln Gottes in einzigartiger und endgültiger Weise effektiv und manifest, sichtbar wird. Jesu Eschatologie ist doch ganz und gar „theozentrisch"! Dasselbe Bedenken gilt vom zweiten Nachsatz. Das noch ausstehende Kommen der Basileia muß im Sinne Jesu doch als „die Offenbarung und Sichtbarmachung des Herr- und Vaterseins Gottes" schlechthin verstanden werden. Das „grundlegender" wäre nur dann nicht anstößig, sofern Schürmann „die Kunde von der *Nähe* der Basileia" (so hier) von „der Kunde von der *nahenden* Basileia" unterscheiden, also nur das Moment der zeitlichen Nähe der Basileia ins Auge fassen würde, nicht deren Kommen als solches. In diesem Fall würde der zweite Nachsatz etwas wesentlich anderes sagen als der voraufgehende, nämlich: „die Offenbarung und Sichtbarmachung des Herr- und Vaterseins Gottes" bewegt Jesus „letztlich doch grundlegender als" der Gedanke und das Reden von der zeitlichen Nähe der Basileia. Man könnte dann freilich noch weiterfragen, ob der Ausdruck „die Offenbarung und Sichtbarmachung des Herr- und Vaterseins Gottes" im Sinne des Autors Jesu Offenbarung des unabhängig vom eschatologischen Werk Gottes geltenden Herr- und Vaterseins meint oder auch die durch das eschatologische Werk Gottes (Qualifizierung der Gegenwart als Heilsgegenwart durch Jesus *und* das noch ausstehende Kommen der Basileia) erfolgende Offenbarung miteinschließen will.

b) Wie dem auch sei, das Interesse des Verfassers am speziellen Aspekt der Naherwartung kommt jedenfalls auch an anderen Stellen zum Ausdruck. In seinem Programmaufsatz stellt er unter Berufung auf K. Rahners Interpretation der eschatologischen Verkündigung Jesu – freilich nur erst in einer Anmerkung und vorsichtig („vielleicht") – folgende Lösung des Naherwartungsproblems zur Erwägung: „Insofern die eschatologischen Aussagen eine ‚existentielle‘ Wesens-Nähe Gottes meinen, spricht sich in ihnen die Gottesunmittelbarkeit des Sohnesbewußtseins Jesu aus; sofern sie speziell auch eine zeitliche Aussage sein wollen, liegt eine ‚geschichtlich und aposteriorisch bedingte‘ ‚Exegese‘ jener ‚Grundbefindlichkeit‘ vor, wie sie auch in der perspektivisch verkürzenden Verkündigungs- und durch die Drohung bedingten Mahnrede der Propheten begegnet" (29 Anm. 88). Bei der erstgenannten Gruppe von eschatologischen Aussagen muß an das sich im Wirken Jesu offenbarende Herr- und Vater-Sein Gottes, wodurch „das eschatologische Heil Gegenwart, Erfüllungszeit (ist)" (33), gedacht sein. Bei der zweiten Gruppe („sofern sie speziell auch eine zeitliche Aussage sein wollen") kann dann nur an die Ansage der noch ausstehenden, „nahenden Basileia" gedacht sein, was auch seine spätere

Unterscheidung zwischen „Gegenwartseschatologie" und „Zukunftseschatologie"[49] bestätigt.

Die Ausführungen des näheren Kontextes könnten zunächst an folgendes Verständnis des zweiten Satzes denken lassen: Sofern Jesu „eschatologische Aussagen" das noch ausstehende Kommen der Basileia zum Inhalt haben, handelt es sich um einen zeitgeschichtlich bedingten Ausdruck des Gottunmittelbarkeitsbewußtseins Jesu, der als solcher nicht als „ursprüngliche(r) Vorgang der Offenbarung" gelten muß[50], weil „die aus dem eschatologischen und apokalyptischen Zeitbewußtsein von Jesus aufgenommenen Vorstellungselemente nur unzulängliche Mittel" sind, „mit denen Jesus sein eigenes Sohnesbewußtsein exegesiert" (30). Für diese Aussageintention könnte auch sein zusammenfassender Satz sprechen, der im wesentlichen K. Rahner zitiert: „So ist Christus als der gekommene ‚Sohn' das ‚hermeneutische Prinzip aller eschatologischen Aussagen. Was nicht als christologische Aussage verstanden und gelesen werden kann, ist auch keine echte eschatologische Aussage, sondern Wahrsagerei und Apokalyptik oder eine nicht verstandene Redeweise, die das christologisch Gemeinte nicht sieht" (34). Dieses handfeste hermeneutische Prinzip scheint den Gedanken, Jesus verwende das Vorstellungselement der nahe bevorstehenden Basileia lediglich als unzulängliches Mittel zur „Exegese" seines eigenen Sohnesbewußtseins, auch insofern zu begünstigen, als auch Schürmann Jesus das baldige Kommen der Basileia nicht mit einem künftigen Kommen „des Sohnes" oder auch nur (Jesu als) „des Menschensohnes" in Zusammenhang bringen läßt.

Trotzdem will er sicher nicht in diesem Sinne verstanden werden. Sosehr er einer gewissen „Relativierung" der Eschatologie Jesu insgesamt das Wort redet, lehnt er gleichzeitig die Hinweginterpretierung der Zukunftsdimension des Eschatons, also des künftigen Kommens der Basileia, entschieden ab, wie nicht zuletzt sein Einspruch gegen die Verkürzung der eschato-logischen Aussagen „durch falsche Interpretation", nämlich durch die existentiale Interpretation, bestätigt (17 – 19). [51] Mit seinem Lösungsvorschlag dürfte Schürmann deshalb nur das Moment der „Nähe" der Basileia, also die „Naherwartung" als geschichtlich bedingte unverbindliche Aussage kennzeichnen, „hinweginterpretieren", die Basileia-Erwartung Jesu als solche, das „noch zukommende Kommen" Gottes, hingegen vollgültig aufrecht erhalten wollen. Außer seinem Vergleich der zeitlichen Aussagen mit der perspektivisch verkürzenden Prophetenrede weisen in diese Richtung auch seine späteren Unterscheidungen zwischen „Gegenwartseschatologie" und „Zukunftseschatologie", zwischen der „Nähe" des Eschatons als einem „Offenbarungsphänomen" und als einem „zeitlichen Phänomen" sowie die dazugehörigen Vorrangbestimmungen. Er betont: Jesu Eschatologie sei, „bevor sie ‚Zukunftseschatologie' ist, primär ‚Gegenwartseschatologie'"[52], und: die „Nähe" des Eschatons sei „primär"

---

[49] Eschatologie 212.
[50] Vgl. die ausdrückliche Berufung auf K. Rahner: 29.
[51] „Daß Jesu Botschaft von der nahenden Basileia ein aus und auch noch in der Zukunft zukommendes Heil und Gericht ansagt, . . . darf . . . nicht hinweginterpretiert werden" (19).
[52] Eschatologie 212.

nicht ein zeitliches Phänomen, sondern „ein ‚Offenbarungsphänomen‘, in dem Gott selbst – in Christus – nahe kommt"[53]. Noch deutlicher ist die Aussage, Jesu „Naherwartung" sei vor allem „relativiert" durch „die in Jesus gegenwärtige ‚Nähe‘ Gottes als des Herrn und Vaters"[54].

Nun könnte man den Satz, Jesu Eschatologie sei „primär" „Gegenwartseschatologie", oder auch den Satz, die eschatologische Stunde sei für Jesus grundlegend „die Stunde des schon angebrochenen Heils"[55], an sich akzeptieren, wenn nicht das damit verknüpfte Verständnis des Grundes für die Unterscheidung zwischen „Gegenwartseschatologie" und „Zukunftseschatologie" hinzukäme – ein höchst anfechtbares Verständnis, das am deutlichsten zum Ausdruck kommt in dem Versuch, Gegenwart und Zukunft des Eschatons unter dem Begriff der „Nähe" des Eschatons zusammenzufassen und dann hinsichtlich dieser „Nähe" mit der Unterscheidung zwischen einem „Offenbarungsphänomen" („die in Jesus gegenwärtige ‚Nähe‘ Gottes") und einem „zeitlichen Phänomen" (die Nähe der noch ausstehenden Basileia) zu operieren. Nur dieses kaum diskutable Verständnis der Eschatologie Jesu ermöglicht es, aus der Stunde des angebrochenen Heils die „Relativierung" der Naherwartung zu folgern. Wenn die heute vorherrschende Rekonstruktion der Gottes- und Gottesreichpredigt Jesu recht hat, was ich selbst nicht zu bestreiten wage, dann ist genau das Umgekehrte zu folgern: das Moment der Nähe der Basileia ist ein wesentliches, nicht wegzuinterpretierendes Moment der Basileia-Erwartung Jesu[56], und zwar gerade auch deshalb, weil in den Augen Jesu in seinem Wirken das Kommen der Gottesherrschaft eingeleitet wird. Nur unter dieser Voraussetzung ist die Seligpreisung der das Wort und Tun Jesu Erlebenden verständlich. Und die Seligpreisung der Armen, Weinenden und Hungernden (Lk 6, 20b – 21 par) wäre nicht sinnvoll, wenn Jesus die Aufhebung dieses Äons durch das schlechthinige Kommen der Gottesherrschaft nicht in Bälde als bevorstehend erwarten würde[57]. Richtiger wird also zu formulieren sein: Durch das in Jesus anhebende Kommen der Gottesherrschaft ist Jesu Zukunftserwartung innerlich folgerichtig und konstitutiv „Naherwartung" und wird diese seine Naherwartung eher intensiviert als „relativiert"[58].

---

[53] Eschatologie 220.

[54] Eschatologie 225 Anm. 35.

[55] Eschatologie 214.

[56] Den neuesten zusammenfassenden Nachweis liefert Grässer, Naherwartung passim.

[57] Vgl. dazu besonders Dupont, Béatitudes II 92 ff.

[58] Damit korrigiere ich mein eigenes früheres Urteil in: „Zeit und Zeitüberlegenheit in biblischer Sicht", jetzt in: Das Evangelium und die Evangelien (Düsseldorf 1971) 273 – 295. Zwar kann man m. E. weiterhin sagen, es entspreche echt semitischem und biblischem Zeitempfinden, insofern Jesus „am Inhalt der Zeit interessiert (ist), an dem unerhört Neuen, das mit seinem offenbarenden Auftreten gekommen ist und dem ihm beginnende Zeit, die Gegenwart, zu einer Ereigniszeit macht, der, schlechthin entscheidende Bedeutung zukommt, zu einem einzigartigen kairos, zu einer einzigartigen Zeit göttlichen und menschlichen Handelns" (284). Und ich bekenne mich nach wie vor zu dem Satz, daß im Sinne Jesu „die Gottesherrschaft nicht deshalb ‚nahegekommen‘ (ist), weil er von der Kenntnis eines wenigstens relativ fixen Zeitpunkts des Gerichts, der uneingeschränkten Durchsetzung der endzeitlichen Gottesherrschaft ausgeht, sondern weil er von einem schon eingetretenen, die noch ausstehende Vollendung anzeigenden Geschehen ausgeht . . ." (286). Obwohl dem semitischen Interesse am besonderen Inhalt, an der Qualität einer Zeit

Ein letztes Mal drängt sich die Frage auf: Was hätte es zur Folge, wenn unser Autor die von ihm wahrhaftig stärkstens betonte „Heilsgegenwart" vom Kommen der Gottesherrschaft her bestimmen würde, anstatt vom Gekommen-Sein und Da-Sein „des Sohnes" her? Dann entfiele die Möglichkeit, in seinem Sinn zwischen „Gegenwartseschatologie" und „Zukunftseschatologie" zu unterscheiden und damit Jesus von der Naherwartung zu entlasten oder – was seinem späteren Aufsatz mehr entspechen könnte – die „Naherwartung" wenigstens in „Stetserwartung" abzuschwächen[59] und die sachliche Bedeutung des Moments der Nähe jedenfalls zu minimalisieren. Wohl nicht zufällig fehlt das Moment der Naherwartung denn auch völlig in dem zusammenfassenden Satz, der jenem Rahner-Zitat vom „Sohn" als hermeneutischem Prinzip unmittelbar nachfolgt: „Jesu Gekommensein ist das eigentliche eschatologische Faktum, in welchem Gott der Welt wesenhaft nahegekommen ist und in welchem sein noch zukommendes Kommen gründet und garantiert ist" (34). Zum besseren Verständnis der von Schürmann befürworteten Relativierung der Eschatologie Jesu insgesamt und der Naherwartung im besonderen verhilft gewiß auch wieder sein abschließendes Bekenntnis zu dem vom Sohn-Sein her bestimmten kirchlichen Schriftverständnis, welches „nie das Sohnesbewußtsein Jesu von der Eschatologie her (wird) relativieren können; es wird im Gegenteil mit resolutem Mut alle eschatologischen Aussagen vom Sohn-Sein Jesu aus zu verstehen suchen" (34 f.).

Ist es unserem Autor eben doch nicht gelungen, seiner Problemstellung wie deren Lösung die Idee des Sohn-Seins Jesu „von außen" voranleuchten zu lassen, ohne daß diese „konstitutives exegetisches Erkenntnisprinzip" wurde (34)? Im Rückblick auf den gesamten Entwurf und auf die abschließende „hermeneutische Bemerkung" des Verfassers im besonderen kann man sich kaum des Eindrucks erwehren, daß bereits die Artikulierung des „hermeneutischen Hauptproblems der Verkündigung Jesu" in der Tat stärkstens von der vorschwebenden Lösung desselben inspiriert wurde und deshalb zu zweifelhaften Überakzentuierungen unterscheidbarer Aspekte der Gottes- und Gottesreichverkündigung Jesu führte.

---

eine relative Uninteressiertheit an den quantitativen Verhältnissen entspricht, wird der ictus der Gottesreichpredigt jedoch sicher verfehlt, wenn man von dieser zweiten Eigentümlichkeit semitischen Zeitempfindens her eine relative Uninteressiertheit Jesu an der Zeitdauer bis zum Kommen der Gottesherrschaft folgern wollte, was ich 287 (vgl. auch 291) der Tendenz nach tat. Vgl. jetzt auch die diesbezügliche Kritik GRÄSSERS, Naherwartung 50 – 56.

[59] Eschatologie 226 f. Anm. 39.

2
Der „eschatologische" Bezug der Wir-Bitten des Vaterunser*

Gegenüber der jüngst wieder zur Geltung gebrachten Bestreitung der direkt jesuanischen Herkunft des Vaterunser (= VU) sowie der Befürwortung der hebräischen Urform desselben[1] wird hier die gutbegründete Auffassung der entschiedenen Majorität der Autoren vorausgesetzt, daß die beiden VU-Fassungen (Lk 11, 2c – 4 und Mt 6, 9b – 13) auf eine von Jesus selbst, und zwar auf aramäisch gesprochene Gebetsanweisung zurückgehen.

I

Was *die Anrede sowie die Zahl und den Wortlaut der Du-Bitten*[2] anbelangt, ist allenfalls noch bei der 3., nur der Mt-Fassung eigenen Du-Bitte (6, 10b) hinsichtlich der erst nachösterlichen Herkunft eine gewisse Unsicherheit zu beobachten. Kaum in Betracht kommt die von *G. Schwarz* versuchte Rekonstruktion des VU, derzufolge die 3. Du-Bitte von Jesus selbst stammt, und zwar in der Formulierung: *tehé/re'uták* = γενηθήτω τὸ θέλημά σου[3]. Wie die vergleichsweise noch gewaltsameren Rekonstruktionen der 1. und 3. Wir-Bitte stützt sich auch die zitierte Rekonstruktion der 3. Du-Bitte auf eine kaum zu rechtfertigende Beanspruchung formaler Kriterien[4]. Die über die Lk-Fassung hinausschießende 3. Du-Bitte wird sicher mit guten Gründen ganz überwiegend als nachträgliche Erweiterung erklärt. Daß dieselbe sogar erst von Matthäus gebildet wurde[5], erscheint auch mir trotz des gut matthäischen Interesses und Klangs der Bitte unwahrscheinlich: „könnte Mt von sich aus anders formulieren, als man in seiner Gemeinde betet?"[6]

Was *die drei Wir-Bitten* betrifft, scheint man sich weitgehend einig zu sein, daß die über die Lk-Fassung hinausschießende positive Weiterführung der 3.

---

* Erstveröffentlichung des durchgesehenen Beitrags: E. EARLE ELLIS – E. GRÄSSER (Hrsg.), Jesus und Paulus, FS W. G. Kümmel (Göttingen 1975) 344 – 362.
[1] Vgl. dazu meinen Beitrag „Das Vaterunser – ein Gebet für Juden und Christen?" in dem Ende Dezember 1974 erschienenen Sammelband: M. BROCKE u.a. (Hrsg.), Das Vaterunser (Freiburg) 165 – 167 mit den Anmerkungen 272f.
[2] Die herkömmliche Unterscheidung zwischen Du- und Wir-Bitten ist der zwischen „apokalyptischen" Bitten und „Diesseitsbitten" (S. SCHULZ, Q. Die Spruchquelle der Evangelisten [Zürich 1972] 90) sicher vorzuziehen.
[3] Matthäus VI 9 – 13 / Lukas XI 2 – 4, in: NTS 15 (1968/9) 233 – 247, hier: 246.
[4] Vgl. meinen Beitrag: Das Vaterunser a.a.O., 166f.
[5] H. FRANKEMÖLLE, Jahwebund und Kirche Christi (NTA NF 10) (Münster 1974) 275 – 277.
[6] E. SCHWEIZER in seiner sonst mit Recht sehr anerkennenden Besprechung in: ThR 70 (1974) 369.

Bitte durch „sondern errette uns vor dem Bösen" (Mt 6, 13 b) ein sekundärer Zusatz ist, der vor allem auch als volltönender Abschluß, zu dem liturgische Texte tendieren, zu verstehen ist[7]. Hingegen möchte man sich beim *Nachsatz zur Bitte um Vergebung* schon deshalb für jesuanische Herkunft entscheiden, weil dieser Nachsatz beiden VU-Fassungen gemeinsam ist (Mt 6, 12 b; Lk 11, 4 b). Zudem dürfte auch die stark gräzisierende Lk-Fassung mit ὀφείλοντι noch auf den Aramäismus τὰ ὀφειλήματα (den die Mt-Fassung der Vergebungsbitte statt des geläufigen τὰς ἁμαρτίας bei Lk liest) zurückweisen. Angesichts der Gesamtinterpretation der Verkündigung Jesu durch *N. Perrin,* welche die Gegenwart der Gottesherrschaft von der Person Jesu scheidet und unter stärkster Betonung der Gleichzeitigkeit göttlichen und menschlichen Handelns auf die Erfahrung des einzelnen Menschen beschränkt, überrascht es nicht, daß *Perrin* die 2. Wir-Bitte im vorliegenden Umfang (nämlich mit dem Nachsatz) besonders entschieden als ursprünglich verteidigt. „Kein Wort in der Überlieferung hat mehr Anspruch auf Echtheit als diese Bitte, und kein Wort ist für das Verständnis der Verkündigung Jesu wichtiger."[8] Diese „Selbsterinnerung an das eigene Vergeben, eine Erklärung der Bereitschaft, Gottes Vergebung weiterzugeben", ist selbstverständlich ein fundamentales Anliegen Jesu, das denkbar gut in seinen Mund paßt[9] – ganz abgesehen davon, daß etwa auch schon Sir 28, 2 – 4 deutlich zu verstehen geben kann, nur der habe das Recht, Gott um Vergebung seiner Sündenschulden zu bitten, der selbst wirklich bereit ist, Gottes Vergebung an den Mitmenschen weiterzugeben. Wenn man zugleich berücksichtigt, daß die in der Lk-Fassung völlig fehlende 3. Du-Bitte (Mt 6, 10 b) höchstwahrscheinlich eine zusätzliche Erweiterung darstellt[10], und zwar primär, wenn nicht gar ganz, auf das gegenwärtige Tun des Willens Gottes durch die Menschen abheben will, ist sodann die Bezugnahme auf das menschliche Tun im Nachsatz der Vergebungsbitte (Mt 6, 12 b; Lt 11, 4 b) im Rahmen des VU unbestreitbar „ganz singulär". Der Nachsatz „wirkt dadurch fast wie ein Fremdkörper; daran wird deutlich, daß auf ihm ein ganz starker Ton liegt"[11]. Dem kann man nur vollstens zustimmen. Muß aus diesem Befund aber die Folgerung gezogen werden, daß dieser Nachsatz von Jesus selbst stammt und stammen muß? Oder läßt sich auch begreifen, daß die Herkunft unseres Nachsatzes bis heute von manchen offengelassen wird[12]? Daß beide VU-Fassungen unseren Nachsatz bieten, beweist zunächst nur dessen relativ hohes Alter. Falls die Hypothese, ἀφήκαμεν (Mt 6, 12 b) gehe auf aramäisches *šebaqnan* zurück, und dieses sei als perfectum

---

[7] J. JEREMIAS, Neutestamentliche Theologie I. Die Verkündigung Jesu (Gütersloh 1971) 189 – 191.

[8] Was lehrte Jesus wirklich? Rekonstruktion und Deutung (Göttingen 1972) 167.

[9] J. JEREMIAS, Theologie, 189 f.

[10] So auch J. JEREMIAS, a.a.O., 189 – 191.

[11] J. JEREMIAS, a.a.O., 195; vgl. auch W. GRUNDMANN, Das Evangelium nach Matthäus (ThHK I) (Berlin ³1972) 203.

[12] Vgl. z. B. auch E. SCHWEIZER: „Ob dieser Nachsatz auf Jesus oder auf die nachösterliche Tradition zurückgehen mag, jedenfalls zeigt die Durchbrechung des Rhythmus' die Wichtigkeit dieser Ergänzung": Das Evangelium nach Matthäus (NTD 2) (Göttingen 1973) 97 f.

coincidentiae gemeint[13], zutrifft, ist auch damit die jesuanische Herkunft des Nachsatzes noch nicht erwiesen. Jenes perfectum coincidentiae wie auch das diesem näher bleibende ἀφήκαμεν der Mt-Fassung wäre auch erklärbar, wenn unser Nachsatz schon in der aramäisch sprechenden Gemeinde hinzugefügt worden wäre. Daß diese schon bald das Bedürfnis empfand, den Aufruf zur Vergebungsbereitschaft in ihr Gebet aufzunehmen, wird man jedenfalls nicht als unmöglich bezeichnen können. Der Sache nach wäre nur paränetisch eine die Bitte um göttliche Vergebung bekräftigende Forderung an die Beter explizit gemacht, die im Sinne Jesu ohnedies eine selbstverständliche Implikation der von ihm stammenden Vergebungsbitte war. Man darf vielleicht auch daran erinnern, daß dem im besonderen judenchristlicher Tradition verpflichteten Evangelisten an der Unerläßlichkeit der zwischenmenschlichen Vergebung (6, 14f. u. ö.)[14], speziell auch an dem Gedanken liegt: „. . . la prière serait hypocrite (comme c'est le cas à Matthieu 18, 23 – 35) si elle n'était précédée par l'octroi d'un pardon bien réel"[15]. Es scheint also darauf anzukommen, welche Folgerung aus dem Ausnahmecharakter des Nachsatzes Mt 6, 12b; Lk 11, 4b, also aus der singulären Bezugnahme auf das menschliche Tun, gezogen werden darf. Wenn auch ich die Möglichkeit eines frühen Zusatzes in Betracht ziehe, so zunächst einzig im Blick auf die mögliche Struktur der ursprünglichen Aufzählung der Gebetsanliegen. Die Streichung unseres Nachsatzes ergäbe ein strukturell einheitliches, die Form der Bitte, und zwar der Kurzbitte, wahrendes Ganzes. Näherhin würden den beiden Du-Bitten drei „Uns"- bzw. Wir-Bitten folgen, von denen die 2. und 3. je durch „und" mit der voraufgehenden verknüpft ist. Ich möchte mich also für *die Möglichkeit* offenhalten, daß alle von Jesus selbst stammenden VU-Bitten formal ausschließlich das Handeln Gottes ansprechen. Darüber hinaus behalte ich die Frage im Auge, ob der Versuch einer Auslegung des VU, speziell der 1. Wir-Bitte, unter Umständen zugunsten oder auch zuungunsten dieser Möglichkeit ausschlagen könnte.

Unter Berücksichtigung der Unsicherheit, die hinsichtlich der Ursprünglichkeit des Nachsatzes zur Bitte um Vergebung verbleibt, wage ich deshalb als von Jesus selbst gesprochene Gebetsanweisung vorauszusetzen:

Vater!

1. Geheiligt werde dein Name,
2. Es komme deine Herrschaft!   Du-Bitten

---

[13] J. JEREMIAS, Theologie, 195.

[14] Vgl. zusammenfassend J. DUPONT, Les Béatitudes III (Paris 1973) 618 – 633.

[15] J. CARMIGNAC, Recherches sur le „Notre Père" (Paris 1969) 232; vgl. dens. zu diesem theologischen Aspekt: 231 – 235. Auf eine andere Begründungsmöglichkeit der jesuanischen Herkunft des Nachsatzes der Vergebungsbitte werde ich durch die Habil.-Schrift meines Assistenten P. FIEDLER („Jesus und die Sünder") nachträglich hingewiesen: zur menschlichen „Antwort" auf den göttlichen Vergebungswillen gehöre nicht nur die Vergebungsbitte, sondern auch die Feststellung der eigenen (vollzogenen) Vergebung gegenüber dem Mitmenschen wesentlich ins Gebet hinein (er beruft sich dafür u. a. auf Mt 18, 23b – 30a).

1. Unser Brot τὸν ἐπιούσιον gib uns heute
2. und vergib uns unsere Schulden
   (wie auch wir vergeben unseren Schuldigern)   Wir-Bitten
3. und laß uns nicht in Versuchung geraten!

II

Daß die beiden Du-Bitten ein noch ausstehendes eschatologisches Geschehen meinen, ist heute so gut wie allgemein anerkannt. Kontrovers ist aber immer noch *der exakte Sinn der 3 Wir-Bitten.* Dabei scheint ausgerechnet die Auslegung der so unproblematisch klingenden 1. Bitte, der „Brot"-Bitte, einer Weichenstellung gleichzukommen. Auf ihrer Interpretation liegt deshalb auch das Schwergewicht des hier vorgelegten Versuchs[16].

Die Geschichte der Auslegung *der Brot-Bitte,* die *J. Carmignac* ausführlich dargestellt hat, ist m. E. weitgehend die Geschichte einer Überinterpretation. Das ist gewiß nicht zufällig. Bereits das etymologisch verschieden ableitbare ἐπιούσιος hat seit je mehreren Deutungen Raum gegeben. Seit den Tagen der Kirchenväter wurde ἄρτος vom materiellen Brot oder/und dem geistigen des Wortes zugleich (Mt 4, 4), vom neuen Manna und/oder vom Brot der Eucharistie verstanden.

Eine ausgesprochen *mehrsinnige Deutung der Brotbitte* hat neuerdings in *J. Carmignac* einen renommierten Vertreter gefunden[17]. In Abwandlung eines bekannten Gemeinplatzes meint auch er, die innere Logik des VU verlange, daß Jesus um mehr als um das irdische Brot beten läßt[18]. Unter Berufung auf das durch Hieronymus bezeugte *machar* (als Äquivalent für ἐπιούσιος) = „morgen", das eine Beziehung zu Ex 16 suggeriert habe, läßt *Carmignac* Jesus im Anschluß an die Manna-Überlieferung sagen: „Gib uns Tag für Tag unser Brot (Manna) für morgen" *(lemachar)* bzw. „bis morgen" *(ad machar),* d. h. Brot, das bis zum andern Tag genügt. Jesu Hörer hätten durchaus begreifen können, daß er „Brot" in der Weite des biblischen Sinnes verstehe, also auch das neue und wahre Manna einschließe. Für moderne Hörer müßte man deshalb eigentlich übersetzen: „Gib uns jeden Tag unser Manna bis morgen." Die Erwähnung des „Manna", das im heutigen religiösen Denken ja keinen Platz mehr habe, könnte nach *J. Carmignac* die Christen die Gebetsanweisung Jesu wieder in ihrem Vollsinn verstehen lassen, nämlich als Bitte um die dreifache Speise: die Nahrung für den Körper, das Wort Gottes und den Christus der Eucharistie[19]. Diese Sinndeutung kann ich leider nur als Musterbeispiel einer Überinterpretation beurteilen.

---

[16] Die hier vertretene Hypothese habe ich bereits in einem Referat bei einem jüdisch-christlichen Gespräch im November 1973 vorweggenommen, ohne sie dort im einzelnen begründen zu können: vgl. die in Anm. 1 genannte Veröffentlichung.

[17] Von seiner Deutung zu unterscheiden ist die kurz zuvor veröffentlichte Hypothese von H. KRUSE, der Jesus die Brotbitte im Hinblick auf die Stiftung der Eucharistie sprechen läßt, somit geradezu die ausschließlich eucharistische Deutung repristinieren möchte: „Paternoster" et Passio Christi, in: VD 46 (1968) 3 – 29, hier: 23 – 29. Dagegen scheint J. SWETNAM das eucharistische Verständnis der Brotbitte erst für die nachösterliche Interpretation beanspruchen zu wollen: „Hallowed Be Thy Name", in: Bibl 52 (1971) 556 – 563.

[18] Recherches, 190.   [19] A.a.O., 118 – 121.

Von Ex 16 her gesehen, kämen m. E. folgende Formulierungen der Bitte in Betracht: (1) „Unser Brot (Manna) gib uns heute" bzw. auch (2) „Gib uns jeden Tag (Tag für Tag) unser Brot (Manna)" oder – in Erinnerung an die doppelte Mannaration am Vorabend des Sabbat – (3) „Gib uns heute unser Brot (Manna) für morgen". Die beiden ersten Formulierungen müssen für *Carmignac* schon deshalb ausscheiden, weil sie wohl ein semitisches Äquivalent für σήμερον bzw. τὸ καθ᾽ ἡμέραν, nicht aber für τὸν ἐπιούσιον voraussetzen. Er wählt also die 3. Fassung, deren *machar* durch ἐπιούσιος wiedergegeben worden sei. Ginge es nur um die leibliche Nahrung wie beim Wüsten-Manna, wäre diese Formulierung auch insofern möglich, als der Lohnarbeiter nach dem Gesetz seinen Lohn jeden Tag für die Ernährung am folgenden Tag empfängt. Diese Formulierung wäre aber nicht sinnvoll, wenn der Beter nach *Carmignac* außer der leiblichen Nahrung auch die Speise für die Seele, das neue Manna, „das wahre Brot vom Himmel" erflehen soll, das nicht Mose gab, sondern der Vater Jesu gibt (Joh 6, 32). Unser Autor weiß sich indes mit zwei Kniffen zu helfen. Einmal: entgegen der Übersetzung des Hieronymus („crastinum") könnte s. E. das hebräische Mt-Evangelium statt *lemachar* sehr wohl *ad machar* gelesen haben: Brot, das „bis morgen" nährt[20]. Sodann gebe – was freilich noch unwahrscheinlicher ist – die Lk-Fassung mit τὸ καθ᾽ ἡμέραν (Tag für Tag) den Originalausdruck richtig wieder, während Mt die Lk-Fassung in ein σήμερον (heute) geändert habe[21]. Zu diesen beiden zweifelhaften Voraussetzungen kommt bei *J. Carmignac* außer der unhaltbaren Hypothese eines ursprünglich hebräischen Mt-Evangeliums die Schwierigkeit, daß sich dieses Verständnis der Brotbitte schwerlich aus der Verkündigung Jesu begründen läßt. Die großzügig mehrsinnige Deutung unserer VU-Bitte wäre eher diskutabel, wenn Jesus selbst in bezug auf sein gegenwärtiges Wirken vom „Brot" als geistiger Speise, vom (wahren) Brot vom Himmel o. ä. gesprochen hätte. Das konnte aber auch *Carmignac*[22] nicht wahrscheinlich machen. Diese Beweislast entfällt übrigens für die neuere Hypothese von *J. Starcky*[23] und erst recht für die erstmals 1961 vorgetragene Erklärung von *R. E. Brown,* der zudem direkt nur das nachösterliche Verständnis des VU zu erheben beansprucht[24].

---

[20] A.a.O., 218.

[21] A.a.O., 119f. 216.

[22] A.a.O., 185 – 196.

[23] Auch J. Starcky setzt im Munde Jesu eine – gegenüber der Carmignac's anderslautende – hebräische Formulierung der Brotbitte voraus. Diese sei aber erst nach Ostern von der Jerusalemer Urgemeinde gegen den Ursinn Jesu als Bitte um das baldige Essen des neuen Pascha im Himmelreich verstanden worden. Dieses sekundäre Verständnis, das auf den aramäischen Ur-Mt zurückgehen müsse, werde durch das *machar* des Hebr-Evangeliums bezeugt. Im Unterschied zu dessen „tendenziöser" Wiedergabe habe die Übersetzung der kanonischen Evangelien, vor allem die des Mt-Ev, den Sinn der Bitte richtig wiedergegeben oder doch wiedergeben wollen: La Quatrième Demande du Pater, in: HThR 64 (1971) 401 – 409, bes. 403 f. 409.

[24] Brown läßt die ersten Christen mit der Brotbitte um „participation in the heavenly banquet" bitten, dabei aber auch an die Eucharistie denken, wofür auch er sich auf at. und nt. Manna-Aussagen beruft: The Pater Noster as an eschatological prayer, jetzt in: New Testament Essays (London-Dublin 1965) 217 – 253, hier bes. 238 – 243.

Im Unterschied zu *J. Carmignac* verzichtet *J. Jeremias* als namhaftester Befürworter *des „eschatologischen" Verständnisses des „Brotes"* der 1. Wir-Bitte[25] sowohl auf einen aramäischen bzw. hebräischen Ur-Mt als auch auf das Manna-Motiv. Sodann setzt er, ebenso mit Recht, σήμερον = „heute" als ursprünglich voraus. Obwohl er im Hebr-Evangelium, gewiß zutreffend, nur eine spätere targumartige Übersetzung des griechischen Mt-Evangeliums ins Aramäische erblickt, können wir s. E. „mit gutem Grund behaupten, daß das *maḥar* älter als das Matthäusevangelium ist. Denn der Übersetzer, der Matthäus ins Aramäische übertrug, hat natürlich in dem Augenblick, in dem er zum Vaterunser kam, aufgehört zu übersetzen und statt dessen niedergeschrieben, was er täglich betete. Dann aber ist nicht daran zu zweifeln, daß *maḥar* *‚morgen'* der hinter ἐπιούσιος stehende aramäische Ausdruck ist". Jesus sagte: „Das Brot für *morgen* – gib uns *heute*!" und verstand diesen Satz „als Bitte um das *Brot der Heilszeit*[26], das Lebensbrot", wobei für Jesus das Brot, das er mit Zöllnern wie im Abendmahl brach, „irdisches Brot und zugleich Brot des Lebens" war[27].

Diese, das significans „eschatologisch" voll verdienende Deutung kann zunächst gerade auch angesichts der beiden unmittelbar voraufgehenden Du-Bitten um die eschatologische Vollendung sehr bestechen. Trotzdem drängen sich einige Fragezeichen auf. Man konnte bereits darauf hinweisen, daß „Brot" in Israel keineswegs als Inbegriff des endzeitlichen Mahles galt, und daß das „unser" bei der Deutung auf das Brot als „Anteil an der Vollendungsherrlichkeit"[28] störend wirkt[29]. „*Das* Brot für morgen gib uns heute!" wäre sicher eher als Hinweis auf das Brot der Heilszeit zu verstehen gewesen. Es ist verständlich, daß *J. Jeremias* statt „unser Brot" in einer bereits zitierten Formulierung denn auch „das Brot" im Munde Jesu voraussetzt. Für ein *machar* als aramäisches Äquivalent für ἐπιούσιος soll seines Erachtens auch sprechen, „daß damit in der Brotbitte eine Gegenüberstellung zwischen ἐπιούσιος und σήμερον entsteht, die in der folgenden Bitte in der Gegenüberstellung des göttlichen und des menschlichen Vergebens ihre Parallele findet: ‚Das Brot für *morgen* – gib uns *heute*!'"[30] Abgesehen davon, daß Jesus selbst in der 2. Wir-Bitte möglicherweise, ja eher wahrscheinlich dem göttlichen Vergeben das menschliche Vergeben gar nicht gegenübergestellt hat, hat die Voraussetzung eines absoluten „das Brot" immerhin auch die einhellige Formulierung der beiden VU-Fassungen (τὸν ἄρτον ἡμῶν) gegen sich. Auch wenn man berücksichtigt, daß „Brot" in unserer Bitte wie auch vielfach im AT stellvertretend für „Nahrung" überhaupt steht, müßte außerdem noch plausibel gemacht werden, daß Jesus, ohne an einen schon vorhandenen Sprachgebrauch an-

---

[25] Was die von J. CARMIGNAC, Recherches, 337 aufgeführten Autoren betrifft, wären übrigens ganz wesentliche Differenzierungen angebracht.

[26] Dafür, daß *machar* auch übertragen „Gottes Morgen", die Zukunft, d. h. die Endzeit bedeuten könne, vgl. seine Belege: Theologie I, 194 A. 92.

[27] A.a.O., 193 f.

[28] J. JEREMIAS, a.a.O., 194.

[29] E. SCHWEIZER, Matthäus, 96.

[30] A.a.O., 193.

knüpfen zu können, „unser Brot" als Brot der Heilszeit verstand und dieses Verständnis auch seinen Jüngern und Hörern zutrauen konnte. Dieser Nachweis scheint mir auf schwachen Füßen zu stehen. Gewiß hatte jede Mahlgemeinschaft, die Jesus gewährte, „eschatologischen" Sinn. Bestand dieser aber in mehr als in der Tatverkündigung der den Sünder suchenden Liebe Gottes? Meinerseits vermag ich nicht einmal zu sehen, daß die Evangelien den Jesus des öffentlichen Auftretens auch als einladenden Gastgeber und Mahlherrn bezeugen würden[31]. Berechtigt uns die synoptische Überlieferung wirklich zu der Annahme[32], bei jeder Mahlzeit habe Jesus seine Rolle „als Hausherr, der er in der Vollendung sein würde", antizipiert? *N. Perrin* beruft sich für den Antizipationsgedanken im besonderen auf die VU-Bitte „Deine Herrschaft komme" und auf das Verheißungswort Mt 8, 11 par. Von diesem sagte er: „Unmittelbar aus der Tischgemeinschaft der Gottesherrschaft im Wirken Jesu herrührend, richtet es die Aufmerksamkeit auf einen Augenblick in der Zukunft, in dem diese Gemeinschaft vollendet werden wird. So ungeheuer wichtig diese Gemeinschaft im Leben Jesu ist, ist sie doch nur eine Vorwegnahme des Zu-Tische-Sitzens mit Abraham, Isaak und Jakob in der Gottesherrschaft. So stoßen wir also wieder auf das gleiche Thema: Die Erfüllung in der Gegenwart ist zwar echte Erfüllung, aber sie nimmt doch nur die Vollendung in der Zukunft vorweg"[33]. *W. G. Kümmel* erlaubt sich in seiner Besprechung dazu doch wohl mit Recht die kritische Bemerkung: die Frage, ob ein jüdischer Hörer zu *diesem* abstrakten Verständnis der beiden Logien kommen konnte, werde überhaupt nicht gestellt[34]. Darf man schließlich die von Jesus gewährte Tischgemeinschaft von der Abendmahlssituation, näherhin von der in Mk 14, 25 par enthaltenen Beziehung des letzten Mahles zum eschatologischen Mahl her interpretieren?

Da im Urwort Jesu mit gutem Grund ein Äquivalent für „heute" vorauszusetzen ist, sieht sich die Interpretation der Brotbitte vor allem auf die Erklärung des schwierigen ἐπιούσιος angewiesen. Diese hat meiner Auffassung nach von zwei Erwägungen auszugehen. Einmal kann die Verwendung des außerchristlich nur ein einziges Mal und dazu in fragmentarischem Zusammenhang belegten Adjektivs ἐπιούσιος in beiden Fassungen der Brotbitte befriedigend nur daraus erklärt werden, daß sich der Übersetzer genötigt sah, einen im aramäischen Original enthaltenen, und zwar von dem „heute" zu unterscheidenden Ausdruck bzw. Sinnmoment zu respektieren. Daß dieser hinter dem ἐπιούσιος stehende aramäische Ausdruck das *machar* des Hebr-Evangeliums war, und dieses *machar* älter ist als das ἐπιούσιος, ist nun einmal

---

[31] Aus dem Gleichnis vom großen Abendmahl läßt sich diese Rolle so wenig erschließen wie etwa aus der erst urchristlichen Christuserzählung der wunderbaren Speisung; vgl. meinen Aufsatz: Die Einladung zum großen Gastmahl und zum königlichen Hochzeitsmahl, in: Das Evangelium und die Evangelien (Düsseldorf 1971) 171–218, hier: 191ff.

[32] J. JEREMIAS, Theologie I, 194.

[33] Was lehrte Jesus wirklich?, 181 bzw. 176–181.

[34] NORMAN PERRIN'S „Rediscovering the Teaching of Jesus", in: JR 49 (1969) 63.

alles andere als sicher[35]. Auch deshalb nicht, weil sich ἐπιούσιος bekanntlich sowohl von ἐπι-εῖναι bzw. auch ἐπι-ουσία als auch von ἐπι-ιέναι ableiten läßt[36]. Wer für eine strikt zukünftige Deutung plädiert[37] oder an der Vorstellung der Antizipation der zukünftigen Gabe der Vollendung interessiert ist, befürwortet naturgemäß die von ἐπί-εῖναι ausgehende Etymologie von ἐπιούσιος und damit eine zeitliche Deutung „kommend", „morgig", „zukünftig"[38]. Diese Auflösung käme m. E. ernstlich nur in Betracht, wenn sich die Deutung des Brotes auf die eschatologische Heilsgabe wahrscheinlich machen ließe. Läßt man hingegen Jesus „Brot" im alltäglichen Sinne und nur in diesem Sinne verstehen, ergibt die andere, nicht weniger mögliche Ableitung ebenso einen Sinn: *unser notwendiges (Quantum) Brot, das Brot, das wir brauchen, gib uns heute!* Für diesen Sinn läßt sich mit *H. Schürmann* bereits die betont am Ende stehende eindeutige Zeitbestimmung „heute" geltend machen. „Denn sehr betont wird gesagt, daß wir unbedingt schon heute zu unserem Brot kommen müssen. Warum? Offenbar weil es für heute notwendig ist, wenn wir nicht Hunger leiden wollen."[39] Diese Deutung des τὸν ἐπιούσιον scheint an Zustimmung zu gewinnen[40]. Ob mit Recht, kann auch in diesem Fall freilich nur eine weitere Würdigung des Kontexts, des unmittelbaren des VU und des mittelbaren der Verkündigung Jesu, zu entscheiden versuchen.

Es empfiehlt sich freilich, zuvor erst noch die beiden folgenden Wir-Bitten ins Auge zu fassen. Zunächst: *„und vergib uns unsere Schulden"*. Die endgültige Vergebung Gottes bzw. die Bestätigung derselben erfolgt nach jüdischer Auffassung durch das Gericht. Es wird auch durchaus mit Recht betont, wo die Jesusüberlieferung Gottes Vergeben an unser eigenes Vergeben knüpft,

---

[35] H. Schürmann's Erklärung ist durchaus erwägenswert: „Wenn das Hebräerevangelium . . . das ἐπιούσιος aus dem Griechischen mit *mahar* rückübersetzt, rät es den Sinn und deutet die Brotbitte wohl im Interesse der kleinen Leute . . ., die über Nacht ihr Brot in der Lade haben und sorglos schlafen wollen": Das Gebet des Herrn (Freiburg i. Br. 1958) 129f. A.224.

[36] Vgl. zu den Einzelversuchen W. Bauer, Wörterbuch s. v., 588; W. Foerster, ἐπιούσιος, in: ThW II, 587 – 595; J. Carmignac, Recherches, 121 – 137.

[37] Wie z. B. auch R. E. Brown, The Pater Noster, a.a.O., 241 – 243.

[38] Für diese zeitliche Deutung kann J. Carmignac eine beträchtliche Zahl auch neuerer Autoren nennen (vgl. seine Liste: Recherches, 134f.). Davon zu unterscheiden sind Vertreter einer zeitlichen Deutung, die um das Brot „für den herankommenden" = laufenden Tag beten lassen (vgl. J. Carmignac, 135f.) und die noch weniger in Betracht kommende Deutung des Benediktiners B. Orchard, die dieser in Carmignac's Doxographie vermißt. Orchard deutet τὸν ἐπιούσιον auf das „vorkommende" Brot, auf das Brot, auf das wir, gleich den unbesorgten Vögeln, stoßen („the ‚bread that turns up', and ‚that we come upon' when we go for it": The Meaning of ton epiousion, in: BTB 3 [1973], 274 – 282, bes. 280f.).

[39] Das Gebet, 65.

[40] Vgl. W. Foerster, ἐπιούσιος, a.a.O., 594, 27ff.; K. G. Kuhn, Achtzehngebet 35 – 37; P. Bonnard, L'Évangile selon S. Matthieu (CNT 1) (Neuchâtel 1963) 85f.; W. Grundmann, Das Evangelium nach Lukas (ThHK III) (Berlin ²1963) 232, der in seinem jüngeren Mt-Kommentar (1968) freilich die Übersetzung „Unser Brot für *morgen* gib uns heute" wählte (197); W. G. Kümmel, Die Theologie des Neuen Testaments (Göttingen ²1972) 37; S. Schulz, Q, 90f., der auch M. Dibelius, P. Stuhlmacher und E. Grässer anführen kann; zuletzt J. Starcky, der sich als Übersetzung die Wortbildung „subsistentiel" erlaubt: La Quatrième Demande, a.a.O., 409. Diese Ableitung hat selbstverständlich nichts zu tun mit der heute zu Recht allgemein abgelehnten Auflösung von ἐπιούσιος in ἐπί = „darüber" und οὐσία = „Substanz" zu einem (panis) supersubstantialis.

sei an die endgültige Vergebung im Gericht gedacht (Mt 6, 14f.; 5, 23f. 25f.; 18, 23 – 34. 35; Lk 6, 37). Es hat gewiß seinen guten Grund, daß auch manche Autoren, welche die 1. („Brot") und 3. (πειρασμός) Wir-Bitte oder doch die letzte[41] eschatologisch-zukünftig deuten, in unserer 2. Wir-Bitte trotzdem um den hier und jetzt erfolgenden Erlaß zugezogener Sündenschulden beten lassen. Der Gesamttenor der jesuanischen Proklamation des dem Sünder nachgehenden und diesem freudig vergebenden Vatergottes duldet m.E. keinen Zweifel, daß an dieser Deutung festzuhalten ist, ob die Selbsterinnerung an das eigene zwischenmenschliche Vergeben, „die ja von dem Tag für Tag Geschehenden (spricht)"[42], nun von Jesus selbst stammen oder erst von der Urgemeinde hinzugefügt worden sein mag. Gewiß: wie die ungeteilte Erfüllung des Willens Gottes gewinnt im Verständnis Jesu auch die gegenwärtige Erlangung der Sündenvergebung einzigartige Aktualität und Dringlichkeit in Verbindung mit der Bitte um das Eintreten der Endoffenbarung Gottes, „angesichts des nahenden Gerichts"[43]. Man wird aber einräumen müssen, daß dieser implizierte ideelle Bezug der im und für das „Jetzt" zu erbittenden Vergebung auf das noch ausstehende Gericht nicht schon dazu berechtigen würde, aus der Vergebungsbitte ein direkt eschatologisches „Brot"-Verständnis abzuleiten. Es erschiene mir zumindest sehr gewagt, wenn man argumentieren wollte: Weil die Bitte um göttliche Vergebung im Sinne Jesu auch den Gedanken an die endgültige Bestätigung im Gericht impliziert, lasse Jesus mit der Brotbitte um die Teilnahme am eschatologischen Mahl (als Inbegriff des Heils der erflehten Gottesherrschaft) bitten, beziehungsweise darum, daß die Jünger „das Vollendungsmahl" schon hier und jetzt antizipierend empfangen. Auch das Argument, die Aoristformen der Wir-Bitten müßten sich wie jene der Du-Bitten auf einen bestimmten Akt, nämlich auf Momente des noch ausstehenden einmaligen Endgeschehens beziehen[44], ist übrigens keineswegs durchschlagend. Abgesehen davon, daß das Aramäische den ingressiven Aorist, den die in dieser Hinsicht ältere Mt-Fassung durchaus sachgemäß verwendet, nicht kannte, sind die Aoristformen wahrhaftig nicht weniger sinnvoll, wenn an den Augenblick gedacht ist, in dem sich der Beter an Gott wendet und um das Handeln Gottes im Jetzt bittet.

Derselbe ideelle Bezug dürfte auch in *der 3. und letzten Wir-Bitte* vorliegen. Die rein eschatologisch-zukünftige Deutung derselben hatte zuletzt entschiedene Befürworter gefunden in *J. Jeremias* und *S. Schulz,* von denen dieser das VU als Ganzes freilich erst durch die palästinische Urgemeinde komponiert werden läßt. Nach der genannten Deutung läßt Jesus um die Bewahrung vor dem Erliegen in der letzten großen Endanfechtung bitten[45].

---

[41] So z.B. P. BONNARD, S. Matthieu, 87: „probablement".

[42] E. SCHWEIZER, Matthäus, 97.

[43] Vgl. *H. Schürmann:* „Es wird um die vergebende Amnestie Gottes gebetet angesichts des nahenden Gerichtes. Aber der Beter möchte doch diesen göttlichen Vergebungsakt schon hier und jetzt empfangen, wohl damit er nicht erst ins Gericht kommen muß": Das Gebet, 83.

[44] Darauf legt z.B. R. E. BROWN großen Wert.

[45] J. JEREMIAS, Theologie I, 195f. mit Verweis auf 130f.; S. SCHULZ, der auch ältere und neuere Vertreter aufführt: Q, 92.

Nun begegnet der Topos der eschatologischen Drangsal und Wehen gewiß nicht erst in der Apk, wo er bekanntlich vielfach thematisch abgehandelt wird. Er spielt schon in der älteren Überlieferung seit Paulus, besonders auch Mk 13, 7ff. par, eine Rolle[46]. Hat aber auch schon Jesus selbst vom endzeitlichen Peirasmos geredet und die Erwartung ausgesprochen[47], daß er und seine Jünger in demselben leiden und sterben müssen? Das erscheint mir doch fraglich. Sodann muß immerhin auch die beiden VU-Fassungen gemeinsame Formulierung εἰς πειρασμόν zu denken geben. Wenn Jesus schon eine bestimmte Anfechtung, eben „die letzte große Endanfechtung" meinen soll, wäre unbedingt der bestimmte Artikel zu erwarten: und laß uns nicht in *die* Versuchung geraten[48]. Um das eschatologisch-zukünftige Peirasmos-Verständnis für Jesus selbst zu beanspruchen, müßte man das artikellose πειρασμόν also schon auf das Konto der späteren Überlieferung setzen, somit annehmen, diese habe die Vorstellung der Endanfechtung zugunsten des Gedankens an das Phänomen „Versuchung" überhaupt, an gegenwärtige Versuchungen getilgt. Soll die beiden VU-Fassungen zugrunde liegende gemeinsame Überlieferung gleich in zwei Bitten den ursprünglichen eschatologischen Bezug gestrichen haben, indem sie aus „das Brot" ein „unser Brot" machte und ebenso den Artikel vor „Versuchung" strich? Man darf vielleicht auch fragen, ob eine derartige „entapokalyptisierende" Wiedergabe der 3. Wir-Bitte zur Naherwartung der Anfangszeit oder auch zu der bereits in der ersten Generation einsetzenden und zunehmenden Neigung zu apokalyptischer Ausmalung sonderlich passen würde. Könnte das aramäische Original also nicht auch hier zutreffend wiedergegeben worden sein?

Gewiß nicht ohne Grund läßt *J. Jeremias* Jesus zum Beten um „Bewahrung *vor dem Erliegen* in der eschatologischen Anfechtung", „um Bewahrung vor dem *Abfall*" auffordern[49]. Er erspart sich damit die von einigen Autoren geteilte Auffassung, Jesus lasse darum beten, daß die Jünger „ohne Erprobung und Prüfung direkt in die Basileia gebracht werden"[50]. Er hat auch durchaus recht damit, daß das von ihm zitierte jüdische Morgen- und Abendgebet um Bewahrung vor dem Überwältigtwerden durch die Versuchung, vor dem Erliegen in derselben flehen läßt[51]. Nur ist damit noch nicht über den exakten Sinn der entsprechenden VU-Bitte entschieden. Deren Formulierung lautet ja etwas anders als die jenes jüdischen Gebets, nämlich: „führe uns nicht in Versuchung hinein" bzw. – da sich nach einem festen Gesetz der hebräischen wie aramäischen Syntax die Negation vor einer Kausativform allein auf die Wir-

---

[46] Einzelnachweise in meinem Band: Das Neue Testament und die Zukunft des Kosmos (Düsseldorf 1970); vgl. bes. 67–71; 183, 208.
[47] J. JEREMIAS, Theologie I, 130f.
[48] Wie z.B. auch J. CARMIGNAC (Recherches, 244f.) und E. SCHWEIZER (Mt, 98) kritisch feststellen.
[49] Theologie I, 196; sachlich ebenso S. SCHULZ, Q, 92.
[50] P. STUHLMACHER, Gerechtigkeit Gottes bei Paulus (FRLANT 87) (Göttingen 1965) 54 A. 1. So schon früher R. EISLER u.ä. A. SCHWEITZER (S. SCHULZ, Q, 92 A. 241); vgl. auch P. BONNARD, S. Matthieu, 87.
[51] Theologie I, 196.

kung (statt auf die Ursache)[52] bezieht oder doch beziehen kann[53] − wohl sinngemäßer: „*mach, daß wir nicht in Versuchung hineinkommen, geraten*" (anstatt: „mach nicht, daß wir in Versuchung hineinkommen")[54]. Ähnliche Übersetzungen, wie z. B. die von *K. G. Kuhn,* meinen dieselbe Sinn-Nuance: „Laß uns nicht in die Anfechtung, in die Gefahr des Abfalls geraten"[55]. Die Bewahrung vor einer Versuchung schließt die Bewahrung vor der Zustimmung zur Versuchung, also vor einer Sünde selbstverständlich ein, da es Gott in diesem Fall ja gar nicht zum Versuchtwerden kommen läßt[56]. Obwohl Jesu Formulierung einen Schritt weiter geht als die Bitten jenes jüdischen Morgen- und Abendgebets, liefern diese trotzdem einen wichtigen Kommentar zum VU. Zusammen mit anderen jüdischen Gebeten bezeugen sie das Thema „Versuchung zur Sünde" als wohlbekanntes, ja alltägliches Gebetsmotiv und belegen sie darüber hinaus dieselbe Abfolge der Begriffe „Sünde", „Schuld" einerseits und „Versuchung" andererseits − wie die Gebetsanweisung Jesu[57].

Der Vergleich mit verschiedenen Qumrantexten und mit alten jüdischen Gebeten im besonderen führte *D. Flusser,* dem u. a. auch *J. Carmignac* zustimmt[58], zur kategorischen Ablehnung der Deutung des πειρασμός des VU auf die endzeitliche Drangsal[59]. Von einem πειράζεσδαι der Gläubigen im Zusammenhang mit der eschatologischen Drangsal ist denn auch nur selten, nämlich Dan 12, 10, die Rede[60]. In der eschatologischen Rede Mk 13 par findet sich πειράζεσδαι oder πειρασμός weder in Verbindung mit den verführerischen Zeichen und Wundern (Mk 13, 22 par) noch mit den zu bestehenden Drangsalen. Von den 21 πειρασμός-Stellen kennzeichnet nach der treffenden Beobachtung von *E. Gräßer* nur eine einzige „eindeutig" den πειρασμός am Ende der Tage, und diese findet sich bezeichnenderweise in der Apk (3, 10). „An allen anderen Stellen ist damit das Jetzt der Situation der Gläubigen in der Welt gemeint, die durch teuflische Anfechtung, durch die Gefahr des Sündigens und des Abfalls charakterisiert ist . . ."[61] Daß wohl die größere Zahl von Autoren Jesus nicht an die endzeitliche Drangsal, sondern an schon im Jetzt drohende versucherische Situationen denken läßt[62], erweist sich m. E. so-

---

[52] Über die die Auslegung seit Tertullian wohl unnötig beschäftigende Sorge, unsere Formulierung würde implizieren, daß in der Sicht Jesu Gott eigentlich der ist, der die Menschen „versucht", nämlich zur Sünde anreizt, vgl. J. CARMIGNAC, Recherches, 237 − 255.

[53] Wie erstmals J. HELLER betonte: Die sechste Bitte des Vaterunser, in: ZKTh 25 (1901), 85 − 93.

[54] Zur Diskussion einer Fülle von sprachlichen Belegen, und zwar auch aus jüdischen Gebeten, vgl. J. CARMIGNAC, Recherches, 268 bzw. 283 − 290, bes. 272.

[55] Peirasmos, a.a.O., 218.

[56] Deshalb dürfte sich ein weiteres Auslegungsproblem, mit dem sich vor allem J. CARMIGNAC beschäftigt, erübrigen. Er fragt, ob man sich mit „mach, daß wir nicht in Versuchung kommen" zufriedengeben darf oder nicht vielmehr zu übersetzen sei: „mach, daß wir nicht in eine Versuchung kommen *und ihr zustimmen*" − was er selbst vorzuziehen scheint: Recherches, 293 f.

[57] Vgl. die Belege in meinem Beitrag: Das Vaterunser, a.a.O., 171 f.

[58] A.a.O., 244 f.

[59] Qumran and Jewish „Apotropaic" Prayers, in: IEJ 16 (1966) 203.

[60] Vgl. H. SEESEMANN, πεῖρα, in: ThW VI 26, 21 ff.

[61] Das Problem der Parusie-Verzögerung in den synoptischen Evangelien und in der Apostelgeschichte (BZNW 22) (Berlin ²1960) 104.

[62] So nach P. FIEBIG, Vaterunser, 49 f. 89 f.; u. a. auch H. SEESEMANN, a.a.O. 31, 6 ff.; G. BORNKAMM, Jesus, 126; E. GRÄSSER, Parusieverzögerung, 104 f.; E. SCHWEIZER, Matthäus, 98.

mit als gut begründet. Auch dann, wenn mit *K. G. Kuhn* im Hinblick auf die Rolle Satans im Qumran-Denken sowie in der Denkstruktur Jesu zu sagen ist, daß in der VU-Bitte „gar nicht getrennt werden (kann) zwischen dem Jetzt der Situation des Gläubigen in der Welt und dem Dann des kommenden Endkampfes", da beides als *„ein* Geschehen" zusammengehöre[63], wird auch bei diesem freilich nicht unbestrittenen Verständnis[64] bezeichnenderweise zugleich die Gegenwart als Zeit möglicher Versuchung einbezogen[65].

Wenn Jesus jedenfalls auch, sogar primär, an die Anreizung zur Sünde denkt, in die die Angesprochenen hier und jetzt, schon vor dem Eintreten der sogenannten messianischen Wehen, geraten können, fügt sich dieser Gedanke nicht nur dem jüdischen Gebetsstil, sondern auch dem unmittelbaren Kontext des VU bestens ein: „vergib uns unsere Schulden und" – damit wir nicht wieder neue Sündenschuld auf uns laden – „laß uns nicht in Versuchung geraten!".

III

Damit könnten die Voraussetzungen soweit geklärt sein, um eine Antwort auf die hier gestellte *Frage nach dem eschatologischen Bezug der Wir-Bitten* versuchen zu können. In den beiden Du-Bitten hatte Jesus mittels der beiden Motive des Kaddisch[66] – der Heiligung des Namens Gottes und des Kommens seiner Herrschaft – das eschatologische Offenbarwerden Gottes als erstes und umfassendes Gebetsanliegen genannt. Warum fährt er fort mit den drei Wir-Bitten, und zwar an erster Stelle mit der Brot-Bitte? Daß alle Wir-Bitten einen Bezug zu der als Inbegriff des Heils verstandenen Endoffenbarung haben müssen, ist vorweg zu präsumieren. Wie ist dieser Bezug aber näherhin zu bestimmen? Als *eigentlich kritischer Punkt* bleibt *die Auslegung der ersten Bitte, der Brot-Bitte.* Hypothesen, die das hier genannte Brot als eschatologisches Gut (letztes Wort Gottes, endzeitliches Manna, künftiges Manna, schon gegenwärtig zu empfangendes Brot der Heilszeit) verstehen lassen, erwecken den Eindruck starker oder auch um beträchtliche Grade geringerer Überinterpretation. Dann bleibt nur übrig, daß Jesus „unser Brot" ausschließlich im eigentlichen und gewöhnlichen Sinn, somit als Inbegriff der materiellen Nahrung versteht. Gleichzeitig kann man sich andererseits aber auch nicht des Eindrucks erwehren, die Vertreter der genannten Auslegungsrichtung würden mit Recht das Empfinden haben, unmittelbar nach der Bitte um die endliche Offenbarung der Gottesherrschaft würde der bloße Gedanke an die notwendige leibliche Nahrung stark abfallen. Es erschiene mir in der Tat auffällig, ja befremdlich, wenn sich der eigentliche ictus unserer Bitte erschöpfen würde in

---

[63] Peirasmos, a.a.O., 220.
[64] U.a. hält E. GRÄSSER dem Kompromiß KUHN's entgegen, die Versuchung wäre im eigentlichen Sinne „erst dann eschatologisch, wenn sie einen unmittelbaren Bezug zu der Enddrangsal hätte", was hier gerade nicht der Fall sei: Parusieverzögerung, 105 f. A. 5.
[65] So auch W. GRUNDMANN, Lukas, 231.
[66] Zum Vergleich des VU mit diesen und anderen jüdischen Gebetstexten s. meinen Beitrag: Das Vaterunser, a.a.O., 168 ff.

dem Anliegen, „daß man zwar nicht im Überfluß und nicht gesichert gegen alle Notzeit, aber doch ohne Sorgen schlafen kann, weil für den kommenden Tag vorgesorgt ist"[67]. Ich möchte also meinen, Jesus hat noch etwas mehr im Auge als die Befreiung von unmittelbarer Nahrungssorge. Wie könnte man dann aus diesem Dilemma herauskommen? Ausgehend von einer schon von *M. Dibelius,* dem hochverdienten Lehrer unseres Jubilars, ausgesprochenen Erklärung meinte ich, auf dem Hintergrund genuiner Züge der Verkündigung Jesu die eschatologische Ausrichtung der Brot-Bitte folgendermaßen formulieren zu können: „Die Brotbitte ist ihrer fundamentalen Ausrichtung nach Bekenntnis zu Jesu Verbot jenes Vorsorgens, das den Menschen nicht zur Besorgung des einzig wirklich Notwendigen im Hier und Jetzt kommen läßt, nämlich: sich in Gesinnung und Tat dem Heils- und Heiligkeitswillen Gottes zu öffnen. Aus dieser Haltung heraus sollen die von Jesus Angesprochenen im vollen Vertrauen auf die Güte des himmlischen Vaters buchstäblich nur die für ‚heute' notwendige Nahrung erbitten, um ganz für den in Jesus ergehenden Anruf und Aufruf zum Tun des Willens Gottes frei zu sein."[68]

Ich meine also für *folgende Logik des VU* plädieren zu sollen: Nachdem Jesus in den beiden Du-Bitten die Beter um die Endoffenbarung des heilwirkenden Handelns Gottes flehen ließ, richtet er mit den drei Wir-Bitten den Blick auf die Situation der zur Heilserlangung berufenen Menschen bzw. Israeliten. Dabei hat er drei Hindernisse für die Erlangung des Endheils im Auge:
1. die völlige Beschlagnahme der Menschen durch ein Sorgen, das sie nicht die einzig notwendige Sorge wahrnehmen läßt;
2. die Sünden, durch die sie sich vor Gott schuldig gemacht haben;
3. die Gefahr, in neue Sündenschuld zu fallen.

Diese gedankliche Konsequenz steht und fällt mit der vorgeschlagenen Deutung der Brot-Bitte. Unterliegt diese aber nicht weniger dem berechtigten *Verdacht der Überinterpretation* als die besprochenen Auslegungen? Was auf den ersten Blick stutzig macht, ist natürlich der Umstand, daß die Brot-Bitte ihrer Intention nach die Aufforderung der Beter zu situationsgemäßer Aktivität beinhalten soll, obwohl sie der Form nach ausschließlich als „Aufforderung" an Gott formuliert ist. Dieser Umstand macht die vorgeschlagene Auslegung m. E. keineswegs unmöglich, sobald man den unmittelbaren Kontext berücksichtigt. Es darf immer noch als bestbegründete Annahme gelten, daß Jesus das Kommen der Gottesherrschaft und ihres Heils ausschließlich als Tat und Gabe Gottes verstand. Die beiden voraufgehenden Du-Bitten können die Endoffenbarung Gottes und seines Heils somit nur vom Handeln Gottes selbst erwarten lassen. Dasselbe gilt von den der Brot-Bitte nachfolgenden beiden Wir-Bitten: nur Gott kann begangene Sünden vergeben und ebenso wirksam vor

---

[67] E. Schweizer, Matthäus, 97. Es ist hinzuzufügen, daß diese Auslegung zumindest ohne zwingenden philologischen Grund τὸν ἐπιούσιον auf (das Brot) „für den kommenden Tag" deutet. Wegen des *machar* des Nazarener- (= Hebräer-)Evangeliums wird diese Übersetzung auch von E. Schweizer für „die wahrscheinlichste" gehalten: a.a.O., 95. 96.

[68] Das Vaterunser, a.a.O., 181. Diese Deutung vertrat inzwischen auch J. Lambrecht, Ich aber sage euch. Die Bergpredigt als programmatische Rede Jesu (Mt 5 – 7, Lk 6, 20 – 49) (Stuttgart 1983) 134.

einer zu neuer Schuld führenden Versuchung bewahren. Es ist insofern gar nicht anders zu erwarten, als daß auch in der Brot-Bitte ausschließlich Gott in der Rolle des Handelnden, näherhin des Gebenden erscheint, und das geforderte Verhalten der Beter in der Bitte an den handelnden Gott nur implizit ausgesprochen ist: Gib uns die für heute notwendige Nahrung, damit wir uns um das einzig Notwendige, um die Erfüllung deines Willens und damit um das Eingehen in das Heil der Gottesherrschaft sorgen können[69].

Darf man noch einen Schritt weitergehen? Dem Wortlaut nach ist die ausdrückliche Bezugnahme im Nachsatz zur Vergebungsbitte auf das vom Menschen geforderte Handeln unbestreitbar singulär. Bei der vorgeschlagenen Interpretation der Brot-Bitte setzt dieselbe, obwohl sie dem Wortlaut nach nur um das Handeln Gottes, um das Schenken des für heute notwendigen Brotes bitten läßt, der Intention und Sache nach ebenfalls die entschiedene Bereitschaft der Beter zum Handeln voraus, nämlich zur uneingeschränkten Erfüllung des Willens Gottes. Läßt sich daraus eine Folgerung hinsichtlich der Herkunft des Nachsatzes zur Bitte um göttliche Vergebung verantworten? Man könnte sagen: insofern Jesus selbst mit der Brot-Bitte implizit an das Verhalten der Menschen appelliert, kann er das bei der anschließenden Bitte um göttliche Vergebung auch explizit getan haben. Da der beiden VU-Fassungen gemeinsame Nachsatz zur Bitte um Vergebung, wenn nicht von Jesus, dann wenigstens aus der relativ frühen Urgemeinde stammt, kann man aber auch erwägen: weil die frühe Gemeinde die Brot-Bitte im vorgeschlagenen Sinne, nämlich als Bitte um Befreiung zur einzig notwendigen Aktivität verstand, konnte sie auch von daher mitangeregt worden sein, der Vergebungsbitte die Selbsterinnerung an die von Jesus betonte Pflicht eigenen Vergebens hinzuzufügen. Auf den ersten Blick möchte man sich wohl für die erste Möglichkeit entscheiden, also dafür, daß Jesus selbst den Nachsatz zur Vergebungsbitte hinzufügte. Freilich wird man dieser Folgerung immerhin die Frage entgegenhalten können: Wenn Jesus bei der Formulierung der ersten Wir-Bitte darauf verzichtete, die in dieser implizit angezielte Forderung eigenen Verhaltens auch ausdrücklich auszusprechen, warum dann nicht auch in der nachfolgenden Bitte um göttliche Vergebung? Insofern scheint mir die Hypothese, daß Jesus das ganze VU ausschließlich in der Bitt-Form gesprochen hat, doch diskussionswürdig zu bleiben. Im übrigen läßt sich die vorgeschlagene Deutung der Brot-Bitte m. E. nicht weniger verteidigen unter der Voraussetzung, daß der Nachsatz zur Vergebungsbitte von Jesus selbst stammt.

---

[69] So richtig und verständlich es ist, daß alle VU-Bitten explizit nur vom Handeln Gottes sprechen, scheint mir deshalb G. SCHWARZ die innere Logik des VU, näherhin die des Anschlusses der drei Wir-Bitten, nicht ganz zu treffen. SCHWARZ formuliert abschließend: „An eine wie auch immer geartete menschliche Mitbeteiligung – dies unser für die Exegese bedeutsames Ergebnis – hat Jesus also (zumindest beim Vater-Unser) nicht gedacht. Ihm kam alles allein auf Gott an. Sein ausschließliches Anliegen und Ziel in allen sechs Vater-Unser-Bitten war Gottes Handeln und nichts als das: in den ersten drei Bitten sein herrscherliches, in den letzten drei Bitten sein väterliches Handeln": Matthäus VI, a.a.O., 247. Den Gedanken an jede menschliche Mitbeteiligung könnte man allenfalls ausschließen, wenn die von G. SCHWARZ vorgeschlagene Rekonstruktion der Brot-Bitte zuträfe: „Gib uns unser Brot": a.a.O., 246.

Zum Schluß legt sich noch ein Blick auf die *Mt-Fassung des VU,* näherhin auf die dieser eigene 3. Du-Bitte nahe. Die Heiligung des Namens Gottes und das Kommen seiner Herrschaft bedeutete zweifellos auch in judenchristlichem Verständnis die endgültige und uneingeschränkte Durchsetzung des Willens Gottes in der ganzen Schöpfung. Bei diesem ausschließlichen Bezug des „es geschehe dein Wille . . ." auf das noch ausstehende Handeln Gottes käme diese dritte Bitte auf eine reine Tautologie mit den beiden voraufgehenden Bitten, vor allem der um das Kommen der Gottesherrschaft, hinaus. Nun war es auch und gerade für das Judenchristentum selbstverständlich, daß die Menschen den Willen Gottes vollkommen erfüllen müssen, um das Heil der Gottesherrschaft zu erlangen. Deshalb dürfte die judenchristliche Zusatzbitte Mt 6, 10b den Gedanken an das menschliche Tun, an die jetzt schon geltende Forderung der Erfüllung des Willens Gottes, des von Jesus vollkommen ausgelegten „Gesetzes" miteinbringen wollen[70]. Durch diese zusätzliche zweihebige Bitte entstand nicht nur ein volltönender Abschluß der beiden Du-Bitten und insofern auch eine gewisse Zäsur zwischen den Du-Bitten und den Wir-Bitten, sondern auch zugleich eine gedankliche Überleitung vom strikten Eschaton der beiden ursprünglichen Du-Bitten zu den drei Wir-Bitten, die ja auf die Situation der Heilsanwärter blicken. Wenn die 1. Wir-Bitte im Sinne der vorgeschlagenen Interpretation besagen will: unser notwendiges Brot gib uns heute, damit wir ganz um die Erfüllung des Willens Gottes besorgt sein können, sind die 3. Du-Bitte und die 1. Wir-Bitte durch den Gedanken der vollkommenen Erfüllung des Willens Gottes ideell miteinander verknüpft. Freilich: ob der vorausgesetzte Sinn der Brot-Bitte auch noch zum Zeitpunkt der Hinzufügung von Mt 6, 10b aus der Brot-Bitte herausgehört wurde und insofern mit dazu anregen konnte, eine 3. Du-Bitte im genannten Sinn als Überleitung zu bilden und hinzuzufügen, ist eine andere Frage, die offenbleiben muß. Als unmöglich wird man das schon deshalb nicht bezeichnen können, weil die Mt-Fassung der Brot-Bitte immerhin das sicher ursprüngliche und für den Sinn wesentliche σήμερον (gegenüber dem generalisierenden τὸ καθ᾽ ἡμέραν der Lk-Fassung) bewahrte und auch (statt des entsprechend iterativen δίδου) den Aorist-Imperativ δός verwendet.

Was aber hier zur Debatte stehen sollte, war ausschließlich der Sinn, den Jesus selbst mit der Brot-Bitte bzw. mit allen Wir-Bitten verband. Ist nicht doch das von Jesus geforderte unaufschiebbare und kompromißlose Sicheinlassen auf den Willen Gottes das eine Anliegen, das als *gemeinsamer Nenner* die 3 Wir-Bitten verbindet? Dann würde die an erster Stelle stehende Brot-Bitte positiv auf die Ermöglichung der hier und jetzt geforderten Verwirklichung des Gotteswillens abzielen, während die beiden folgenden Bitten auf das faktische und das drohende Versagen der Heilsanwärter blicken.

---

[70] Vgl. P. BONNARD, S. Matthieu, 85: „. . . demander cette obéissance pour le grand Jour c'est, bien entendu, la demander aussi pour aujourd'hui."

NACHTRAG

Zu einigen Beiträgen über die Auslegungsgeschichte wie besonders zur Mt-Fassung des VA *(A. Finkel: A. Finkel – Frizzell,* Standing before God-Studies in Honour of J. M. Oesterreicher, New York 1981, 131 – 170; *W. O. Walker:* NTS 28, 1982, 237 – 256; *S. Sabugal:* EE 58, 1983, 307 – 329) kam das weitere Bemühen um dessen ursprünglichen Wortlaut; so durch *A. J. Bandstra* (CTJ 16, 1981, 13 – 37), zu dem *J. van Bruggen* Stellung nahm (CTJ 17, 1982, 78 – 87; dagegen wieder A. J. Bandstra: a.a.O. 88 – 97). Unterschiedlich beantwortet wird sodann die hier besonders interessierende Frage nach dem ursprünglichen Sinn der Brotbitte. Einerseits findet der von mir befürwortete eschatologische Bezug Zustimmung, daß Jesus gegenüber der Gefahr, sich in der Vor-Sorge für das Diesseitig-Vergängliche zu verlieren, dazu aufruft, den unmittelbar notwendigen Lebensunterhalt zu erbitten. So etwa *G. Schneider* (Das Ev. nach Lk: ÖTK 3/2 = GTB 507, 1977, 257); *D. Zeller* (Die weisheitlichen Mahnsprüche bei den Synoptikern: FzB 17, 1977, 92 f.); *Ch. Müller,* Art. ἐπιούσιος: EWN II 1980, 80; zuletzt auch *J. Lambrecht,* Ich aber sage euch. Die Bergpredigt als programmatische Rede Jesu (Mt 5 – 7, Lk 6, 20 – 49) (Stuttgart 1983) 134: Die Brotbitte scheine „nicht einfach oder nur eine Bitte gegen den Hunger zu sein . . . Jesus meinte mit der Brotbitte dann *höchstwahrscheinlich auch:* Vater, gib uns das nötige Brot, so daß uns die materiellen Sorgen nicht dermaßen in Beschlag nehmen, daß wir die einzig große Sorge aus den Augen verlieren" (Sperrung von mir). Demgegenüber denkt *H. Schürmann,* dem *J. Ernst* folgt (Das Ev. nach Lk RNT, 1976, 363), nach wie vor an einen konkreten Situationsbezug. Jesus habe seinen Jüngern diese Gebetsanweisung gegeben, als er ihnen „jedes Erwerbsstreben untersagte und sie ohne Proviant aussandte" (Das Gebet des Herrn, Freiburg i. Br. ⁴1981, 85). Die Mitwirkung der Jünger an Jesu Verkündigung der Gottesherrschaft sei der Grund, „warum eine so ‚profan' scheinende Bitte im Gebet des Herrn steht", und sogar „gewürdigt wurde, unmittelbar – vor den beiden folgenden Bitten – dem Wunsch um das Kommen des Reiches zu folgen: Das vom Vater den nicht arbeitenden Jüngern immer wieder gewährte Brot ist das Zeichen einer Lebensweise, die in Ausschließlichkeit nur noch auf die Gottesherrschaft (Lk 12, 31) ausgerichtet und für diese tätig ist", weshalb es sich bei der Brotbitte „letztlich um Ermöglichung der Verkündigung in der Welt" handle (86 f.). Hingegen scheint auch *G. Strecker* in seiner jüngsten Studie eher für die allen Hörern geltende eschatologische Ausrichtung der Brotbitte zu plädieren: „Allein in der vertrauensvollen Erwartung des Gottesreiches, besser gesagt: der Gottesherrschaft, können wir um die Heiligung des Namen Gottes bitten; sind wir in der Lage, *angemessen* die Bitte um das notwendige Brot für heute auszusprechen . . ." (Vaterunser und Glaube, in F. Hahn – H. Klein, Glaube im Neuen Testament, FS für H. Binder [BSt VII], Neukirchen 1982, 24; Sperrung von mir). Es fehlt auch nicht der eine traditionelle Interpretationsrichtung aufnehmende Vorschlag, Jesus an die Nahrung für den ganzen Menschen, nicht nur für den Leib, denken zu lassen (*L. M. Dewailly,* Donne-nous notre pain: RScPhilT 64, 1980, 561 – 588).

3
Bezeugt die Logienquelle
die authentische Redeweise Jesu
vom „Menschensohn"?*

Für die Frage, ob und in welchem Sinne Jesus vom „Menschensohn" (= MS) gesprochen hat[1], ist die Logienquelle von erstrangiger Bedeutung. Einmal, weil sie außer Lk 12, 8 f. weitere futurische MS-Worte kennt, unter denen nach stark verbreiteter Ansicht die authentischen MS-Worte Jesu bzw. nach anderer Meinung die am Anfang der nachösterlichen Verwendung der MS-Bezeichnung stehenden Belege zu suchen sind. Hinsichtlich der sogenannten „Gegenwartsworte" wird sodann am ehesten bei Lk 9, 58 und 7, 34 mit ursprünglichen *bar nascha*-Worten gerechnet, während die beiden markinischen Beispiele (2, 10 und 2, 28) ganz überwiegend − und meines Erachtens mit vollem Recht − als sekundäre lehrhafte Folgerungen beurteilt werden. Im Folgenden bescheide ich mich mit der Befragung von drei neueren Hypothesen, die das MS-Problem speziell von Q her angehen[2].

I

Als Ergebnis seiner durchaus lehrreichen Untersuchung *Die Christologie der Logienquelle*[3] konstatiert *A. Polag* „Anhaltspunkte für mindestens drei Stufen des christologischen Bekenntnisstandes der Tradenten" von Q (198). Ein wichtiger Anhaltspunkt ist für ihn der Wandel im Verständnis des *bar nascha*

---

* Erstveröffentlichung des durchgesehenen Beitrags: J. DELOBEL (Hrsg.), Logia − Les Paroles de Jésus (BETL LIX) (Leuven 1982) 77 − 99.
[1] Kritische Informationen über die neuere Diskussion liefern besonders W. G. KÜMMEL, Jesusforschung seit 1965, in: TR 45 (1980) 50 − 84; A. J. B. HIGGINS, The Son of Man in the Teaching of Jesus (SNTS MS, 39) (Cambridge 1980) 29 − 53; J. COPPENS, Le Fils de l'homme néotestamentaire (BETL, 55) (Leuven 1981) 6 − 21; S. LÉGASSE, Jésus historique et le Fils de l'homme, in: L. MONLOUBOU (éd.), Apocalypses et théologie de l'espérance (Lectio Divina, 95) (Paris 1977) 281 − 298.
[2] Verzichten muß ich auf eine Würdigung der in seiner jüngsten Monographie formulierten Hypothese von A. J. B. Higgins. Sie wäre insofern einzubeziehen, als die Logien, die eine einheitliche Konzeption aufweisen würden und „wahrscheinlich" authentische MS-Worte Jesu seien, nämlich 5 an der Zahl, aus Q stammen, vgl. The Son, 123 − 124. In seiner Monographie A Theology of Q liegt R. A. EDWARDS an dem Nachweis, daß der MS „a prominent element in the eschatology of Q" ist. Ohne darauf zu bestehen, meint er doch, die Q-Gemeinde habe wahrscheinlich die Logien vom gegenwärtigen MS geschaffen und auch die futurischen MS-Logien Jesu in den Mund gelegt (36). Bei seinem Bemühen, das Verständnis und die Bedeutung der Christologie von Q zu erheben, unterscheidet G. SEGALLA nur bei einigen Logien ausdrücklich zwischen der Aussageebene Jesu und der nachösterlichen, so daß nicht deutlich wird, welche MS-Worte er als ursprünglich beansprucht; vgl. La cristologia escatologica della Quelle, in: Theologia 4 (1979) 119 − 168; 132 − 140.
[3] (WMANT, 45) (Neukirchen 1977).

(= b. n.): a) Die vom vorösterlichen Jüngerkreis stammende *Primärtradition* ist „noch nicht geprägt von den Formeln nachösterlicher Bekenntnisentwicklung" (198). Auf dieser Stufe der Jesusüberlieferung begegnet בר נשא in „qualifiziert indefinitem Gebrauch", als „Umschreibungsformel", die, „ohne selbständigen Bedeutungsinhalt" (199), sinngemäß wiederzugeben ist mit „der (gewisse) Mensch', bzw. ‚ein bestimmter Mensch'" und in den sie verwendenden Sprüchen besagt, „daß im endzeitlichen Gerichtsgeschehen ein Mensch" – nämlich Jesus – „entscheidend beteiligt ist" (111 f. 117. 183 und öfters). b) Der Einfluß der schulmäßigen Apokalyptik „in der aramäisch sprechenden frühen Gemeinde" führte dazu, daß *„die Hauptsammlung von Q,* die kleinere Spruchgruppen und Einzelüberlieferungen in einer größeren Komposition erfaßte" (198), b. n., im Unterschied zur „Primärtradition", apokalyptisch-titular (= „der Menschensohn") verstand und damit „den bereits im Himmel verborgenen Heilbringer, der sich bei den Endereignissen als Richter allen sichtbar offenbaren wird" meinte (182). Dieser ersten Apokalyptisierung folgte eine zweite, „die durch die Einschleusung von apokalyptischen Formeln und Gattungen in den Wortlaut der Herrenwortüberlieferung gekennzeichnet ist" (182 f.). Diese zweite Apokalyptisierung scheint sich aber nach Polag auf c) die *späte Redaktion von Q* nicht ausgewirkt zu haben, obwohl diese „deutlich den prägenden Einfluß schriftgelehrter Tradition (zeigt)" (199; vgl. das Schema S. 183).

Es bleibt noch anzumerken, daß der Autor die Feststellung der Authentizität von MS-Logien mit Recht als „ungemein schwierig" bezeichnet (114). Obwohl er die ausdrückliche Behauptung jesuanischer Herkunft der einzelnen MS-Logien von Q fast ganz vermeidet und statt dessen von deren „ursprünglichem" Sinn, von deren Verständnis „in der Primärtradition" u. ä. spricht, lassen seine Ausführungen insgesamt keinen Zweifel, daß er aus dem Q-Material den ursprünglichen Sinn und Zweck der Redeweise Jesu von b. n. erheben will (vgl. 109 – 117. 187 – 192). Seinem „Schluß"-Wort zufolge können wir im Aussagegehalt der Primärtradition „dem authentischen Anspruch Jesu begegnen". Wenn er daselbst sodann ausgerechnet „die Deutung des Ausdrucks בר נשא als „beispielhaft" für die in der „Hauptsammlung" vorliegende Deutung des Materials der Primärtradition bezeichnet (199), ist das nur sinnvoll, sofern er ernsthaft mit der jesuanischen Herkunft des für die Primärtradition beanspruchten b. n.-Gebrauchs rechnet.

Unter den neueren Versuchen, Jesus ohne jede Bezugnahme auf eine vorgegebene Vorstellung in präsentischen und futurischen Aussagen von sich als b. n. sprechen zu lassen[4], dürfte Polag's Hypothese am ehesten Beachtung verdienen. Er macht nicht ohne Grund geltend, das Vorstellungselement der Präexistenz bereite „entscheidende Schwierigkeiten", wenn man Jesus sich als den in den Bilderreden Henoch erwarteten MS ankündigen lasse (116. 110). Seiner entschiedenen Betonung des Anspruchs Jesu auf „Alleinvermittlung der Basileia" (198. 112 f.) meine ich sodann in zweifacher Hinsicht recht geben

---

[4] Zu den Hypothesen von J.M. Ford, P. M. Casey, J. P. Brown und J. Bowker, vgl. KÜMMEL, Jesusforschung, 74.58.58-59.59-60.

zu müssen: a) Jesus hat für sein gegenwärtiges Wirken den Anspruch erhoben, daß sich an der Stellungnahme zu seiner Botschaft das endgerichtliche Schicksal der Einzelnen entscheidet; und ich meine hinzufügen zu müssen, dieser Anspruch wäre Jesus auch dann zuzuerkennen, wenn er futurische MS-Worte und Lk 12, 8 f. im besonderen – als rein objektive Ankündigung des MS-Richters oder im Sinne der Selbstidentifizierung mit demselben – nicht gesprochen hätte. b) Während die Ansage eines Dritten als MS-Richter mit diesem Sendungsbewußtsein kaum vereinbar ist (s. u. II, 2), ließe sich der Anspruch Jesu auf die Richterfunktion hingegen als folgerichtige Konsequenz seines Sendungsbewußtseins begreifen[5]. Polag's Versuch des Nachweises, daß Jesus diese Konsequenz auch tatsächlich gezogen hat – „Jesus behält", um eine seiner Formulierungen zu zitieren, „seine Funktion in dem Gesamtgeschehen des endzeitlichen Handelns Gottes, das das Gerichtsgeschehen einschließt" (113) – scheint mir jedoch nicht überzeugen zu können[6].

1. Polag's Hypothese unterscheidet sich gewiß vorteilhaft etwa von der Meinung, Jesus habe in (mindestens) 12 präsentischen und futurischen Logien mit b. n. von sich sprechen können, weil es sich bei diesen um grundlegend „allgemeine" Aussagen handle, die im jüdischen Bereich von allen oder doch gewissen Israeliten gemacht werden konnten[7]; oder auch von der Erklärung, Jesus habe zumal im Hinblick auf erstaunlich kühne Voraussagen aus einer gewissen Sensibilität heraus b. n. als Ersatz der 1. Person gewählt, um den Eindruck der Überheblichkeit zu vermeiden[8]. Denn nach Polag hat Jesus mit b. n. eine nur von ihm als dem vollmächtigen Verkünder der Gottesherrschaft aussagbare Funktion angekündigt und mit der „Umschreibungsformel" b. n. die Personalkontinuität im Basileia-Geschehen zum Ausdruck gebracht, was ganz und gar nichts mit bescheidener Zurückhaltung zu tun hätte. Ist aber der von ihm selbst vorausgesetzte „qualifizierte indefinite" Gebrauch von b. n.

---

[5] Diesen Geschichtspunkt können namhafte Autoren, die von einem anderen, nämlich je auch unterschiedlich verstandenen eschatologischen b.n.-Gebrauch Jesu ausgehen, mit vollem Recht zur Verteidigung der Authentizität von Mk 8, 38 (W. G. Kümmel: ursprünglicher) bzw. Lk 12, 8 f. (u. a. A. J. B. Higgins, R. Pesch: ursprünglicher) geltend machen, vgl. W. G. KÜMMEL, Das Verhalten Jesu gegenüber und das Verhalten des Menschensohns, in R. PESCH, R. SCHNACKENBURG (Hrsg.), Jesus und der Menschensohn. Fs A. Vögtle (Freiburg 1975) 222 – 223.

[6] Vgl. die kritische Stellungnahme von P. HOFFMANN, der aber noch nicht die endgültige, im Druck erschienene Fassung vor sich hatte: Studien, 92 – 98. Während sich R. WORDEN in seinem Survey *Redaction Criticism of Q* auf die Feststellung beschränkt, Polag unterscheide in Q drei Schichten (543), bemerkt J. COPPENS: „Les trois strates préconisées par A. Polag . . . n'ont pas obtenu un large consensus", ohne seinerseits Gründe hierfür zu nennen, vgl. Le Fils de l'homme, 159.

[7] Das gilt nach P. M. CASEY, Son of Man. The Interpretation and Influence of Daniel 7 (London 1979) 226 – 233, nicht nur etwa von Mt 8, 20; 11, 19, sondern beispielsweise auch von Mk 2, 10 (wegen des Zusammenhangs von Sündhaftigkeit und Krankheit kann der Heilungsbegabte Sündenvergebung zusprechen), Mk 14, 21 a (wie alle Menschen muß Jesus gemäß den Schriften aufgrund göttlicher Bestimmung sterben), Lk 12, 8 – 9 (der geläufige Glaube an die Zeugenfunktion des erhöhten Gerechten beim Endgericht), Mk 8, 31 u. ö. (aufgrund des Glaubens an die allgemeine Auferstehung konnte Jesus mit dem Satz „ein Mensch wird sterben, aber nach drei Tagen wieder auferstehen" seinen Tod und seine nachfolgende Rechtfertigung voraussagen).

[8] Vgl. M. BLACK, Jesus and the Son of Man, in: JSNT, n⁰ 1, 1978, 4 – 18; bes. 16 – 17, zu C. H. Dodd und J. Bowker.

nicht schon philologisch problematisch? Ein Spezialist wie J. A. Fitzmyer[9], der sich bis heute am entschiedensten gegen die Annahme von G. Vermes wehrt, *bar enasch* oder *bar enascha* sei zur Zeit Jesu geläufige Umschreibung für „ich" gewesen, konzediert Autoren wie F. H. Borsch, C. Colpe und J. Jeremias sehr wohl, daß sich ein Sprecher unter Umständen in eine von b. n. gemachte Aussage einbeziehen konnte, wenn diese etwas betrifft, was auch für andere − was nicht heißen muß: für jeden beliebigen − Vertreter der Gattung Mensch zutreffen kann. Diesen indefiniten Gebrauch könnte man nach vorherrschender Meinung am ehesten in Lk 7, 34 und Lk 9, 58 bezeugt sehen, sofern es sich um authentische b. n.-Worte handelt. Im Unterschied zu diesem indefiniten, also includierenden Gebrauch („ein Mensch", „jemand", „einer", nämlich ich) impliziert der von Polag beanspruchte „qualifiziert" indefinite Gebrauch von b. n. (= „ein bestimmter Mensch") aber ein exklusives Verständnis: ich, und kein anderer. Daß der Autor auf diesen betont singularen Gebrauch insistiert, ist angesichts seines Beweiszieles, Jesus mit b. n. das in seiner einmaligen Sendung wurzelnde Privileg des Richters ansagen zu lassen, wohl begreiflich. Ist dieser b. n.-Gebrauch aber auch idiomatisch zu rechtfertigen? Wenn ja, scheint er mir nur diskutabel unter der Voraussetzung, daß Jesus b. n. in einer ganzen Reihe von Gegenwartsworten verwendete, in denen dieses eindeutig als Hinweis auf seine Person verstanden werden konnte. Denn nur dann hätte Jesus den Hörern zumuten können, daß er auch in den futurischen Aussagen, einschließlich der von Lk 12, 8f. (vgl. 114), mit b. n. sich selber meint. Auch die Q-Belege, von denen Polag ausgeht, reichen schwerlich aus, um jene Voraussetzung einigermaßen wahrscheinlich zu machen. Abgesehen davon, daß die beiden vor allem in Betracht kommenden Gegenwartsaussagen Lk 7, 34 und 9, 58 nicht mehr als ein indefinites Verständnis erfordern, wird vor allem die Authentizität des MS-Wortes Lk 7, 34 nicht ohne Grund bezweifelt (s. u. 3.).

2. Höchst zweifelhaft[10] ist sodann die für die Hypothese des Autors fundamentale Voraussetzung eines auch in Q „klar" bezeugten „Bruchs" in öffentlichen Wirken Jesu (196), also die Unterscheidung zwischen einer ersten Periode, in der Jesus Israel das Heil anbot, und einer zweiten, in der er die vollzogene Ablehnung seiner Botschaft durch Israel mit der „Ansage eines unwieder-

---

[9] Zuletzt: Another View of the „Son of Man" Debate, in: JSNT, n⁰ 4, 1979, 58 – 68; bes. 58. In seiner jüngsten Auskunft zum b.n.-Gebrauch Jesu, die ziemlich resigniert klingt, rechnet J. FITZMYER jedenfalls nicht mit einem „qualifiziert" indefiniten Gebrauch, vgl. *Nouveau Testament et christologie*, in: NRT 113 (1981) 203f.

[10] Vgl. die Rezension von D. LÜHRMANN, in: TLZ 105 (1980) 193; ferner W. G. KÜMMEL, Ein Jahrzehnt Jesusforschung (1965 – 1975), in: TR 40 (1975) 289 – 336; bes. 334, und besonders die vorsichtig abwägende Prüfung der Frage bei L. OBERLINNER, Todeserwartung und Todesgewißheit Jesu (Stuttgarter Bibl. Beiträge, 10) (Stuttgart 1980) 93 – 106. Q-Worte Jesu dokumentieren nach Oberlinner sehr wohl, „daß Jesu Verkündigung auch wesentlich geprägt war von d(ies)em Ringen um den Glauben derer, die ihn und seine Heilsbotschaft ablehnten" (102). Die Zweiteilung des Wirkens Jesu, die mit den Stichworten Erfolg und Mißerfolg, Heilsangebot und Verweigerung desselben „einen historischen Ablauf beschreiben wollte, ist eine Hilfskonstruktion, die sogar . . . den Mk-Aufriß noch vereinfachen muß" (96). Vgl. auch die diesbezügliche Zustimmung des Rezensenten (W. STENGER) in: Bibel und Kirche 36 (1981) 299 – 300.

ruflich erscheinenden Unheilsgeschehens für das Volk, das die Sendung Jesu ablehnt" (140), beantwortet habe (86 – 99; 113; 118 – 122; 194 – 196; 198). Da „die Entscheidungsfrist für Israel abgelaufen (ist)" (140), muß unser Autor einen Grund für die nachösterliche Weiterverkündigung der Heilszusage an Israel suchen. Als solchen postuliert er das „Erlebnis eines ausdrücklichen erneuten Sendungsauftrages des Auferstandenen an die Jünger" (173. 173 f.), der „die Tatsache zum Ausdruck gebracht haben (muß), daß die Teilnahme an der Basileia, die Aufnahme in das endzeitliche Gottesvolk, erneut möglich ist" (175 f.). Dieses Postulat ist jedoch sicher nicht dazu angetan, die grundlegende „Bruch"-Hypothese glaubwürdiger zu machen. Abgesehen davon, daß Eigenart und Zielsetzung der jüngeren Erscheinungserzählungen ein satzhaftes Sprechen des Erscheinenden kaum annehmen lassen und bis heute eine Rekonstruktion des Wortlauts eines Missionsbefehls nicht erlauben, hätte die Überlieferung in diesem Fall ausgerechnet das entscheidende Element, nämlich das „auch jetzt noch" (174), das „doch noch" (176) oder das „noch einmal" (179) nicht bewahrt.

3. Aufgrund seiner These, Jesus habe mit der Umschreibungsformel „ein bestimmter Mensch" zum Ausdruck gebracht, daß er selbst auch der ist, der das „Unheil" des Gerichts über Israel bringen wird, sieht sich der Autor zu der Behauptung gezwungen, die futurischen MS-Logien, nämlich Lk 11, 30 (s. u. 4. a.), 12, 40 (133; vgl. 95), 17, 24 (96; s. u. 4. b.) und Mt 10, 23 (133; vgl. 98 Anm. 305), seinen ihrem ursprünglichen Sinne nach „Unheilsworte" gewesen, die ausschließlich das Israel treffende Strafgericht ansagten. Es ist klar, daß diese einschränkende Sinngebung der futurischen MS-Logien schon mit der mehr als zweifelhaften Hypothese vom totalen „Bruch" steht und fällt.

Um die Beanspruchung der futurischen MS-Logien als ursprünglicher „Unheilsworte" zu stützen, behauptet der Verfasser des weiteren, die Verwendung der Umschreibungsformel in Gegenwartsworten, nämlich Lk 6, 22; 7, 34; 9, 58, bezwecke „offensichtlich einen Hinweis auf die Funktion Jesu in der kommenden Gerichtssituation" (114). Zur Rechtfertigung dieses Satzes machte er zuvor geltend, die Anwendung des Ausdrucks b. n. auf Jesus in seiner für die Hörer gegenwärtigen Situation begegne „nur in Worten, die die Ablehnung Jesu durch das Volk voraussetzen", und zwar eine Ablehnung der Vollmacht Jesu, „die das Gericht nach sich zieht"[11]. Auch diese Behauptung steht auf schwachen Füßen. Nichts berechtigt zur Annahme, im Munde Jesu sei das unbehauste Leben Jesu von Lk 9, 58 „durch die Ablehnung und die verweigerte Aufnahme" seitens des Volkes Israel verursacht (85. 74). Als deutlicher Beleg für eine totale Ablehnung Jesu durch Israel käme Lk 6, 22 in Betracht (74). Gerade hier sprechen die besseren Gründe jedoch für eine „nachösterlich ak-

---

[11] Da Polag innerhalb seiner Ausführungen 114 f. u. a. es als Vorzug seiner Hypothese betrachtet, daß die Verwendung von b. n. in Gegenwartsworten „nicht von vornherein als unauthentisch erklärt (wird)", wird er mit dem nicht gerade eindeutigen Satz, gegenüber den „Unheilsworten" dürfte die Verwendung der Umschreibungsformel „sekundär" sein, wahrscheinlich nur sagen wollen, die Umschreibungsformel habe ihren primären Sitz in den direkten Gerichtsansagen Jesu. Falls er nämlich b. n. in den Gegenwartsworten oder auch diese selbst als nachösterlich bezeichnen wollte, würde er sich das schon unter Ziffer 1 genannte Bedenken einhandeln.

tualisierende Bildung"[12]. Sofern man Lk 7, 34 entgegen weitverbreiteter Auffassung[13] als authentisches b. n.-Logion ansieht, liefert es – auch wenn die vorliegende Verbindung des Gleichniswortes, 7, 31 f. mit 7, 33 – 34 ursprünglich wäre, was freilich meist bestritten wird – keinen sicheren Beleg, daß Jesus seine Mission als gescheitert ansagte und sagen wollte, ganz Israel habe ihn abgelehnt[14].

4. Mit am wenigsten überzeugen kann der Versuch des Autors, zugunsten seiner b. n.-Hypothese zwischen einem ursprünglichen und einem späteren = apokalyptisierenden Verständnis futurischer MS-Logien zu unterscheiden.

a) Lk 11, 30 möchte er das σημεῖον aus der Urfassung streichen, da es „wahrscheinlich" erst durch den späteren Anschluß des Spruchs an 11, 29 veranlaßt wurde (90). Der ursprüngliche Sinn sei „modal" gewesen: „wie Jona völlig unerwartet für die Niniviten erschien mit dem Unheilsruf, daß Ninive untergehen wird, so wird der Menschensohn *unvorhergesehen Unheil* über dieses Geschlecht bringen" (95) – wofür er sich freilich zu Unrecht auf F. Hahn beruft (95 Anm. 299)[15]. In der vorliegenden Form im Anschluß an V. 29 sei hingegen „eine sachliche Aussage anzunehmen": „das ‚Wiedererscheinen' des Jona ist das Bild für das ‚Wiedererscheinen' des Menschensohnes" (90)[16]. Hier zeige sich der Einfluß der apokalyptischen MS-Vorstellung. Im Anschluß an seine spätere Feststellung, daß „Verborgensein – offenbart werden" ein

---

[12] OBERLINNER, Todeserwartung 101 f.; ferner etwa SCHÜRMANN, Beobachtungen, 130 – 131; H. MERKLEIN, Die Gottesherrschaft als Handlungsprinzip (Forschung zur Bibel, 34) (Würzburg 1978) 50; COPPENS, Le Fils de l'homme, 161 – 163, mit je weiteren Autoren.

[13] Vgl. die doxographischen Angaben bei H. MERKLEIN, Gottesherrschaft, 198, Anm. 109 und 110. Zur Diskussion der authentischen Elemente des vorliegenden MS-Wortes besonders P. FIEDLER, Jesus und die Sünder (Beiträge zur biblischen Exegese und Theologie, 3) (Frankfurt 1976) 136 – 147.

[14] Vgl. OBERLINNER, Todeserwartung, 97 f. Auch D. ZELLER, Die Bildlogik des Gleichnisses Mt 11, 16 f./Lk 7, 31 f., in: ZNW 68 (1977) 252 – 257, läßt Jesus nicht von einer vollendeten Verstockung Israels sprechen.

[15] Zunächst sagt F. HAHN nur, „vielleicht" sei „auch die schwer deutbare ursprüngliche Fassung" von Lk 11, 30 so zu verstehen; vgl. Christologische Hoheitstitel (FRLANT, 83) (Göttingen ²1964) 37. Das „vielleicht" ist nicht unbegründet. Bei diesem Verständnis ergibt sich jedenfalls kein eindeutiges *tertium comparationis*. Selbst wenn man das „unerwartet" als ein mitbeabsichtigtes Vergleichselement impliziert sein läßt, bleibt der große Unterschied, daß Jona den Niniviten das bevorstehende Gericht nur androhte und es dabei blieb, weil es dank der Bekehrung zum Vollzug des Gerichtes – durch Jahwe oder gar durch ihn selbst – nicht kam, während nach Polag das von Jesus angedrohte Gericht über Israel sicher, unabwendbar kommen wird (vgl. 90 mit 88). Mit Recht stellte neulich G. SCHMITT die Frage, warum überhaupt Jona als Vergleichsgröße gewählt wurde, und nicht etwa Jeremia, der wie Jesus den Juden predigte, und bei dem „die implizite Erinnerung an das *tatsächliche* Gericht eine wirksamere Antwort auf den Unglauben der Gegner (hätte) abgeben können"; vgl. Das Zeichen des Jona, in: ZNW 69 (1978 124. Hahn schreibt sodann, Lk 11, 30 sei „vielleicht" den authentischen MS-Worten zuzurechnen (a.a.O., 41). Entscheidend ist aber, daß Hahn, der zudem auch σημεῖον als ursprüngliches Element voraussetzt, Jesus auch in diesem Fall b.n. als apokalyptischen Titel verwenden, nämlich rein objektiv den künftigen Richter ankündigen läßt, mit dem nach Ostern der wiedererwartete Jesus identifiziert wurde (a.a.O., 40 – 41).

[16] Dafür beruft sich Polag freundlicherweise auf meinen früheren Aufsatz zum Jonazeichen (90 Anm. 285). Dem ist freilich hinzuzufügen, daß ich den Deutespruch das Wiedererscheinen *des wunderbar aus dem Tod Erretteten* zum Gericht ankündigen ließ.

apokalyptisches Vorstellungselement ist, und an seine Behauptung, im „primären Aussagegehalt" der b. n.-Worte werde auf die Gestalt des „Menschen" hingewiesen, „ohne daß etwas über ihre vorausgehende Zuständlichkeit angedeutet wird" (133), formuliert er deshalb: in Verbindung mit Lk 11, 29 setze 11, 30 „eine Interpretation des Menschensohnswortes voraus, bei der Verborgenheit und Wiederkunft betont werden, was wohl ursprünglich nicht so gemeint war" (133).

Warum denn der willkürliche Vorschlag, σημεῖον aus der Urfassung zu streichen? Warum die starke Zumutung, Lk 11, 30 habe je einmal ohne 11, 29 (das Wort vom Jonazeichen) existiert? Warum schließt sich der Autor nicht der geradezu allgemein vertretenen Auffassung an, daß zumindest Lk 11, 30 als ganzes ein nachösterliches MS-Wort ist?[17] Aus mehr als einem Grund, wie sich mit einigem Recht vermuten läßt. Der Autor vermeidet es, auch nur eines der MS-Worte von Q ausdrücklich als nachösterliche Neubildung oder Nachbildung zu erklären[18], um – wie man vermuten muß – seine These der Einschleusung, sogar einer nur „sehr schwachen" Einschleusung apokalyptischer Elemente in b. n.-Worte der Primärtradition (182) von daher nicht zu gefährden. Vor allem kommt es ihm darauf an, durch seine Unterscheidung zwischen dem ursprünglichen und dem späteren Verständnis ein und desselben b. n.-Wortes sowohl einen Beleg für eine seiner Hypothese vom unapokalyptischen b. n.-Gebrauch Jesu entsprechende Gerichtsansage (und zwar an Israel)[19] als auch einen Beleg für die Hypothese der nachfolgenden apokalyptischen Interpretation überlieferter b. n.-Worte zu gewinnen.

b) Als besondere Herausforderung erweist sich der Vergleich mit dem Blitz (Lk 17, 24). Der Autor begnügt sich mit der auf die „Bruch"-Hypothese gestützten Behauptung, das Logion habe ursprünglich ausschließlich das Israel treffende „Unheilsgeschehen" ansagen wollen, während es im Q-Kontext als

---

[17] Dagegen meldete jüngst vor allem HIGGINS entschiedenen Widerspruch an. Um die „eschatologischen Correlativa" (Lk 11, 30; 17, 24.26.30) zusammen mit Lk 12, 8 – 9 als von Jesus stammende „kernel sayings" zu statuieren, die eine widerspruchsfreie einheitliche MS-Konzeption bezeugen würden (The Son of Man, 112), befürwortet er mit erstaunlichem Nachdruck Lk 11, 29 f. und sogar Lk 11, 29 – 32 als authentische Einheit (90 – 107).

[18] Selbst den Vers Lk 17, 30, der ausdrücklich vom „Offenbarwerden" des MS spricht, läßt er in sehr schonender Formulierung „nur von der Redaktion beeinflußt sein" (133). Aus seinen Ausführungen 162 – 163 ist mir leider nicht klar geworden, ob er die Q-Fassung des Spruchs von der Lästerung des Geistes (Lk 12, 10) als nachösterlich oder als jesuanisch beurteilt. Der Spruch, den er im Kapitel „Die christologischen Züge der späten Redaktion" (145 – 170) abhandelt, scheint ihn vor allem hinsichtlich der redaktionellen Aussageintention zu interessieren. Soll aus seiner Tabelle 183 geschlossen werden, daß ὁ υἱὸς τοῦ ἀνθρώπου hier wie für die späten Redaktoren einfach „synonyme Selbstbezeichnung Jesu" ist? Hier genügt indes die Feststellung: die Q-Fassung ließe sich keinesfalls mit dem vom Verfasser für Jesus und die „Primärtradition" beanspruchten b.n.-Gebrauch vereinbaren. Wenn Jesus mit b.n. „die Personalkontinuität im Basileia-Geschehen" zum Ausdruck brachte, nämlich daß er als der von Israel Abgelehnte das Strafgericht über dieses bringen werde, konnte er einem Reden gegen diesen „Menschen" nicht die Vergebung zusichern. Einen interessanten Versuch, die Traditions- und Redaktionsgeschichte des Spruchs zu erhellen, lieferte M. E. BORING, *The Unforgivable Sin Logion*.

[19] Weil Lk 11, 30 das einzige MS-Wort von Q ist, das ausdrücklich von „diesem Geschlecht" spricht, möchte der Autor verständlicherweise gerade aus jenem einen Beleg für den angeblich „ursprünglichen" b.n.-Gebrauch gewinnen.

an die Jünger gerichtetes Trostwort verstanden sei, das diese ausrichte „auf den das Heil bringenden ‚Menschensohn', der bei seinem Kommen unübersehbar sein wird" (96. 133 f.). Damit ist aber der weit kritischere Punkt noch nicht angesprochen. Aufgrund seiner Hypothese von der bloßen Umschreibungsformel („ein bestimmter Mensch", nämlich: ich) hätte Jesus seinen Hörern die Aussage zugemutet: „Wie der Blitz von einem Ende des Himmels bis zum anderen leuchtet, so werde ich sein bzw. wird es mit mir sein (an meinem Tag)". Das Vergleichswort erfordert doch nun einmal die Vorstellung eines schlechthin wunderbaren Phänomens, eine Erscheinung „wahrhaft himmlischer Art"[20]. Die Behauptung, die Annahme einer Abhängigkeit der futurischen MS-Logien von apokalyptischem Sprachgebrauch verhelfe „nicht zu einem vertieften Verständnis des Aussagegehalts" dieser Logien, weder im Blick auf den Sprecher noch auf die Hörer (111), dürfte gerade auch diesen Beleg gegen sich haben. Jene Autoren, die b. n. vorweg apokalyptisch-titular gebrauchen lassen, – ob sie nun Jesus selbst rein objektiv vom künftigen Erscheinen des MS sprechen lassen oder mit der erst nachösterlichen Verwendung der apokalyptischen MS-Bezeichnung und -Erwartung für die Verkündigung der Parusie Christi rechnen –, können zweifellos eine einleuchtendere Erklärung für sich in Anspruch nehmen, da sie die Erwartung des Offenbarwerdens des himmlischen MS als Hintergrundvorstellung voraussetzen. Selbst die Befürworter der Hypothese, Jesus selbst habe sich mit dem apokalyptischen MS identifiziert, finden sich wenigstens insofern noch in einer besseren Position, als sie Jesus durch die Bezugnahme auf die Erwartung des am Ende aus der himmlischen Verborgenheit hervortretenden MS seine Behauptung, er werde im Nu weltweit offenbar, immerhin von jener Vorstellung her rechtfertigen lassen. Daß das Logion im Munde Jesu die apokalyptische MS-Vorstellung voraussetzt, kann unser Autor selbstverständlich nicht konzedieren, ohne seine Hypothese preiszugeben. Deshalb liegt ihm auch an der Feststellung, über das vorausgesetzte „Verschwinden" und „Wiederkehren" Jesu hinaus (s. u. 5. b.) werde im „primären Aussagegehalt der Sprüche . . . auf die Gestalt des ‚Menschen' nur hingewiesen, insofern sie im endzeitlichen Gerichtsgeschehen eine Funktion hat, ohne daß etwas über ihre vorausgehende Zuständlichkeit angedeutet wird" (133). Daß der Verfasser im Falle von Lk 17, 24 sich die Ausflucht versagt, zwischen einer ohne jede apokalyptische Assoziation auskommenden Urfassung und einer apokalyptisch beeinflußten Sekundärfassung unterscheiden zu wollen, ist mehr als verständlich. Man kann sich nicht vorstellen, wie dies geschehen könnte, ohne das Vergleichswort zu destruieren.

Dann wäre es eigentlich doch konsequent, den Spruch als ganzes für eine nachösterliche Bildung zu erklären, was er freilich ebensowenig tut. Denn damit würde er seine These, die in der „Hauptsammlung" von Q bezeugte Apokalyptisierung modifiziere wohl das Verständnis, nicht aber eigentlich den Wortlaut der b. n.-Worte der Primärtradition[21], gründlich untergraben.

---

[20] S. Schulz, Q., 284.
[21] Der Einfluß der Apokalyptik in der „Hauptsammlung" „setzt sich jedoch nicht in den Wortlaut hinein durch; es fehlen Anklänge an Dan 7, 13.14, und die Weltenrichter-Funktion wird explizit nicht deutlich, obwohl sie in der Apokalyptik eine zentrale Bedeutung hat" (182).

Außerdem müßte es peinlich wirken, wenn er ausgerechnet ein Logion, das dem von ihm behaupteten ursprünglichen Verständnis der b.n.-Worte so handgreiflich zuwider ist, sich durch Sekundärerklärung vom Hals schaffen würde. Von den eschatologischen Correlativa ist Lk 17, 24 zudem das einzige, das den MS nicht mit alttestamentlichen Größen und Ereignissen, sondern mit einem Naturphänomen vergleicht, weshalb die Herkunft aus typologisch interessierter Schriftreflexion – im Unterschied zu den übrigen Correlativa – für Lk 17, 24 kaum in Betracht kommt. Auch deshalb können vor allem Befürworter der rein objektiven Redeweise Jesu vom MS Lk 17, 24 die größte Chance der Authentizität zubilligen. Dadurch, daß der Autor den durch Lk 17, 24 herausgeforderten Einwand ignoriert, bringt er seine b.n.-Hypothese bedenklich in Mißkredit.

c) Bei einem der futurischen MS-Logien, nämlich Lk 12, 8, verbietet es schon der Aussagegehalt, dasselbe kurzerhand als ursprüngliches „Unheilswort" zu vereinnahmen, weil es „den Menschen" eindeutig als Heil bringenden Richter fungieren läßt. Insofern Polag die Vorstellung des „Heil" bringenden „Menschen" (= des „MS") als eines der zwei apokalyptischen Elemente bezeichnet, die im „ursprünglichen" Gebrauch von b.n. nicht begegneten (133f.), könnte man zunächst erwarten, er würde den Bekennerspruch als sekundäre Bildung betrachten. Das wird man aus seiner Bemerkung zu Lk 12, 8f. (133) jedoch nicht folgern dürfen[22]. Er scheint vielmehr sagen zu wollen, daß Jesus die Umschreibungsformel zuerst in der Ansage des Israel treffenden Strafgerichts verwendete, ehe er mit jener auch den Gedanken des Heil bringenden Richters verband. Da ihm zufolge die Entscheidungszeit für Israel abgelaufen ist, dieses also nicht mehr zur Entscheidung für Jesus aufgerufen werden konnte, kann er Lk 12, 8 bzw. den ganzen Doppelspruch nur als ausschließlich an „die Jünger" gerichtetes Mahn- und Trostwort Jesu beanspruchen (97 bzw. 98f.), wobei er eben auch hinzufügt, der Spruch scheine „inhaltlich und formal den Vorstellungszusammenhang der Unheilsworte vorauszusetzen" (99). In einem Zusammenhang des Trostes und der Verheißung, in dem b.n. als das Heil bringende Gestalt, als „der MS" gesehen wird, meine MS „den wiederkommenden Herrn mit seiner *ganzen* Machtbefugnis", was u.a. bei Lk 12, 8. 9 zu „beobachten" sei (133). Im übernächsten Satz erklärt er abschließend: „Die genannten Geschichtspunkte" (nämlich „Verborgensein-Offenbartwerden" und „Das Heil bringen") „zeigen eine Nähe zur Vorstellung vom Wirken des endzeitlichen ‚Menschen' in der Apokalyptik, die auf der Überzeugung beruht, daß im Himmel der *Heil*bringer bereits *verborgen* existiert. Diese Auffassung ist für den primären Aussagegehalt der Sprüche nicht nachweisbar. Es muß sich hier eine Überzeugung der Tradenten auswirken, die in den Sprüchen selbst nicht direkt faßbar wird" (134).

Polag scheint demnach sagen zu wollen: Obwohl der Lk 12, 8 vorliegende Gedanke eines das Heil bringenden Richters an sich ein Element der apokalyp-

---

[22] An anderer Stelle betont er gerade auch im Hinblick auf Lk 12, 8 – 9: auch die formale Unterscheidung zwischen Jesus und dem MS verhindere die Annahme einer Identifikation nicht, „weder für den Sprecher noch für den Hörer" (114).

tischen MS-Vorstellung ist, sei nicht nachweisbar, daß die „Primärtradition" bzw. Jesus selbst bei Lk 12, 8 bzw. 12, 8 f. an diese Vorstellung gedacht, b. n. somit apokalyptisch-titular verstanden hat. Mit der Bemerkung, in „dem ἐνώπιον τῶν ἀγγέλων (τοῦ θεοῦ) dürfte . . . ein Element der gängigen Gerichtsauffassung aufgegriffen worden sein" (99), will er offenbar zu verstehen geben, daß der Doppelspruch ursprünglich auch ohne Assoziationen aus der apokalyptischen MS-Erwartung verstanden werden konnte. Mit Recht denkt er nicht daran, jenes Element der Urfassung abzusprechen, da er sonst auch das im Vordersatz entsprechende „vor den Menschen" streichen müßte, und das würde auf eine Destruktion des Doppelspruchs hinauslaufen. Würde er den Doppelspruch aber als nachösterliche Bildung erklären, würde das u. a. schlecht zu seiner oben (4. b.) erwähnten Behauptung passen, die zur „Hauptsammlung" von Q führenden Tradenten hätten sich auf die apokalyptisierende Interpretation der überlieferten MS-Logien beschränkt.

Auch hier drängt sich wieder die Frage auf, ob die zahlreichen Autoren, denen zufolge der Doppelspruch schon von seiner Herkunft her b. n. als apokalyptische Bezeichnung des MS-Richters verwendete, nicht doch die weit ungezwungenere Lösung für sich buchen können, mögen sie nun Jesus mit dem MS sich identifizieren oder rein objektiv denselben ankündigen lassen oder, was mir selbst das Wahrscheinlichste ist, den Spruch der nachösterlichen Parusieverkündigung zuweisen. Dies um so mehr, als ja schon der apokalyptische MS beide hier vorausgesetzte Funktionen – Unheilbringer für die einen und Heilsgarant für die anderen – ausübt[23]. Für die Befürworter der jesuanischen Herkunft des apokalyptisch inspirierten Doppelspruchs entfällt zudem die willkürliche, für unseren Autor jedoch unerläßliche Annahme, derselbe sei ausschließlich an den Kreis der Jünger als der übrig gebliebenen Anhänger Jesu gerichtet gewesen.

Kaum weniger als im Falle von Lk 11, 30 und 17, 24 dürfte sich auch hier ergeben: der Versuch Polag's, zugunsten seiner b. n.-Hypothese zwischen dem ursprünglichen und dem sekundären, nämlich apokalyptisch beeinflußten Verständnis dieser MS-Logien zu unterscheiden, kann nicht als geglückt gelten. Dieser Versuch enthüllt sich ebenso als Postulat wie die auf die „Bruch"-Hypothese gestützte Behauptung, die Redeweise vom „Menschen" sei „ursprünglich" (133) und „im wesentlichen" (113) der Ansage des Strafgerichts über Israel zuzuordnen.

5. Die als ursprüngliche „Unheilsworte" beanspruchten Logien Lk 12, 40 und Mt 10, 23 sind für den Verfasser auch deshalb besonders relevant, weil sie nicht etwa von dem auf die apokalyptische MS-Vorstellung hinweisenden

---

[23] Mit Recht betont R. Pesch, daß die Reihenfolge von Verheißung und Drohung, Einladung und Warnung in Lk 12, 8 – 9 „ganz der Verkündigung Jesu (entspricht)"; vgl. Über die Autorität Jesu, 46. Auch Pesch behauptet freilich nicht, dieser Umstand könne für sich genommen schon die jesuanische Herkunft des Doppelspruchs beweisen. Auch die Urgemeinde hat die für Jesus charakteristische Dominanz der Heilsverkündigung festgehalten. Und den zu Gott erhöhten Herrn hat sie allem nach in erster Linie als Bringer des volloffenbarten Heils der Gottesherrschaft erwartet und herbeigefleht. Deshalb ist die Vorordnung der Verheißung vor der Drohung im Falle der nachösterlichen Bildung des Doppelspruchs nicht weniger verständlich.

„Offenbarwerden" sondern vom „Kommen", nämlich von dem nach einer Zeit der Trennung erfolgenden Kommen „des Menschen" (= Jesu) sprechen (133). Nimmt man die beiden Logien für sich und setzt man mit Polag den „qualifiziert indefiniten" Gebrauch von b.n. voraus, nötigt in der Tat nichts zur Annahme, b.n. sei apokalyptisch-titular zu verstehen. Ein menschenwärts gerichtetes „Kommen" wird von dem auf dem Herrlichkeitsthron richtenden MS der Bilderreden nicht ausgesagt. Und von einem Kommen „mit den Wolken des Himmels" sprechen die beiden Logien so wenig wie etwa das nachösterliche *maranatha*. Ob sich das bloße, nicht näher beschriebene „Kommen" – nicht „Wiederkommen", was dem angeblich ursprünglichen b.n.-Gebrauch und der Jesus zugeschriebenen Erwartung des „Wiederkehrens", der „Rückkehr" (100 – 102 u.ö.) übrigens besser entsprechen würde – aus der urgemeindlichen Erwartung des „Kommens" des erhöhten Herrn *(maranatha)*, die als Vorgabe für die Verwendung der apokalyptischen MS-Vorstellung zur Parusieverkündigung in Anschlag zu bringen wäre, ungezwungener erklären ließe, zieht der Verfasser freilich nicht im geringsten in Erwägung. Er würde damit nur eine riskante Bresche in die eigene Festung reißen.

a) In diesem Zusammenhang ist zunächst die Behauptung zu beachten, mit der er zum Schluß den Leser nicht wenig überrascht: Selbst bei einer Tilgung aller „Menschensohnworte" würden die „entscheidenden Punkte" seiner Folgerungen für den vorösterlichen Bereich, zu denen er daselbst u.a. die personalbestimmte Gerichtsansage zählt, nicht fallen (194). Diese zuversichtliche Behauptung ist nur verständlich aus der gleichzeitigen Hypothese, außer den MS-Logien würden auch Bildworte und Gleichnisse, speziell die Wachsamkeitsgleichnisse, das „Verschwinden und Wiederkehren Jesu" voraussetzen (vgl. bes. 97 – 112); die künftige Funktion Jesu werde auch unter der Metapher „Hausherr" angedeutet (97). Dafür finden sich aber keine stichhaltigen Belegetexte. Die Meinung, daß Jesus selbst mit Lk 13, 35 „das Ende der Entscheidungssituation" verkündete und voraussagte, Jerusalem werde Jesus „vergeblich" anerkennen, wenn es ihn nach seinem Verschwundensein „im Namen des Herrn" kommen sieht, nämlich zum Gericht (93 f.), hat stärkste Bedenken gegen sich[24]. Die Behauptung: die „Tatsache der personalen Bestimmung des Materials" in den Wachsamkeitsgleichnissen „muß in der Sachhälfte eine Entsprechung haben", ist noch kein Beweis dafür, daß Jesus *seine,* nach einer Zeit der Trennung erfolgende Rückkehr im Endgeschehen ansagte (110). Letzteres ließe sich allenfalls annehmen, wenn Jesus selbst das b.n.-Wort Lk 12, 40 gesprochen, er also sich selbst mit dem kommenden Herrn des Gleichnisses Lk 12, 35 – 38 und 12, 42 ff. bzw., wie man im Hinblick auf Lk 12, 39 f. sagen müßte, gar mit dem nächtlichen Einbrecher verglichen hätte, womit im Ernst kaum jemand rechnet[25].

---

[24] Vgl. etwa HOFFMANN, Studien 177 – 180; SCHULZ, Q, 346 – 360; SCHWEIZER, Matthäus, 285; W. SCHMITHALS, Lukas, 156 f.; zu Lk 13, 34 – 35 zuletzt OBERLINNER, Todeserwartung, 98 – 101.
[25] Mit je weiteren Autoren SCHULZ, Q. 269 – 271; SCHÜRMANN, Beobachtungen, 138; MERKLEIN, Gottesherrschaft, 124; G. SCHNEIDER, Lukas, 289; HIGGINS, The Son of Man, 107.

b) Selbst wenn man die vorherrschende Auffassung, daß sich auch Mt 10, 23 am besten aus der nachösterlichen Situation erklärt[26], ignorieren will, bleibt die Anfrage, ob die These, Jesus habe es bei der Ansage seines „Verschwindens" und „Wiederkehrens" – nämlich zum Vollzug des Gerichts an Israel – belassen (102), als solche befriedigen kann. Die Q-Tradenten konnten selbstverständlich problemlos vom „Kommen" des MS sprechen, da man bei ihnen das Wissen um die Hinrichtung Jesu und den Glauben an seine Erhöhung zu Gott und somit an sein „Kommen" vom Himmel her voraussetzen darf. Für Jesus selbst hätte sich aber doch die Frage stellen müssen, warum, wie und wohin er verschwinden und woher er zurückkehren werde. An diesem Punkt kann Polag lediglich mit einer Fehlanzeige aufwarten: „Der Geschichtspunkt der Trennung und des Verschwindens Jesu tritt unmotiviert auf und ist durch die Aussagen in anderen Worten eigentlich nicht begründbar; darin scheint etwas für Jesus Eigentümliches zu liegen" (101 f.). Das bedeutet doch wohl, daß man auf die Frage nach einer diesbezüglichen Reflexion Jesu verzichten soll[27]. Unwillkürlich denkt man hier an andere Hypothesen, die Jesus – mit einem je unterschiedlich verstandenen b. n. – im Sinne des Theologumenons vom leidenden und zu erhöhenden Gerechten seine Erhöhung aus dem Tod zum Gerichtszeugen (E. Schweizer) oder aufgrund der Kombination jenes Theologumenons mit der Vorstellung vom apokalyptischen MS als dem Gerechten κατ᾽ ἐξοχήν seine Erhöhung aus dem Tod zum Endrichter (R. Pesch) oder Jesus speziell mit der Prophetie von Jes 53 die apokalyptische MS-Erwartung verbinden und ihn u. a. mit dem Bildzug vom Kommen mit den Himmelswolken (im Sinne einer von unten nach oben führenden Bewegung) seine, die postmortale Einsetzung zum himmlischen MS ermöglichende Erhöhung zu Gott (J. Jeremias) ansagen lassen. Hypothesen dieser Art haben immerhin den Vorzug, daß sie Jesus sich eine Vorstellung davon machen lassen, auf welche Weise er zur Funktion des maßgebenden Gerichtszeugen oder des Richters selbst bzw. des Richters und Heilskönigs kommen werde.

6. Insgesamt dürfte sich ergeben: a) Mittels der vom Autor vorgeschlagenen Hypothese lassen sich die MS-Logien von Q und zwar gerade auch die

---

[26] So SCHWEIZER, Matthäus, 157, und mit weiteren Autoren SCHÜRMANN, Beobachtungen, 137 f.; OBERLINNER, Die Stellung der „Terminworte" in der eschatologischen Verkündigung des Neuen Testaments, in P. FIEDLER, D. ZELLER (Hrsg.), Gegenwart und kommendes Reich Fs. A. Vögtle (Stuttgarter Bibl. Beiträge) (Stuttgart 1975), 64–65; MERKLEIN, Gottesherrschaft, 152–153; HIGGINS, The Son of Man, 75–77; Anders dagegen W. G. KÜMMEL, Die Theologie des Neuen Testaments nach seinen Hauptzeugen (NTD Ergänzungsreihe, 3) (Göttingen 1980), 30.70–71; COPPENS, Le Fils, 181–182.

[27] „In Q liegt . . . klar eine Sicht vor, die für die Situation der Trennung eine Wirksamkeit Jesu mitannimmt". Das war – so scheint Polag mit seinen Ausführungen 195 sagen zu wollen – auch die Sicht des irdischen Jesus. Die Frage ist aber doch, wie es in der Vorstellung Jesu zu dieser Trennung und seiner nachfolgenden Ausübung der Gerichtsfunktion kommen werde. Eine Seite später bemerkt Polag zwar, auf dem Hintergrund der schon dem Tod voraufgehenden Ablehnung Jesu durch das Volk gewinne die „Beurteilung der Frage, ob eine Todesweissagung Jesu historisch wahrscheinlich ist, . . . einen neuen Sinn" (196). Er fügt aber nicht etwa hinzu: „und eine Auferweckungsweissagung". Solange er lediglich mit einer eventuellen Todesweissagung Jesu rechnet, macht er seine Behauptung, Jesus habe sein „Wiederkehren" vorausgesagt, noch problematischer.

christologisch relevantesten (vom künftigen MS) nicht überzeugend als authentische b.n.-Worte Jesu begründen. Das bedeutet zugleich, daß die Gesamtthese einer Unterscheidung dreier Redaktionsstufen, näherhin die vom Verfasser behauptete „Bekenntnisdifferenz" zwischen der „Primärtradition" und den für die „Hauptsammlung" verantwortlichen Tradenten (139) jedenfalls nicht durch die von ihm befürwortete Entwicklung im Verständnis der b.n.-Worte gestützt werden kann. b) Insofern es nach Polag schon bald, „noch in der aramäisch sprechenden frühen Gemeinde" zum apokalyptisch-modifizierenden Verständnis der b.n.-Worte kam (182), und auch er meint, aufgrund der Überzeugung von der Auferweckung Jesu habe sich „das Vorstellungselement der verborgenen himmlischen Existenz des ‚Menschensohnes' leicht übernehmen" lassen (110), gibt er übrigens selbst einer für seine Hypothese gefährlichen Fragestellung Raum. Wenn die „Grundlage" für eine apokalyptische Ausweitung des b.n.-Gebrauchs Jesu seines Erachtens „nur die Überzeugung gewesen sein (kann), daß die heilsentscheidende Größe jetzt schon im Himmel verborgen vorhanden ist und von denen, die gerettet werden, gekannt wird" (178), ist es gewiß nicht sinnlos, zu fragen, ob diese urgemeindliche Überzeugung „die Grundlage", die wenigstens prinzipielle christologische Voraussetzung für die erst nachösterliche Entstehung futurischer b.n.-Worte abgegeben haben könnte. Dieser Fragestellung will er freilich den Wind aus den Segeln nehmen, indem er hinzufügt: „Eine Übernahme präformierter apokalyptischer Vorstellungselemente ist in dieser Zeit um so leichter, wenn sich in den überlieferten Herrenworten der Ausdruck בר נשא in einem weiteren und allgemeineren Sinn bereits fand" (110f.). Ich würde dem sogar mit Freuden beipflichten, wenn die von ihm befürwortete Entwicklung im Verständnis der b.n.-Worte einigermaßen überzeugen könnte.

II

Auch für *P. Hoffmann,* der, im Gegensatz zu A. Polag, mit zahlreichen Autoren Jesus im Anschluß an die apokalyptische MS-Erwartung in futurischen Worten den künftigen MS ansagen läßt, hat Q erstrangige Bedeutung für die Lösung der MS-Frage. Im allgemeinen nehmen die Befürworter der objektiven Redeweise vom MS bekanntlich an, der österliche Glaube an die als Erhöhung zu Gott begriffene Auferweckung Jesu habe die Erwartung ausgelöst, daß der in den Himmel erhöhte Herr selbst als der angekündigte MS offenbar wird. Demgegenüber beansprucht Hoffmann in seinen bis heute grundlegenden *Studien zur Theologie der Logienquelle*[28] und in seinem ausgezeichneten Artikel *Auferstehung Jesu Christi*[29] Jesu Ankündigung des MS als fundamentale Voraussetzung für die Begründung des Osterglaubens durch die dem Karfreitag nachfolgende „Oster-Apokalypse". Dieselbe reflektiere sich im nachösterlichen Logion Lk 10, 22 – das er in seinen früheren Arbeiten entschieden

---

[28] Vgl. besonders 102–158. Eine Kurzfassung erschien unter dem Titel Die Anfänge der Theologie in der Logienquelle.

[29] Auferstehung Jesu Christi, in: G. KRAUSE, G. MÜLLER (Hrsg.), Theol. Realenzyklopädie, IV (Berlin-New York 1979) 478–513, hier 494–497.

als Hauptbeleg reklamiert[30] – und in Gal 1, 15f. – worauf er jetzt größeres Gewicht zu legen scheint[31].

Diese „Oster-Apokalypsis" habe die Jünger zur Weiterverkündigung Jesu legitimiert und erkläre das Zustandekommen der Q-Überlieferung, für deren Verkündigung die Identität des irdischen Jesus und des künftigen MS „konstitutiv" sei[32]. Um über die von mir geltend gemachte Aporie, daß sich die Gal 1, 15f. beanspuchte Offenbarung „in keiner Weise konkretisieren" lasse und auch das ὤφθη von 1 Kor 15, 5f. „nicht als Information über die Entstehung des daselbst ausgesprochenen Glaubens an die Auferweckung und himmlische Erhöhung Christi zu gottgleicher Aktionsmacht gelten" könne, hinauszukommen, schlägt er als „hypothetische Lösung" folgende Erklärung vor. In „einer der apokalyptischen Vision analogen Weise" sei den Jüngern die Erkenntnis vermittelt worden": nicht nur daß Jesus der kommende „Menschensohn-Weltenrichter" sein werde, sondern darüber hinaus, daß Jesus – im Unterschied zum MS der Bilderreden Henoch – schon vor dem In-Funktion-treten als Richter in „die Menschensohn-Würde" eingesetzt wurde[33]; „Jesus ist die Vollmacht über alles gegeben worden, d.h. er ist der Menschensohn"[34]. Die „relativ eigenständige" Auferweckungsaussage, die „eine der Menschensohn-Erwartung gleichursprüngliche Ausprägung des Osterglaubens" darstelle, erklärt sich ihmzufolge wohl als „die doxologische Antwort [der Gemeinde] auf die durch die Apokalypsis vermittelte Einsicht in Jesu Hoheitsstellung"[35].

Diese geniale Hypothese würde mit einem Schlag zwei schwierige Fragen beantworten. Zunächst die nach der Beschaffenheit des den Osterglauben auslösenden „Erlebnisses". Im selben Grad, in dem dieser Versuch, den Osterglauben historisch verständlich zu machen, überzeugen kann, wäre zugleich eine bestimmte MS-Hypothese bestätigt, eben die, Jesus habe den MS angekündigt, ohne sich mit diesem zu identifizieren. Hoffmann selbst spricht freilich wohl mit Bedacht von einer „hypothetischen Lösung".

1. Was die „Oster-Apokalypsis" betrifft, scheint er selbst durchblicken zu lassen, daß er sich eines verbleibenden problematischen Restes bewußt ist. Er läßt die Jünger den Osterglauben nicht kurzerhand durch eine apokalyptische Vision, durch ein „Sehen" oder durch ein zusätzliches „Hören" gewinnen. In seinem abschließenden Abschnitt spricht er stets von den „Offenbarungsempfängern", nie aber vom Empfang einer Vision oder von Erscheinungsempfängern oder ähnlich. Er meint sogar ausdrücklich, daß die in der Tradition vorliegende „Kombination von Erscheinungs- und Auferweckungsaussage" sekundär ist[36]. Und schon zuvor hatte er die Aufnahme der LXX-Terminologie,

---

[30] Die Anfänge, 146–147; Studien, 102–142.

[31] Auferstehung, 494–495.

[32] Im Unterschied zu POLAG, der aufgrund seiner b.n.-Hypothese folgerichtig statuiert: „Die Identifizierung des ‚Menschen' mit Jesus ist . . . für die Redaktion von Q und den Bekenntnisstand der Tradenten nicht eigentlich charakteristisch, sondern haftet dem Material von seiner Überlieferungsgeschichte her an"; vgl. Christologie 135.

[33] Auferstehung, 495.

[34] Die Anfänge, 146.

[35] Auferstehung, 497.

[36] A.a.O., 497.

nämlich das ὤφθη = „Das Sich-sehen-Lassen/In-Erscheinung-Treten" als spätere „Gräzisierung einer ursprünglich apokalyptischen Aussage zu verstehen" gegeben[37]. Daß er offenkundig die Behauptung vermeiden will, die Jünger hätten die Einsetzung Jesu in die gegenwärtige Machtstellung des MS „gesehen", „wahrgenommen", wird man ihm nicht übernehmen wollen, zumal er sich das Sitzen des MS zur Rechten Gottes als Voraussage Jesu versagt. Er faßt seine Erklärung zusammen in den Satz: „Die apokalyptisch geprägte Terminologie in Gal 1 gestattet also − aufgrund der religionsgeschichtlichen Analogien − die Annahme, daß in der Oster-Apokalypsis den Offenbarungsempfängern in einer der apokalyptischen Vision analogen Weise auch konkrete (christologische) Inhalte erschlossen wurden"[38]. Was heißt aber „in einer der apokalyptischen Vision *analogen* Weise"? Greift der Verfasser hier nicht doch zu einer Verlegenheitsauskunft? Wie die vorgängige Einsetzung des am Kreuz geendeten Jesus in die gegenwärtige Machtstellung des MS als konkreter Inhalt „erschlossen" wurde[39], bleibt auch hier nach wie vor im Dunkeln. Die Frage ist gewiß nicht unberechtigt, ob die erteilte Auskunft über die begründete und auch vorherrschende Annahme, der Osterglaube sei ohne ein der Kreuzigung nachfolgendes Offenbarungserlebnis nicht zu erklären, wirklich hinauszuführen vermag.

In den Bilderreden Henoch wird sehr wohl „von einer antizipierenden Offenbarung des Menschensohnes" gesprochen, aber − wie Hoffmann ausdrücklich hinzufügt − „ohne den Gedanken einer vorgängigen Wirksamkeit"[40]. In Entsprechung zu diesem Vorstellungsmodell wäre die „Oster-Apokalypsis" als Eröffnung der Einsicht zu definieren, Jesus sei zum MS designiert worden, er sei in den Himmel erhöht worden, um am Ende auf den „Herrlichkeitsthron" gesetzt zu werden und die ihm zugedachte Richterfunktion auszuüben. Dieses Verständnis der Oster-Apokalypsis kommt für unseren Autor nicht in Betracht, da seine Beweistexte die dem Gericht vorgängige Übertragung der Vollmacht des MS (Lk 10, 22), „die antizipierende Enthüllung der Hoheitsstellung Jesu", die ihm schon *„in der Gegenwart"* zukommende „Machtstellung" bezeugen[41]. Er verzichtet sicher mit Recht darauf, sein Verständnis der Oster-Apokalypsis etwa mit der Lk-Fassung des Synedriumswortes (Lk 22, 69) belegen zu wollen. Seine eigenen Belegtexte sind freilich

---

[37] A.a.O., 493.494. Er rechnet mit der Möglichkeit, daß die ὤφθη-Terminologie „spätestens anläßlich der Komposition der Formel [1 Kor 15, 3 b − 5] zur Bezeichnung jener ‚Erfahrung' verwendet wurde" (a.a.O., 493).

[38] A.a.O., 496.

[39] Der Rekurs auf die erfolgte Erschließung „konkreter (christologischer) Inhalte" erinnert an Autoren, denen die Beanspruchung eines „Sehens" nicht ausreicht und die deshalb sagen, das „Sehen" gehe in die Richtung von „Erfahren", oder die anstelle eines „Sehens" für eine nicht rein subjektive geistige Erfahrung („expérience spirituelle") der Jünger plädieren: vgl. A. Vögtle, in: Ders. und R. Pesch, Wie kam es zum Osterglauben? (Düsseldorf 1975), 56 − 57.

[40] Auferstehung, 495.

[41] A.a.O., 495. Die AethHen 70, 1 − 2; 71, 5 − 17 sekundär eingefügte und im einzelnen nicht sicher deutbare Identifikation des erhöhten Henoch mit dem MS nennt auch P. Hoffmann nur beiläufig als Analogie (a.a.O., 495 − 496). Vgl. zur Diskussion A. J .B. Higgins, The Son of Man, 17 − 20.

auch sehr anfechtbar. Sein Versuch, in Lk 10, 22 den MS hineinzulesen und dadurch dieses Offenbarungswort speziell die einstige Oster-Apokalypsis als Eröffnung der vorgängigen Einsetzung Jesu in die Machtstellung des MS bezeugen zu lassen, hat schon bald Bedenken ausgelöst[42].

Auf Gal 1, 15 – 16 legt der Autor jetzt insofern mit Recht größeres Gewicht, als Paulus hier von seiner Ostererfahrung spricht. Der eigentlich kritische Punkt ist nicht einmal so sehr die Meinung, in dem terminus ἀποκαλύπτειν könne „sogar die genuine Bezeichnung der Ostererfahrung der ersten Zeugen noch enthalten sein"[43]. Zweifelhaft ist vor allem, ob Paulus Jesu Ankündigung des MS voraussetzte und die ihm zuteilgewordene Offenbarung „seines Sohnes" der Sache nach als Eröffnung der vorgängig erfolgten Erhöhung des Getöteten in die Machtstellung des MS verstand. Denn nur in diesem Fall würde sich Gal 1, 15 – 16 als vollgültige Bezeugung der vorgeschlagenen Deutung der „Oster-Apokalypsis" beanspruchen lassen – was freilich auch Hoffmann an keiner Stelle direkt behauptet[44].

Stehen die zahlreichen Autoren, die die Auferweckungsaussage „Gott hat Jesus auferweckt" u. ä. als das sachliche Prius, das die Applikation futurischer MS-Worte auf Jesus selbst auslöste, befürworten und deshalb bestreiten, daß die MS-Christologie „die älteste Deutung der Auferstehung" sei[45], dann nicht doch auf sicherem Grund? Zuletzt vertrat auch H. Merklein, daß die Identifizierung Jesu mit dem von ihm angekündigten MS „sachlich Auferweckung und Erhöhung voraussetzt". Ohne alle Einzelheiten seiner sehr instruktiven Untersuchung schon mitzuunterschreiben, argumentiert er meines Erachtens mit vollem Recht: „Der umgekehrte Vorgang, daß die Menschensohnbezeichnung die erste und unmittelbare christologische Interpretation der Auferweckungsaussage unter stillschweigender Implikation der Erhöhung (zum Menschensohn) gewesen sei und daß die messianische Christologie diese Implikation dann expliziert habe, ist deswegen unwahrscheinlich, weil so nicht verständlich wird, (a) daß gerade die Erhöhung zum *Menschensohn* nicht (oder wenigstens auch) expliziert worden ist und (b) daß sich in den älteren Menschensohnworten keine Spuren der Auferweckungsaussage als ihres ursprünglichen Interpretationsansatzes erhalten haben"[46].

2. Voraussetzung für diese den Osterglauben vorordnende Erklärungsrichtung wie für die von Hoffmann vorgeschlagene Bestimmung des österlichen Offenbarungsgeschehens ist die bis heute beliebte Annahme, Jesus habe vom künftigen MS als einem Dritten gesprochen bzw. doch offengelassen, wer der MS sein werde. Natürlich hat diese Annahme nicht zuletzt den großen Vorzug,

---

[42] J. GNILKA, Jesus Christus nach frühen Zeugnissen des Glaubens (München 1970), 118 – 119; D. ZELLER, Zusammenhang, 75, Anm. 28; SCHÜRMANN, Beobachtungen, 146; H. MERKLEIN, Die Auferweckung Jesu und die Anfänge der Christologie (Messias bzw. Sohn Gottes und Menschensohn), in: ZNW 72 (1981) 1 – 26; bes. 21, Anm. 71.

[43] Auferstehung, 494.

[44] Zur Diskussion des ἀπεκάλυψεν und seines Inhalts in Gal 1, 15 – 16 nimmt eingehend Stellung F. MUSSNER, Galaterbrief, 67 – 70.83 – 87.

[45] J. BECKER, Das Gottesbild Jesu und die älteste Auslegung von Ostern, in G. STRECKER (ed.), Jesus Christus in Historie und Theologie (Tübingen 1975), 105 – 126, hier 123.

[46] Die Auferweckung Jesu, 22 mit Anm. 72.

daß sie die futurischen MS-Worte nicht samt und sonders als nachösterliche Produktion ansehen muß. Trotzdem läßt sie sich aus dem bereits (S. 79) genannten Grund mit der von Jesus beanspruchten Gottunmittelbarkeit kaum vereinbaren[47]. Wahrscheinlich nicht einmal dann, wenn die MS-Erwartung der in den Bilderreden bezeugten Art im Israel der Tage Jesu die allgemein anerkannte Form der Gerichtsvorstellung gewesen wäre; wenn es sozusagen keine Rolle gespielt hätte, ob man von Jahwe oder vom MS als Richter sprach, weil immer vorausgesetzt war, Jahwe werde das Endgericht – und um dieses geht es – durch den MS vollziehen. Wenn überhaupt, wäre in diesem Fall noch am ehesten denkbar, Jesus habe keinen Grund gehabt, den MS als einen mit seiner Senkung konkurrierenden Dritten zu empfinden, der als weiterer eschatologischer Funktionsträger zwischen Gott und ihn treten würde. Obwohl die jüdische Herkunft der Bilderreden Henoch nach wie vor überwiegend und mit guten Gründen befürwortet wird[48], dürfte sich jedoch die Annahme verbieten, daß die Erwartung, Gott werde das Gericht durch den MS vollziehen lassen, die allgemein anerkannte und gewissermaßen einzig gültige Gerichtsvorstellung in den Tagen Jesu war. Es kommt hinzu, daß der im Himmel (ideal) präexistente MS der Bilderreden ein dem Endgericht voraufgehendes Leben und Wirken auf der Erde, gar im Sinne des Sendungsanspruchs Jesu, nicht kennt.

Die gelegentliche Meinung, Jesus habe (wahrscheinlich) schon deshalb sein Verhältnis zum MS reflektieren und zumindest unausgesprochen sich als diesen verstehen müssen, weil Johannes mit dem „Feuertäufer" (wahrscheinlich) den zum Gericht kommenden MS meinte, liefert keine tragfähige Ausgangsbasis. Denn die stärkeren Gründe scheinen dafür zu sprechen, daß Johannes Jahwe als endgültigen Richter erwartete[49]. Wie dem auch sei, darf man mit gutem Recht davon ausgehen: An einer von Jahwe verschiedenen Richtergestalt könnte Jesus fast so gut wie sicher nur deshalb interessiert gewesen sein, weil er die Funktion des MS-Richters für sich selbst beanspruchen wollte[50]. Die wenigen futurischen MS-Logien, die als Belege für die Selbstidentifizierung Jesu mit dem künftigen MS in Betracht kommen, lassen sich nach entschieden vorherrschender und nach meiner Meinung gut begründeten Auffassung aber nicht als authentische MS-Logien wahrscheinlich machen[51].

---

[47] So auch E. LOHSE, der sich selbst der Auffassung anschließt, auch die futurischen MS-Worte seien urchristlicher Herkunft: „Denn wie sollte überhaupt in der eschatologischen Verkündigung Jesu die Ankündigung eines Menschensohns, der ein anderer als Jesus wäre, Platz finden können?"; vgl. Grundriß der neutestamentlichen Theologie (Stuttgart 1974), 45 – 49, bes. 48 – 49.

[48] So auch die Literaturberichte von KÜMMEL, Jesusforschung, 64 – 74, und COPPENS, Le Fils, 8 – 9.

[49] OBERLINNER, Todeserwartung, 55 – 56.

[50] In dieser Hinsicht sollte man nicht übersehen, daß Jesus nach glaubwürdiger Überlieferung (einschließlich der von Q) sehr wohl von dem kommenden Endgericht, nämlich dem Gericht Gottes, sprechen konnte und sprach, ohne vom MS zu sprechen.

[51] Der eschatologische Ausblick Mk 14, 25 parr. spricht nicht vom MS. Mein früherer Versuch, die Androhung des Jonazeichens als authentisch und den in Q (Lk 11, 30) angeschlossenen MS-Spruch als zwar sekundäre, aber sachgemäße Deutung des „Maschal"-Wortes Jesu vom Jona-

Was bleibt dann als weitere Alternative, wenn die Selbstidentifizierung Jesu mit dem apokalyptischen MS ebenso zweifelhaft ist wie die objektive Ansage desselben? Sofern man von der fundierten Annahme ausgeht, die Verwendung der MS-Bezeichnung sei ohne einen Zusammenhang mit einer MS-Erwartung der in den Bilderreden Henoch bezeugten Art nicht zu erklären, bleibt nur die Frage, ob sich die Verwendung einer keineswegs alleingültigen, aber zumindest apokalyptischen Kreisen bekannten Gerichtsvorstellung, die eine im Himmel befindliche Gestalt = den MS als Repräsentanten des Gerichts- und Heilshandelns Gottes erwartete, etwa doch ungezwungener aus der nachösterlichen Situation, in der die Urgemeinde die Parusie ihres im Himmel befindlichen Herrn erwartete, verständlich machen läßt. Nachdem die Urgemeinde den auferweckten Jesus im Himmel wußte und erwartete, er werde von dort her zur Volloffenbarung des Heils der Gottesherrschaft kommen, hätte die schon erwähnte Differenz, daß die apokalyptische Endvorstellung eine vorgängige und dazu im gewaltsamen Tod endende Wirksamkeit des MS nicht kennt, nicht mehr als unüberwindliches Hindernis empfunden werden müssen. Auch wenn sie es nicht ausdrücklich sagen, müssen das ja auch alle Autoren voraussetzen, die Jesus aufgrund des Osterglaubens mit dem von ihm angekündigten MS identifiziert werden bzw. – wie Hoffmann – die „Oster-Apokalypse" als solche diese Identifizierung und die gleichzeitige Einsetzung in die Vollmacht des MS eröffnen lassen.

III

Nach den Arbeiten von P. Hoffmann und A. Polag stellte *H. Schürmann* in seiner schon zitierten originellen Untersuchung *Beobachtungen zum Menschensohn-Titel in der Redequelle* zur Frage der Bezeugung authentischer MS-Logien einen neuen Aspekt zur Diskussion[52]. Er kommt nämlich zu dem Ergebnis, das auch eine Untersuchung der MS-Worte des Mk bestätigen würde (124 – 126), daß die zehn (bzw. elf) MS-Worte von Q in unterschiedlicher Weise meist als „Abschlußwendungen" und gelegentlich auch als „Einleitungswendungen" vorkommen (140). Näherhin resümiert er: „Die zehn Menschensohn-Logien der Redequelle kommentieren (um)interpretierend, ergänzend und korrigierend Einzellogien, an die sie angefügt sind; sie gehören also einer

---

zeichen zu erklären (Erscheinen des wunderbar aus dem Tod Erretteten zum Gericht), scheitert schon daran, daß der Zusatz „außer dem Zeichen des Jona" höchstwahrscheinlich nicht ursprünglich ist; letzteres vertreten mit anderen Autoren auch R. PESCH, Markusevangelium, I, 408, und MERKLEIN, Gottesherrschaft, 126. Ebenso kann ich leider längst nicht mehr zu der 1962 im Lexikon für Theologie und Kirche, Bd. 7, 300, ausgesprochenen Behauptung stehen, daß sich Jesus der MS-Erwartung bediente, „um die Offenbarung seiner Parusie und Funktion als künftiger Endrichter einzuleiten, . . . und er wenigstens in der Situation von Mk 14, 62 unmißverständlich wissen ließ, daß kein anderer als er selbst ‚der Mensch' ist, der ‚mit den Himmelswolken', d. h. machtvoll zum Gericht erscheinen wird".
[52] Beobachtungen, 124 – 147.

recht frühen Überlieferungsstufe an, die isolierte Einzellogien und kleinere Kompositionen tradierte". Das wolle zweierlei besagen: „einerseits, daß der Menschensohntitel wahrscheinlich nicht in die älteste Schicht der Logienüberlieferung gehört, sondern bereits einer kommentierenden Sekundärschicht zugesprochen werden muß", die aber wohl noch palästinensisch gedacht werden müsse (146). Anderseits bedeute das Ergebnis, „daß die Menschensohn-Christologie wahrscheinlich nicht mehr die grundlegende und tragende Christologie der Endredaktion der Redequelle ist, die schon eine Koinzidenz der Christusprädikate kennt und vielerlei Weisen hat, bereits den irdischen Jesus hoheitlich auftreten und reden zu lassen" (146f.). Seine vorsichtige Folgerung hinsichtlich der Authentizitätsfrage lautet deshalb: „Die kommentierende Einordnung erlaubt als solche – soweit nicht andere Argumente hinzukommen – nicht mehr als eine Präsumtion für die Annahme, es könne sich um sekundäre Bildungen handeln, bzw. der Menschensohn-Titel sei in diesen Worten sekundär eingetragen" (141f.).

Mit Recht behauptet der Verfasser „nicht mehr als eine Präsumtion". Bei weitem nicht in allen 10/11 Fällen läßt sich einigermaßen begründet annehmen, das betreffende MS-Logion sei als „Kommentarwort" zu einem je vorausgehenden oder auch nachfolgenden Einzellogion bzw. Kontext entstanden. Das dürfte etwa zutreffen für Lk 7, 34 (131f.)[53], Lk 12, 40 (138), Lk 11, 30 (133 – 135), wobei an letzter Stelle freilich damit zu rechnen ist, daß dieser Deutespruch erst durch die gleichzeitige Hinzufügung von „außer dem Zeichen des Jona" in 11, 29 ermöglicht wurde. Reservierter kann man schon gegenüber der Meinung sein, Lk 17, 24 sei „wohl nie selbständig" tradiert worden, sei also von Haus aus begründendes Kommentarwort zu Lk 17, 23 (139). Nun behauptet Schürmann auch keineswegs, aus der von ihm aufgezeigten Funktion eines MS-Logions als Kommentarwort ergebe sich schon der sekundäre Charakter des betreffenden MS-Wortes. Über die formale Kommentarfunktion hinaus nennt er bei den meisten MS-Logien noch andere Gründe, aus denen er diese als ganze oder doch hinsichtlich der Verwendung des MS-Titels für (sicher oder doch wahrscheinlich) sekundär erachtet, wofür er sich jeweils auch auf einen mehr oder weniger starken Konsens der Autoren stützen kann. Obwohl er beispielsweise Lk 12, 10 mit vollem Recht „als (korrigierende) Ergänzung zu Lk 12, 8f. par Mt" bezeichnet, behauptet er selbstverständlich nicht, Lk 12, 10 sei als Kommentarwort zu Lk 12, 8f. gebildet worden. Lk 12, 10 ist für ihn ein vormals unabhängig tradiertes Logion, das schon seines Aussagegehaltes wegen als nachösterliches MS-Wort gelten muß (136f.). Wenn ich ihn recht verstehe, versagt er sich andererseits bei den beiden Vergleichsworten Lk 17, 26f. und 17, 28 ein Urteil über deren Herkunft (139f.). Und seinem oben zitierten Satz von der erlaubten „Präsumtion" stellt er den Satz voran: „Die Frage, ob diese beigefügten ‚Kommentierungen' *sekundäre Bildungen* oder zugekomme ursprünglicher Logien, eventuell gar genuine Jesus-

---

[53] Vgl. zu Lk 7, 34 auch J. WANKE, der unter einem „Kommentarwort" – im Unterschied zu sekundären Erweiterungen und Analogienbildungen – freilich „stets ein vormals isoliert (oder tradierfähiges) Logion" versteht; vgl. „Kommentarworte", 216 u. 221.

worte waren, bedürfte gründlicherer Einzeluntersuchungen" (141). Daß er aufgrund seiner Untersuchung die Möglichkeit, es könnten sich in Q doch auch authentische MS-Worte finden, offen läßt, bestätigt nur die methodische Feinfühligkeit, die den Verfasser auszeichnet. Wenn auch das Stichwort „Kommentarworte" nicht schon ausreichen mag, um über die nachösterliche Herkunft der MS-Christologie zu entscheiden, lenkt das Stichwort wie auch die Meinung, die MS-Worte hätten „ihren ‚Sitz im Leben' wohl alle in der auslegenden Mahnpredigt (urchristlicher Propheten?) . . ." (141), den Blick auf eine wichtige, weiter zu verfolgende Fährte.

IV

Im Hinblick auf die befragten Versuche wie auf den Stand der gesamten MS-Diskussion scheint mir die „Präsumtion", von der Schürmann spricht, ernsthafte Beachtung zu verdienen. Gegenüber den vielen, teilweise krampfhaften Versuchen des Nachweises, daß und in welchem Sinn Jesus selbst von b. n. gesprochen haben kann, bemühten sich die meisten Vertreter der Gegenposition bislang fast nur um den Nachweis, daß die MS-Logien der Evangelien bzw. das von diesen vorausgesetzte eschatologisch-titulare b. n. nicht von Jesus selbst stammt. Zur positiven Begründung des nachösterlichen Aufkommens des MS-Titels und der an diesen geknüpften Worte wurde zwar auch schon beträchtlicher Scharfsinn aufgeboten[54].

Man muß aber zugeben: Gerade auch die Befürworter der meines Erachtens am besten zu begründenden Hypothese, derzufolge die apokalyptische Erwartung des MS-Richters die inspirierende Hintergrundvorstellung für die nachösterliche Bildung der am Anfang stehenden Worte vom künftigen MS abgab, sind eine eingehendere Auskunft über diesen Prozeß noch weithin schuldig geblieben. Solange nicht versucht wird, durch den konkreten Aufweis möglicher Ansatzpunkte (in der nachösterlichen Situation wie in der Verkündigung Jesu selbst) jenen Prozeß plausibel zu machen und zugleich zum Bewußtsein zu bringen, daß auch im Falle der Nicht-Authentizität jener MS-Worte an deren „Wahrheit" nicht zu zweifeln ist, ist ein Verzicht auf weitere Bemühungen, diese MS-Worte für Jesus selbst zu beanspruchen, nicht zu erwarten[54a].

---

[54] Aus der neueren Diskussion ist vor allem zu nennen die wohl zu kühne Pescher-Hypothese von N. Perrin, der bei Ps 110, 1; Dan 7, 13 und Sach 12, 10 – 12 einsetzt und das Endprodukt der Kombination dieser Stellen in Mk 14, 62 erblickt; sodann die jene weiterführende Konzeption der Gattung des „Eschatological Correlative" von R. A. Edwards, der die diese repräsentierenden MS-Logien in der Q-Überlieferung entstanden sein läßt; zu den Hypothesen der beiden vgl. Küm-MEL, Jesusforschung, 70 – 71 und Higgins, The Son, 39 – 40.92 – 100.107 – 109. W. B. Tatum möchte über Edwards hinausführen mit der Hypothese, zwischen „Sätzen heiligen Rechts" (E. Käsemann) und den eschatologischen Correlativa sei nicht völlig zu unterscheiden, wie es Edwards tue, da beide die von urchristlichen Propheten verwendete Gattung des „Prophetic Correlative" variieren würden; vgl. The LXX Gattung „Prophetic Correlative", in: JBL 96 (1977) 517 – 522.

[54a] Vgl. jüngst besonders W. G. Kümmel, Jesus der Menschensohn? (Stuttgart 1984).

4

Herkunft und ursprünglicher Sinn
der Taufperikope Mk 1, 9 – 11*

Die Taufperikope zählt zu den äußerst signifikanten Beispielen der Problematik, vor die im besonderen die Evangelienexegese gestellt ist. Die Frage nach der Redaktion und theologischen Indienstnahme der Überlieferungseinheit durch die Evangelisten, zunächst die Synoptiker, dann aber auch durch den 4. Evangelisten, wird auch in diesem Fall kompliziert durch die Frage, ob außer Mk auch Q die/eine Taufperikope enthalten hat. Jedenfalls haben der Schöpfer der Evangeliengattung und mit ihm die beiden späteren Zeugen der „synoptischen" Überlieferung das erste Erscheinen Jesu in der Öffentlichkeit an das Mk 1, 9 – 11 genannte Geschehen geknüpft, was unserer Perikope bereits eine einmalige Bedeutung sicherte. Erst recht mußte ihr Inhalt Beachtung finden, und zwar Jesu Empfang der Johannestaufe im Grunde kaum weniger als die höchst auffällige nachfolgende Offenbarungsszene. Was bedeuten diese beiden Phänomene für Jesus selbst und für das nachösterliche Jesusverständnis, für die urchristliche Christologie und Verkündigung? Insofern sinnvollerweise nicht zu bezweifeln wäre, daß die Taufe Jesu und damit das anschließende Offenbarungsgeschehen dem verkündigenden Auftreten Jesu vorausging, stellt sich zwangläufig die speziellere Frage nach der Bedeutung der beiden Phänomene für das Auftreten Jesu, näherhin für sein Sendungsbewußtsein. Im Hinblick auf das Offenbarungsgeschehen selbst drängt sich die Frage auf: Steht dieses, wenigstens seinem inneren Gehalt nach, auch historisch vor dem Beginn des öffentlichen Wirkens Jesu, so daß es als Voraussetzung desselben in Anschlag zu bringen ist? Oder ist das Verhältnis von Ursache und Wirkung umgekehrt? Setzt diese Offenbarungsszene in Wirklichkeit Jesu öffentliches Wirken und die nachösterliche Christusverkündigung – bzw. eine bestimmte Stufe und Situation derselben – voraus, so daß es sich bei der Offenbarungsszene um eine aus der Rückschau erfolgte Inszenierung handelt? Ich beschränke mich im folgenden auf diese Alternativfrage, deren bisherige Diskussion zugleich als eine exemplarische Konkretisierung der Problematik „Vor-verständnis und historisch-kritische Methode" gelten darf.

I. Die älteste greifbare Fassung der Taufperikope

Nach wohl unangefochtener Methode ist an erster Stelle die Frage nach der ältesten greifbaren Fassung der Taufperikope zu stellen:

---

* Der hier durchgesehene Beitrag erschien erstmals unter dem Titel „Die sogenannte Taufperikope Mk 1, 9 – 11 – Zur Problematik der Herkunft und des ursprünglichen Sinns" in: EKK: Vorarbeiten 4 (Zürich-Neukirchen 1972) 105 – 139.

1. zunächst im Hinblick auf Mk 1, 9 – 11, sodann
2. im Hinblick auf eine eventuelle Q-Perikope.
1. Nach der jüngsten Studie von R. Pesch zum Prolog des Markusevangeliums dürfte die kurze Versuchungsgeschichte Mk 1, 12 f. schon in der Markus vorliegenden Überlieferung mit der Taufperikope 1, 9 – 11 verbunden gewesen sein[1] und „kann" diese Jesustradition, also Mk 1, 9 – 13, schon vormarkinisch im Anschluß an die Täufertradition 1, 2 – 8 überliefert worden sein[2]. Für unseren Zweck kann man sich auf Mk 1, 9 – 13 beschränken, zumal es auch an Anhaltspunkten für eine ursprünglich getrennte Überlieferung der beiden genannten Traditionskomplexe nicht fehlt. Nun stellte man seit längerem über das die Versuchungsperikope unmittelbar mit der Taufperikope verknüpfende πνεῦμα-Motiv hinaus ideelle Verbindungslinien zwischen diesen beiden Perikopen fest[3]. Was die Versuchungsnotiz betrifft, scheint u. a. schon „die (kaum eine Eigenständigkeit erlaubende) Kürze der Erzählung" gegen die Annahme einer ursprünglich isolierten Erzählungseinheit zu sprechen[4], somit dafür, daß die markinische Versuchungsnotiz immer nur in Verbindung mit der Taufperikope 1, 9 – 11 existierte. Damit ist Mk 1, 9 – 13 freilich noch keineswegs als ursprüngliche Einheit erwiesen. Weder das die beiden Perikopen eindeutig verknüpfende Pneuma-Motiv noch weitere ideelle Verbindungslinien, die sich zwischen den beiden Perikopen herstellen oder auch vermuten lassen, reichen aus zur Begründung der Hypothese, die Taufperikope Mk 1, 9 – 11 habe nie ohne die anschließende Versuchungsperikope 1, 12 f. existieren können. Der genannten Verknüpfung und dem berechtigten Eindruck, daß die VV 1, 12 f. kaum je als selbständige Einheit existierten, dürfte man voll gerecht werden mit der weniger weitgehenden Annahme, daß die markinische Versuchungsnotiz die Taufperikope 1, 9 – 11 voraussetzt, daß jene also erst im Anschluß an diese „ursprünglich . . . isolierte Einzelgeschichte"[5] formuliert wurde[6]. Der Versuch, der ältesten greifbaren Fassung der Taufperikope auf die Spur zu kommen, kann sich deshalb auf die VV 1, 9 – 11 beschränken.

---

[1] Anfang des Evangeliums Jesu Christi. Eine Studie zum Prolog des Markusevangeliums (Mk 1, 1 – 15), in: G. Bornkamm – K. Rahner, Die Zeit Jesu (Festschr. für H. Schlier) (Freiburg 1970), 115.

[2] a.a.O., 112 – 116.

[3] Am weitesten geht in dieser Hinsicht R. Pesch, a.a.O., 133 f.

[4] R. Pesch, a.a.O., 130, mit anderen Autoren.

[5] So auch S. Schulz mit der überwiegenden Ansicht der Autoren: Die Stunde der Botschaft (Hamburg-Zürich ²1970), 54.

[6] Dabei muß hier offenbleiben, wie es zur Versuchungsnotiz MK 1, 12 f. kam. Ob es sich bei dieser „wahrscheinlich" um die Verkürzung einer ausführlicheren vormarkinischen Erzählung handelt (E. Schweizer, Das Evangelium nach Markus [NTD 1], Göttingen 1967, 22) oder ob die markinische Versuchungsnotiz „jedenfalls kein Rudiment einer ausführlicheren Geschichte (ist)" (so R. Pesch u.a. gegen R. Bultmann und A. Feuillet: Anfang a.a.O., 133 Anm. 111). Nach J. Dupont ist die Mk-Fassung „nur *ein* Ausdruck" der Versuchungsüberlieferung, der neben der Q-Erzählung steht: Die Versuchung Jesu in der Wüste (SBS 37, 1969) 91, während die Versuchungserzählung nach J. Jeremias „ursprünglich in drei verschiedenen, voneinander unabhängigen Varianten umlief", die verschiedene Schauplätze (Wüste [nur diese bei Markus] – Tempel – Berg) nannten, aber je ein und dieselbe Versuchung, nämlich „das Hervortreten als politischer Messias", meinten (Neutestamentliche Theologie I, Gütersloh 1971, 76).

Hier sei nur das meines Erachtens gut begründbare Ergebnis angedeutet. (a) Elemente markinischer Redaktion lassen sich am ehesten in V. 9, also in der Einleitung und in der Taufnotiz, feststellen. Die Entsprechung zu V. 9 *könnte* vormarkinisch bzw. von Haus aus lediglich etwa gelautet haben: „Es kam Jesus von Nazareth und ließ sich von Johannes in den Jordan hinein taufen." In diesem Fall wären die fehlenden markinischen Zusätze für unsere Fragestellung ohnehin belanglos. (b) Was die Offenbarungsszene selbst (1, 10f.) betrifft, wird man R. Pesch zustimmen dürfen, daß sich außer εὐθύς (V. 10) markinische Redaktionselemente nicht nachweisen lassen[7].

Bereits in diesem Zusammenhang scheint mir übrigens der Hinweis angebracht zu sein, daß die Taufperikope auch für den Fall, daß die Offenbarungsszene nicht auf historischer Überlieferung beruht, eine ursprüngliche Einheit sein dürfte. Es ist meines Erachtens geradezu unvorstellbar, daß Mk 1, 9 je selbständig existierte; anders ausgedrückt: daß es christlicherseits je eine Kurzgeschichte gab, die lediglich den Taufempfang Jesu feststellte, ohne sich im allergeringsten zu diesem oder auch zum Täufling selbst zu äußern[8]. Erst recht unwahrscheinlich erscheint mir die andere Möglichkeit, daß die Offenbarungsszene Mk 1, 10f. bzw. eine sehr verwandte Variante derselben einmal isoliert, ohne eine wenigstens kurze Situationsangabe existierte.

2. Liefern sodann Mt und Lk Anhaltspunkte, die über dieses Ergebnis hinausführen können? Näherhin ist zu fragen, ob sich (a) für Q eine Taufperikope nachweisen oder doch wahrscheinlich machen läßt, und (b), ob eine vorausgesetzte Q-Perikope eine anderslautende, eventuell ursprünglichere Fassung erkennen läßt.

a) Mit mehr generellen Beobachtungen und Erwägungen ist hier kaum weiterzukommen. Einerseits beinhaltete die Logienquelle auch Täuferüberlieferung, nämlich sicher Inhalte der Täuferverkündigung. Andererseits ist Jesu Empfang der Johannestaufe so gut wie sicher historisch. Warum soll Q dann nicht auch von diesem Taufempfag gesprochen, näherhin eine Taufperikope der Mk 1, 9 – 11 vorliegenden Art gekannt haben? Das ist zum wenigsten nicht selbstverständlich, insofern die Q-Überlieferung der Täuferpredigt den Täufer wohl zum Boten und Vorläufer Jesu als des kommenden Richters gemacht, den Täufer aber nicht schon auf das Kommen des irdischen Jesus als „des Stärkeren", des Geisttäufers ausgerichtet zu haben scheint[9], wie es bei Mk ge-

---

[7] Anfang a.a.O. 115. Schon früher betonte besonders PH. VIELHAUER, nichts würde auf eine ältere, vormarkinische Form der Taufperikope hinweisen: Erwägungen zur Christologie des Markusevangeliums, in: E. Dinkler, Zeit und Geschichte (R. Bultmann zum 80. Geburtstag) (Tübingen 1964), 161 f.; DERS., Zur Frage der christologischen Hoheitstitel, in: ThLZ 90 (1965) 584.

[8] Die zuletzt von F. LENTZEN-DEIS – wohl im Hinblick auf das von ihm beanspruchte targumische Schema der „Deute-Vision" – ausgesprochene Vermutung, die ‚Taufnotiz' und die nachfolgende ‚Szene' „seien sehr früh zusammengewachsen" (Die Taufe Jesu nach den Synoptikern [Frankfurter Theol. Studien IV] 1970, 251], was eben zugleich die Vermutung impliziert, die „Taufnotiz" könne ursprünglich selbständig existiert haben, kann man sich m.E. ersparen.

[9] Damit ist aber durchaus vereinbar, daß Q den Täufer die bekannte Anfrage Mt 11, 3 par an Jesus richten läßt, zumal diese im Sinne von Q einem echten Zweifel entspringen dürfte. (Anders E. BAMMEL, The Baptist in Early Christian Tradition, in: NTS 18 [1971/1972] 100.)

schieht und sich schon für die vormarkinische Täuferüberlieferung und deren Zusammenfügung mit der Jesusüberlieferung 1, 9ff. voraussetzen läßt[10].

Q kannte indes sicher die im wesentlichen Inhalt von Mt und Lk bezeugte Erzählung von der Versuchung Jesu[11]. Und von Mk bzw. schon von der vormarkinischen Überlieferung her drängt sich dem Leser begreiflicherweise folgende Vorstellung auf: Das Berufungserlebnis, das auf den – dem öffentlichen Auftreten Jesu vorausgehenden – Taufempfang nachfolgte, und die (bei Mk anschließende) Erprobung der Berufung Jesu durch die Versuchung gehören sachlich und zeitlich zusammen[12]. Diese Zusammengehörigkeit erfordere, daß Q der Versuchungsperikope auch eine Berufungserzählung = die Taufperikope voraufgehen ließ. Diese Annahme könnte geradezu als schlüssig gelten, wenn die Offenbarungsszene vom Jordan und die Versuchungserzählung auf historischer Überlieferung beruhen, also wie die Taufnotiz konkrete Fakten des Lebens Jesu bezeugen würden. Das ist aber eine höchst zweifelhafte Voraussetzung, die den Schluß auf eine Taufperikope in Q nicht tragen kann. Sie entfällt bereits insofern, als die Versuchungserzählung in ihren beiden Formen geradezu allgemein als urchristliche Bildung erkannt und anerkannt ist.

Methodisch weiterführen kann deshalb nur die Frage, ob die für Q sicher vorauszusetzende Versuchungsperikope auf eine voraufgehende Taufperikope schließen läßt, und zwar auf eine, die der der markinischen Tradition wirklich vergleichbar ist. Das Entscheidende an der markinischen Taufperikope ist ja die Offenbarungsszene. Für die Frage eines Q-Analogons zur markinischen Taufperikope wäre deshalb nichts gewonnen, wenn Q zum Beispiel die Versuchung Jesu mit dem voraufgehenden Taufempfang und lediglich mit diesem verknüpft hätte, ja nicht einmal, wenn Q die Versuchungsperikope eingeleitet hätte mit dem Satz: Als Jesus von Johannes im Jordan getauft worden war, wurde er *vom Geist* in die Wüste geführt (o. ä.)[13].

Zur Beantwortung der genannten Frage, ob die Versuchungsperikope in Q auf eine vorausgehende Taufperikope schließen läßt, bieten sich methodisch zwei Verfahren an, zunächst α) eine literarkritische Analyse der engen Verknüpfung von Tauf- und Versuchungserzählung in Mk einerseits und bei Mt/Lk andererseits. Diese führt meines Erachtens zu dem gut begründbaren Ergebnis, daß sich für Q eine innere notwendige Verknüpfung der Versuchungsperikope mit einer vorausgehenden Taufperikope nicht nachweisen läßt. Ja, Q ist als Quelle für eine Einleitung der Versuchungsgeschichte nicht einmal wahrscheinlich zu machen. Die Abweichungen des Mt/Lk von der Mk-Vorlage scheinen eher auf redaktionelle Arbeit als auf eine zweite gemeinsame Quelle zurückzugehen. Die Q-Fassung der Versuchungserzählung kann sehr wohl erst mit dem Hungermotiv begonnen haben. Das ebenfalls von Mk abweichen-

---

[10] R. Pesch, Der Anfang, bes. 122f., 136f.

[11] Vgl. R. Pesch und die von ihm angeführten Autoren: Der Anfang 130 Anm. 91.

[12] So zuletzt auch J. Jeremias, s. u. Anm. 52.

[13] Die eventuelle Vorstellung, daß Jesus vom Geist anderswohin getrieben wird, entspräche ohnedies einem häufigen Zug alttestamentlicher Prophetengeschichten (Belege bei E. Schweizer, Mk 22). Sie ließe also nicht notwendig auf eine vorausgehende Geistempfangserzählung schließen.

de eigentliche Anliegen der beiden Seitenreferenten – Hinführung auf die Versuchung – gründet in den in Q erzählten Einzelzügen.

Sodann β) ist zu fragen, ob das eigentliche corpus der Versuchungserzählung von Mt/Lk Anhaltspunkte für eine in Q vorausgehende Taufperikope liefert[14]. Als solcher kommt unbestreitbar das in zwei der drei Versuchungsgänge begegnende εἰ υἱὸς εἶ τοῦ θεοῦ und nur dieses in Betracht. Daß die Verwendung des Gottessohnmotivs notwendig eine vorausgehende Taufperikope fordere, konnte bis heute freilich nicht bewiesen werden. Zur Erklärung der Anknüpfung des Versuchers an den Gottessohntitel verbleiben auch andere Möglichkeiten. So läßt P. Hoffmann die Frage einer Verbindung der Versuchungsgeschichte und einer Taufperikope in Q völlig außer acht. Er erklärt die „Anknüpfung" des Teufels ganz „immanent". Unter Berufung auf den Text 4 Q flor I, 11, der sich auf 2 Sam 7, 14 bezieht, bezeichnet er ein „jüdisch-messianisches Verständnis des Sohnes Gottes" für „möglich" und bestimmt er für die Perikope einen ursprünglichen Sitz im Leben der Gemeinde, die sich gegen jüdische Endzeiterwartungen zur Wehr setzt[15].

Von der von Mt und Lk gebotenen Versuchungsperikope her läßt sich somit die Q-Zugehörigkeit einer Mk 1, 9 – 11 vergleichbaren Taufperikope jedenfalls nicht sicherstellen, zum Teil nicht einmal wahrscheinlich machen. Natürlich darf man gleichzeitig anmerken: falls Q die Kombination von Tauf- und Versuchungserzählung kannte, ließe sich die Versuchungsperikope von Q als Bestätigung zweier wesentlicher Momente der markinischen Taufperikope beanspruchen, nämlich der göttlichen Deklaration Jesu als des Sohnes Gottes und der Geistmitteilung. Das kann man zugestehen, obwohl der Gottessohntitel in der markinischen Versuchungsnotiz nicht erscheint und andererseits innerhalb der Q-Versuchungsperikope nicht auf den Geistbesitz Jesu abgehoben wird. Hier stehen einfach der Sohn Gottes und das geschriebene Wort Gottes im Mittelpunkt; dieses ist die Kraft, an der alle Angriffe Satans scheitern[16].

b) Im übrigen interessiert die Frage der Existenz einer Taufperikope in Q einzig unter dem Gesichtspunkt, ob und in welcher Hinsicht diese sich von der Mk-Fassung bzw. einer schon vormarkinischen Fassung unterschied. Und in dieser Hinsicht sind wir methodisch ohnedies auf Rückschlüsse aus dem Vergleich der beiden Seitenreferenten und aus ihrem Verhältnis zu Mk 1, 9 – 11 angewiesen. Eine Prüfung führt meines Erachtens – wie hier wiederum nicht im einzelnen begründet werden kann – zu folgendem Ergebnis: Die einleitenden Feststellungen des Taufempfangs Jesu liefern keinen Hinweis dafür, daß Mt und Lk außer Mk eine zweite Quelle zur Verfügung hatten. Was die Offen-

---

[14] Für eine Q-Kombination sprachen sich zuletzt aus H. Schürmann, Das Lukasevangelium (Herders ThKNT III, 1 [1969] 218) und W. Grundmann; dieser speziell im Zusammenhang mit seiner These von der hohenpriesterlichen Messianologie: Das Evangelium nach Lukas (ThHkNT III²) (Berlin 1961), 102; vgl. auch: Das Evangelium nach Matthäus (ThHKNT I) (Berlin 1968), 95 f. Vgl. jetzt auch E. Bammel, der zur Begründung auf einen nachfolgenden Artikel verweist (The Baptist a.a.O., 99) und auch für die Vorlage zu Joh 1, 26 ff. einen Bericht über beides, die Taufe und die Versuchung Jesu, vermutet (a.a.O., 111).

[15] Die Versuchungsgeschichte in der Logienquelle, in: BZ NF 13 (1969) 207 – 223, bes. 208 – 219.

[16] Darauf hat F. J. Schierse gut hingewiesen: Die neutestamentliche Trinitätsoffenbarung, in: Mysterium Salutis II (Einsiedeln/Zürich/Köln 1967), 85 – 129, 101.

barungsszene selbst betrifft, ergeben sich jedenfalls keine zwingenden Argumente dafür, daß den beiden Seitenreferenten außer Mk 1, 10f. eine zweite Überlieferung der Offenbarungsszene vorlag, die sich etwa aus übereinstimmenden Abweichungen von der Mk-Fasssung rekonstruieren ließe. Während jeder der beiden Evangelisten ihm eigene Übereinstimmungen mit Mk aufweist, weichen beide, was gewiß beachtlich ist, stärker untereinander als von Mk ab. Auch die am ehesten für eine zweite und anderslautende Fassung der Offenbarungsszene sprechenden Momente lassen sich zwanglos als Redaktion der Mk-Vorlage erklären. Falls Mt und Lk eine Q-Taufperikope[16a] gekannt und benutzt haben, konnte sich diese – und das ist für unseren Aspekt entscheidend – nicht wesentlich von der markinischen Tradition unterschieden haben. Im besonderen läßt sich nicht wahrscheinlich machen, daß eine eventuelle Q-Perikope die Offenbarungsszene – im Gegensatz zu Mk 1, 10f. – objektivierend dargestellt habe und der bei Mk vorliegende Bezug des Offenbarungsgeschehens auf Jesus (als Sehenden und Angeredeten) erst eine Folge des markinischen Messiasgeheimnisses ist[17], sosehr freilich einzuräumen ist, daß jener Bezug zugleich mit diesem harmoniert.

3. Ich nehme somit *eine ursprüngliche Erzählungseinheit* (Taufnotiz [s. o. 1a] + Offenbarungsszene) an, *deren Offenbarungsszene in Mk 1, 10f. in der ältesten greifbaren Fassung überliefert ist und Jesus selbst als alleinigen Empfänger des Offenbarungsgeschehens voraussetzt.* Der etwaige Versuch, Einzelelemente der äußerst nüchternen und knappen Formulierung der Offenbarungsszene als entbehrlich und somit als sekundäre Zusätze auszuscheiden, empfiehlt sich meines Erachtens nicht, auch nicht etwa für ὡς περιστεράν. Damit soll freilich nicht ausgeschlossen sein, daß auch die zentrale Offenbarungsszene in einzelnen Elementen Veränderungen erfahren, also eine Entwicklung durchmachen konnte.

II. Biographische Erklärungsversuche

Bis heute wird versucht, Mk 1, 10f. als ein Jesus widerfahrenes Offenbarungserlebnis zu erklären, was formal zweifellos in Übereinstimmung zu der vorhin vorausgesetzten Fassung (Jesus als Sehender und Angeredeter) steht. Diese, im einzelnen sehr mannigfaltigen Versuche unterscheiden sich generell darin, ob sie (1) das Offenbarungserlebnis auch zum Sinn des vorausgehenden Taufempfangs Stellung nehmen oder (2) auf eine solche Stellungnahme verzichten lassen, sich somit auf ein irgendwie geartetes auslösendes Erlebnis Jesu beschränken. Daß dabei „christologische" Rücksichten mit im Spiele sind, wird sich kaum bestreiten lassen.

1. Als markanter Vertreter *der ersten Erklärungsrichtung* empfindet O. Cullmann, der die Himmelsstimme Jesus mit einem ausschließlichen Zitat aus

---

[16a] A. Suhl hält eine von Mk unabhängige Q-Variante für möglich: Die Funktion der alttestamentlichen Zitate und Anspielungen im Markusevangelium (Gütersloh 1965) 97 – 104.

[17] Wie zum Beispiel H. Greeven vermutete: Art. περιστερά, in: ThWb VI 67, 14ff., dem sich E. Schweizer anschließt: Art. πνεῦμα, in: ThWb VI 397, 26.

Jes 42, 1, also als Gottesknecht, anreden läßt, keine Hemmung, Jesus – und zwar schon im Augenblick seines Taufempfangs(!) – erfahren zu lassen, daß er zum stellvertretend sühnenden Gottesknecht berufen ist und als solcher in seinem Taufempfang die künftige Todestaufe vorwegzunehmen hat[18]. Dem Katholiken A. Legault liegt offensichtlich an einer wesentlichen Modifizierung dieser Hypothese. Einmal läßt er die Himmelsstimme Jesus anreden mit „Du bist mein *Sohn*". Dann betont er, Jesus habe sich schon *vor* der Taufe als Sohn Gottes, Messias und Knecht gewußt. Und unter dieser ausdrücklichen Voraussetzung läßt er Jesus bei der Taufe seine Bestimmung zum Leiden erfahren und den dem Knecht verheißenen Geist erhalten, nämlich als Zeichen seiner Aufgabe[19]. Zusammenfassend formuliert er: „C'est au moment de son baptême que Jésus reçoit, sinon la révélation première, du moins la confirmation de sa vocation au rôle de Serviteur souffrant"[20]. Es fehlt freilich auch nicht an vereinzelten protestantischen Autoren, die sich noch besorgter zeigen. So ist zum Beispiel nach A. Richardson begründet anzunehmen, daß Jesus seine Berufung zum messianischen Gottesknecht, und zwar zu dessen Sühneleiden, schon erhalten hatte, als er sich mit den Volksscharen zur Taufe begab[21]. Nun setzt das Offenbarungsgeschehen nach Mk 1, 9 – 10 eindeutig erst nach erfolgtem Taufempfang ein; außerdem ist die Deutung des Wortlautes der Himmelsstimme auf den leidenden Gottesknecht heute weithin, auch von katholischen Autoren als unhaltbare Überinterpretation erkannt und anerkannt[22]. Deshalb begnügt sich auch ein katholischer Autor wie A. Nisin (der wenigstens mit der Möglichkeit eines inneren Berufungserlebnisses Jesu rechnet) mit einer vorgängigen Orientierung Jesu am vollkommenen Gehorsam des deuterojesaianischen Gottesknechts, die Jesus durch den Taufempfang mit den umkehrbereiten Israeliten solidarisch werden ließ. Und unmittelbar nach der Taufe habe Jesus die göttliche Approbation und Bestätigung seiner Bereitschaft zum totalen Gehorsam, die feierlich bestätigte Berufung zum „Sohn-Knecht", zum Sohn par excellence erfahren, so daß sein Tauferlebnis nur ein erster Schritt auf dem Weg zu dem noch nicht ins Bewußtsein tretenden späteren Sühneleiden war[23]. Kennzeichnend für die zuletzt genannten Beispiele des Versuchs, das Offenbarungsgeschehen grundlegend zum Sinn und Zweck des Empfangs der Johannestaufe Stellung nehmen zu lassen, ist unter anderen Momenten (besonders der Schwierigkeit einer befriedigenden Erklärung der Geistherabkunft) eben die unbestreitbare Tendenz, die offenbarende

---

[18] Die Tauflehre des Neuen Testaments (Zürich ²1958, 13 ff.); Die Christologie des Neuen Testaments (Tübingen ¹³1963), 65 f. In der gleichen Richtung äußerten sich E. Plooij; I. W. Bowman, W. F. Flemington; A. M. Hunter; G. W. H. Lampe; J. A. T. Robinson; C. E. B. Cranfield; J. Buse; C. L. Mitton; W. Barclay; A. Nygren; vgl. auch H. Mentz, Taufe und Kirche (s. u. A. 50), 66 f.

[19] Le Baptême de Jésus et la doctrine du Serviteur souffrant, in: ScE 13 (1961) 156 – 158.

[20] a.a.O. 166.

[21] An Introduction to the Theology of the New Testament (London 1958), 179. 178 – 181.

[22] Vgl. A. Vögtle, Exegetische Erwägungen über das Wissen und Selbstbewußtsein Jesu, in: H. Vorgrimler, Gott in Welt. Festgabe für Karl Rahner, Bd. I (Freiburg 1964), 632 – 634, jetzt in: Das Evangelium und die Evangelien (Düsseldorf 1971), 315 – 317.

[23] Histoire de Jésus, Paris 1960, 129 – 138.

Bedeutung des der Taufe folgenden Geschehens zugunsten eines schon vor dem Taufempfang vorhandenen Sohnes- und Knechtbewußtseins Jesu zu reduzieren.

Billigerweise muß hier freilich angemerkt werden, daß „dogmatische" Rücksichten auch bei Autoren sichtbar werden, welche die Offenbarungsszene Mk 1, 10 f. im Gegensatz zur genannten Erklärungsrichtung als gänzlich nachösterliches Produkt erklären, mit jener jedoch ebenfalls zum Sinn des Taufempfangs Jesu Stellung nehmen lassen. So bei der neuesten Hypothese von F. Lentzen-Deis. In seinem schon zitierten Standardwerk belegt er aus den Targumen zu Gen 22, 10 (Opferung Isaaks) und zu Gen 28, 12 (Jakobs Traum) für die Umwelt des Neuen Testaments die Erzählgattung der „Deute"-Vision. Zu dieser Erzählgattung gehöre als deren Voraussetzung und Grundlage der Hinweis auf eine bedeutsame Handlung (und Gesinnung) der zu deutenden Gestalten, im Fall der Targume eines Patriarchen (Jakob) bzw. auch zweier (Isaak und Abraham)[24]. Von diesem Ausgangspunkt her ist es nur konsequent, wenn Lentzen-Deis die urkirchlichen Prediger durch die Taufperikope „nicht einfach bloß das historische Faktum (der Taufe) . . ., sondern auch seine geschichtliche Bedeutung" mitteilen läßt[25]. Weniger konsequent wirkt freilich die Art und Weise, in der der Verfasser die geschichtliche Bedeutung des Taufempfangs Jesu „deuten" läßt. Im 3. Kapitel seines Buches über den Sinn der Johannestaufe stellt er ungeniert „eine Ausrichtung [der Johannestaufe] auf die Sündenvergebung" fest (86; vgl. 94). In seiner späteren Interpretation der Taufperikope formuliert er einleitend die Bedeutung des Taufempfangs Jesu sodann folgendermaßen: Dieser bedeutet „Anerkennung des Werkes Gottes im Täufer und der Umkehr-Bewegung in Israel, zugleich Solidarisierung Jesu mit der Sündensituation und der ansetzenden Bußbewegung" (277 f.). Der Autor fährt fort: „In der nachfolgenden ‚Deute-Vision' wird die Gestalt Jesu in dem Augenblick des Anfangs seines Wirkens bestimmt. Dadurch erhält auch seine Taufe eine genauere Qualifikation. Deute-Vorgang und -Wort entsprechen sich" (278). Worin besteht nun diese „genauere Qualifikation", damit also auch der genauere Sinn der zuvor behaupteten „Solidarisierung Jesu mit der Sündensituation und der ansetzenden Bußbewegung"? Ein persönliches Sünden- und Läuterungsbewußtsein scheint für Lentzen-Deis jedenfalls auszuscheiden. Weder werde im Zusammenhang mit der Johannestaufe ein Sündenbekenntnis Jesu genannt noch finde sich „im Text und Kontext der Taufe" etwas „von einem Läuterungsbedürfnis Jesu, geschweige denn von Sündenbewußtsein" (271). In Verbindung damit erklärt er: „Die von uns untersuchten Targumtexte, aus denen wir die Gattung belegten, abstrahierten von der Sünde oder der Notwendigkeit der Läuterung der dort gedeuteten Gestalten" (271). Ich wage nicht zu entscheiden, ob der Verfasser aus der Nichterwähnung eines Läuterungsbedürfnisses Jesu zugleich eine Art zusätzliches Indiz für seine Hypothese gewinnen will, daß die Taufperikope von dem von

---

[24] Die Taufe Jesu 206. 219.
[25] Die Evangelien zwischen Mythos und Geschichtlichkeit – dargestellt an den Berichten über die Taufe Jesu, in: K. Rahner – O. Semmelroth, Theol. Akademie 5 (Frankfurt 1968), 111.

ihm beanspruchten Schema der targumischen Deutevision inspiriert und diesem nachgestaltet sei, oder ob er aus der targumischen Abstrahierung von der Sünde oder der Läuterungsnotwendigkeit der „gedeuteten" Patriarchen (Isaak – Abraham, Jakob) das Nichtvorhandensein eines Läuterungsbedürfnisses Jesu stützen will, oder beides zugleich. Unabweislich stellt sich jedenfalls die Frage, wie der Verfasser die „Solidarisierung Jesu mit der Sündensituation und der ansetzenden Bußbewegung" versteht, nachdem ein persönliches Läuterungsbedürfnis Jesu auszuscheiden hat. Als mögliche Antwort des Verfassers bleibt, soviel ich sehe, ein Satz auf S. 275: „In der ‚Anfangs'-Deutung wird jedoch die Ausformung als ‚leidender' Gottesknecht oder als verworfener Prophet bewußt weggelassen". Das soll doch wohl heißen: an sich hätte die Taufperikope die Funktion des stellvertretend sühnenden Gottesknechtes als Grund der Taufe Jesu durch Johannes nennen können, was aber absichtlich nicht geschah. Aber warum eigentlich nicht? Weil die als Erzählmodelle beanspruchten Targumvisionen eine dem Empfang der Bußtaufe entsprechende Handlung des (der) Patriarchen als Ausgangspunkt nicht kennen? Oder weil der Gedanke, daß Jesus mit Rücksicht auf die anderen Israeliten die Bußtaufe empfing, also der Hinweis auf den Gedanken stellvertretender Buße, als zu früh erfolgend empfunden wurde? Warum aber eigentlich zu früh? Im vorliegenden Fall wäre die Anerkennung und Bestätigung der stellvertretenden Sühnebereitschaft Jesu diesem doch von Gott selbst mitgeteilt worden. Warum soll eine den Himmel selbst engagierende Deutevision, wenn sie schon zum Grund und Sinn des Taufempfangs Jesu Stellung nehmen soll, nicht den eigentlichen Grund nennen, der allem Anschein nach nach Auffassung des Verfassers genannt werden könnte? Tatsache ist jedenfalls, daß aus dem zusammenfassenden Schlußwort von S. 288 f. die Redeweise von der „Solidarisierung Jesu mit der Sündensituation und der ansetzenden Bußbewegung" völlig verschwunden ist zugunsten eines sehr wohlklingenden Satzes über die Bedeutung des Taufempfangs: „Das ‚Ereignis', welches die Taufgeschichte mitteilen will, ist demnach die Taufe Jesu von Nazareth durch Johannes den Täufer als Anfang des Heilswirkens Gottes in seinem ‚geliebten Sohne', der geistbegabt zu Israel gesandt wird. Diese Taufe bedeutet zugleich Bestätigung und Aufnahme des vorausgehenden Heilshandelns Gottes im Täufer, der selbst sich wiederum auf das ‚Alte Testament' beruft" (288 f.).

Die Schwierigkeiten, mit denen der Verfasser kämpft, liegen auf der Hand. Sein Ansatz bei der von ihm vorausgesetzten Erzählgattung der Deutevision erfordert, daß Mk 1, 10 f. zu einer vorliegenden bedeutsamen Handlung oder Gesinnung Jesu, in diesem Fall also zur Taufe Jesu durch Johannes, anerkennend Stellung nimmt. An sich entspräche es offenbar der Vorstellung unseres Verfassers vom Taufempfang Jesu, daß die Taufperikope denselben, nämlich Jesu „Solidarisierung mit der Sündensituation" – eine Formulierung, die offenkundig für die Stellvertretungsidee offenbleibt und bleiben soll und jedenfalls den Gedanken eines persönlichen Läuterungsbedürfnisses Jesu nicht fordert –, im Sinne der Bereitschaft Jesu zu stellvertretender Sühne deuten würde. Das wagt er aber nicht zu vertreten. Dieser Verzicht ist auch voll verständlich, nachdem die durch O. Cullmanns Hypothese ausgelöste Diskussion der letzten zwanzig Jahre eben zeigte, daß sich aus dem Anklang der Himmelsstimme an Jes 42, 1 eine Bezugnahme auf Jes 53 nicht begründen läßt. Wenn der Verfasser dann abschließend statt der konkreteren Formulierung „Solidarisierung Jesu mit der Sündensituation und der ansetzenden Bußbewegung" ausschließlich die zitierte allgemeinere und unverfänglichere Formulierung verwendet: die Taufperikope deute die Taufe Jesu durch Johannes als „Anfang des Heilswirkens Gottes in seinem ‚geliebten Sohne'" und zugleich als „Bestätigung und Aufnahme des vorausgehenden Heilshandelns Gottes im Täufer",kann man sich nur schwer des Eindrucks erwehren: im Interesse seiner Hypothese von der „Deutung" der Taufe Jesu liegt ihm daran, die konkrete Problematik, die er selbst mit der Feststellung der Ausrichtung der Johannestaufe auf die Sündenvergebung ins Spiel brachte und bringen mußte, abschließend zu kaschieren bzw. unter den Tisch fallen zu lassen.

Abgesehen davon, daß das von Lentzen-Deis beanspruchte Erzählmodell der targumischen „Deute-Vision" zur Erklärung der Taufperikope nicht ausreichen dürfte[26], bestätigt der Autor jedenfalls auch die Schwierigkeiten der Versuche, Mk 1, 10f. grundlegend den Sinn und Zweck des Taufempfangs Jesu eröffnen zu lassen. Seinem Satz „Die Deute-Vision bezieht sich . . . nicht nur irgendwie auf Jesus von Nazareth, sondern auf Jesus von Nazareth unmittelbar nach seiner Taufe durch Johannes den Täufer" (288) kann ich nur voll beipflichten. Hypothesen, welche die Verknüpfung von Taufempfang und Offenbarungsszene nicht zu erklären versuchen, dürfen deshalb sicher aus dem Rennen ausscheiden. Selbstverständlich hat Jesus durch den Taufempfang die prophetische Sendung des Johannes bestätigt und gilt es deshalb als echtes Problem, ob Jesu Empfang der Bußtaufe einzig damit schon befriedigend erklärt ist. Die Frage ist eben, in welchem Sinne unsere Taufperikope das Ereignis des Taufempfangs Jesu und seine Gestalt zusammen sieht. Die generelle Frage, die an die bislang skizzierte Richtung der biographischen Erklärung wie auch an die Ausführungen von Lentzen-Deis zu stellen ist, lautet eben: *Will die Offenbarungsszene überhaupt zu Grund und Sinn des Taufempfangs Jesu Stellung nehmen?*

2. Der Problematik, welche die Beziehung der Offenbarungsszene auf den Taufempfang als solchen mit sich bringt, entgehen *die übrigen Vertreter eines historischen Verständnisses der Offenbarungsszene,* die aber im übrigen zu sehr unterschiedlichen Interpretationen auseinandertreten.

a) Zahlreiche, fast ausschließlich evangelische Autoren sprechen – wenigstens der Sache nach – uneingeschränkt von der Geburtsstunde des Messiasbewußtseins und der damit verbundenen Geistausstattung Jesu; nach anderer Formulierung auch von der Geburtsstunde der einzigartigen Sohnschaft Jesu, die im Plane Gottes als Erfüllung des Geschickes des geistbegabten Knechtes den ganzen Inhalt des Wirkens Jesu, seine Gottesverkündigung in Wort und Tat, implizit sogar Leiden und Tod, als Aufgabe Jesu einschließe[27]. Die These

---

[26] Vgl. meine Rezension in BZ 1972.
[27] In letztem Sinne R. H. FULLER, The Mission and Achievement of Jesus (London 1954), 61. 86 – 89.

von der Geburtsstunde des Gottessohn- bzw. Messiasbewußtseins Jesu wird aber auch von protestantischen Autoren im Sinne der Bestätigungs- und Verdeutlichungshypothese abgeschwächt[28]. Für die Wahrscheinlichkeit eines der Taufe nachfolgenden Berufungserlebnisses plädierten erst jüngst so namhafte Autoren wie W. G. Kümmel[29], J. Jeremias und O. Michel[30]. „Als Jesus sich der Johannestaufe unterzog, um sich dem eschatologischen Gottesvolk einzugliedern, das der Täufer sammelte, erlebte er" – nach J. Jeremias – „seine Berufung"[31]. Aufgrund dieses „für sein Auftreten bestimmenden Ereignisses", das „alle Wahrscheinlichkeit für sich (hat)" und nach J. Jeremias die zwischen der Verkündigung der beiden verwandten Männer bestehende „Kluft" erklärt, wußte sich Jesus vom Geist ergriffen, zum Bringer der Heilszeit ausgerüstet und bevollmächtigt, als der Jes 42, 1 verheißene Knecht Gottes[32]. Im gleichen Sinne, ebenfalls unter Voraussetzung der ursprünglich ausschließlich Jes 42, 1 zitierenden Himmelsstimme, erklärte jüngst auch O. Michel: „Jesus erfuhr hier, daß er berufen, erwählt und zu einer speziellen Aufgabe auserkoren war."[33]

b) Im Gegensatz zu dieser bedenkenlosen Befürwortung eines Berufungserlebnisses ist vor allem die herkömmliche katholische Exegese darauf bedacht, die Möglichkeit auszuscheiden, daß Jesus erst bei Gelegenheit seiner Taufe den Geist empfangen und von seiner Messianität bzw. Gottessohnschaft erfahren habe. „Wir sollten vor allem den Gedanken vermeiden, daß gerade in diesem Augenblick etwas prinzipiell Neues getan wird, weder von Gott (Adoption, Messiasweihe) noch von Christus (den Auftrag akzeptieren): Das Werk war schon vor der Taufe im Gang"[34]. Daher die alte Manifestationshypothese, derzufolge die Israeliten erfuhren oder doch wenigstens der Täufer, daß Jesus der einzige Sohn Gottes ist, der die Kraft des Gottesgeistes besitzt, nämlich immer schon besaß[35]. Um zugleich dem Moment des „in ihn" (Jesus) eingehen-

---

[28] So von A. E. J. Rawlinson; V. Taylor; C. E. B. Cranfield; A. M. Hunter; C. L. Mitton; W. Barclay; A. Richardson; G. B. Caird; C. F. D. Moule.

[29] Für Kümmel ist „wahrscheinlich, daß er [Jesus] bei dieser Taufe ein für seine Wirksamkeit entscheidendes Erlebnis gehabt hat": Die Theologie des Neuen Testaments (Göttingen 1969), 66.

[30] Eine völlig neue, freilich kaum diskutable Form des Berufungserlebnisses legte sich D. Flusser zurecht. Schon bei der essenischen Taufe sei die Buße mit der Sündenvergebung und diese mit dem Heiligen Geist verbunden gewesen. Bei der Johannestaufe sei es „anscheinend nicht eine einzigartige Erscheinung" gewesen, daß bei Täuflingen die Geistesgabe von einem sonderbar pneumatisch-ekstatischen Erlebnis begleitet war, das den Täufling eine „Hallstimme" hören ließ. So habe Jesus Jes 42, 1 gehört und damit erfahren, „daß er erwählt, berufen und auserkoren war": Jesus in Selbstzeugnissen und Bilddokumenten, Rowohlts Monographien (Hamburg 1968), 28. 25 – 31.

[31] Neutestamentliche Theologie I, Die Verkündigung Jesu, 56.   [32] a.a.O., 56. 61f.

[33] Art. υἱὸς θεοῦ, in: Theol. Begriffslexikon zum Neuen Testament 1170.

[34] C. H. Lindijer, Jezus' doop in de Jordaan: NedTTs 18 (1964) 178. Aber auch Autoren beider Konfessionen, welche die nachfolgende Offenbarungsszene als urchristliche Bildung erklären, äußern sich in dieser Richtung; so M. Sabbe (Le Baptême de Jésus, in: I. de la Potterie, De Jésus aux Evangiles [Gembloux-Paris 1967], 201) und James D. G. Dunn, Baptism in the Holy Spirit (London 1970), 28f.

[35] So zum Beispiel auch M. Meinertz, Theologie des Neuen Testaments I (Bonn 1950), 26f.; J. A. O'Flynn, St. Mark (A Cath. Commentary on Holy Scripture [London 1953]) 909. Biswei-

den Geistes (Mk 1, 10) exegetisch mehr gerecht zu werden, wurde seit M. J. Lagrange mit dem Gesichtspunkt der Manifestation, also der göttlichen Proklamation und Autorisierung Jesu durch wunderbare äußere Zeichen, zugleich der Gesichtspunkt des göttlichen Appells zum Beginn des messianischen Wirkens verbunden[36]. Sowohl die Schwierigkeiten, welche die Einbeziehung von Anwesenden, vor allem des Täufers selbst, in das Offenbarungsgeschehen mit sich bringt, als auch die Mk 1, 10f. vorliegende Begrenzung desselben auf Jesus führten endlich zur ausschließlichen Antriebs-Hypothese. Ähnlich den Berufungserlebnissen altbundlicher Gottesmänner habe Jesus lediglich den Antrieb oder auch das Zeichen zum Beginn seines messianischen Wirkens erfahren. Beispielhaft werden die Schwierigkeiten, die von katholischen Vertretern der historiographischen Erklärung empfunden werden, illustriert durch die beiden Aufsätze von A. Feuillet über die Taufe Jesu (1959 und 1964)[37]. Auch nach H. Schürmann bestand das ursprüngliche Moment des „Offenbarungsgeschehens" am Jordan darin, daß Jesus von Gott erfuhr, seine Sendung beginnen zu sollen[38]. Im Unterschied dazu habe der spätere Taufbericht demonstrierenden Sinn angenommen, also im Sinne der Manifestationshypothese Jesus als den geliebten Sohn Gottes und Geistträger kundmachen wollen[39], bis schließlich Lk die Herabkunft des Geistes als Geistmitteilung, als messianische Geistsalbung darstellte[40].

3. Methodisch ist gewiß an erster Stelle zu fragen, ob und inwieweit die genannten Spielarten einer biographischen Erklärung dem vorliegenden Wortlaut gerecht werden. Unter der begründeten überlieferungsgeschichtlichen Voraussetzung eines ausschließlichen Erlebnisses Jesu muß die Manifestationshypothese vorweg ausscheiden und wirkt auch die Antriebshypothese

---

len wird diese Hypothese sogar gesteigert zur Behauptung der erfolgten Mitteilung des Trinitätsgeheimnisses: So außer L. Pirot, J. F. Crump, H. Bowman, bes. J. Knackstedt, Manifestatio SS. Trinitatis in Baptismo Domini?, in: VD 38 (1960) 76 – 91.

[36] M. J. Lagrange, Évangile selon St. Marc (Paris 1910 [1947]), 11 – 13.

[37] Le Baptême de Jésus d'après l'évangile selon St. Marc (1, 9 – 11); in: CBQ 21 (1959) 468 – 490; Le Baptême de Jésus, in: RB 71 (1964) 321 – 352. In seinem zweiten Aufsatz, in dem er durch den Abbau der größten Künsteleien über seine erste Interpretation hinauszukommen versucht, wechselt er zur Antriebshypothese über. Die Taufepiphanie „scheint" ihm jetzt „eine der wichtigsten jener privilegierten Erfahrungen" zu sein, die Jesu Kenntnis bereicherten, freilich nur „sur le plan humain" (RB 1964, 349f.). „L'intervention de l'Esprit" – so formuliert A. Feuillet zusammenfassend – „n'est pas à comprendre d'abord sur le plan de la vie intérieure de Jésus, mais bien plutôt du point de vue de l'histoire du salut; l'Esprit pousse Jésus à commencer sa mission d'instaurateur de l'économie messianique; plus précisément encore, croyons-nous, il l'incite à réaliser le programme du Serviteur souffrant" (a.a.O. 349). Diesen letzten Gedanken formulierte auch A. Feuillet später noch vorsichtiger: La coupe et le baptême de la passion (Mc, X, 35 – 40), in: RB 74 (1967) 382.

[38] Lk I 196. „Sowenig auch Jesu Sohnesbewußtsein als solches, wie es sich Lk 10, 21f. par bezeugt, auf die Taufe zurückgeführt werden kann oder auch seine Botschaft, die Gottesoffenbarung und Basileiverkündigung in einem war, inhaltlich in einer irgendwo an ihn ergangenen Offenbarung, sondern nur in jenem Sohnesbewußtsein wurzeln kann – eine Sendung des Vaters und daraufhin der Beginn des messianischen Wirkens Jesu darf hier doch angesetzt werden."

[39] a.a.O. 191 – 194.

[40] a.a.O. 188f., bes. 194f.

keineswegs überzeugend. Wenn Mk 1, 10 f. schon ein Jesus zuteil gewordenes Offenbarungserlebnis wiedergeben soll, ist dieses ungezwungen nur als Berufungserlebnis zu erklären: Jesus habe nach der Taufe seine Ausstattung mit dem Geist erlebt und von seiner einzigartigen Gottessohnschaft und Erwählung bzw. – nach anderer Auffassung – von seiner Erwählung zum Gottesknecht erfahren[41]. Wenn J. Blinzler schreibt, das Herabkommen des Geistes sei „nicht bloß Zeichen der Beauftragung mit dem eschatologischen Amt, sondern zugleich die Ausrüstung dafür", konzediert übrigens auch er der Sache nach die Berufungshypothese. Freilich äußert er sich zur Himmelsstimme anschließend doch gleichzeitig restriktiv: „Weder seiner Sohnesstellung noch seiner messianischen Sendung *muß* sich Jesus also erst jetzt bewußt geworden sein"[42].

Damit soll freilich nicht behauptet werden, die erwähnte optimale Form einer biographischen Erklärung würde keine weiteren Probleme aufgeben; ganz abgesehen von der Frage, ob für die Himmelsstimme ein ausschließliches Zitat aus Jes 42, 1, also statt des überlieferten „mein Sohn" ein ursprüngliches „mein Knecht" vorausgesetzt werden kann[43]. Es ist gewiß nicht unverständlich, wenn zum Beispiel E. Schweizer ein inneres Erlebnis Jesu und dessen spätere Erzählung zwar für „möglich" hält, aber auf eine inhaltliche Bestimmung desselben verzichtet: „die entscheidende Frage nach dem, was sich damals wirklich vollzogen hat", bekommen wir nach E. Schweizer „erst zu Gesicht, wenn wir erkennen, daß schon die allererste Gemeinde, die Jesu Taufe schilderte, eine ganz bestimmte Antwort darauf gab", nämlich mit „allen Einzelheiten" ihr Bekenntnis, daß in Jesus wirklich Gott selbst gesprochen hat, aussprechen wollte, „ob sie [die Einzelheiten] nun nach einem Bericht Jesu oder etwa nach dem Vorbild des Alten Testaments als dessen Erfüllung geschildert sind"[44].

Auf der anderen Seite läßt sich meines Erachtens aber auch das Argument nicht bagatellisieren, das im Blick auf das Gesamtphänomen Jesus für die Historizität eines Berufungserlebnisses geltend gemacht wird. Es ist die seit Joh. Weiß oft ausgesprochene und nur allzu verständliche Erwägung, Jesu Auftreten und unverwechselbare Botschaft seien ohne ein einschneidendes Erlebnis, ohne ein Berufungserlebnis kaum erklärbar. Die hier angesprochene Problematik ließ E. Haenchen bekanntlich sogar bezweifeln, ob sich Jesus von Johannes taufen ließ. Haenchen geht aus von einem tiefgreifenden Unter-

---

[41] Die speziellere Vorstellung der Berufung Jesu zur Funktion des stellvertretend sühnenden Gottesknechtes oder doch der Bestätigung dieses Gottesknechtbewußtseins müßte schon deshalb ausscheiden, weil sich diese Vorstellung aus der Himmelsstimme nicht begründen läßt.

[42] Art. Taufe Christi. A, in: LThK²IX 1325.

[43] Zur Diskussion der diesbezüglichen Voraussetzung von O. Cullmann, J. Jeremias, Ch. Maurer vgl. u. a. B. M. F. van Iersel, „Der Sohn" in den synoptischen Jesusworten (Suppl. to NT III) (Leiden 1964²), 17 – 26; F. Lentzen-Deis, Die Taufe Jesu, 186 – 193; zuletzt bes. I. H. Marshall, Son of God or Servant of Yahweh? A Reconsideration of Mark 1, 11, in: NTS 15 (1968/69) 326 – 336.

[44] Mk 19 f., vgl. weiter Art. πνεῦμα, in: ThWb VI 397 f., 401, 3 ff.; Art. υἱός, in: ThWb VIII 369 f.

schied zwischen dem Gottesbild des Täufers und dem Jesu. Hätte sich Jesus durch Johannes taufen lassen, müßte Jesus „unmittelbar bei oder nach der Taufe einen inneren Umbruch erlebt haben, der bis ins Innerste ging und ihn überhaupt erst zu dem werden ließ, als den ihn dann die Evangelien auf ihre Weise geschildert haben". Jesu Lehre in Wort und Tat verrate aber nichts von einem „inneren Umbruch". „Denn Jesus macht überall, wo er von Gottes Erbarmen spricht, nicht den Eindruck, daß er selbst als ein ‚verlorener Sohn' zu dieser Gewißheit um Gott gekommen ist". Deshalb bezweifelt Haenchen die Historizität des Taufempfangs Jesu und plädiert für die Erklärung, die ganze Taufperikope sei aus der Rückprojizierung des urkirchlichen Taufverständnisses in das Leben Jesu entstanden[45].

Nun gilt der Taufempfang Jesu sicher mit Recht fast allgemein als ein historisch unanfechtbares Faktum. Nicht weniger beachtlich ist aber auch die Zuordnung Jesu zu dem vor ihm aufgetretenen Johannes. Dieser hat sich zweifellos als den letzten Gottesboten vor dem nahe bevorstehenden Gericht verstanden. Ohne die prophetische Sendung des Täufers je im geringsten in Frage zu stellen, hat sich Jesus, dessen Auftreten dem Täuferwirken zeitlich jedenfalls sehr nahestand, ebenfalls als den letzten Gottesboten vor dem nahen Gericht betrachtet. Das tat er, obgleich er offensichtlich nicht daran dachte, sein Wirken als bloß verlängernde Weiterführung des Täuferwirkens zu verstehen und zu kennzeichnen. Diesen Umstand, der eben für die Überzeugung Jesu spricht, daß Johannes noch nicht das letzte Wort zum eschatologischen Geschehen gesprochen, daß er selbst noch anderes zu sagen habe[46], darf man sehr wohl als erklärungsbedürftig empfinden. Ebensowenig kann man es in den Wind schlagen, wenn Befürworter eines Berufungserlebnisses Jesu erklären, daß der Vollmachtsanspruch Jesu weder aus der rabbinischen Lehrtradition abgeleitet noch „als ‚Radikalisierung' des Anspruchs apokalyptischer Visionäre hinreichend beschrieben werden kann". „Für die Entstehung des einzigartigen Vollmachtsanspruchs Jesu muß" – nach U. Wilckens – „vielmehr ein besonderes, gänzlich kontingentes Widerfahrnis Jesu vorausgesetzt werden, das vielleicht im Zusammenhang des gut begründeten Ausganges Jesu vom Umkreis Johannes des Täufers zu suchen ist." Näherhin denkt Wilckens an die Möglichkeit, daß Jesu Trennung vom Täuferkreis (nach dem Tode des Johannes?) und der Beginn seiner eigenen Wirksamkeit mit einem besonderen, inspirativ-visionären Widerfahrnis Jesu von seiten Gottes zusammenhängt, das die urchristliche Überlieferung in seiner Taufe am Jordan lokalisierte[47].

---

[45] Der Weg Jesu. Eine Erklärung des Markus-Evangeliums und der kanonischen Parallelen (Berlin 1966), 57 bzw. 60—63.

[46] A. VÖGTLE, Jesus von Nazareth, in: R. Kottje-B. Moeller, Ökumenische Kirchengeschichte I (Mainz/München 1970) 10f.

[47] Das Offenbarungsverständnis in der Geschichte des Urchristentums, in: W. PANNENBERG, Offenbarung als Geschichte (Göttingen 1961), 52—54, bes. A. 31. Im Unterschied zu dieser mutmaßlichen Lokalisierung eines Berufungswiderfahrnisses Jesu ist übrigens für W. G. KÜMMEL die Angabe, daß Jesus beim Empfang der Johannestaufe ein für seine Wirksamkeit entscheidendes Erlebnis hatte, gerade auch deshalb „wahrscheinlich, . . . da die Verlegung eines solchen Erlebnisses auf das Taufgeschehen von dem Sinngehalt dieser Handlung aus nicht naheliegt": Die Theologie des Neuen Testaments 66.

Berechtigt das gut begründbare Postulat eines Berufungswiderfahrnisses Jesu aber schon dazu, dieses in unseren Evangelien, näherhin in Mk 1, 10 f. zu entdecken? Zwei Momente scheinen mir zur Vorsicht zu mahnen.

a) U. Wilckens empfindet meines Erachtens zu Recht, daß ein Berufungswiderfahrnis Jesu *vor* den Beginn seines eigenständigen Wirkens gehören würde. Daß dieses Erlebnis zur Trennung vom Täuferkreis führte — etwa nach der Hinrichtung des Täufers — oder doch mit der Trennung vom Täuferkreis zusammenhing, ist ebenfalls in sich plausibel. Wäre in diesem Fall aber nicht zu erwarten, daß die Überlieferung dieses als Begründung des eigenständigen Wirkens Jesu verstandene Berufungswiderfahrnis auch an seinem geschichtlichen Ort beließ, dieses also mit dem öffentlichen Auftreten Jesu verband? Aber auch wenn man mit einer späteren Verlegung desselben in die Situation des Taufempfangs rechnen mag, bleiben Schwierigkeiten, die noch zu bedenken sind (s. u. c — e).

b) Rechnen wir aber zunächst mit der überlieferten Lokalisierung des vorausgesetzten Berufungserlebnisses. Setzen wir also voraus, Jesus sei sich nach dem Taufempfang, etwa im Sinne von J. Jeremias, seiner Ausrüstung mit der Kraft Gottes und seiner göttlichen Berufung zum Bringer der Heilszeit bewußt geworden, was ja auch zugleich die Aufforderung Jesu zu seinem eigenständigen Auftreten impliziert hätte. Sinnvollerweise müßte man — was gerade auch die Befürworter der Geschichtlichkeit des Mk 1, 10 f. vorliegenden Offenbarungsgeschehens nicht bestreiten werden — voraussetzen, daß Jesus diese Berufung ernst nahm und mit dem prophetischen Gerichtsprediger und Bußtäufer konfrontierte. Kann man aus den Angaben der Evangelien aber nun wirklich den Eindruck gewinnen, daß in der Überlieferung das Wissen nachwirkte, Jesus habe bei seinem Empfang der Johannestaufe, der doch zum Zeitpunkt der anfänglichen Begegnung Jesu mit dem Täufer zu denken ist, ein Berufungserlebnis gehabt, das sein spezifisches, das des Täufers überbietendes Sendungsbewußtsein begründete? Man wird diese Frage kaum zu bejahen wagen. Natürlich ist kaum mehr sicher zu entscheiden, wann und wie Jesus sein Wirken begann. Beide ausdrücklichste Angaben, Mk 1, 14 par (Jo 3, 24) wie Jo 3, 22 ff.; 4, 1 f., könnten an sich nachträglichen theologischen Rücksichten entsprungen sein. Während sodann das sicher erst nachösterlich gebildete Q-Apophthegma von der Täuferanfrage die Gefangensetzung des Johannes noch nicht voraussetzen dürfte und insofern die Vorstellung gestattet, daß Jesus noch gleichzeitig mit dem Täufer die ihm eigene Frohbotschaft verkündete, spricht die überlieferungsgeschichtlich vielleicht wertvollere Notiz über die Meinung von Jesus als Johannes redivivus (Mk 6, 14; 8, 28) für die größere Richtigkeit von Mk 1, 14, also dafür, daß Jesus erst nach der gewaltsamen Beendigung der Wirksamkeit des Täufers (nach seiner Inhaftierung oder auch nach seiner Hinrichtung) auftrat[48]. Warum dann dieses Zeitintervall zwischen dem Berufungserlebnis Jesu und seiner Realisierung? Die Frage würde nur hinfällig, wenn Johannes, eben auch für das Bewußtsein der Überlieferung, schon gleich nach dem Taufempfang Jesu gefangengesetzt wurde. Für diese

---

[48] So zum Beispiel auch Ph. Vielhauer, Art. Johannes der Täufer, in: RGG³ III 807.

„Zufalls"-erklärung könnte man sich jedenfalls nicht auf Mk 1, 14 oder auf eine andere Stelle berufen. Sie würde sogar in direktem Widerspruch zur Darstellung Jo 3, 22 ff.; 4, 1 f. stehen, die ein gleichzeitiges öffentliches Wirken Jesu und des Täufers voraussetzt. Der völligen historischen Abqualifizierung der johanneischen Schilderung von einer – offenbar täuferähnlichen – Tauftätigkeit Jesu (bzw. seiner Jünger: 4, 1 f.)[49] steht bis heute immerhin auch eine positivere Beurteilung gegenüber, der die Erfindung dieser Angabe „unwahrscheinlich" ist[50]. Die Angabe Jo 3, 22 könnte auch deshalb auf Tradition zurückgehen[51], weil sie entgegen der johanneischen Tendenz eine Wirksamkeit Jesu voraussetzt, die Jesus eher in Konkurrenz als in Überordnung zum Täufer treten läßt. Man könnte sich auch vorstellen, daß eine anfängliche täuferähnliche Wirksamkeit Jesu als solche die nachösterliche Christusverkündigung und -überlieferung nicht interessierte, daß jene indes in Täuferkreisen in Erinnerung blieb und aus Gründen der Auseinandersetzung mit diesen speziell im Jo-Evangelium auftaucht.

Die Entscheidung der historischen Frage des Beginns des öffentlichen Auftretens Jesu und der Art desselben – ob Jesus je nur mit seiner unverwechselbaren Gottes- und Gottesreichbotschaft auftrat und dies noch in den Tagen der Täuferwirksamkeit oder erst nach der Gefangensetzung bzw. auch Hinrichtung des Täufers geschah (was im allgemeinen als wahrscheinlicher gilt) oder ob Jesus zuerst neben Johannes täuferähnlich wirkte – kann hier offenbleiben. Wir bescheiden uns mit den vorliegenden Angaben der Überlieferung. Und diese sprechen zum wenigsten nicht dafür, daß in der Überlieferung das Bewußtsein nachwirkte, Jesus sei bereits zum Zeitpunkt seines Empfangs der Johannestaufe ein Berufungserlebnis zuteil geworden, das ihn zum ungleich höheren eschatologischen Gottesboten (als Johannes) machte, nämlich ihn zum verheißenen Heilbringer selbst qualifizierte, was eben gerade auch in der vorausgesetzten Situation – nämlich in Verbindung mit dem Akt, durch den Jesus gleich anderen Israeliten den Täufer als den maßgebenden prophetischen Künder des Endgeschehens, als den letzten Gottesboten vor dem nahen Gericht anerkannte – nur als gleichzeitige göttliche Aufforderung hätte verstanden werden können, als der zum Heilbringer Berufene in Aktion zu treten.

c) Dieses Argument, das für sich genommen freilich noch nicht als beweisend gelten kann, dürfte zum mindesten in Verbindung mit einem gewichtigeren Gesichtspunkt Beachtung verdienen. Mit den Vertretern der Berufungshypothese ist, wie erinnerlich, davon auszugehen, daß die Taufperikope von Haus aus Jesus und nur diesen als Empfänger des Offenbarungsgeschehens Mk 1, 10 f. voraussetzt. Ob man dieses nun unmittelbar nach dem Taufemp-

---

[49] So zuletzt durch H. Thyen, ΒΑΠΤΙΣΜΑ ΜΕΤΑΝΟΙΑΣ ΕΙΣ ΑΦΕΣΙΝ ΑΜΑΡΤΙΩΝ, in: E. Dinkler, Zeit und Geschichte (R. Bultmann zum 80. Geburtstag) (Tübingen 1964), 107.

[50] R. Schnackenburg, Johannes I (HThK IV, 1) 1965, 449 f.; vgl. auch H. Mentz, Taufe und Kirche in ihrem ursprünglichen Zusammenhang (BEvTh 29) (München 1960), 43 f. Am nachdrücklichsten plädierte zuletzt J. Jeremias für die Glaubwürdigkeit der Angabe: Neutestamentliche Theologie I 52 f.

[51] Eine Möglichkeit, die R. Bultmann immerhin nicht ausschließt: Das Evangelium des Johannes (KEK[15] II) (Göttingen 1957), 122.

fang Jesu oder erst später, vor Beginn seines eigenen Auftretens, erfolgen läßt, könnte das Wissen von demselben nur von Jesus selbst stammen. Diesem Folgerungszwang scheinen sich die Befürworter eines Offenbarungserlebnisses Jesu so gut wie nicht zu stellen. Das hat gewiß seinen guten Grund. Denn hinsichtlich des „Berufungserlebnisses" ist es weit schwieriger, einen plausiblen Anlaß für Jesu Mitteilung desselben zu nennen als hinsichtlich eines vorausgesetzten Versuchungserlebnisses – wenigstens dann, wenn man den von J. Jeremias behaupteten Sinn der Erprobung Jesu voraussetzt[52]. Schwierigkeiten würde selbstverständlich nicht die Annahme bereiten, Jesus habe ein inneres ekstatisches, von ihm als göttliche Offenbarung empfundenes Erlebnis anschaulich, nämlich als visionäres und auditionäres Geschehen mitgeteilt. Diese berichtende Wiedergabe wäre selbstverständlich in der 1. Person erfolgt, also etwa: „Als ich von Johannes getauft worden war und aus dem Wasser stieg, sah ich . . ." Warum ist das Berufungserlebnis Jesu dann nicht in der Ich-Form überliefert worden? Die Ich-Form ist doch auch den prophetischen Berufungsberichten, und zwar auch den visionsbestimmten Typen geläufig. Ebenso unbestreitbar ist das Interesse der Jesusüberlieferung an Worten Jesu zu seiner Sendung, und zwar auch an Ich-Worten. Hätte jener Kurzbericht Jesu über das von ihm Gesehene und Gehörte nicht als ebenso bedeutsam empfunden werden können und müssen wie etwa die Ich-Worte Lk 10, 18 und Lk 11, 20 par? Wer beispielsweise das Offenbarungswort Mt 11, 27 par, das ja auch mit einem Ich-Satz eingeleitet ist, als ursprüngliches Jesuswort verteidigt, könnte kaum geltend machen, die Länge der vorausgesetzten Ich-Aussage habe die Umsetzung in den Er-Stil veranlaßt. Erklärt sich der Umstand, daß die Offenbarungsszene Mk 1, 10 f. nicht als Wort Jesu, sondern – wie die Konstatierung des Taufempfangs – als Aussage über Jesus formuliert ist, nicht doch am einfachsten mit der Annahme, daß beides (Taufnotiz und Offenbarungsgeschehen) von Haus aus als Aussagen über Jesus formuliert wurde?

d) Nehmen wir aber einmal an, das von Jesus in Ich-Form erzählte Berufungserlebnis sei später in der Er-Form weitererzählt worden. Dann kann man sich meines Erachtens unmöglich die Frage ersparen, wann und aus welchem Anlaß Jesus das vorausgesetzte einschneidende Erlebnis mitgeteilt haben könnte. Am ehesten wäre an den Jüngerkreis zu denken, dem ja auch die spätere Überlieferung Sonderauskünfte und -belehrungen zuteil werden läßt. Daß Jesus seinen Jüngern sozusagen en passant oder auch in einer guten Stimmung von seinem Berufungswiderfahrnis erzählte, wird gewiß niemand annehmen wollen, der Mk 1, 10 f. ernst nimmt. Was für ein Anlaß käme dann aber in Be-

---

[52] J. JEREMIAS macht wohl Jesusworte, vor allem das Offenbarungswort Mt 11, 27 par, geltend, in denen sich Jesus auf das Offenbarungserlebnis vom Jordan beziehe (Theologie 62 – 63). Sodann läßt er den Jesus des öffentlichen Wirkens auf eine anfängliche, von ihm siegreich bestandene Versuchung (zum Hervortreten als politischer Messias) zurückverweisen (73 – 80); von dieser Erprobung durch Satan, in der Jesus das „Ja" zu der ihm am Jordan zuteil gewordenen göttlichen Sendung sprach (79), habe Jesus seinen Jüngern erzählt, um sie gegen die gleiche Versuchung zu stärken (78). Hingegen berührt er bei der Taufperikope auch nicht andeutend die Frage, warum oder gar bei welchem Anlaß Jesus von seinem Berufungserlebnis erzählte.

tracht? Im Grunde doch wohl nur eine Situation, in der Jesus das Bedürfnis oder die Notwendigkeit empfand, sich selbst und seine Sendung durch eine erfolgte göttliche Autorisierung zu legitimieren. Am ehesten wäre noch an eine Krisensituation zu denken, in der sogar die weitere Nachfolge seiner Jünger in Frage gestellt war. So oder so hätte es sich um eine Situation handeln müssen, in der die Sache Jesu, der die Sache Gottes sonst so sicher vertretende Jesus selbst, auf dem Spiel stand. Wäre dann aber nicht unbedingt zu erwarten, daß die Überlieferung eben auch diesen Anlaß, die Gesprächssituation, die Jesu Mitteilung seines Berufungserlebnisses auslöste, festgehalten hätte? Beides hätte für die Jünger gleich einmalig und eindrücklich gewesen sein müssen: das Offenbarungserlebnis Jesu als solches wie der Anlaß seiner Mitteilung. Wie G. Schille doch wohl nicht zu Unrecht sagt, haftet die Erinnerung härter, wenn sie eindrückliche Gegenstände zum Inhalt hat[53].

e) Ja wäre in diesem Fall nicht sogar eine Reaktion der Jünger zu erwarten? Wenn man schon Jesus nicht zumuten will, daß er in der Öffentlichkeit seinen Sendungsanspruch ausdrücklich durch die Berufung auf ein Intimerlebnis, auf die ihm zuteilgewordene Ausstattung mit dem Geist, auf seine göttliche Deklarierung zum Sohne Gottes, zum Knecht Gottes und dergleichen begründete – was eben auch Mt 11, 27 par nicht geschieht[54] –, ist schließlich wohl auch die Frage nicht völlig unangebracht: Warum kennt die Überlieferung kein Jüngerbekenntnis, das sich für die Heilbringerwürde Jesu auf die Himmelsstimme, auf die Offenbarung Gottes berufen oder auch auf den Zusammenhang von Geistempfang und Heilbringerwürde Jesu (Messias, Sohn Gottes) Bezug nehmen würde? Die Hypothese eines Berufungserlebnisses Jesu scheint mir eben bereits unter methodischem Aspekt sehr anfechtbar zu sein, solange man sich diesen Fragen, die grundlegend durch das Problem der Mitteilung und Erfahrung des vorausgesetzten Offenbarungserlebnisses Jesu aufgegeben sind, nicht stellt und damit eine einigermaßen einleuchtende Antwort vermissen läßt.

Auch von daher erweist sich *der heute entschieden vorherrschende Trend* als begründet, die ganz und gar als Aussage über Jesus formulierte, jede Reaktion Jesu vermissen lassende Taufperikope als urchristliches „Glaubenszeugnis"[55], als „Christus-Zeugnis", also als eine Geschichte zu verstehen, die wir „nicht danach befragen dürfen, was sie für Jesus selbst, seine Entscheidungen und seine innere Entwicklung bedeutete"[56].

---

[53] Das vorsynoptische Judenchristentum (Arbeiten zur Theologie I, 43) (Stuttgart 1970), 59.

[54] Das in Anm. 52 erwähnte angestrengte Bemühen von J. JEREMIAS, der evangelischen Überlieferung Momente abzugewinnen, die Jesus selbst sein früher, näherhin bei der Taufe erfolgtes Berufungserlebnis bestätigen lassen, scheint mir des Guten zuviel zu tun. Das gilt eben auch für den speziellen Versuch, sowohl von der Versuchungserzählung als auch von angeblichen späteren Bezugnahmen auf seine frühere Erprobung her (Theologie 73–80) die Historizität des Berufungserlebnisses vom Jordan stützen zu wollen.

[55] W. GRUNDMANN, Mk 30.

[56] G. BORNKAMM, Jesus von Nazareth (Urban-Bücher 19) [5]1960, 49. Im gleichen Sinn äußert sich R. SCHNACKENBURG, Christologie des Neuen Testaments, in: Mysterium Salutis III, 1 (Zürich 1970) 237.

III. Hypothesen einer erst urchristlichen Bildung

1. Wie kam es dann nachösterlich zu unserer Taufperikope? Nach der klassischen Hypothese markiert dieselbe eine bestimmte Stufe in der christologischen Reflexion und Verkündigung. Sie wolle von Haus aus die Einsetzung Jesu zum Gottessohn bzw. zum Messias auf den Zeitpunkt des Erscheinens Jesu in der Öffentlichkeit vordatieren[57]. In Auseinandersetzung mit F. Hahns Hypothese von einer palästinischen Vorstufe der Tauferzählung Mk 1, 9f.[58], kam Ph. Vielhauer zu folgender Formulierung dieser *Vordatierungshypothese:* „Die Erzählung ist . . . als einheitliche Komposition anzusehen, die unter Verwendung traditioneller eschatologischer Elemente (Spaltung des Firmaments, Herabkunft ‚des Geistes‘, Ertönen einer Himmelsstimme) und einer an Ps 2, 7 anklingenden Adoptionsformel *die Einsetzung Jesu zum König der Endzeit* aussagt, also den gleichen ‚Gottessohn‘-Begriff verwendet wie Röm 1, 3f., jedoch die Einsetzung in diese Würde von der Auferstehung auf die Taufe Jesu verlegt, jedenfalls aber mit der θεῖος ἀνήρ-Vorstellung nichts zu tun hat“[59].

Ohne den Einfluß von Ps 2, 7 bestreiten zu wollen, darf man hier doch bereits fragen, ob die Betonung, „das ganze Schwergewicht“ der Offenbarungsszene liege auf der im Anschluß an Ps 2, 7 ausgesprochenen *Adoption,* während die Frage, „ob die beiden Näherbestimmungen“ in der Himmelsstimme Anspielung auf Jes 42, 1; 44, 2 sein sollen, „ebenso unsicher wie für das Verständnis belanglos“ sei[60], ganz befriedigt. Sowohl in der hebräischen und griechischen Fassung des Gotteswortes von Ps 2, 7 als auch in den neutestamentlichen Stellen, an denen dieser Vers völlig eindeutig zur Verwendung kommt (Apg 13, 33; Hebr 1, 5; 5, 5) oder doch die (vorpaulinische) Formulierung mitbestimmen dürfte (Röm 1, 3f.), liegt der Ton der Aussage in der Tat auf dem Sohn-Sein, also auf dem Adoptionsvorgang, und zwar auf der jetzt erfolgenden Adoption zum königlichen Herrscher. In Mk 1, 11 liegt der Ton hingegen auf dem σύ: auf der Feststellung, daß dieser und kein anderer der Sohn ist. Die Himmelsstimme fährt ja auch nicht fort mit der Aussage von Ps 2, 7 („heute habe ich dich gezeugt“)[61], wie doch eigentlich zu erwarten wäre, wenn die Darstellung am Gedanken der Adoption, nämlich der jetzt erfolgenden Einsetzung in die Gottessohnschaft interessiert wäre[62]. Sofern man mit den angeführten Autoren die Mk 1, 11 vorliegende Formulierung der Him-

---

[57] Vgl. etwa M. Dibelius-G. Bornkamm, Die Formgeschichte des Evangeliums (Tübingen ³1959), 270 – 274; H. Conzelmann, Art. Jesus Christus, in: RGG III ³1959, 627; G. Friedrich, Art. Jesus Christus, in: Bo Reicke-L. Rost, Biblisch-theol. Handwörterbuch II (1964) 865.

[58] Christologische Hoheitstitel (Göttingen ²1964), 301f., 309f., 340 – 346.

[59] Zur Frage der christologischen Hoheitstitel a.a.O. 584; DERS., Erwägungen a.a.O 161f.

[60] Erwägungen a.a.O. 162.

[61] Nach meist vertretener und gutbegründeter Auffassung ist die westliche, ausschließlich Ps 2, 7 zitierende LA von Lk 3, 22 spätere Korrektur eines Abschreibers, kommt also schon gar nicht als ursprünglicher Wortlaut der Himmelsstimme in Betracht.

[62] Das betont wohl mit Recht J. Blinzler, Art. Taufe Christi a.a.O. 1324.

melsstimme als ursprünglich voraussetzt und nicht etwa zur Behauptung greifen will, erst Mk habe die Wortstellung geändert in σὺ εἶ ὁ υἱός μου[63], muß man wohl zugeben, daß die betont identifizierende Anrede Jesu auffällig wirkt, sofern es einfach darum gehen soll, die Einsetzung Jesu in die Sohnschaft auf den jetzigen Augenblick vorzudatieren. Zur Erklärung könnte man indes die von den Erhöhungsaussagen unterschiedene Ausgangssituation geltend machen. Die betont identifizierende Anrede könnte von der Vorstellung ausgehen, daß Jesus ja einer von vielen Israeliten ist, welche die Johannestaufe empfangen bzw. empfangen haben.

Es bleibt aber noch eine zweite Frage. Warum wurde die Vordatierung der Einsetzung Jesu zum Gottessohn nicht mit dem öffentlichen Auftreten, sondern mit dem Empfang der Johannestaufe verbunden? Weil dies das erste von Jesus berichtete Ereignis war, pflegt man seit M. Dibelius[64] zu antworten. Ja, wenn Jesus in der Vorstellung der Überlieferung nach der Jordanszene Mk 1, 9 – 11 sein eigenes öffentliches Wirken begonnen hätte. Wir sind aber nicht einmal zur Annahme berechtigt, daß die vorausgesetzte Vordatierung der Einsetzung Jesu in die Gottessohnschaft von ihrem Ursprung her mit einer Versuchungserzählung, also mit dem (das öffentliche Auftreten vorbereitenden und zu diesem überleitenden) Gedanken der Erprobung und Bewährung des Gottessohnes verbunden war. Die Verknüpfung des visionären und auditionären Geschehens Mk 1, 10 f. mit dem Empfang der Johannestaufe anstelle einer Zuordnung zum Beginn des öffentlichen Auftretens Jesu bleibt ein erklärungsbedürftiges Moment der Vordatierungshypothese.

2. Dieser Schwierigkeit versuchten schon ältere Autoren gerecht zu werden. M. Goguel erklärte die vorliegende Form der Taufperikope gar als eine spätere Verbindung zweier ursprünglich selbständiger Bestandteile, nämlich einer dem Beginn des Wirkens Jesu vorangestellten messianischen Proklamation einerseits und des Verständnisses der *Taufe Jesu als Prototyp der christlichen Taufe* andererseits[65]. R. Bultmann plädierte demgegenüber sicher mit Recht für eine ursprüngliche Einheit. Mit dem Gedanken der „Messiasweihe" (mit dem Bultmann dem Moment der Geistherabkunft das gebührende Eigengewicht sichern will) sei der taufätiologische Aspekt verbunden worden[66]. Der nächste Schritt führte schließlich zu der Auffassung, unsere Taufperikope sei primär, sogar ausschließlich aus dem Bedürfnis entstanden, die Taufe Jesu als Prototyp der mit der Geistesmitteilung verbundenen christlichen Taufe darzustellen[67]. Die Erzählung Mk 1, 9 – 11 ist nach H. Thyen „von Anfang an als ätiologische Kultlegende von der liturgischen Taufpraxis der Gemeinde her gestal-

---

[63] So J. M. Robinson, Das Geschichtsverständnis des Mk-Evangeliums (AThANT 30) (Zürich 1956), 23.

[64] Die Formgeschichte 273 f.

[65] Au seuil de l'évangile: Jean Baptiste (Paris 1928), 205 – 227, bes. 227.

[66] Geschichte der synoptischen Tradition (Göttingen 1931), 267 – 270.

[67] So besonders E. Percy, Die Botschaft Jesu, Lund 1953, 13; E. Haenchen (der gleichzeitig für die Ungeschichtlichkeit des Taufempfangs Jesu plädiert), Der Weg 62; F. J. Schierse, Die neutestamentliche Trinitätsoffenbarung a.a.O. 100; H. Thyen, Studien zur Sündenvergebung im

tet. Die christliche Auffassung der Taufe als Geistverleihung . . . bildet den Ausgangspunkt, nicht Jesu Adoption oder Messiasweihe"[68].

Der größte Vorzug der *taufätiologischen Hypothese* liegt zweifellos darin, daß sie einen in sich einleuchtenden Grund für die Verbindung von Mk 1, 10f. mit dem Taufempfang Jesu nennen kann. Damit ist freilich noch nicht bewiesen, daß statt eines direkt christologischen Anliegens das Interesse an der Begründung der christlichen Taufe zur Bildung der Perikope Mk 1, 9–11 führte[69].

Es seien hier nur einige vordergründige Beobachtungen herausgegriffen. Nirgendwo wird im Neuen Testament die christliche Taufe in Verbindung gebracht mit der Taufe Jesu. Soweit sich retrospektive Aussagen mit einigem Grund auf die Jordanszene zurückbeziehen lassen – bezeichnenderweise nur in den Lk-Schriften (Apg 4, 27; 10, 38) –, wird die „Salbung", die, wie auch Apg 10, 38 ausdrücklich bestätigt, die Ausstattung Jesu mit dem Geist meint, eindeutig als ein Jesus ausschließlich angehender, nämlich diesen zum Messias qualifizierender Vorgang verstanden. Unter der Voraussetzung, daß die Taufperikope ihrer ursprünglichen Intention nach die christliche Taufe vorausdarstellen und begründen will, wäre im Grunde schon merkwürdig, daß der Akt des Taufempfangs in der Überlieferung zunehmend zugunsten des nachfolgenden Geschehens zurücktritt und dieses vom Taufakt gelöst wird. Es hilft nichts, im Beten Jesu von Lk 3, 21 einen Hinweis auf die Taufliturgie entdecken zu wollen. Hätte Lk die Herabkunft des Geistes mit dem Taufempfang verbinden wollen, hätte er dem προσευχομένου wenigstens ein ebenso präsentisches βαπτιζομένου vorausstellen müssen. Die Formulierung βαπτισθέντος καὶ προσευχομένου gestattet keinen Zweifel, daß für Lk der Taufempfang schon beendet war, als Jesus betete, und daß die Herabkunft des Geistes als Antwort auf das Beten Jesu erfolgte, also nicht mit dem Taufempfang als solchem verbunden war. Der 4. Evangelist spielt bekanntlich überhaupt nur auf die Offenbarungsszene an und verwertet sie in einer Weise als Christuszeugnis, die den Gedanken an ein Vorbild der christlichen Taufe direkt ausschließt. Daß er die Taufe Jesu im Zusammenhang von 1, 32f. (bzw. auch 3, 34; 6, 27)

Neuen Testament und seinen alttestamentlichen und jüdischen Voraussetzungen (FRLANT 96) (Göttingen 1970), 214 A.2. Andere Autoren begnügen sich damit, den Einfluß der Tauftheologie auf die in den Evangelien vorliegende Formulierung zu betonen: so D. M. STANLEY S.J. The New Testament Doctrine of Baptism: an essay in biblical theology, in: ThSt 18 (1957) 192ff.; T. A. BURKILL, Mysterious Revelation (New York 1963), 13f. (zu Mk). Vgl. auch J. DUTHEIL, La Baptême de Jésus au Jourdain dans les évangiles synoptiques (Diss. theol. cath. [Strasbourg 1961], Maschinenschrift).
[68] Studien a.a.O.
[69] Gegen den taufätiologischen Ursprung sprachen sich u.a. aus: O. KUSS, Zur vorpaulinischen Tauflehre, jetzt in: Auslegung und Verkündigung I (Regensburg 1963), 118; E. SCHWEIZER, Art. πνεῦμα a.a.O. 397, A. 430; C. H. LINDIJER, Jezus' doop a.a.O. 183–187; R. SCHNAKKENBURG, Art. Taufe, in: LThK² IX (1964) 1312; G. BEASLEY-MURRAY, Die christliche Taufe (Kassel 1968), 92–96; M. SABBE, La Baptême a.a.O. 187; JAMES D. G. DUNN, Baptism 32–37.32f.: „This interpretation must be firmly rejected"; jetzt auch E. DINKLER, Die Taufaussagen des Neuen Testaments, in: K. Viering, Zu Karl Barths Lehre von der Taufe (Gütersloh 1971) 68f.

überhaupt nicht nennt, wäre einfach unbegreiflich, so ihm daran läge, das Jordangeschehen als Prototyp der christlichen Taufe mit Wasser und Geist verstehen zu lassen. Entscheidend ist aber die älteste greifbare Fassung, die im wesentlichen Mk 1, 9–11 vorliegt. Es läßt sich kaum bezweifeln, daß das ἀναβαίνων einfach das Herausgehen aus dem Wasser, das Verlassen des Wassers meint, wie auch Mt 3, 16 (βαπτισθεὶς δὲ . . . ἀνέβη ἀπὸ τοῦ ὕδατος) versteht und zum Beispiel auch Apg 8, 39 vorausgesetzt ist, wo es von Philippus und dem Eunuchen heißt: ἀνέβησαν ἐκ τοῦ ὕδατος. So eindeutig die älteste greifbare Fassung – ohne das formelhafte markinische εὐθύς – an der unmittelbaren Aufeinanderfolge von Taufempfang und visionär-auditionärem Geschehen interessiert ist, sind die beiden Dinge doch ebenso eindeutig als zwei verschiedene Geschehnisse dargestellt, sogar „as fundamentally distinct"[70]. Hätte der Gedanke eines das Taufsakrament begründenden und vorausdarstellenden Geschehens die Bildung der Taufperikope veranlaßt oder auch nur mitbestimmt, so wäre die Koinzidenz der Vorgänge zu erwarten, daß also die Geistherabkunft und die Himmelsstimme vor Abschluß des Taufaktes, vor dem Verlassen des Wassers erfolgen würden[71]. Das hindert mich auch daran, die Frage, ob etwa die Auseinandersetzung mit einem konkurrierenden Taufanspruch der Johannesjünger zur kultätiologischen Konzeption der Taufperikope geführt haben könnte, ernstlich zu erwägen[72]. Es erscheint mir übrigens beachtlich, daß die taufätiologische Erklärung auch von Autoren abgelehnt wird, welche die Urkirche den Taufempfang und das nachfolgende Offenbarungsgeschehen in dem Sinne verknüpfen lassen, daß Jesu Bereitschaft, sich – als der neue Adam – mit dem Volk und seinen Sünden zu identifizieren, mit der Gabe des Geistes und dem Beginn einer neuen Epoche der Heilsgeschichte beantwortet wurde. „If there ist a causal connection between the two events, in other words, it is between the attitude of the person who was baptized and the Spirit, not between the rite and the Spirit"[73]. Ein interessantes Gegenstück liefert die von H.-W. Bartsch vertretene Variante einer tauf-

---

[70] JAMES D. G. DUNN, Baptism 35.

[71] Es ist übrigens kaum einsichtig zu machen, daß die älteste Fassung der Taufperikope im wesentlichen nach dem Vokabular der besonders Apg 8, 36–39 bezeugten Taufliturgie entworfen worden sei, wobei u. a. καταβαίνειν und ἀναβαίνειν umgestellt worden seien (so auch J. DUTHEIL, Baptême 50–53). Die nach dem Heraussteigen des Philippus und des Eunuchen aus dem Wasser erfolgende Entraffung des Philippus durch den Geist hat mit der Geistherabkunft von Mk 1, 10 ohnedies nichts zu tun.

[72] Man könnte sich denken, daß die an der Heilsbedeutung der Johannestaufe festhaltenden Täuferkreise geltend machten, auch Jesus habe die Johannestaufe empfangen und somit für legitim und ausreichend befunden. Um den Johannesjüngern dieses Argument zu entwinden, habe man dem Empfang der Jordantaufe die Geistmitteilung und die Sohnschaftserklärung folgen lassen. Unsere Perikope wäre dann eine Antwort auf die Streitfrage, welche der beiden Taufen die echte und richtige, genauer die wirklich heilsnotwendige ist.

[73] So zuletzt JAMES D. G. DUNN, Baptism 25 bis 29.36. Auch H. SCHLIER entdeckt keinen tauftheologischen Aspekt, obwohl Jesus ihm zufolge in den evangelischen Taufperikopen – und zwar dunkel schon bei Markus – als „der mit den Sündern solidarische, gerechte Gottesknecht, der mit seiner Taufe schon in das Leiden für sie eintritt", verkündet wird: Die Verkündigung der Taufe Jesu nach den Evangelien, in: Besinnung auf das Neue Testament (Freiburg 1964), 215, 213–218.

theologischen Auslegung. Die ursprüngliche Form der in der Himmelsstimme kulminierenden Perikope wurde ihm zufolge nicht von dem Gedanken an die christliche Taufe, sondern wohl vom Gedanken der Adoption Jesu zum Sohn Gottes bestimmt; das ergebe sich daraus, daß sich die Himmelsstimme an Jesus selbst richtet. Erst die aufkommende Reflexion über den problematischen Taufempfang des Sohnes Gottes, deren gewissermaßen ältestes Zeugnis im Dialog Mt 3, 14 f. vorliege, habe dazu geführt, zugleich den Gedanken des sühnend leidenden Gottesknechtes bzw. sogar den des „sakramentalen Vollzuges" des Sterbens und Auferstehens Jesu in das Kerygma der Taufperikope einzutragen und die ursprünglich rein christologisch orientierte Taufgeschichte als Einsetzungsbericht des Taufsakraments zu verstehen[74]. Abgesehen davon, daß Mt 3, 14 f. ein zu fragwürdiger Beleg ist, um damit ein passionstheologisches und taufätiologisches Verständnis der Taufperikope zu stützen, kann sich H.-W. Bartsch jedenfalls nicht zur Auffassung bekennen, Idee und Praxis der christlichen Taufe hätten zur Bildung der Taufperikope geführt. Es erscheint zumindest nicht unbegründet, wenn die erdrückende Majorität der Autoren − Befürworter einer biographischen Erklärung wie die Vertreter der Vordatierungshypothese (III 1) − im Verzicht auf den taufätiologischen Aspekt in der Mk 1, 9 – 11 vorliegenden Aussage über Jesus übereinstimmen.

3. Wie soll es aber dann zur Konzipierung der Taufperikope gekommen sein? Mit Recht hat man zum Vergleich vor allem die *Berufungsvision* Ez 1 f. herangezogen. Könnte die Taufperikope − allem Widerspruch[75] zum Trotz − eben nicht doch im Anschluß an die Berufungsvision Ez 1 f. und als Entsprechung zu dieser gebildet worden sein[76]? Das Phänomen der prophetischen Berufungserzählungen als Legitimationsurkunden für das Reden und Handeln in Jahwes Auftrag, besonders die bei Ezechiel vorliegende Ausprägung derselben, ist gewiß im Auge zu behalten. Die Frage ist nur, ob man von Ez 1 f. her zu einer sicheren Bestimmung der Mk 1, 9 – 11 vorliegenden Redegattung und damit der Aussageintention kommen kann. Aus dem Vergleich der sehr verwickelten Berufungserzählung Ez 1 f. mit der kurzen und einfach gegliederten Szenerie von Mk 1, 10 f. scheint sich ein einigermaßen identisches Schema nur gewinnen zu lassen, wenn man von Mk 1, 10 f. geforderte Entsprechungen zum Teil gewaltsam aus Ez 1 f. herausholt und andererseits in der Beurteilung von Unterschieden (wie Fehlen von Motiven, Umstellungen usw.) zum Teil sehr großmütig verfährt. Das ist deshalb nicht belanglos, weil man zur Erklärung der strukturbildenden Elemente von Mk 1, 10 f. (Sehen, Himmelsöffnung, Objekt des Sehens, Ertönen einer Himmelsstimme) auf die spezielle Form der „Berufungsvision" nicht angewiesen ist. Aber auch wenn wir annehmen, die urchristliche Katechese habe trotz ihr bekannter Vollmachtsworte Jesu, trotz des „Hier ist mehr als Jona" das Bedürfnis empfunden, Jesus

---

[74] Die Taufe im Neuen Testament, in: EvTh 8 (1948/49) 87 – 90.
[75] Zum Beispiel R. Bultmann, Geschichte 263; M. Sabbe, Le Baptême a.a.O. 197; F. Lentzen-Deis 243. 287.
[76] Vgl. D. Zeller, Jesu Taufe − ein literarischer Zugang zu Markus 1, 9 – 11, in: Bibel und Kirche 23 (1968), 90 – 94.

gleich den alttestamentlichen Gottesmännern durch eine Berufungsvision legitimiert werden zu lassen, drängt sich auch hier noch einmal die Frage auf: Warum wurde die Berufungsvision Jesu dann nicht mit seinem öffentlichen Auftreten, sondern mit dem Empfang der Johannestaufe verbunden? Etwa weil auch die Berufungsvision Ezechiels erfolgte, als er sich „bei der Exilsgemeinde am Flusse Kebar aufhielt" (Ez 1, 1)[77]?

IV. Ein möglicher Sitz der Taufperikope im Leben der Urkirche

Ist es überhaupt wahrscheinlich, daß Jesu Empfang der Johannestaufe in der Urkirche lediglich als „Aufhänger" diente im Sinne der Vordatierungs-Hypothese oder der zuletzt erwähnten Hypothese von der Analogie zur prophetischen Berufungsvision? *Warum soll nicht gerade Jesu Empfang der Johannestaufe das Faktum sein, das als solches den Anstoß zur Konzipierung der Taufperikope enthielt?* Daß die nachösterliche Anknüpfung an die Johannestaufe dazu führte, den Taufempfang Jesu als Prototyp der christlichen geistspendenden Taufe darzustellen, scheint mir – von den genannten Schwierigkeiten abgesehen – jedenfalls nicht der einzig mögliche Gesichtspunkt zu sein, unter dem jenes Faktum interessieren konnte.

1. Zur Beantwortung der Frage, welches Interesse Messias-Jesus-Gläubige – denn nur aus deren Kreis kann unsere Taufperikope stammen – an Jesu Empfang der Johannestaufe haben konnten, dürfen wir doch wohl auch die übrige urchristliche Überlieferung über den Täufer und Jesus heranziehen. Einerseits ist hier meines Erachtens generell an die nachösterlich frühe, allem Anschein nach kontinuierlich zunehmende ausdrückliche Anerkennung der göttlichen Sendung des Täufers zu erinnern, die sich auf Jesu eigenes Verhalten und Wort stützen konnte. Andererseits ist nicht weniger der dialektische Charakter zu bedenken, den die Zuordnung dieser beiden eschatologischen Gestalten annehmen mußte. Wie bereits erwähnt, hat nicht nur der Täufer, sondern auch Jesus selbst, der diesem gegenüber zeitlich jedenfalls der zweite war, sich als den letzten Gottesboten vor dem nahen Gericht verstanden, obwohl sich Jesus nicht einfach als Ersatzmann des Täufers betrachtete, der dessen Wirken verlängernd weiterführen würde. Für den nachösterlichen Glauben ist dieser eschatologische Anspruch Jesu durch seine Erhöhung und himmlische Inthronisation als Messias endgültig in Geltung gesetzt worden; er selbst wird diesem Glauben zufolge der kommende, über Heil und Unheil entscheidende Richter sein. Dadurch wurde Jesus von Nazareth der letzte Gottesbote in einem die Rolle des Täufers weit übersteigenden Sinn. Im Horizont dieses für die Jesusanhänger unantastbaren, als Erfüllung der Prophetie gedeuteten Glaubens an den Messias Jesus konnte die in der Urüberlieferung wurzelnde Anerkennung und positive Beanspruchung des Täufers nur da-

---

[77] Einem jüngsten Seminarreferat von D. ZELLER zufolge „könnte" der Fluß – als Offenbarungsort (aethHen 13; Dan 8, 2; 10, 4) – zu dem Umstand, daß der Taufempfang das erste von Jesus berichtete Geschehen war, hinzugekommen sein.

durch aufrechterhalten werden, daß sie nachdrücklich im Sinn der Vorläufer- und Wegbereiterrolle des Täufers interpretiert wurde. Es lag unweigerlich in der Konsequenz des Messias-Jesus-Glaubens, daß das urchristliche Interesse an Gestalt und Botschaft des Täufers ganz und gar von der Begründung und Rechtfertigung des Glaubens an den Messias Jesus bestimmt war. Wenn es im Verhältnis der beiden Männer aber ein Moment gab, das diese christliche Beanspruchung Jesu als des höheren und maßgebenden eschatologischen Gesandten ernstlich in Frage stellen konnte, war es zweifellos der Umstand, daß Jesus die Bußtaufe des Johannes empfing, dadurch sich diesem unterordnete und gleich anderen Israeliten Johannes als den maßgeblichen Prediger und Zurüster für das nahe Gericht anerkannte.

Neben dem offenbar großen Widerhall der durch Johannes ausgelösten Buß- und Erweckungsbewegung im Judentum wird in diesem Zusammenhang im besondern auch die Existenz und Bedeutung posthumer Täuferanhänger mit in Anschlag zu bringen sein. Es kann auf sich beruhen bleiben, ob Johannes das eschatologische Kommen Jahwes ankündigte – was mir nach dem heutigen Stand der Diskussion wahrscheinlicher ist – oder eine von Jahwe unterschiedene Endrichtergestalt erwartete. Auch im letzteren Fall wäre die Kluft zwischen der eschatologischen Verkündigung des Täufers und jener der Christen groß genug. Der Täufer rechnete sicher nicht mit einem Richter, der vor Eintritt des Gerichts in Israel – also dann außerdem zwischen ihm selbst und dem bevorstehenden Endgericht – auftreten, zur Umkehr rufen, die nahegekommene Gottesherrschaft proklamieren würde, durch den Tod in den Himmel erhöht und von dort als Richter offenbar werde. Der historische Täufer hat meines Erachtens die Frage der Q-Perikope Mt 11, 3/Lk 7, 19 so gut wie sicher nicht an Jesus stellen lassen[78]. Von einer Erfüllung der eschatologischen Botschaft des Täufers durch Jesus bzw. durch den von seinen Anhängern verkündeten Messias Jesus konnte vom Täuferstandpunkt aus nicht die Rede sein. Auch für den Fall, daß der Täufer eine von Jahwe unterschiedene Gestalt als Richter erwartete, ist somit voll verständlich, daß jedenfalls ein Teil der Täuferanhänger den Glauben an den in Jesus gekommenen und zum Gericht erwarteten Messias Jesus nicht mitvollzog, sondern nach wie vor an Johannes als dem maßgebenden eschatologischen Gottesboten vor dem Gericht festhielt. Wenn es aber etwas gab, das diese Täuferkreise gegenüber dem ihren Meister nicht nur anerkennenden, sondern zugleich „degradierenden" Glauben der Christen – daß nämlich in Jesus von Nazareth der höhere und endgültige Gottesbote, der Messias und künftige Richter erschienen sei – zur Rechtfertigung ihres eigenen Glaubens entgegenhalten konnten, war das zweifellos derselbe schon genannte Umstand, daß Jesus selbst sich von Johannes taufen ließ bzw. – was sachlich nichts ändert, wenn die Vorstellung der Einzeltaufe abwegig sein sollte[79] – mit anderen Israeliten sich dem von Johannes geforderten Tauchbad unterzog. Hätte es gar im öffentlichen Leben Jesu eine

---

[78] Vgl. A. Vögtle, Wunder und Wort in urchristlicher Glaubenswerbung (Mt 11, 2–5/Lk 7, 18–23), in: Das Evangelium und die Evangelien (Düsseldorf 1971), 219–242.

[79] So zuletzt auch wieder J. Jeremias, Neutestamentliche Theologie I 58.

Anfangsperiode gegeben, in der Jesus im Schatten des Täufers stand und in seinem Sinne wirkte, so hätte das eine zusätzliche Anerkennung der maßgebenden eschatologischen Rolle des Täufers durch Jesus bedeutet. Diese Möglichkeit soll jedoch völlig aus dem Spiel bleiben. Auch so konnten die Täuferverehrer gegenüber den Christen, die ihren Meister um den Anspruch des letzten und maßgebenden Gottesboten brachten, geltend machen, daß der angebliche Messias und kommende Richter Jesus doch selbst durch die konkludente Handlung des Taufempfangs Johannes anerkannt und als den Höheren bestätigt hatte. Dieser Jesus von Nazareth, in dem die Christen den Messias gekommen sehen und den kommenden Richter erwarten, hat sich also selbst dem Mittel unterworfen, das vor dem Zorn des Endrichters bewahren soll! Und die Messias-Jesus-Gläubigen konnten offenbar weder das Faktum des Taufempfangs bestreiten noch die in diesem sich bekundende Unterordnung Jesu unter den Täufer leugnen. Zum wenigsten konnten und mußten auch sie den Taufempfang Jesu als ein Faktum empfinden, das falschen Folgerungen hinsichtlich des Verhältnisses Johannes – Jesus, näherhin der heilsgeschichtlichen Stellung Jesu, Raum geben konnte.

Es konnte also – in einem Bereich, in dem der Glaube an den Messias Jesus gegenüber Täuferjüngern und dem Judentum überhaupt zu vertreten war – auf seiten der Messias-Jesus-Gläubigen sehr wohl das Bedürfnis aufkommen, auf eine eindrucksvolle und im Grunde unanfechtbare Weise zu versichern, daß Jesus trotz seiner im Taufempfang erfolgten Unterordnung unter Johannes der höhere und eschatologisch endgültige Gottesbote ist; oder anders formuliert: daß dieser den prophetischen Buß- und Gerichtsprediger Johannes anerkennende Jesus zugleich der diesen überragende und ablösende Gottesbote ist. Natürlich mag man an dieser Stelle fragen, warum die Messias-Jesus-Gläubigen den Taufempfang Jesu dann nicht im Sinne der in II 1 skizzierten Interpretationsrichtung erklärten. Warum haben sie der Sache nach nicht einfach gesagt: Jesus ließ sich nicht seinetwegen, sondern der anderen wegen taufen, weil er sich mit dem sündigen Israel identifizierte, weil er sich gerade zu einer höheren, die des Täufers überbietenden Aufgabe berufen wußte, nämlich zu stellvertretender Buße o. ä.? Eine derartige Antwort würde ich Mk 1, 10f. durchaus erteilen lassen, wenn dies exegetisch befürwortet werden könnte. Die Frage, warum die vormarkinische Katechese und Apologetik diesen Weg nicht einschlug und sich nicht mit der gescheiten Taufempfangserklärung der Späteren begnügte, ist eben letztlich müßig.

Nicht zu quälen braucht uns nebenbei die Frage, woher der Christ oder christliche Kreis, der für die Bildung der Taufperikope verantwortlich zeichnet, vom Faktum des Taufempfangs Jesu wußte, obwohl dieser allem Anschein nach ursprünglich weder durch ein Jesuswort noch durch eine Jesuserzählung überliefert wurde. Die Taufperikope setzt ja nicht mehr voraus als das Wissen um die nackte Tatsache, daß Jesus die Johannestaufe empfing. Bereits die Existenz der in Täuferkreisen weiterlebenden Johannesverehrung kann hinreichend verständlich machen, daß dieses Faktum auch in Kreisen der Messias-Jesus-Gläubigen nicht in Vergessenheit geriet. Die schon vormarkinische Existenz unserer Taufperikope erfordert zudem, daß ihre Bildung noch in der ersten Generation erfolgte.

2. Ich meine deshalb meine bereits 1964 mehr beiläufig ausgesprochene Hypothese[80] zur Diskussion stellen zu sollen, daß nämlich in dem urchristlichen, näherhin wohl judenchristlichen Bedürfnis zur Behauptung und Versicherung, daß der den Täufer anerkennende Jesus der höhere und endgültige Gottesbote ist, *der entscheidende Grund für die Bildung der Taufperikope* zu erblicken sei. Unter dieser Voraussetzung läßt sich die Taufperikope meines Erachtens ungezwungen erklären, wenigstens in der *Grundkonzeption,* auf die ich mich hier beschränken muß. Es wäre verständlich:

a) daß die genannte Versicherung mit der Notiz über den Taufempfang Jesu verbunden wurde, also unmittelbar auf den Taufempfang Jesu folgt. Denn von diesem Faktum her konnte ja die Beanspruchung Jesu als des höheren und maßgebenden Gottesboten am ehesten in Frage gestellt werden;

b) daß die Taufe Jesu durch Johannes im Jordan nur konstatiert und nicht die geringste Reflexion über den Grund des Taufempfangs und schon gar nicht eine rechtfertigende, entschuldigende Erklärung sichtbar wird[81]. Was zur Diskussion stand, war eben nicht die selbstverständliche Anerkennung, die Jesus dem prophetischen Endzeitprediger zuteil werden ließ, ebensowenig die Frage, warum (der sündelose) Jesus die Bußtaufe empfing, sondern die Frage, ob sich die Rolle und Bedeutung Jesu in diesem Bekenntnis zum prophetischen Gerichtsprediger und seiner Bußtaufe erschöpft;

c) daß jene Versicherung als vom Himmel ergehende „Offenbarung" dargeboten wird. Das war ja doch wohl die einzige Möglichkeit, sofern nicht Jesus selbst – ohnehin vor Beginn seines eigenständigen Auftretens – sprechen, sich dem Täufer und anderen Anwesenden als den heilsgeschichtlich Höheren vorstellen sollte oder sogar der Täufer im Stil der sicher jüngeren Perikope Mt 3, 13 ff. das Wissen um den Höheren von sich aus vorwegnehmen sollte;

d) daß das Offenbarungsgeschehen näherhin als Vision und Audition inszeniert wurde, und zwar Jesus allein als Sehender und Angeredeter (Hörender) vorausgesetzt wird. Eine objektivierende Darstellung bzw. die Einbeziehung anderer, nächstliegend vor allem des Täufers, in die Vision und Audition würde konsequenterweise erfordern, daß Johannes von da an Jesus als den höheren und endgültigen Gottesboten anerkennt, daß er somit selbst als eschatologischer Prediger abtritt bzw. die Israeliten dem Höheren zuführen würde – was alles für den historischen Täufer nicht zutraf. Eben auch diesem Umstand könnte die Inszenierung als Vision und Audition Jesu Rechnung tragen wollen, zumal mit der Bildung unserer Perikope zu einem Zeitpunkt gerechnet werden muß, in dem noch Täuferverehrer der ersten Generation der Augen- und Ohrenzeugen lebten;

e) daß Jesus – eben von der aus dem Himmel kommenden Stimme, von Gott – den Sohnestitel erhält und der Ton des Gotteswortes nicht auf dem Prädikatsnomen liegt (wie bei dem adoptiven *mein Sohn* bist du" von Ps 2, 7), sondern auf dem σὺ εἶ; also darauf, daß dieser Jesus der geliebte Sohn Gottes ist, der aufgrund dieser Sohnesqualität von Gott erwählt wurde. Wenn unsere

---

[80] Exegetische Erwägungen a.a.O. 663 – 665; jetzt: Das Evangelium und die Evangelien 341 f.
[81] Wie zuletzt auch R. PESCH treffend bemerkt: Der Anfang a.a.O. 23.

Offenbarungsszene eben verkünden will, daß Jesus trotz der im Taufempfang erfolgten Unterordnung unter den Täufer der Höhere ist, ist es nur folgerichtig, wenn die Gottesstimme Jesus nicht nur aus den übrigen Täuflingen herausheben, sondern auch, ja wohl noch mehr, dem Täufer gegenüberstellen will, der in der vorausgehenden Taufnotiz ja auch allein genannt wird;

f) daß die Offenbarungsszene der Kategorie „Berufungsvision" nicht völlig entspricht. Gewiß will das Herabkommen auf Jesus auch dessen Ausstattung mit dem Geist besagen, was zugleich den Auftrag zum Wirken in der Kraft des Geistes impliziert. Der Besitz der Gotteskraft wird – wenigstens vereinzelt – ja auch von altem Logiengut für Jesu Wirken beansprucht[82]. Will Mk 1, 10 aber nur den Geistbesitz Jesu behaupten? Auch die Himmelsstimme impliziert sodann den Gedanken der Sendung. Trotzdem ist sie aber nicht expreß als Auftragswort formuliert. Von der Berufungsvision Ez 1, 1 her wäre zu erwarten: „da öffnete sich der Himmel, und er sah". Unsere Vision zieht aber das „er sah" nicht nur vor, sondern läßt Jesus – was weit beachtlicher ist – den „sich spaltenden Himmel" sehen –, nicht nur den „geöffneten" oder „offenen" Himmel, von dem in den apokalyptischen Visionen sonst durchweg die Rede ist. Das σχιζομένους findet nur in dem *qārā* = zerreißen von Jes 63, 19 am Ende des eschatologischen Flehgebetes eine Parallele. Es zeigt das die Heilszeit eröffnende Handeln Gottes an[83] und will in Mk 1, 10 nach meines Erachtens ungezwungenster Erklärung die einzigartige eschatologische Bedeutung *dieser,* den Herabstieg des Geistes und das direkte Sprechen Gottes ermöglichenden Himmelsöffnung unterstreichen. Jes 63, 19 lautet bekanntlich: „Wenn du doch zerrissest die Himmel, stiegest herab, daß Berge wankten vor dir!" Wie hier ist auch Mk 1, 10 mit der Zerreißung des Himmels der Theophanieterminus καταβαίνειν verbunden, und zwar ebenfalls im eschatologischen Sinne, wobei in Jes 63, 19 – im Unterschied zu Mk 1, 10f. – freilich das Herabsteigen Jahwes selbst erfleht wird, und zwar zum Gericht, zur Offenbarung seiner Macht und des Heils seines Volkes. Daß das Herabsteigen des Geistes, der nach jüdischer Vorstellung ja längst erloschen war[84], mit der Spaltung des Himmels verbunden ist, durch die jenes ausgelöst wird, kennzeichnet diese Herabkunft des Gottesgeistes, diese Geistbegabung als schlechthin endzeitliches, äonenwendendes Ereignis. Und das wird eben auch durch das direkte, ebenfalls durch die Himmelsspaltung ermöglichte Sprechen Gottes bekräftigt[85].

Mit diesem Gesamtverständnis ist freilich *die wohl schwierigste Frage nach den hauptsächlichen Hintergrundvorstellungen und -motiven der Offenbarungsszene, vorab der Himmelsstimme,* noch nicht beantwortet – eine Frage, auf die hier verzichtet werden muß. Daß aber außer Momenten urchristlicher Christusverkündigung alttestamentliche und altbiblische Motive zum Zuge

---

[82] Vgl. zum Beispiel J. Jeremias, Neutestamentliche Theologie 83 f. 228.

[83] Vgl. zuletzt R. Pesch, Der Anfang a.a.O. 126.

[84] E. Schweizer, Art. πνεῦμα, in: ThWb VI 383, 19 ff.

[85] Vgl. E. Schweizer, a.a.O. 398, 6 ff.; Mk 21; unter Verweis auf den Art. προφήτης kann E. Schweizer anmerken, daß man dort, wo Einzelne im Judentum als Geistträger auftreten, auch in diesen „Zeichen der Endzeit" erblickt: a.a.O. 398 A. 434.

kommen als qualifizierte Sprache und darüber hinaus auch im Sinne des Erfüllungsgedankens, scheint mir durchaus begründet werden zu können. Dieser Bezug mußte sich von selbst aufdrängen, wenn die Taufperikope die gegenüber dem prophetischen Täufer höhere heilsgeschichtliche Würde Jesu verkünden soll. Er entspricht zudem auch dem Umstand, daß wohl schon Jesus selbst den Schnitt zwischen dem Propheten Johannes und sich selbst zog und die Überlieferung schon bald Johannes als prophetischen Vorläufer und Ankündiger des Messias Jesus verstand, die beiden Gestalten also im Sinne der Relation Verheißung – Erfüllung, Prophet – Heilbringer einander zuordnete.

Ich meine also, bereits das grundlegende Herabkommen des Geistes auf Jesus besagt im Kontext etwas mehr als die Ausstattung Jesu mit dem Geist (im Sinne einer vom Horizont der Heilsprophetie absehenden Berufungsvision). Und nicht zufällig dürfte die Gottesstimme nicht als direktes Auftragswort, sondern konstatierend formuliert sein, ohne daß die geringste Reaktion des Angesprochenen nachfolgt. Die Offenbarungsszene Mk 1, 10f. ist deshalb kaum als Berufungsvision konzipiert worden, um den überragenden Sendungsanspruch Jesu auf einen ausdrücklichen Akt göttlicher Berufung zurückzuführen. Läßt sich die Offenbarungsszene und ihre unmittelbare Verbindung mit dem Taufempfang somit nicht doch am ungezwungensten erklären aus der Absicht, einer möglichen oder auch faktischen Falschfolgerung aus Jesu Empfang der Johannestaufe entgegenzutreten? Dann will sie eben vom Standort des urchristlichen Christusglaubens auf eine ebenso nachdrückliche wie unanfechtbare Weise verkünden, *„wer und was der von Johannes getaufte und so diesem scheinbar untergeordnete Jesus in Wirklichkeit ist“: der höhere Gottesbote, nämlich der verheißene Heilbringer selbst*[86].

g) Abschließend sei noch ein Hinweis auf die Mt 3, 13ff. vorliegende Erweiterung und Neubearbeitung der Taufperikope gestattet. Es spricht meines Erachtens weit eher für als gegen diese Hypothese, wenn das Anliegen, die heilsgeschichtliche Würde Jesu im Hinblick auf seinen Taufempfang sicherzustellen, auf einer späteren Reflexionsstufe in einer gegenüber der markinischen bzw. vormarkinischen Taufperikope neuartigen Weise aufgegriffen wird. Wie heute weitgehend anerkannt ist, geht es beim Gespräch zwischen dem Täufer und Jesus noch nicht wie im späteren Hebr-Evangelium um den speziellen Gesichtspunkt „der Sündlosigkeit Jesu . . ., die den Sinn seiner Taufe zu einem Problem und ihre Übernahme zu einer demutsvollen Konzession an die fromme Übung des Volkes macht“[87]. Nichts berechtigt zu der Annahme, daß sich Johannes als sündiger Täufer dem sündelosen Taufbewerber Jesus gegenüberstellen möchte[88]. Die matthäische Redaktion von Mk 1, 9 läßt Jesus zu Johannes kommen in der dezidierten Absicht, sich von diesem taufen zu lassen (3, 13). Johannes will Jesus von diesem Vorhaben abhalten, weil die Rollen ver-

---

[86] Vgl. den Hinweis auf diese meine Hypothese bei J. BLINZLER, Art. Taufe a.a.O. 1325; ders., Art. Taufe Jesu, in: J. B. Bauer, Bibeltheologisches Wörterbuch II (³1967) 326f.

[87] G. BORNKAMM, Enderwartung und Kirche im Matthäusevangelium, in: G. Bornkamm u.a., Überlieferung und Auslegung im Matthäusevangelium (Neukirchen-Vluyn 1960), 33; vgl. auch W. GRUNDMANN, Mt 96.

[88] In 3, 6 hatte der Evangelist die Johannestaufe ohnedies von der Sündenvergebung gelöst.

tauscht werden müßten, weil der Geringere von dem Höheren, weil – so ist wohl im Blick auf den Mt-Kontext hinzuzufügen – der geringere Täufer von dem nach ihm kommenden Stärkeren, von dem messianischen Täufer (3, 11) getauft werden muß. Weit entfernt, die Richtigkeit der Täuferbegründung zu bestreiten, impliziert die Antwort Jesu gerade die Anerkennung derselben. „Laß es jetzt geschehen" – obgleich ich Dir gegenüber der Höhere bin. Und die beigefügte Begründung läßt Jesus die Nicht-vertauschung der Rollen, also seine Weisung, daß jener, der Geringere, den Höheren taufen soll, als eine theologische Notwendigkeit kennzeichnen[89].

In der markinischen bzw. vormarkinischen Taufperikope war weder vorausgesetzt, daß Johannes Jesus kennt oder gar einen Sonderfall von Taufbewerber in ihm erblickt, noch ist Johannes an der Vision und Audition Jesu beteiligt, so daß auch er nicht erfährt, daß der eben von ihm getaufte der Höhere, der verheißene Heilbringer ist. Der Dialog Jesu mit dem Täufer setzt demgegenüber ein Stadium der Reflexion voraus, in dem der Täufer zum Zeugen der Messianität Jesu, und zwar des in Jesus gegenwärtigen Messias geworden ist. Von dieser Voraussetzung her ließ sich die Möglichkeit, aufgrund des Taufempfangs Jesu dessen heilsgeschichtliche Überordnung zu bezweifeln oder gar (durch Täuferkreise) direkt zu bestreiten, höchst eindrucksvoll dadurch abweisen, daß Johannes selbst Jesus erst auf dessen ausdrückliche Weisung und Begründung hin – daß nämlich er als Täufer und Jesus als Täufling fungieren müsse – zur Taufe zugelassen hat. Es verwundert nicht, daß Mt aufgrund dieses Vorspanns der Offenbarungsszene auch dem Täufer das Sehen der Himmelsöffnung ermöglicht und vor allem die von ihm in die 3. Person umgesetzte Himmelsstimme auch dem Täufer durch die Proklamation der Gottessohnwürde die höhere heilsgeschichtliche Stellung Jesu bestätigen läßt. In dieser göttlichen Proklamation erreicht die Mt-Perikope ihren eigentlichen Höhepunkt. Zum Zeugnis des Täufers und Jesu selbst kommt das – bestätigende und überbietende – Zeugnis des Himmels.

Der Neubearbeitung und Erweiterung der Einleitung der markinischen Taufperikope in Mt 3, 13 – 15 geht es also ebenfalls darum, eine „christologisch" negative Folgerung aus Jesu Empfang der Johannestaufe – hier sozusagen im voraus – abzuweisen. Das geschieht hier aber von einer völlig neuen Voraussetzung aus. Während die vormarkinische Taufperikope lediglich vom Faktum der Taufe Jesu durch Johannes ausgeht, nämlich sicherstellen will, daß der von Johannes getaufte Jesus der heilsgeschichtlich Höhere und Letzte, der verheißene Heilbringer ist, geht der matthäische Vorspann von der christlich interpretierten eschatologischen Verkündigung des Täufers aus, nämlich davon, daß Jesus der (nach Q bzw. Mt 3, 11) von Johannes angekündigte messianische „Täufer" selbst ist, der als solcher doch eigentlich den Johannes taufen müßte, anstatt die Taufe des niedrigeren, nur vorbereitenden Gottesboten zu empfangen. Mt 3, 13 – 15 geht somit von der ausdrücklichen Gegenüber-

---

[89] Vgl. W. GRUNDMANN (Mt 97), der O. MICHEL zitiert: πρέπει bzw. πρέπον ἐστίν bringt „die Notwendigkeit des theologischen Gedankens und das Gesetz seiner theologischen Richtigkeit" zum Ausdruck.

stellung der beiden eschatologischen Größen als „Täufer" aus, damit freilich auch von der Frage, ob der Empfang der Johannestaufe nicht gegen die höhere heilsgeschichtliche Stellung Jesu, gegen seine Messianität spricht. Zur Realisierung der matthäischen Apologie bedurfte es einer völlig neuen Szene, eben des dem Taufempfang Jesu voraufgehenden und diesen rechtfertigenden Dialos zwischen den beiden eschatologisch engagierten Gottesmännern. Daß die vormarkinische Taufperikope, die im Unterschied zu Mt 3, 13 ff. weder den Täufer auch nur im geringsten zum Christuszeugen werden läßt noch eine Reflexion oder Reaktion Jesu kennt, die ältere Stellungnahme zum Faktum des Taufempfangs Jesu darstellt, wird wohl niemand bezweifeln wollen.

NACHTRAG

Die zwischenzeitliche Diskussion bestätigte fast durchweg die Auffassung (s. o. I.), daß die das geschichtliche Ereignis des Taufempfangs Jesu mit einer Offenbarungsszene verbindende Taufperikope von ihrem Ursprung her eine Einheit darstellt, die, zumindest in ihrem Grundbestand, in Mk 1, 9 – 11 vorliegt[90].

1. Sehr bestimmt[91], aber auch nur vorsichtig sieht man weiterhin durch Mk 1, 9 – 11 ein Offenbarungserlebnis Jesu selbst bezeugt[92]. „Wir müssen", nach T. Holtz, „damit rechnen, daß er [Jesus] die Gewißheit eines Auftrags erfuhr und daß ihm Gott als der ihn Beauftragende bewußt wurde."[93] Im Sinne einer oben (II. 1.) besprochenen Richtung biographischer Erklärungsversuche gilt es R. E. Uprichard als „wahrscheinlich", daß Jesus sich der Taufe unterwarf, nicht nur weil er den Täufer als Vorläufer bestätigen, sondern auch als „Servant-Messiah" seinen ersten bewußten Schritt zum Sterben für sein Volk, zur eventuellen Kreuzestaufe tun wollte.[94] Ganz überwiegend wird jedoch die nachösterliche Bildung der Taufperikope befürwortet.

2. Was die Frage nach der literarischen Gattung und der ursprünglichen Aussageintention der Perikope betrifft, gehen die Auffassungen nach wie vor auseinander. Zunächst zur literarischen Gattung.

a. Die in meinem Artikel angesprochene Monographie von F. Lentzen-Deis ist als grundlegende Erörterung der die Vision und Audition Mk 1, 10 f. bestimmenden altbiblischen Einzelmotive anerkannt, was indes nicht ausschließt, daß die weitere Beschäftigung mit dem motivgeschichtlichen Hinter-

---

[90] So auch die gegensätzlichen Auslegungen von H.-J. Steichele (Der leidende Sohn Gottes, BU 14, 1980, 109 – 151; hier 110 – 118) und E. Ruckstuhl, der Steichele's Arbeit offenbar noch nicht zur Verfügung hatte (Jesus als Gottessohn im Spiegel des markinischen Taufberichts, in: U. Lutz-H. Weder, Die Mitte des Evangeliums, FS für E. Schweizer [Göttingen 1983], 193 – 220; hier 193 f.) Zu A. Polag's Versuch der Rekonstruktion einer Taufperikope in Q vgl. R. Pesch, Das Markusevangelium I, HThK, ⁴1984, 439; vgl. ebenda (440) auch zu den traditionskritischen Hypothesen von S. Gero und D. Lührmann.

[91] Z. B. R. Nordsiek, Reich Gottes Hoffnung der Welt, NStB 12, 1980, 72.

[92] Vgl. dazu o. II. 1 – 3.

[93] Jesus von Nazareth (Berlin 1979), 86.

[94] The Baptism of Jesus: IBS 3, 1981, 187 – 202.

grund zu anders akzentuierten, sogar sehr gegensätzlichen Erklärungen der Offenbarungsszene führte, wie zwei neuere ausführliche Untersuchungen illustrieren.[95] Als problematischer erwies sich auch zwischenzeitlich das spezielle Bemühen des Autors, die Taufperikope gattungsmäßig als Nachahmung der von ihm vor allem aus zwei targumischen Patriarchenvisionen erschlossenen Stilform der *„Deutevision"* zu erklären (s. o. S. 77 – 79)[96]. Während R. Pesch die „Nähe" von Mk 1, 9 – 11 zum Schema der targumischen Deutevision befürwortet (Mk I, 94) und E. Schweizer ein Einwirken des Schemas auf die ursprüngliche Form der Perikope für möglich hält,[97] erblicken andere in demselben keine Erklärungshilfe.[98] E. Ruckstuhl konzediert, die Deutung Jesu durch den Vater entspreche zwar „formal den Deutungen der Patriarchen durch die Engel" (Jesus 197). Man könne aber „fragen, ob der Vergleich notwendig war". Wegen des wesentlichen Unterschiedes von Mk 1, 10f. zu jenen Deutevisionen folgert er deshalb: „Was der Schöpfer des Taufgesichts Jesu tat, wurde als erzählende Theologie eine vorliterarische Neuschöpfung; was die Targumisten taten, war frühjüdische Bibelauslegung und ihre Anwendung auf das Leben der Gemeinde" (197).

    b. Nach J. Gnilka, der sich zugleich auf K. Berger beruft, ist die Perikope vermutlich im Umkreis weisheitlich-apokalyptischer *„Berufungsgeschichten"*,

---

[95] So hält STEICHELE, der eine Bezugnahme der Himmelsstimme auf Jes 42, 1 zugunsten einer bewußten Anspielung auf Ps 2, 7 ablehnt (Sohn 123 – 148), die „Vordatierungshypothese" für den „immer noch am meisten" überzeugenden Erklärungsversuch (149 f. A. 159). Die Perikope wolle also besagen, daß Jesus „ – im Augenblick der Taufe durch Johannes – von Gott zum König der Endzeit *eingesetzt"* wurde (149). Für RUCKSTUHL, der sich für das Ungenügen dieser Hypothese wie der taufätiologischen Erklärung auf meinen Nachweis beruft (Jesus 195), ist hingegen „sicher": „Vom königlichen oder messianischen Sohn Gottes führt nach allen Zeugnissen, die uns zur Verfügung stehen, keine Brücke zur Taufstimme, wie sie in Mk 1, 11 erklingt" (211). Der Schöpfer von 1, 10f. habe jedenfalls Jes 42, 1 als inhaltlichen und auch formal bedeutsamen Hintergrundtext im Auge, um wie gestalterischer Freiheit die einzigartige heilsgeschichtliche Würde Jesu von der des Täufers abzuheben (207 – 210). Näherhin gehe es ihm um „das unmittelbare personale Zueinander von Vater und Sohn und um die Liebe, die vom Vater auf den Sohn überfließt", und „zwar zunächst im Raum des irdischen Jesus" (212). Zu dieser Deutung des Offenbarungsvorgangs als „Liebesbotschaft des Vaters" passe auch die als „Botin der Liebe" zu belegende Taube (199 – 202), die hier zugleich zum „Symbol" des vom Vater ausgehenden Geistes werde (213 f.).

[96] Ohne Kenntnis des Buches von Lentzen-Deis hatte auch L. HARTMAN im Erscheinungsjahr meines obigen Beitrags (1972) in einem schwedisch verfaßten Artikel über Mk 1, 9 – 11 par auf Patriarchenvisionen hingewiesen, wie ich aus dessen mit „Taufe, Geist und Sohnschaft" betitelter deutscher Übersetzung (in: A. FUCHS (Hrsg.), Jesus in der Verkündigung der Urkirche, Studien zum NT und seiner Umwelt A, I, 1976, 94 f.) ersehe. In einem allgemeinen Hinweis vermerkt Hartman anerkennend: „Vor allem untersucht und diskutiert Lentzen-Deis in einer neuen und bedeutsamen Art die Struktur und Funktion der ‚Deutevision' in jüdischen Texten und wendet dies an (sic!) dem Taufbericht und seinen Motiven an" (a.a.O. 89 A. 1).

[97] Das Ev. nach Mk, NTD 1, 1975, 16.

[98] So J. GNILKA, Das Ev. nach Mk EKK II/1, 1978, 53 mit A. 30; STEICHELE, der außer eines sachlichen Unterschiedes die erst im 5. Jahrhundert oder noch später erfolgende schriftliche Fixierung der Targume geltend macht (Sohn 150 A. 159). Ein Fragezeichen scheinen unabhängig voneinander auch J. ERNST (Das Ev. nach Mk, RNT 1981, 40) und G. SCHNEIDER (Das Ev. nach Lk, ÖTK = GTB 500, 1977, 91) setzen zu wollen.

anzusiedeln (Mk I, 53),[99] was schon J. Ernst bestritt (Mk 40) und Ruckstuhl in Auseinandersetzung mit Berger als höchst zweifelhaft beurteilt (Jesus 194f. 206f.). Die auch von anderen Autoren abgelehnte Gattungskategorie „Berufungsvision" dürfte der Offenbarungsszene 1, 10f. doch nicht gerecht werden (s. o. III. 3 und IV. 2. f.).[100]

3. Die *taufätiologische Erklärung* wird von J. Gnilka abgelehnt, insofern die Perikope „zwar nicht Johannes in den Schatten stellt, aber die christliche Taufe als jene erwiesen werden soll, die die Johannestaufe abgelöst hat und als die gültige anzusehen ist". Statt dessen werde man „die Verknüpfung von Taufe und Berufung darin zu sehen haben, daß die Christen aufgrund ihrer eigenen Taufe in der Taufe Jesu eine Berufung sehen konnten, diese Berufung aber aus verständlichen christologischen Erwägungen heraus sehr anders erzählten, nämlich als christologische Fundamentalgeschichte" (Mk I, 54). Als Haupteinwand gegen jene erste Variante macht Gnilka geltend, „daß die tauftheologische Deutung der Perikope sich nicht ausgewirkt hat" (54). Ohne Gnilkas Kommentar schon zu kennen, anerkennt W. Schmithals, zunächst jedenfalls, das christologische Interesse, nämlich ebenfalls an der „Berufung" Jesu, als eigentlichen oder doch ersten Grund für die Bildung der Perikope. Man könne, besonders im Hinblick auf Röm 6, 3f. „die Frage nicht unterdrücken, ob der Erzähler die zweifellos christologisch bestimmte Geschichte von der Taufe Jesu nicht auch mit einem (Seiten-)Blick auf die Christen formuliert, die in Jesu eigene Taufe hineingenommen sind" (Mk 88). Abschließend stellt Schmithals dem christologischen Interesse dann aber doch ohne Einschränkung das taufätiologische Interesse zur Seite: „Bedenkt man, daß Jesus sich der Taufe des Johannes wie *alles Volk* (vgl. Lk 3, 21) unterzieht, so ist es in der Tat geboten, die Taufe Jesu nicht ausschließlich *christologisch,* sondern zugleich im Sinne der auch von Paulus aufgegriffenen Traditionen *soteriologisch* zu verstehen" (89).

a. Beide Autoren befürworten die taufätiologische Erklärung somit nurmehr in einer stark abgeschwächten Form, da sich jeder genötigt sieht, die grundlegend christologische Ausrichtung der Perikope zu konzedieren. Warum sollen die Christen die Geschichte aber „anders" erzählt haben, als ihrem eigentlichen oder doch auch wesentlichen Interesse an der Taufe Jesu entsprach, nämlich als „christologische Fundamentalgeschichte"? Warum erzählten sie die Geschichte nicht so, daß die prototypische Bedeutung des Taufempfangs Jesu dem Hörer eher in die Augen sprang? Da die urchristliche Taufe wie die Johannestaufe als Wasserritus gespendet wurde und unsere Erzählung Mk 1, 9 – 11 doch wohl schon von Anfang an davon sprach, daß Jesus „von Johannes in den Jordan hineingetaucht wurde" (1, 9b) bzw. sich hineintauchen ließ, hätte der Erzähler dem tauftheologischen Anliegen doch dadurch entgegenkommen können, daß er die Vision und die Audition Jesu mit dem Taufakt verband oder diesem wenigstens unmittelbar folgen ließ − anstatt sie

---

[99] Auf rein alttestamentliche Beispiele verweisend, spricht auch W. SCHMITHALS von einer „Berufungsgeschichte": Das Ev. nach Mk, ÖTK 2/1 = GTB 503, 1979, 87.

[100] Pesch, Mk I, 94; HARTMAN, Taufe 94; STEICHELE, Sohn 150 A. 159.

erst beim Heraussteigen aus dem Wasser, also eindeutig nach erfolgtem Taufempfang geschehen zu lassen. Merkwürdigerweise wird dieser längst geltend gemachte Umstand (s. neben anderen Argumenten o. III. 2.) von den beiden Autoren einfach ignoriert. Man wird doch nicht argumentieren wollen, der Erzähler habe den Taufempfang Jesu zwar als Prototyp der christlichen geistspendenden Taufe verstanden haben wollen, aus Gedankenlosigkeit oder auch aus Ungeschicklichkeit den Geistempfang und die diesen bestätigende und interpretierende himmlische Kundgebung aber dem Taufakt nachfolgen lassen. Dann bleibt doch wohl nur eine ungezwungene Erklärung: der Erzähler respektiert die unbestreitbare überlieferte Tatsache, daß es sich auch im Falle Jesu um den Empfang derselben Jordantaufe handelte, der sich auch andere Israeliten unterzogen. Diese Tatsache konnte er respektieren, sofern es ihm im Sinne der von mir vorgeschlagenen Vorrangshypothese darum ging, einer sich nahelegenden Schlußfolgerung aus Jesu Taufempfang vorzubeugen. Will die Erzählung zum Ausdruck bringen, der von Johannes getaufte Jesus sei in Wirklichkeit der höhere und endgültige Gottesbote, ist es nicht nur voll verständlich, sondern einzig folgerichtig, daß der Offenbarungsvorgang zwar in engster Verbindung mit dem Taufempfang, aber doch erst nach demselben erfolgt. Den Einwand, den Gnilka mit Recht gegen die von ihm zuerst genannte Form der taufätiologischen Erklärung erhebt – daß sich nämlich die tauftheologische Deutung der Perikope „nicht ausgewirkt hat" – wird man auch gegenüber seiner wie Schmithals' stark reduzierten Variante gelten lassen müssen. Der Einwand gewinnt noch an Gewicht durch zwei früher schon genannte Daten (s. o. S. 90 u. 91 und IV. g.). Einmal dadurch, „daß der Akt des Taufempfangs in der Überlieferung zunehmend zugunsten des nachfolgenden Geschehens zurücktritt und dieses vom Taufakt gelöst wird", was doch sehr befremden müßte, wenn sich mit der Taufperikope von deren Ursprung her das bewußte Interesse am prototypischen Charakter des Taufempfangs Jesu verbunden hätte. Sodann – damit zusammenhängend – dadurch, daß die nachmarkinische Überlieferung ausschließlich das christologische Verständnis des Offenbarungsgeschehens 1, 10f. bezeugt. Daß die Konzipierung unserer Perikope tauftheologischem Interesse entsprang oder von diesem doch mit inspiriert wurde, halte ich, auch abgesehen von der gleichzeitigen Inanspruchnahme der zweifelhaften Gattung „Berufungsgeschichte", nach wie vor für unwahrscheinlich.[101] Die Offenbarungsszene Mk 1, 10f. dürfte vielmehr einen exklusiv Jesus auszeichnenden Sachverhalt demonstrieren wollen.

b. Gegen meine Hypothese, die Gnilka zwar zu den „zwei diskutablen Erklärungen" der Taufperikope zählt, wendet dieser ein, „daß in der markinischen Perikope keine unmittelbar gegen den Täufer gerichtete Polemik festgestellt werden kann" (Mk I, 54). Das ist völlig richtig, trifft meine Argumentation aber schon deshalb nicht, weil ich an keiner Stelle von „Polemik" sprach, nicht einmal von einer gegen die Täuferbewegung gerichteten Pole-

---

[101] Ausdrücklich zustimmend äußerten sich STEICHELE (Sohn 150 A. 159) und RUCKSTUHL (Jesus 195). Auch W. BIEDER lehnt die taufätiologische Erklärung ab (Art. βαπτίζω: EWNT I, 1979, 462). ERNST stellte an dieselbe mit Recht die Frage: „War aber der Hintergrund deutlich genug und für alle Leser erkennbar dargestellt?" (Lk 41).

mik. Von unmittelbar gegen den Täufer gerichteter Polemik kann in der Perikope nicht die Rede sein, da sie ja frank und frei Jesu Empfang der Jordantaufe konstatiert, was impliziert, daß Jesus den Täufer dadurch als prophetischen Endzeitprediger anerkannte. Es bleibt aber doch die Frage, ob sich die Rolle und Bedeutung Jesu nach urchristlichem Verständnis in diesem Bekenntnis zu Johannes erschöpft. Ich kann hier nur an früher Ausgeführtes (s. o. IV. 1.) erinnern. Wenn es im Verhältnis der beiden Männer, von denen sich jeder als der letzte Gottesbote vor dem Gericht verstand, ein Moment gab, das die christliche Beanspruchung Jesu als des höheren und endgültigen Verkünders der eschatologischen Heilsaktion in Frage stellen konnte, war es doch zweifellos der Umstand, daß sich Jesus durch den Empfang der Bußtaufe Johannes unterordnete und gleich anderen Israeliten diesen als den maßgeblichen Prediger und Zurüster für das nahe Gericht anerkannte. In dem Maße, als die urchristliche Überlieferung aufgrund des Glaubens an den Messias Jesus den Täufer mit innerer Notwendigkeit in die Rolle des Vorläufers und Wegbereiters Jesu verwies, konnte – ja mußte sogar dort, wo der Glaube an den Messias Jesus „gegenüber Täuferjüngern und dem Judentum überhaupt" missionarisch zu verteidigen war[102] – das Bedürfnis aufkommen, „auf eine eindrucksvolle und im Grunde unanfechtbare Weise zu versichern, . . . daß dieser den prophetischen Buß- und Gerichtsprediger Johannes anerkennende Jesus zugleich der diesen überragende und ablösende Gottesbote ist" (s. o. S. 95).

4. Die ebenfalls bis heute befürwortete *Vordatierungshypothese,*[103] die, von Röm 1, 4 ausgehend, in der Adoption des Königs zum „Sohn Gottes" (nach Ps 2, 7) die entscheidende Hintergrundvorstellung der Himmelsstimme erblickt, hat gegenüber der taufätiologischen oder doch tauftheologischen Erklärung den Vorzug, daß sie die exklusiv christologische Aussageintention anerkennt. Ich wandte indes u. a. ein, die Verknüpfung des Offenbarungsvorgangs mit dem Empfang der Johannestaufe statt einer Zuordnung zum Beginn des öffentlichen Wirkens Jesu bleibe ein erklärungsbedürftiges Moment der Vordatie-

---

[102] Steichele vereinseitigt meine Ausführungen über den Grund der Entstehung der Perikope, wenn er schreibt, ich würde „die Auseinandersetzung zwischen der christlichen Gemeinde und den Johannesjüngern für den ursprünglichen Sitz im Leben der Taufperikope" halten (Sohn 150 A. 159). Ich betonte sehr wohl, woran m. E. auch festzuhalten ist: die Täuferanhänger, die den Glauben an den in Jesus gekommenen und zum Gericht zu kommenden Messias nicht mitvollzogen, hätten gegenüber den Christen geltend machen können, „daß der angebliche Messias und kommende Richter Jesus doch selbst durch die konkludente Handlung des Taufempfangs Johannes . . . als den Höheren bestätigt hatte". Ich gab aber auch zu verstehen, daß mit diesem Einwand ebenso von Seiten anderer Juden zu rechnen ist, und fügte hinzu, daß selbst die Messias-Jesus-Gläubigen „den Taufempfang Jesu als ein Faktum empfinden (konnten und mußten), das falschen Folgerungen hinsichtlich des Verhältnisses Johannes – Jesus, näherhin der heilsgeschichtlichen Stellung Jesu, Raum geben konnte" (s. o. S. 95).

[103] Z. B. E. Lohse, Grundriß der neutestamentlichen Theologie, Theol. Wissenschaft 5, 1974, 24; H. Braun, Jesus – der Mann aus Nazareth und seine Zeit (Stuttgart 1984), 34. 240; vgl. auch K. H. Schelkle, Theologie des Neuen Testaments 2 (Düsseldorf 1973), 210f.; auch Schmithals, Mk 85. Nach anderen Autoren hat jedenfalls die Mk 1, 11 vorliegende Fassung die Adoption nach Ps 2, 7 im Blick: Schweizer, Mk 17f.; P. Ch. Böttger, Der König der Juden – das Heil für die Völker, Neukirchener Studienbücher 13, 1981, 39.

rungshypothese (s. o. III. 1.). Diesen Einwand scheint Steichele, der diese Hypothese in den letzten Jahren am ausführlichsten begründete (s. o. Anm. 90), ausräumen zu wollen mit seiner Konzession, die auf die Taufe folgende Offenbarung stelle „klar, wer Jesus gegenüber Johannes ist" (Sohn 109 Anm. 3).

a. Nun soll die Vision und Audition Mk 1, 10 f. meiner Hypothese zufolge besagen, daß der von Johannes getaufte Jesus in Wirklichkeit der höhere und endgültige Gottesbote ist, ohne auf das Heraussteigen aus dem Wasser als Zeitpunkt der Verleihung der Position des Heilbringers abheben zu wollen oder auch darüber zu reflektieren, ob Jesus dieser schon zuvor, etwa von seiner Geburt an oder schon vor derselben war. Würde sich Steichele mit dieser Aussageintention zufriedengeben, könnte er die Perikope sinnvollerweise nicht der Absicht entspringen lassen, die Röm 1, 3 f. für Ostern beanspruchte Einsetzung Jesu in die Sohnesstellung auf den Zeitpunkt des Taufempfangs vorzuverlegen. Deshalb erklärt er: „Gewiß präzisiert die Himmelsstimme u. a. auch die heilsgeschichtliche Stellung Jesu gegenüber Johannes. Doch das ist nicht ihr einziges Anliegen" (136 f. Anm. 104). Ein weiteres und offenbar wichtigeres Anliegen ist in der Sicht des Autors eben die von ihm befürwortete Vorverlegung, wofür die Verwendung der „Adoptionsformel" (145) oder „Einsetzungsformel" von Ps 2, 7 im ersten Teil der Himmelsstimme spreche (150). Unter Hinweis auf Ps 85, 10 LXX, wo εἰ σύ und σὺ εἶ wechselweise nebeneinander steht, kann er an sich zu Recht geltend machen, man sollte auf die Verschiedenheit der Wortstellung in Ps 2, 7 und Mk 1, 11 „kein so großes Gewicht legen" (136). Er beanstandet deshalb speziell, daß ich bei der Interpretation der Himmelsstimme von der unterschiedlichen Stellung des σύ (= Du) in Ps 2, 7 LXX[104] (υἱός μου εἶ σύ) und Mk 1, 11 (σὺ εἶ ὁ υἱός μου) ausgehe und in Mk 1, 11 den Ton auf das σύ lege, nämlich die Himmelsstimme sagen lassen würde: „Du, Jesus, bist der Sohn Gottes, nicht Johannes" (136 mit Anm. 104). Letztere, zumindest höchst mißverständliche Formulierung begegnet in meinem obigen Beitrag jedoch nicht, auch nicht in einem derselben noch am nächsten kommenden Satz, weil ich in demselben davon sprach, daß die Gottesstimme Jesus auch aus „den übrigen Täuflingen" herausheben will.[105] Auf jene mir zugeschriebene Formulierung wäre ich schon deshalb nicht verfallen, weil ich die Meinung, die Täuferanhänger hätten in der Vorstellung des Erzählers den eschatologischen Rang ihres Meisters – etwa gar unter Berufung oder in Anlehnung an Ps 2, 7 – speziell mit dem Gottessohn-Titel bezeichnet, der jetzt Johannes abgesprochen und Jesus zugesprochen werden soll, für eine unbegründbare Überinterpretation hielte. Im übrigen ließen zwischenzeitlich auch andere Erklärer die Himmelsstimme durch „(d)as betonte, nachdrücklich ‚heraushebend und identifizierend' im Prädikationsstil formulierte σὺ εἶ . . . den Gegensatz zu Johannes, dem Täufer Jesu, im

---

[104] Die LXX gibt den masoretischen Text von Ps 2, 7 exakt wieder.
[105] „Wenn unsere Offenbarungsszene . . . verkünden will, daß Jesus trotz der im Taufempfang erfolgten Unterordnung unter den Täufer der Höhere ist, ist es nur folgerichtig, wenn die Gottesstimme Jesus nicht nur aus den übrigen Täuflingen herausheben, sondern auch, ja wohl noch mehr, dem Täufer gegenüberstellen will, der in der vorausgehenden Taufnotiz ja auch allein genannt wird" (s. o. S. 96 f.).

Blick haben"[106] bzw. betonen: „*Du* bist dieser geliebte Sohn, also niemand sonst";[107] und dies, wie mir scheint, nicht ohne Grund. Auch in der Erwählungsaussage, die, wie ja auch Steichele feststellt (150), nicht Ps 2, 7 zitiert („ich selbst habe dich *heute* gezeugt" = erwählt), sondern allgemeiner lautet (ἐν σοὶ εὐδόκησα), steht das ἐν σοί betont voran. Diese Hervorhebung des von Gott angesprochenen Täuflings Jesus schließt freilich nicht aus – was ich gern korrigierend hinzufüge –, daß das mit dem bestimmten Artikel versehene Prädikatsnomen „mein Sohn" (= ὁ υἱός μου) gleichfalls einen starken Ton trägt. Das bestätigt auch der „die Einzigartigkeit des endzeitlichen Heilbringers" unterstreichende Zusatz ὁ ἀγαπητός (= der geliebte)[108]. Wenn man auch damit rechnen darf, daß Ps 2, 7 mit seinem „Mein Sohn bist du" den Anstoß zur Artikulierung der Himmelsstimme gab, wie auch Ruckstuhl annimmt (Jesus 212), unterscheidet sich dieselbe durch die genannten Momente doch wesentlich von der Adoptionsaussage Ps 2, 7 wie von der Röm 1, 3 f. ausgesprochenen Deutung der Auferstehung Jesu als Einsetzung zum Sohne Gottes[109]. Im Hinblick auf die eigenständige Formulierung von Mk 1, 11 bzw. 1, 10 f. darf man deshalb bezweifeln, der Schöpfer der Perikope sei von der speziellen Absicht geleitet gewesen, die österliche „Einsetzung" Jesu in die messianisch-herrscherliche Gottessohnschaft auf das Heraussteigen Jesu aus dem Jordan vorzuverlegen. Da andererseits auch Steichele die Klarstellung der „heilsgeschichtlichen Stellung Jesu gegenüber Johannes" als eines der Anliegen der Himmelsstimme anerkennt und die Verknüpfung der Offenbarungsszene mit dem voraufgehenden Taufempfang keinen ernsthaften Zweifel duldet, daß dieselbe Jesus im Hinblick auf die in seinem Taufempfang erfolgte Unterordnung unter den prophetischen Täufer als den höheren und endgültigen Verkünder des Endgeschehens deklarieren will, ist doch gewiß die Frage berechtigt, ob diese Absicht nicht nur ein, sondern das eigentliche und einzige Anliegen war, das zur Bildung der Perikope führte.

b. Weil Steichele durch den ersten Satz der Himmelsstimme die „Einsetzung" Jesu „in die hoheitliche Stellung des Gottessohnes" von Ostern auf die Taufe vordatieren läßt, läßt er den Schöpfer der Erzählung konsequenterweise auch die Herabkunft des Geistes als „ein jetzt geschehendes Ereignis" verstehen (149) und hält er auch ein analoges Verständnis der Erwählungsaussage für „wahrscheinlich" (151), daß nämlich der Aorist εὐδόκησα zu übersetzen ist mit: „An dir fand ich Wohlgefallen". „Jesus ist dann . . . der von Gott erst anläßlich der Taufe in einem Willensakt Erwählte, analog zum ursprünglichen Sinn von Ps 2, 7: ,Heute' habe ich dich gezeugt!" (150 f.). Als ebenso möglich bezeichnet der Autor aber auch die Übersetzung im Sinne des hebräischen Perfectum praesens (das die LXX mit dem Aorist wiedergibt): „An dir habe ich Wohlgefallen". Beide Teile der Himmelsstimme würden dann besagen: „Jesus

---

[106] Pesch, Mk I, 94. Auch nach Ernst könnte das betonte „du bist" „auf eine bewußte Abhebung von Johannes dem Täufer hindeuten" (Lk 41).

[107] Schmithals, Mk 85.

[108] Nachweis bei Ruckstuhl, Jesus 209 f.

[109] Zum Unterschied zwischen den Erhöhungsaussagen und Mk 1, 11 vgl. Ruckstuhl, der von einem über das königliche Erhöhungsdenken hinausgehenden „kühne(n) Wurf" spricht (211 f.).

ist bereits der Sohn Gottes, als er zum Jordan kommt, er wird dazu nicht erst nach der Taufe eingesetzt" (151). Die Gültigkeit der Einsetzungs- und Vordatierungshypothese hängt somit vor allem ab von der zweifelhaften Annahme, daß der erste Teil der Gottesstimme als Adoptionsformel zu verstehen ist. Nur wenn das zuträfe, könnte die Deutung der Vision auf die hier und jetzt erfolgende Ausstattung Jesu mit „dem Geist" als sicher gelten.

Es braucht uns nicht wunderzunehmen, daß der Eindruck, die von Röm 1, 3f. ausgehende Vordatierungshypothese ermögliche die ungezwungenste Erklärung der Offenbarungsszene, beträchtlich nachwirkt. Auf der Erzählebene meint das Sehen der sich spaltenden Himmel und des herabsteigenden Geistes ja genauso einen hier und jetzt erfolgenden Akt wie das jenem Sehen gleichzeitige Heraussteigen Jesu aus dem Wasser. Der Eindruck verblaßt, sobald man sich in die Situation des Erzählers versetzt. Im Hinblick auf den Gang der Christusoffenbarung vermeidet er es sachgerecht, Jesus vor Beginn seines öffentlichen Wirkens sich selbst offenbaren zu lassen (s. o. IV. 2. c). Soll schon in Verbindung mit dem Empfang der Johannestaufe über die heilsgeschichtliche Stellung des Täuflings Jesus Auskunft erteilt werden, kann diese nur vom Himmel her ergehen. Zur Inszenierung dieser Kundmachung bot sich die ohne weiteres verfügbare Stilform der Vision und Audition an, und zwar situationsgemäß eine Jesus allein zuteil werdende Vision und Audition. Auch dann, wenn der Schöpfer der Erzählung Jesus als den kennzeichnen will, der den Geist schlechthin besitzt, ohne auf das Jetzt als Augenblick des Geistempfangs abheben zu wollen, läßt die Verwendung einer Vision nur eine präsentische Formulierung erwarten: daß Jesus also den Geist wie eine Taube auf sich „herabsteigend" sah (1, 10b). Will der Erzähler die Frage, wer dieser Geistempfänger ist, von der Jesus anredenden Gottesstimme beantworten lassen und zwar mittels eines die Sohnesbezeichnung verwendenden Schriftwortes, kam die präsentisch formulierte Anrede des christologisch interpretierten Ps 2 in Betracht: „Mein Sohn bist du" bzw. „Du bist mein Sohn . . ." Weil es sich bei dem ἐν σοὶ εὐδόκησα sodann ebenfalls um eine Schriftwendung handelt, läßt sich aus dem Aorist keinesfalls sicher folgern, wie der Erzähler über den Zeitpunkt des göttlichen Erwählungsaktes dachte; schon gar nicht, daß dieser „erst anläßlich der Taufe" erfolgte. Gerade auch wenn die Perikope „aus der gleichen Gemeinde, aus der vermutlich auch Röm 1, 3f. herkam", stammt[110], ist es kaum bloßer Zufall, daß der Erzähler nicht nach dem Vorbild von Ps 2, 7 sagt: „an dir habe ich *heute* Gefallen gefunden".

c. Als nächstliegender „Sitz im Leben" der Überlieferungseinheit Mk 1, 9 – 11 wurde zwischenzeitlich mit gutem Grund „ein christlicher Bericht über den Täufer Johannes" als wahrscheinlich erachtet, „der an vorliegende Täuferüberlieferung der Johannesjünger anknüpfte und sie auf Jesus hin deutete".[111] Demgegenüber meint Steichele, daß die vormarkinische Überlieferung Mk 1, 9 – 11 „ – traditionsgeschichtlich gesehen – mit dem Abschnitt über das Wirken des Täufers Mk 1, 1 – 8 bzw. mit dem Spruch über den ‚Stärkeren'

---

[110] RUCKSTUHL, Jesus 212.
[111] RUCKSTUHL, Jesus 215; in gleichem Sinne schon Pesch, Mk I, 94.

Mk 1, 7 f. nicht unmittelbar zusammenhängt" (Sohn 117). Dieses Votum soll doch wohl eine Gefährdung der Hypothese, daß die Vordatierung der österlichen Einsetzung in die Sohnesstellung ein weiteres, sogar wichtigeres Aussageanliegen der Perikope ist, vermeiden. Wenn nämlich die urchristliche Täuferüberlieferung der Logienquelle (Mt 3, 11/Lk 3, 16) wie die des Markus (1, 7) – und wohl erst sie – in der Auseinandersetzung mit den Täuferjüngern den von Johannes angekündigten kommenden Richter mit dem wiedererscheinenden Jesus identifizierte, somit Jesus im Blick hatte, als sie Johannes „das Zugeständnis" in den Mund legte, „daß der nach ihm Kommende größer ist",[112] andererseits aber gerade Jesu Empfang der Johannestaufe die unbestreitbare Tatsache war, die gegen den höheren heilsgeschichtlichen Rang Jesu geltend gemacht werden konnte und sicher auch wurde, drängt sich fast unweigerlich die Annahme auf, die Taufperikope wolle von ihrem Ursprung her klären, daß und warum Jesus „der Stärkere" ist, und eben diese Klarstellung, „wer Jesus gegenüber Johannes ist", sei sogar ihr „einziges Anliegen"[113].

5. Angesichts der auch sonst zu beobachtenden Freiheit, mit der die urchristliche Überlieferung atl. Texte und altbiblische Motive aufgreift, vermischt und neu deutet, mag man sich über Einzelpunkte, etwa auch über das exakte ursprüngliche Verständnis der Prädizierung Jesu als Sohn Gottes,[114] streiten können. Unbeschadet solcher Differenzen meine ich, was die Herkunft und Intention der Taufperikope betrifft, weiterhin die Hypothese befürworten zu sollen: diese, das historische offenbarende Wirken Jesu voraussetzende „Christusgeschichte" will von ihrem Ursprung her die Frage beantworten, wer und was der von Johannes getaufte Jesus in Wirklichkeit ist, der den prophetischen Täufer ablösende, höhere und endgültige Verkünder der eschatologischen Heilsaktion Gottes.

---

[112] D. ZELLER, Kommentar zur Logienquelle (Stuttgart 1984), 20. 39 f.
[113] Zu STEICHELE, Sohn 109 A. 3; 136 f. A. 104.
[114] Vgl. bes. die gut begründete neue Hypothese von E. RUCKSTUHL (s. o. A. 95).

5

Das Problem der Herkunft von „Mt 16, 17 – 19"*

In der neueren Diskussion wurde es weithin üblich, Mt 16,17 als Bestandteil einer überlieferten Sprucheinheit, nämlich der VV 16, 17 – 19 zu behandeln. Sowohl zahlreiche Autoren, die schon vor Jahrzehnten die nachösterliche Bildung der Petrusverheißung 16, 18f. vertraten[1], als auch Befürworter ihrer wesentlichen Echtheit wie Cullmann, der 16, 17 – 19 in der Abendmahls- und Abschiedssituation lokalisierte[2], sprachen von „Mt 16, 17 – 19" als einem zusammengehörenden Überlieferungsstück. Im Rahmen einer früheren Untersuchung zur Komposition Mt 16, 13 – 23 par[3] vertrat ich u. a. die Hypothese, nur die Petrusverheißung (16, 18f.) sei vormatthäische Überlieferung; demgegenüber sei der Makarismus V. 17 eine Bildung des Evangelisten und habe deshalb aus der Diskussion der Herkunft und Überlieferungsgeschichte der Petrusverheißung auszuscheiden[4]. Die Reaktion auf diese Beurteilung des V. 17 reichte von ausdrücklicher[5] und impliziter Ablehnung[6] oder doch von einer gewissen Skepsis[7] über referierende Hinweise[8] bis zu ausdrücklicher Zustimmung[9]. Im ganzen hat sich aber bis heute die Gepflogenheit durchgehalten, von „Mt 16, 17 – 19" als einem „Logion", als vormatthäischer Überliefe-

---

* Erstveröffentlichung: P. Hoffmann u.a. (Hrsg.), Orientierung an Jesus (Freiburg 1973) 372 – 393.

[1] Vgl. Bultmann, Geschichte (²1931) 147 – 149. 275 – 278; Ergänzungsheft (1958) zu 147ff.: 21f. und zu 275ff.: 36.

[2] Petrus (1952) 200 bzw. 203f.; ²1960 207 bzw. 210 – 214; dazu Apôtre 94 – 105.

[3] Messiasbekenntnis.

[4] Messiasbekenntnis 159 – 167. 169.

[5] In einer ausführlichen Besprechung K. Romaniuk: Buch Biblijny i Liturgiczny 17 (1964) 346 – 354; Strecker, Weg 202; vgl. auch Roloff, Apostolat 165 mit Anm. 121; Barbagli, Promessa 333 Anm. 34.

[6] Z.B. Ringger, Felsenwort 305; Cullmann, Petrus (2. Aufl.) 207 mit Anm. 1; auch Gerhardsson, Memory 267 mit Anm. 3.

[7] So scheint es im Hinblick auf die deutlichen Semitismen in den Vv. 17 – 19 Grundmann „fraglich, zwischen V. 17 einerseits und V. 18, 19 zu scheiden und für beide Stücke verschiedene Herkunft anzunehmen, wie A. Vögtle es versucht, es sei denn, Matthäus hätte von sich aus V. 18 und 19 durch die Bildung von V. 17 ergänzt und die Brücke zu ihrer Einfügung dadurch gebaut": Matthäus 384f. Vgl. Legault, L'authenticité 47, und wohl auch Roloff, Apostolat 165 Anm. 121.

[8] So bes. von Bultmann, Geschichte, Ergänzungsheft ³1966 23f. 38f.; vgl. jetzt die 4. Aufl. von Theissen und Vielhauer 56f. 91. Obrist, Echtheitsfragen 66 Anm. 104.

[9] So allem nach unabhängig voneinander Hahn, Hoheitstitel 321 Anm. 3; Petrusverheißung 9 und Thyen, Studien 225f. Zu dessen Beanstandung s.u. II. Vgl. auch Zerwick, L'episodio 6; Spinetoli, Vangelo 41f.

rungseinheit, als eingeschobenem Traditionsstück u. ä. zu sprechen[10]. So konnte Trilling trotz der ihm offenbar noch unbekannten neueren Stellungnahmen von Hahn und Thyen[11] jüngst (1971) ohne Übertreibung sagen, es sei „heute weithin anerkannt, daß . . . der ganze Text 16, 17 – 19 ein einziges Traditionsstück bildet", das sekundär in die Caesareaperikope eingefügt worden sei[12]. Auch seinerseits spricht er von „dem Logion 16, 17 – 19"[13].

I. Die durch V. 17 aufgegebene Problematik

Was die Redeweise von der Überlieferungseinheit „16, 17 – 19" vordergründig problematisch macht, ist naturgemäß der Makarismus V. 17. Niemand wagte m. W. zu bestreiten, daß ein vormatthäisches Überlieferungsstück unmöglich mit V. 17 einsetzen konnte, daß sich dieser vielmehr auf etwas Vorangegangenes beziehen muß. Diese Schwierigkeit entfällt natürlich für Autoren, die Cullmanns Hypothese akzeptieren oder nach wir vor die Priorität der Mt-Fassung der Caesareaszene verteidigen und Mt 16, 17 – 19 für die ursprüngliche Antwort Jesu halten[14]. Hierher gehört auch der jüngste Vorschlag von Feuillet. Mittels der von ihm weitergeführten Hypothese der Abhängigkeit gewisser paulinischer Aussagen in Gal 1 – 2 von der Caesareaszene möchte er geradezu ein Indiz für die wesentliche Authentizität von „Mt 16, 16 – 23" gewinnen[15].

Wohl zu unterscheiden von dieser neuesten Hypothese Feuillets sind Vorfahren seiner Erklärungsrichtung wie Gerhardsson und Dupont. In Auseinandersetzung mit der konträren Hypothese von Denis und Refoulé[16] befürwortet Dupont zur Erklärung der Verwandtschaft zwischen Mt 16, 17 und Gal 1, 16 die Möglichkeit, daß Paulus in Gal 1, 16 auf Mt 16, 17 anspiele[17]. Seine Bemerkung, Idee und Vokabular von V. 17 seien die von Mt 11, 25 – 27 par[18] bzw.: in V. 17 spreche der Evangelist dieselbe Sprache wie im Jubelruf 11, 25 – 27[19], wird man kaum dahin verstehen dürfen, erst Mt habe V. 17 gebildet

---

[10] Vgl. z. B. Ringger, Felsenwort 282; Gerhardsson, Memory 267; Stendahl, Matthew 787: 687d; Legault, L'authenticité passim; Sutcliffe, Confession 31 – 41; Haenchen, Komposition 96. 109 u. ö.; Carroll, Peter 268 – 276; Roloff, Apostolat 28. 163f.; Filson, Geschichte 136f. 396; Ritter, Amt 42ff.; Kümmel, Theologie 114f.; Conzelmann, Geschichte 27. 29. 134f.; Bornkamm, Binde- und Lösegewalt 103 – 105; Pesch, Stellung 242; Jeremias, Theologie 291 Anm. 29.

[11] Auch von den am Vergleich mit Gal 1, 15 orientierten Hypothesen von Denis und Refoulé, von denen ausdrücklich der Letztere V. 17 als redaktionelle Bildung des Matthäus erklärt (Primauté 18 – 21), nimmt Trilling keine Notiz.

[12] Trilling, Petrusamt 115.

[13] Freilich merkt er ausdrücklich an, daß die Zugehörigkeit von V. 17 „teilweise bestritten (ist), z. B. von A. Vögtle": ebd. 119 mit Anm. 14.

[14] So z. B. Gaechter, Matthäusevangelium 512ff.; Gundry, Framework 1 – 9; Trocmé, Formation 46f.; Barbagli, Promessa 323 – 353.

[15] Feuillet, Chercher 356 Anm. 2. 357.

[16] Einwirkung von Gal 1, 15f. auf die Mt-Redaktion der Caesareaszene, speziell auf V. 17.

[17] Dupont, Révélation 419f.

[18] Mit Verweis auf meinen Artikel „Messiasbekenntnis": ebd. 416.

[19] A.a.O. 419.

und mit der Petrusverheißung in Verbindung gebracht. Denn aufgrund seiner Hypothese muß er die Überlieferung Mt 16, 16 – 18 (19) der Sache nach zum Zeitpunkt der Abfassung des Galaterbriefes als existent und bekannt voraussetzen, da Paulus in der dort für Petrus beanspruchten Art und Weise auch seine Berufung zum Heidenapostel darstellen soll.

Wie kam es aber dann *vor* der Abfassung des Galaterbriefes zu „Mt 16, 16 – 18"[20] und zu Mt 16, 17 im besonderen? Dupont behauptet weder die diesbezügliche Herkunft von Jesus noch äußert er sich über eine andere Herkunft. Dieser Verzicht ist naturgemäß der schwächste Punkt seiner Gesamtthese, die eben eine Auskunft über die Herkunft von Mt 16, 17 – 19 und von V. 17 im besonderen vermissen läßt.

Gerhardsson, der es schon drei Jahre zuvor als „extremely probable" bezeichnet hatte, daß Paulus das Bevollmächtigungswort „Mt 16, 17 – 19" kannte und die Begründung seines eigenen Apostolates parallel zu jenem beschrieb, bemühte sich um eine diesbezügliche Auskunft. Unter Berufung auf Bultmanns Hypothese[21] hält er es für gut begründbar, daß „v. (16) 17 – 19" aus einer verlorengegangenen Tradition von der Ersterscheinung vor Petrus stammt[22]. Im Unterschied zu Bultmann läßt Gerhardsson Mt 16, 13 – 20 aber aus zwei separaten Traditionen komponiert sein, von denen eben die zweite, nämlich „v. (16) 17 – 19" aus einer verlorengegangenen Erzählung von der Erscheinung vor Petrus gewonnen sei[23]. Mit der Voranstellung von „v. (16)" vor „17 – 19" will Gerhardsson offenbar zu verstehen geben, daß die Protophanieerzählung wohl und allenfalls ein Bekenntnis des Petrus enthielt, nicht aber eine dieses auslösende Frage Jesu; die Jesusfrage (16, 15 (Mk 8, 29a) läßt unser Autor somit aus der Caesareabekenntnistradition entnommen sein.

Kann diese Modifizierung der Hypothese Bultmanns aber wirklich befriedigen? Ein von V. 17 gefordertes logisches Objekt (Inhalt des ἀπεκάλυψεν) wird – wenigstens rein formal gesehen – nur dann gewonnen, wenn V. 16 bzw. ein Bekenntnis Petri mit Bestimmtheit für die vorausgesetzte Protophanieerzählung beansprucht wird. Dann drängt sich aber zum wenigsten folgendes Bedenken auf: wirkt der Makarismus V. 17, speziell das betonte „nicht Fleisch und Blut" (nicht aus deinem menschlichen Selbst) als Antwort des Erscheinenden auf ein – wie auch immer formuliertes – Bekenntnis des Petrus zur Auferweckung und ihrer christologischen Bedeutung, nicht doch recht befremdend? Die ausgeführten Erscheinungserzählungen lassen jedenfalls keine Spur eines Analogons zu (dem als Wort des Erscheinenden beanspruchten) V. 17 erkennen. Trotz der mit Recht beachteten starken Übereinstimmung mit

---

[20] A.a.O. 417.
[21] Nach Bultmann handelt es sich bei der jetzt mit der Ortsangabe Caesarea Philippi verbundenen Messiasbekenntnisszene (Mk 8, 27 – 30 par) um eine von Markus in das Leben Jesu zurückprojizierte Osterlegende. Während Markus (oder ein anderer vor ihm) aufgrund antipetrinischer Polemik den ursprünglichen Schluß ihres Messiasbekenntnisses weggebrochen habe, habe Matthäus mit einer ihm vorliegenden Parallelüberlieferung denselben erhalten, nämlich in den Vv. 17 – 19: Geschichte 275 – 278; Theologie (1965) 27 f. 46; weniger bestimmt in: Johannes 551 f.
[22] Memory 266 – 271. 267.
[23] A.a.O. 267.

Mt 16 läßt sich Gal 1 zudem nicht einfach als sinngleiche Parallele zu Mt 16, 16 ff. beanspruchen.

Die Gegenüberstellung von Mensch und offenbarendem Gott begegnet hier und dort doch in sehr unterschiedlichen Relationen. Im Rahmen einer petrinischen Protophanieerzählung würde der Makarismus Mt 16, 17 den offenbarenden Gott dem Apostel selbst (Petrus) gegenüberstellen, nämlich das Bekenntnis zum Auferstandenen, etwa zu seiner Gottessohnschaft, der Erkenntnisfähigkeit Petri absprechen. Hingegen stellt Paulus Gal 1, 12 die ihm widerfahrene ἀποκάλυψις Ἰησοῦ Χριστοῦ dem Empfangen und Lernen des Evangeliums „von einem Menschen" gegenüber; bei diesem „ἀνθρώπου" denkt er nicht an sich selbst sondern an andere Menschen, die er nachdrücklich als Ursprung seines Evangeliums ausschließen will. Nichts berechtigt zu der Annahme, Paulus wolle Gal 1, 13 bis 16 a die Möglichkeit abwehren, sein Glaube an den Gekreuzigten als den Sohn Gottes beruhe auf seinem eigenen Erkenntnisvermögen – statt auf göttlicher Offenbarung. Daß er von sich aus Jesus als den Gottessohn und damit den Grund und Inhalt seines Apostolates erkannt haben könne, ist für Paulus ein unvollziehbarer Gedanke und offensichtlich auch nicht das, was die Gegner ihm vorwerfen. Die Fortsetzung 1, 16 b „(als mir Gott seinen Sohn geoffenbart hatte) wandte ich mich nicht sogleich an Fleisch und Blut" kann das nur bestätigen. Die Konsoziierung des gut rabbinischen, in den Evangelien ausgerechnet in Mt 16, 17 und nur hier begegnenden Ausdrucks „Fleisch und Blut" mit der Idee der göttlichen Offenbarung Jesu als des Sohnes Gottes muß auf den ersten Blick freilich frappierend wirken, zumal man an beiden Stellen dieselbe fundamentale Antithese zwischen Gott und Mensch entdecken kann[24]. „Fleisch und Blut" bezieht sich Gal 1, 16 b aber nicht auf den die Christophanie d. i. die göttliche Offenbarung empfangenden Apostel selbst, wie Mt 16, 17 im Rahmen einer petrinischen Protophanieerzählung zu verstehen wäre, sondern auf andere Menschen[25]. Da die durch Gott geschehende Offenbarung des Sohnes Gottes 1, 15. 16 b als erfolgt vorausgesetzt ist, kämen diese anderen Menschen („Fleisch und Blut") im Kontext von Gal 1 zudem nicht für die Erstmitteilung sondern nur für eine nachträgliche Stellungnahme zu der Paulus zuvor zuteilgewordenen Offenbarung des Sohnes Gottes in Betracht. Verständlicherweise schließt Paulus in der Situation von Gal 1 auch diese Möglichkeit aus, um die Unmittelbarkeit seines Apostolates nachdrücklich herauszustellen. Ganz abgesehen davon, daß Gal 1 auch nicht andeutend von einem Bekenntnis Pauli zum Auferstandenen spricht, das dieser dann auf göttliche Offenbarung zurückgeführt hätte, erscheint mir der Versuch, von Gal 1, 15 f. her „Mt 16, 17 – 19" als Bestandteil einer älteren petrinischen Protophanieerzählung wahrscheinlich machen zu wollen, als sehr problematisch[26].

---

[24] Vgl. etwa Schweizer: ThW VII 123, 23 ff. 128, 12 ff.; Dupont, Révélation 416. 418 f.

[25] Konkret dürfte Paulus hier „nicht an einzelne Apostel" denken, „sondern an irgendwelche Christen, die der Offenbarung gegenüber auch unter die Kategorie der Menschen fallen": Schlier, Galater 58.

[26] Zur Frage der umgekehrten Möglichkeit, daß nämlich die Gal 1, 15 f. bezeugte Darstellung der Herkunft des Apostolats Pauli die Formulierung einer die universale Sondermission Petri begründenden Christophanie- bzw. Protophanieerzählung mitbestimmte, vgl. u. Anm. 55.

Entschieden schwächer ist naturgemäß die Position von Autoren, die Matthäus ausdrücklich nur die Verse 16, 17 – 19 der Protophanieerzählung entnehmen und in die Caesareaszene einordnen lassen, ohne die Frage nach dem Bezugsobjekt des Makarismus V. 17 auch nur zu erwähnen[27]. Diese unabweisbare Frage schenken sich merkwürdigerweise auch Autoren, die auf der Suche nach der Herkunft der entscheidenden Verse 18 – 19 die m.E. meistversprechende Fährte einschlagen. Sie sprechen ausdrücklich vom „Ursprungsort für Mt 16, 17 – 19"[28], ohne diese Verse etwa einer ad hoc konzipierten Protophanieerzählung zuzuweisen bzw. ohne sich darüber zu äußern, warum und mit welchem Bezug dem Bevollmächtigungswort 16, 18 f. noch der Makarismus vorangestellt wurde[29]. Oder soll man es schließlich mit Marxsen halten? „Wo die Verse 17 – 19 ursprünglich hingehören, wird sich kaum mehr feststellen lassen, es sei denn, man begibt sich auf das Gebiet ganz unsicherer Vermutungen."[30] Aber kann die hier gemachte Voraussetzung, daß nämlich die Verse 17 – 19 von ihrem Ursprung her zusammengehörten und dem Evangelisten vorgegeben waren, denn schon als bewiesen gelten? Das ist doch wohl die primäre Frage.

II. Möglichkeit und Grenzen der Protophanieerzählungshypothese

Wie bereits erwähnt, wurde diese Frage jüngst besonders von Hahn und Thyen verneint, die mit mir V. 17 für eine erst matthäische Bildung halten[31]. Meine gleichzeitige Meinung, es sei „wohl denkbar, daß die Petrusverheißung (18 f.) ohne Rahmenbericht tradiert wurde . . ."[32], erscheint Thyen hingegen „unbefriedigend". Er modifiziert deshalb die früher von ihm selbst vertretene

---

[27] So namentlich STRECKER, Weg 201. 203 f. 206 f. Anm. 4, der besonders nachdrücklich betont, daß V 17 nicht als redaktionelle Bildung des Evangelisten in Betracht komme (202). Die unabweisbare Frage nach dem Bezugsobjekt von V. 17 in dem Evangelisten „wahrscheinlich schriftlich" vorgelegenen Protophanieerzählung (203 f.) erfährt natürlich noch nicht die geringste Beantwortung mit der an sich ernstzunehmenden Erwägung, daß der singuläre Beiname Bariona aus der Tradition stammen müsse, und mit der anschließenden rhetorischen Frage: „Welcher Überlieferungszusammenhang liegt näher als der gegebene, zumal für Matthäus kein Anlaß bestand, V. 4 (und nicht schon zu 4, 18) auf den Namen zurückzugreifen?" (202). Demgegenüber läßt sich bei Grundmann immerhin eine indirekte Äußerung zum ursprünglichen Bezugsobjekt von V. 17 aufdecken, nämlich in dem – freilich zweifelhaften – Hinweis: „Beachtlich bleibt im Zusammenhang Joh 21, 15 – 17, daß auch hier die Bestallung zur Leitungsfunktion mit dem Bekenntnis des Petrus verbunden ist, in dem er seine Liebe zu Jesus ausspricht": Matthäus 394.
[28] BORNKAMM, Binde- und Lösegewalt 105; vgl. auch PESCH, Stellung 242, und etwas vorsichtiger TRILLING, Petrusamt 119 Anm. 14. In einer früheren Formulierung derselben Entstehungshypothese sprach übrigens auch BORNKAMM nur von „Mt 16, 18 f.": Der Auferstandene (1964) 184 mit Anm. 57.
[29] Auch CARROLL läßt z.B. nicht den geringsten Anhaltspunkt erkennen, warum er schreibt: „Matthew XVI 17 – 19 [anstatt: 18 – 19] is in a sense, a ‚Declaration of Independence' produced by the church in Antioch – a center of both the Gentile and Jewish Christian missions": Peter 276. Auch die Auskunft von HAENCHEN, Komposition 98 – 100, hilft nicht weiter.
[30] „Frühkatholizismus" 46 f.; vgl. auch 73 f. Anm. 3.
[31] Vgl. oben Anm. 9.
[32] Messiasbekenntnis 164.

Hypothese Bultmanns[33] dahin, Matthäus habe das in einer Protophanieerzählung enthaltene, daselbst aber mit der Petrusverheißung beantwortete Gottessohnbekenntnis Simons mit der Caesarea-Philippi-Perikope kombiniert[34]. Näherhin vermutet er folgenden Wortlaut dieser Vorlage:

. . . σὺ εἶ ὁ υἱὸς τοῦ θεοῦ τοῦ ζῶντος.

ὁ δὲ Ἰησοῦς εἶπεν· κἀγὼ δέ σοι λέγω

σὺ εἶ Σίμων Βαριωνά, σὺ κληθήσῃ Κηφᾶς κτλ.

Thyen versäumt es auch keineswegs, einen Grund für die Bildung der vorausgesetzten Protophanieerzählung zu nennen. Vor allem unter Berufung auf Bornkamm[35] denkt er an „eine antiochenische Entstehung in der Zeit nach der dortigen Auseinandersetzung zwischen Petrus und Paulus"[36].

1. Auch ich halte das für einen sehr diskutablen Versuch, die nachösterliche Bildung der Petrusverheißung 16, 18f. verständlich zu machen. Darüber hinaus öffne ich mich gern der Protophanieerzählungshypothese — soweit es um die Petrusverheißung selbst geht. Für die ursprüngliche Situierung von 16, 18 in einer Protophanieerzählung sprechen m. E. zunächst und vor allem generelle Gesichtspunkte. Einmal darf man die Kenntnis der uralten Überlieferung von der Protophanie vor Kephas voraussetzen. Sodann ist das Sendungsmotiv der ausgeführten Erscheinungserzählungen sicher weit älter als dessen unterschiedliche Formulierungen in den Evangelien und der Apostelgeschichte[37]. Sollte zu dem Zeitpunkt, da man Petrus in der 16, 18f. vorliegenden Weise als den vollmächtigen Lehrer und Leiter der Kirche Christi herausstellen wollte, nicht erst recht das Bedürfnis empfunden worden sein, diese Sondermission durch den erhöhten Herrn selbst aussprechen zu lassen? Sofern mit dem auch von Thyen befürworteten Entstehungsgrund zu rechnen ist, könnte noch hinzugekommen sein, daß Paulus sein Heidenapostolat nicht erst und nur den Galatern gegenüber ausdrücklich auf die Berufung durch den Auferstandenen zurückführte. Schließlich ist zu bedenken, daß es sich bei Mt 16, 18f. um ein „Christuswort" besonderer Art handeln würde, insofern dieses einen konkreten einzelnen, in diesem Fall Petrus, anredet und dazu exzeptionell bevollmächtigt. Die Möglichkeit, daß Petrus selbst von einem christlichen Propheten mit 16, 18f. angesprochen wurde, kann man m. E. nach wie vor nicht schlechthin ausschließen. Aus den genannten Gründen scheint mir die Möglichkeit, daß 16, 18f. ausdrücklich als Wort des Erscheinenden beansprucht und deshalb von Haus aus in eine Protophanieerzählung situiert wurde, aber entschieden näher zu liegen.

Zu diesen mehr generellen Erwägungen kommt ein spezieller traditionsgeschichtlicher Aspekt. Im Blick auf die ausgeführten Erscheinungserzählungen ist die Petrusverheißung selbst (16, 18f.) zweifellos dasjenige Stück, dessen ursprüngliche Beheimatung in einer Protophanieerzählung sich am ehesten

---

[33] Studien 218 Anm. 1: mit Verweis auf RGG³ V Sp. 1449–1451.

[34] A.a.O. 226f. 229. 234.

[35] Vgl. jetzt besonders: Binde- und Lösegewalt 104–106.

[36] 231f. Diese Hypothese hatte zuerst durch v. CAMPENHAUSEN Boden gewonnen: Amt 142.

[37] Vgl. BORNKAMM, Der Auferstandene 171f. 175; zuletzt KASTING, Anfänge 34–52.

begründen läßt, nämlich mit Jo 21, 15–17 und 20, (19–) 23, worauf auch Thyen sich beruft[38].

2. Die eigentliche Schwierigkeit beginnt mit der Annahme, in dieser Erzählung sei der Petrusverheißung ein Bekenntnis Petri vorausgegangen. In dieser Hinsicht versagt nun einmal auch Jo 21, 15–17, obwohl der Ausgangspunkt von der dreimaligen Verleugnung Petri (zumal in Verbindung mit einem „wunderbaren" Fischfang) ein ausdrückliches Bekenntnis zur heilsgeschichtlichen Bedeutung Jesu – anstatt der Versicherung der Liebe – an sich ermöglicht hätte. Nach Spuren eines Petrusbekenntnisses Ausschau haltend, verweist Thyen auf Hartmanns Vermutung einer Vorlage zu Jo 20, der zufolge immerhin die Jünger insgesamt den Auferstandenen mit „unser Herr und Gott" anredeten, ehe dieser ihnen den Geist und die Sündenvergebungsvollmacht verlieh[39]. Auf diesen Rekonstruktionsversuch, den Thyen gerade in dieser Partie als „wohlfundiert" erachtet[40], wage ich, ehrlich gesagt, nicht zu bauen, solange die von ihm in Aussicht gestellte[41] weiterführende Begründung der Hypothese Hartmanns nicht vorliegt. Zuvor nannte Thyen an erster Stelle die vorpaulinische Bekenntnisformel Röm 1, 3f. als Indiz, daß „das Bekenntnis Simons zum υἱὸς τοῦ θεοῦ τοῦ ζῶντος möglicherweise in die Ostertradition (weist)"[42].

Die entscheidende Stütze dieser waghalsigen Kombination möchte er selbst in „dem auffällig betonten κἀγὼ δέ σοι λέγω" Mt 16, 18a erblicken. Dieses erfordere ein vorausgehendes Wort des Petrus an Jesus, das eben in dem (σὺ εἶ) ὁ υἱὸς τοῦ θεοῦ τοῦ ζῶντος enthalten sei[43]. Jenes Element Mt 16, 18a ist aber schon deshalb nicht beweisend, weil Matthäus ohnedies jedenfalls ein Wort Petri an Jesus in seiner uns bekannten Vorlage, nämlich in der Caesareaszene vorgefunden und – wie ja auch Thyen selbstverständlich ist – aufgenommen hat (nämlich σὺ εἶ Χριστός), insofern also auf ein voraufgehendes Wort Petri an Jesus in einer Protophanieerzählung nicht angewiesen war. Trotz der in Mt 16 zusätzlichen VV 17–19 erweckt die fundamentale strukturelle Übereinstimmung zwischen Mt 16, 13–20 und Mk 8, 27–33[44] zudem stärksten den Eindruck, Matthäus habe überhaupt nur *eine* Bekenntnisszene gekannt, nämlich die von Mk 8. Sodann gibt zu denken, daß die eigentliche In-

---

[38] Studien 230. 237f. Auf die Diskussion der Einzelfragen, besonders des kaum überzeugenden traditionsgeschichtlichen Prozesses, den Thyen für Jo 20, 23 bzw. das Binde- und Lösewort beansprucht, muß hier aus Raumgründen verzichtet werden. Die stärkeren Gründe sprechen m. E. dafür, daß das Binde- und Lösewort von seinem Ursprung her in der Petrusverheißung (Mt 16, 19) beheimatet ist; vgl. besonders BORNKAMM, Binde- und Lösewort 101–107.

[39] Studien 243 Anm. 5; 245.

[40] A.a.O. 245 mit Anm. 2.

[41] Nämlich in der Neubearbeitung des Ergänzungshefts zu Bultmanns Johanneskommentar: 245 mit Anm. 3.

[42] 229. Für eine Erscheinungsüberlieferung, die ein Bekenntnis Petri zur Gottheit Jesu enthielt, plädierte 1962 auch SUTCLIFFE, der den Auferstandenen dieses – im Unterschied zu Thyen – aber mit 16, 17–19 beantworten ließ: Confession 31–41. 275f.

[43] 227.

[44] Doppelfrage Jesu an die Jünger (Mt 16, 13–15) – das von Petrus ausgesprochene Messiasbekenntnis (16, 16) – Redeverbot Jesu (16, 20).

itiative in den Erscheinungserzählungen durchweg vom Erscheinenden selbst ausgeht und christologische Jüngerbekenntnisse fehlen, und zwar auch dort, wo das eindeutig vorherrschende Motiv, das der bevollmächtigenden Sendung (im weiten Sinne des Wortes), begegnet[45]. Man darf diese Fehlanzeige gewiß nicht leichthin abtun, weil sich das angeblich beweisende „und *ich* sage dir" gerade dann bestens erklären dürfte, wenn man mit Thyen sowohl Matthäus das Caesarea-Bekenntnis „du bist der Christus" aufnehmen und erweitern läßt als auch zugleich in Mt 16, 17 eine matthäische Bildung erblickt (s. u. III). Daß in der vorausgesetzten Protophanieerzählung der Petrusverheißung (16, 18f.) ein Wort Petri an Jesus, näherhin ein Gottessohnbekenntnis, voraufging, läßt sich m. E. so gut wie nicht begründen.

3. Als Anfang der Antwort Jesu auf das Gottessohnbekenntnis Petri „vermutet" Thyen „im Blick auf die offenbare Überlieferungsvariante in Jo 1, 42": σὺ εἶ Σίμων Βαριωνά, σὺ κληθήσῃ Κηφᾶς κτλ. Das κτλ. kann hier nur besagen wollen, die Fortsetzung habe gelautet, wie Mt 16, 18f. zu lesen ist, nämlich καὶ ἐπὶ ταύτῃ τῇ πέτρᾳ . . . Daß dieser Spruch im Griechischen je so (Κηφᾶς-πέτρα) lautete, ist sprachlich aber sehr unwahrscheinlich und unter Voraussetzung der auch von Thyen befürworteten Antiochia-Hypothese zudem gar nicht nötig, wenn man an die Bezeugung der Namensübersetzung Πέτρος in Gal 2 denkt. Warum Thyen trotzdem für die Protophanieerzählung Κηφᾶς (Jo 1, 42) voraussetzt, ist leicht zu erraten. Es dient ihm offenbar als willkommenes Indiz, um für eine ältere, beiden Evangelisten vorliegende Fassung von Jo 1, 42 eine zweite semitisch-altertümliche Namensform, nämlich – statt ὁ υἱὸς Ἰωάννου (Jo 1, 42) – das Βαριωνά von Mt 16, 17 zu postulieren und in der Vorlage verankern zu können[46].

So verständlich dieses spezielle Anliegen ist, steht die zitierte Wortlautrekonstruktion m. E. auf schwachen Füßen, und zwar auch dann, wenn man als ältere Fassung von Jo 1, 42 bzw. der Protophanieerzählung noch großzügiger im ersten σύ-Wort Βαριωνᾶ(ς) (statt ὁ υἱὸς Ἰωάννου) und im zweiten Πέτρος (statt Κηφᾶς) voraussetzen würde. Leider kann ich die anstehende Problematik nur andeuten. Daß Matthäus in 16, 18 das erste Du-Wort ausgelassen hätte, nachdem er dessen Prädikatsnomen „Simon Bariona" bereits als Anrede in seinem Makarismus V. 17 verwendet hatte, wäre ohne weiteres verständlich. Warum übernahm er dann aber nicht wenigstens das zweite Du-Wort σὺ κληθήσῃ Κηφᾶς bzw. Πέτρος? Die Erklärung, er habe wegen 4, 18 in 16, 18 auf die „Namensverleihung" verzichten können[47], erweist sich bei näherem Zusehen keineswegs als so einleuchtend, wie auf den ersten Blick erscheinen mag. Der schwächste Punkt ist m. E. die Beanspruchung des ersten Du-Wortes für eine Protophanieerzählung. An sich könnte – worauf Thyen selbst freilich nicht abhebt – in einer Protophanieerzählung ein „*Du* bist Simon Bariona" (bzw. auch „der Sohn des Johannes") als Gegenschlag auf ein

---

[45] In der ohnedies singulären und sicher jungen Thomas-Perikope Jo 20, 24 – 29, die allein ein christologisches Bekenntnis aufweist, fehlt das Sendungsmotiv völlig.

[46] Vgl. THYEN 226.

[47] 226; vgl. auch STRECKER, Weg 206f. Anm. 4.

unmittelbar voraufgehendes „du bist der Sohn des lebendigen Gottes" durchaus als passend empfunden werden. Aber auch nur in diesem Falle. Denn ohne dieses Bekenntnis würde jene betont identifizierende Anrede Simons durch Jesus höchst überflüssig und merkwürdig gespreizt klingen. Daß der Erscheinende es mit Simon zu tun hat, diesen als solchen kennt, wäre in einer Protophanieerzählung ja doch selbstverständlich – auch wenn er sagen wollte: „du wirst Kephas genannt werden". Deshalb scheinen mir folgende Momente ins Gewicht zu fallen. Einerseits erwies sich die Annahme jenes Gottessohnbekenntnisses bzw. überhaupt eines christologischen Bekenntnisses als der am wenigsten begründete und begründbare Punkt einer Protophanieerzählung. Andererseits läßt sich die im Neuen Testament singuläre, für eine Protophanieerzählung befremdliche identifizierende Anrede *„Du* bist Simon der Sohn des Johannes (bzw. Bariona)" – wie auch die nachfolgende Verheißung des Kephas-Namens – aus dem jetzigen Kontext von Jo 1, 42 völlig ungezwungen als spezifisch johanneische Formulierung erklären. Das göttliche Wissen des johanneischen Christus muß sich darin zeigen, daß Andreas den ihm Zugeführten nicht vorzustellen braucht, daß Christus selbst Simon auf den Kopf zusagt, wie er heißt, welcher Simon er ist, um anschließend noch bedeutsameres Wissen, nämlich seinen künftigen Namen und damit seine besondere Bedeutung, auszusprechen[48]. Um den Offenbarer voraussagen zu lassen „du wirst Kephas genannt werden", bedurfte es seitens des Evangelisten nicht mehr als der Kenntnis des Kephas- = Petros-Namens. Kann man dem Evangelisten nicht zutrauen, daß er die bei Paulus übliche Gräzisierung des aramäischen „kefa" kannte und es passend fand, diese in den Mund Jesu zu legen?

Im übrigen kann das die Namensdeutung (Mt 16, 18 f.) vorbereitende σὺ εἶ Πέτρος sehr wohl die ursprüngliche Form der Einführung des Petrusnamens sein. Wer die vorösterliche Verleihung des Kepha-Namens durch Jesus vertritt[49] oder – was eher in Betracht käme – Jesus selbst den Kepha-Namen verheißen läßt, kann den Auferstandenen mit „du bist Petrus" an die frühere Verheißung des Namens anknüpfen bzw. die Einlösung der Namensverleihung konstatieren lassen. Die direkte „Verleihung" des Kepha-Namens durch den irdischen Jesus läßt sich allerdings schon gar nicht begründen[50], und eine Verheißung desselben kann man m. E. kaum überzeugend oder doch nur unter sehr anfechtbaren Prämissen in die Situation und Verkündigung des Erdenwirkens Jesu einordnen[51]. Die heute zunehmend vertretene Hypothese des nachösterlichen, letztlich auf der Protophanie vor Simon basierenden Aufkommens der Kepha-Bezeichnung[52] sieht sich unleugbar geringeren Schwierig-

---

[48] Vgl. auch SCHNACKENBURG, Johannesevangelium I 310.

[49] Vgl. in letzter Zeit u. a. SCHMID, Petrus 347 – 359; GANDER, G., La notion primitive d'Eglise d'après l'Evangile selon s. Matthieu 16, 18 et 19 (Aix-en-Provence 1966) 63 – 65; RIGAUX, Petrus 590 f.; ROLOFF, Apostolat 165; GRUNDMANN, Matthäus 393; HAHN, Petrusverheißung 10; HENGEL, Ursprünge 33; TRILLING, Petrusamt 115.

[50] Wie vor allem DINKLER aufgezeigt hat: Petrus-Rom-Frage I 196 f.; ders.: RGG³ V Sp 247.

[51] Vgl. VÖGTLE, Jesus 22 – 24.

[52] Vgl. außer DINKLER a.a.O. 196 f.; KLEIN, Verleugnung 304; CONZELMANN, Analyse 8 Anm. 5; 9 Anm. 53; THYEN, Studien 228; KASTING, Anfänge 87; PESCH, Stellung 241.

keiten gegenüber als die Hypothese der jesuanischen Herkunft, obwohl bis heute noch nicht sicher geklärt werden konnte, wie es genau zur Bezeichnung Simons als Kepha kam. Diese schwierige Frage kann hier indes auf sich beruhen bleiben, weil das hohe, nämlich vorpaulinische Alter des Kepha-Namens (vgl. 1 Kor 15, 5) nicht zu bezweifeln ist. „Was am Sprachgebrauch des Paulus wichtig ist, das ist dies, daß hier Kephas bzw. Petros offenbar bereits zum *Eigennamen* geworden ist. Der ursprüngliche Name Simon ist verschwunden, Paulus scheint ihn nicht zu kennen."[53] Der Name Κηφᾶς = Πέτρος existierte also schon längst, ehe es zur Bildung der Mt 16, 18 vorliegenden Deutung desselben kam[54]. Die Formulierung „du bist Petrus" muß deshalb nicht unbedingt von der Vorstellung ausgegangen sein, der Petrus-Name sei Simon vom irdischen Jesus verliehen oder wenigstens verheißen worden. Sie erklärt sich ebenso gut aus dem sozusagen selbstverständlichen Besitzstand zur Zeit der Formulierung der Petrusverheißung Mt 16, 18 f. Zu dieser Zeit − also vermutlich in dem der Auseinandersetzung von Gal 2, 1 ff. nachfolgenden Einbruch judenchristlicher Tradition in das hellenistische Christentum − „ist" Simon eben schon längst „Kephas" = „Petros". Auch im Rahmen einer Protophanieerzählung läßt sich das identifizierende „du bist Petrus" somit sehr wohl als ursprüngliches Anfangsglied des petrinischen Vollmachtswortes (Mt 16, 18 f.) verständlich machen.

Von sekundärem Belang ist nebenbei die weitere Frage, ob die Fortsetzung ursprünglich präsentisch oder futurisch gehalten war. Das Futur ist im Munde des Erhöhten sinnvoll, ob man den Sprecher seinen Standort nun strikt zeitlich in der der Vergangenheit angehörenden Christophanie vor Petrus selbst oder aber in der Gegenwart, zum Zeitpunkt der Konzipierung der Ausdeutung des Petrusnamens, einnehmen läßt. Denn auch im letzten Fall duldet das Faktum der Konzipierung dieses Vollmachtswortes keinen Zweifel am Interesse an der zugleich weiterbestehenden, wenigstens in der nächsten Zukunft noch andauernden Geltung der Aussage, daß Christus seine Kirche auf Petrus als den Felsen baut und (der noch lebende) Petrus die ihm verliehene Schlüsselgewalt ausübt.

Zusammenfassend meine ich urteilen zu sollen: Die ursprüngliche Beheimatung des Bevollmächtigungswortes Mt 16, 18 f. in einer petrinischen Protophanieerzählung scheint mir eine beträchtliche Wahrscheinlichkeit für sich zu haben. Hingegen dürften die bis jetzt vorgetragenen Begründungen kaum ausreichen, um weitere Wortüberlieferungen als Bestandteile dieser Protophanieerzählung beanspruchen zu können[55].

---

[53] Schmid, Petrus 357.

[54] Zwar meinte auch ich früher (LThK² VIII 336) vertreten zu sollen: weil kefa lediglich eine Sachbezeichnung war, habe diese Petrus nie beigelegt werden können, ohne daß zugleich eine Namenserklärung hinzugefügt wurde. Angesichts der Rolle, die das „Fels"-Motiv in der religiösen Bildsprache des Judentums spielte (zur Information über Quellen und Literatur vgl. Rigaux, Petrus 595), wage ich auf dieser Argumentation freilich nicht mehr zu bestehen.

[55] Angesichts der beträchtlichen Rolle, welche die Möglichkeit einer Wechselbeziehung zwischen Gal 1, 15 f. und Mt 16 in der Diskussion spielt, könnte man noch die Frage stellen, ob Gal 1 einen Ansatzpunkt für die Rekonstruktion einer petrinischen Protophanieerzählung abgeben könnte (soviel ich sehe, findet sich bei Thyen selbst keinerlei Hinweis auf Gal 1, 15 f.). Könnte also jene nomistische Reaktion, die Petrus als die wahre apostolische Lehrautorität hervorheben wollte, den Anspruch Pauli, Gott habe ihm vor Damaskus seinen Sohn geoffenbart, damit er ihn unter

III. Protophanieerzählung und Matthäus-Redaktion

Läßt sich unter dieser Voraussetzung Mt 16, 13 – 20 befriedigend als Komposition und Redaktion des Evangelisten erklären?[56] Zugunsten seiner These, „Mt 16, 17 – 19" sei ein dem Evangelisten vorgegebenes Traditionsstück, macht Strecker geltend, Matthäus habe durch 14, 33 das Gottessohnbekenntnis des Petrus von 16, 16 bereits vorweggenommen, so daß dieses „im Rahmen der Redaktion nichts grundsätzlich Neues (enthält), das die individuelle Beschränkung des folgenden Makarismus auf die Person des Petrus rechtfertigen würde"[57]: Dazu komme die redaktionelle Vorwegnahme der Antwort durch die Einfügung des Menschensohntitels in 16, 13[58]. Muß man dem Evangelisten aber gleich eine doppelte Gedankenlosigkeit zuschreiben?

1. Grundmann dürfte m. E. richtiger empfinden, wenn er eine Abwertung des Bekenntnisses Mt 16, 16 durch das von 14, 33 negiert[59]. Jenes ist in der Tat nicht gleichbedeutend mit dem von 14, 33. Hier ist das Bekenntnis zu Jesus als Sohn Gottes wie die damit verbundene Proskynese der Jünger der folgerichtige Schluß „einer eigentlichen Epiphanieerzählung"[60]. Dazu paßt auch bestens die Formulierung ἀληθῶς θεοῦ υἱὸς εἶ, die vielleicht mit Recht als „Übernahme aus der Tradition" zu bewerten ist[61] und – ohne die definitiven Artikel – jedenfalls nicht die Akzentuierung des ὁ υἱὸς τοῦ θεοῦ τοῦ ζῶντος von 16, 16 erreicht. Vor allem ist zu beachten, daß diese Prädizierung von 16, 16 interpretierende Apposition zu dem Christos-Prädikat ist und letzteres in 14, 33 völlig fehlt. Und das hängt mit der Verschiedenheit der Bekenntnissituationen zusammen. In 14, 33 wurde das Jüngerbekenntnis durch ein Epiphaniewunder

---

den Heiden verkünde (Gal 1, 15f.), in der Form auf Petrus übertragen haben, daß sie in einer Protophanieszene Simon den Auferstandenen als den Sohn Gottes bekennen und dieses Bekenntnis nachdrücklich durch Christus auf die Offenbarung Gottes zurückführen ließ, um dann die apostolische Sondermission Petri (Mt 16, 18f.) aussprechen zu lassen? Auf eine Diskussion dieser Möglichkeit, mit der m. E. kaum ernstlich zu rechnen ist, muß hier verzichtet werden. Von dieser unwahrscheinlichen „Möglichkeit" ist übrigens die von Denis (L'investiture 335 – 362; 492 – 515) und Refoulé (Primauté 1 – 41) befürwortete Hypothese zu unterscheiden. Sie lassen Matthäus zur Unterstreichung der Bevollmächtigung des Petrus (Mt 16, 18f.) die markinische Caesarea-Bekenntnisszene ergänzen und redigieren nach der Art und Weise, in der Paulus Gal 1, 15f. von seiner Berufung als Heidenapostel durch die ihm widerfahrene Christophanie sprach. Denis und Refoulé rechnen aber offenbar nicht mit der erst nach-österlichen Bildung des Vollmachtswortes Mt 16, 18f.

[56] Dieselbe Frage bleibt bestehen unter der immerhin nicht auszuschließenden Voraussetzung, daß der Evangelist Mt 16, 18f. nur mehr als isolierten Herrenspruch gekannt hat, was übrigens auch für Strecker immerhin „denkbar" ist: Weg 202.

[57] Weg 206. Auch Cullmann spricht von einer gewissen Abwertung des Petrusbekenntnisses von 16, 16 durch das Jüngerbekenntnis von 14, 33, was eben u. a. seine Hypothese bestätige, daß Mt 16, 17 – 19 aus einer anderen Situation, nämlich seines Erachtens der Abendmahlssituation, eingetragen sei: Petrus 201f.

[58] Strecker, Weg 206 Anm. 2; vgl. 125; vgl. Marxsen: „Denn der Menschensohn ist ja der Messias": „Frühkatholizismus" 45.

[59] Matthäus 384.

[60] Hahn, Hoheitstitel 313f.

[61] Schweizer, ThW VIII 382, 2ff. mit Anm. 330.

ausgelöst und erfolgte insofern spontan. In 16, 16 hingegen erfolgt es, wie schon in der Vorlage Mk 8, 27 ff., als Antwort auf die ausdrückliche Frage Jesu nach dem „Wer" seiner Person[62]. Und zwar erfolgten Fragen und Antworten schon in der Vorlage Mk 8 in typisch alttestamentlich-jüdischem Denkhorizont. Das zeigen sowohl die Volksmeinungen als auch die über diese hinausgehende höhere, nämlich messianische Einschätzung der Sendung Jesu seitens der Jünger, die Jesus durch seine die Jünger „den Leuten" gegenüberstellende Anrede ὑμεῖς δὲ . . . gewissermaßen provoziert. Weil die Frage nach der eschatologischen Bedeutung Jesu das Thema der Caesareaszene ist und eben auch von Matthäus übernommen wird, darf man schon deshalb nicht so tun, als wäre das Bekenntnis zum „Christos" in 16, 16 im Vergleich zu dem nachfolgenden „der Sohn des lebendigen Gottes" belanglos; als ginge es schon in 14, 33 um dasselbe Bekenntnis wie in 16, 16.

2. Nun darf man von zwei Voraussetzungen ausgehen. Einmal davon, daß Matthäus die markinische Caesareaszene übernahm als erzählerischen Rahmen und dem wesentlichen Inhalt nach. Sodann von dem unbestreitbaren Interesse des Evangelisten, das ihm überlieferte Christuswort über Petrus als den maßgebenden apostolischen Garanten der Auslegung des Gotteswillens (16, 18 f.) in seine Schrift aufzunehmen[63]. Weil und insofern dieses Christuswort mit „du bist Petrus" begann, *konnte* zumindest das „du bist der Christus" der markinischen Caesareaszene den Evangelisten auf den Gedanken bringen, das Bevollmächtigungswort an Petrus an dieser Stelle unterzubringen. Petri Bekenntnis zur heilsgeschichtlichen Würde Jesu von diesem mit der heilsgeschichtlichen Funktion Petri beantworten zu lassen, konnte sich unter formalem und sachlichem Aspekt geradezu aufdrängen.

3. Mit ὁ Χριστός lieferte die Caesareaszene einen christologischen Würdenamen, der auch für Matthäus selbstverständliche Geltung behielt (vgl. schon 1, 16), für sich genommen jedoch nicht schon die ihm angelegene Gottessohnschaft Jesu betonte[64]. Bereits aufgrund dieses christologischen Interesses mußte der Evangelist das ihm vorliegende Christos-Bekenntnis geradezu als Anreiz empfinden, durch die Hinzufügung von „der Sohn des lebendigen Gottes" eine in seinen Augen adäquate Formulierung des Christusglaubens zu bieten[65].

4. Sodann läßt sich für Mt kaum eine starke Unterstreichung des Gedankens bestreiten, daß die Gottessohnschaft des Messias Jesu ein Geheimnis ist, das nicht einfach menschlicher Konstatierung offensteht, sondern Gegenstand

---

[62] Wie die Einführung des Menschensohntitels in 16, 13 zu beurteilen ist, kann hier zunächst außer acht bleiben; vgl. unter Ziffer 5.

[63] Zur Bedeutung von Mt 16, 18 f. im Evangelium vgl. zuletzt bes. BORNKAMM, Binde- und Lösegewalt S. 101 – 107; TRILLING, Petrusamt S. 114 – 119.

[64] Bereits im Prolog (Mt 1 – 2) gehen gerade auch jene Partien, die aufzeigen, daß Jesus als Erfüller und die Erfüllung der alttestamentlichen Prophetie und Vorgeschichte, als der verheißene Messias der Sohn Gottes ist, auf den Evangelisten selbst zurück (vgl. VÖGTLE, Messias, bes. S. 17 – 19, 73 f., 85 – 88).

[65] Zur Interpretation der Gottessohnschaft Jesu bei Matthäus vgl. u. a. SCHWEIZER, ThW VIII S. 381 f.

göttlicher Offenbarung ist[66]. In der matthäischen Interpretation des Christus-titels durch „der Sohn des lebendigen Gottes" (V. 16) und in der ausdrückli-chen Zurückführung dieses qualifizierten Bekenntnisses auf die Offenbarung durch den Vater Jesu (V. 17) kann somit sehr wohl der gut matthäische Ge-danke der Offenbarung des Messias Jesus als des Sohnes durch Gott und im besonderen die Aussage des (früheren) Jubelrufs, daß nur der Vater den Sohn kennt (11, 27), wirksam geworden sein[67].

5. Das Interesse des Evangelisten an einem qualifizierten und zwar auf gött-liche Offenbarung zurückgeführten christologischen Bekenntnis scheint noch durch weitere Momente bestätigt zu werden. Zunächst durch die Einführung der Menschensohnbezeichnung in die Jesusfrage (16, 13). Soll man dem Evan-gelisten wirklich die Ungereimtheit zumuten, er lasse sein christologisches Be-kenntnis nachdrücklichst der Erkenntnisfähigkeit des Petrus absprechen und auf die offenbarende Eingebung des Vaters Jesu zurückführen, obwohl er un-mittelbar zuvor Jesus selbst mit der Selbstbezeichnung „der Menschensohn" dieses Bekenntnis vorwegnehmen ließ? Diese Widersprüchlichkeit wäre ver-mieden, wenn „der Menschensohn" in 16, 13c nach Auffassung anderer Auto-ren für den Evangelisten lediglich bedeutungsloser Ersatz des Personalprono-mens wäre. Nach wie vor scheinen mir aber beachtliche Momente für eine be-wußte Substituierung des markinischen με durch τὸν υἱὸν τοῦ ἀνθρώπου in 16, 13c zu sprechen[68]. An erster Stelle: der auffällige Verzicht auf die Menschensohnbezeichnung in der nachfolgenden ersten Leidensweissagung. Warum soll sodann der von den heutigen Exegeten empfundene Kontrast zwi-schen οἱ ἄνθρωποι und τὸν υἱὸν τοῦ ἀνθρὺπου nicht schon vom Evangelisten selbst beabsichtigt worden sein? Dafür spricht auch die Fortsetzung. Im Sinne des Markus dürfte Petrus mit dem „du bist der Messias" Jesus als den beken-nen, als den Jesus selbst sich bisher geoffenbart hat, als den die Leute („die Menschen") ihn jedoch nicht erkannten. Hinsichtlich der Erkenntnis der heils-geschichtlichen Bedeutung Jesu werden bei Markus somit zwei Gruppen von Israeliten unterschieden: οἱ ἄνθρωποι als die Nicht-Erkennenden und die durch Petrus repräsentierten Jünger als die Erkennenden[69]. Darüber geht Mat-thäus aber nun wesentlich hinaus. Hier erkennen die Jünger bzw. der in ihrem Namen antwortende Petrus von sich aus die heilsgeschichtliche Würde Jesu so

---

[66] Ein Widerspruch dagegen läßt sich aus Stellen wie 8, 29; 14, 33; 26, 63 nicht ableiten. Das wäre im besonderen anhand von Stellen wie 1, 18ff.; 2, 15; 3, 13—17; 17, 5 und 11, 27 aufzuzeigen.

[67] Vgl. auch die in Anm. 9 erwähnte Zustimmung von HAHN und THYEN zu dieser Erklärung von V. 17. Im Rahmen ihrer am Vergleich mit Gal 1, 15 orientierten Hypothese betonen besonders auch DENIS (L'investiture 497—514) und REFOULÉ (Primauté 6—9. 18—21) einerseits und DUPONT (Révélation 416f.) andererseits den Einfluß von Mt 11, 27 par auf die Formulierung von Mt 16, 17.

[68] Vgl. Messiasbekenntnis 144f.

[69] THYEN beanstandet zu Recht, daß ich — in Reduzierung der noch weitergehenden Auslegung Cullmanns — die Pointe der Markusperikope zu sehr von ihrem Gegensatz zur Matthäusversion her zu verstehen suchte und den Petrus von Markus ein begrifflich inadäquates Messiasbekennt-nis aussprechen ließ: Studien 224.

wenig wie οἱ ἄνθρωποι, so wenig wie die übrigen Israeliten. Daß Petrus im Unterschied zu „den Menschen" den Sendungsanspruch Jesu als „des Menschensohns"[70] zutreffend artikuliert, verdankt er — wie V. 17 eben ausdrücklich sagt — nicht menschlicher Erkenntnisfähigkeit, sondern der Offenbarung des himmlischen Vaters.

Und damit könnte eben sehr wohl die apokalyptische Vorstellung zur Anwendung kommen, wonach „der Menschensohn" ein göttliches Geheimnis ist, das durch Gott selbst geoffenbart wird[71]. Mit Recht wird besonders auf aeth Hen 62, 7 verwiesen: „Denn der Menschensohn war vorher verborgen, und der Höchste hat ihn vor seiner Macht aufbewahrt und ihn den Auserwählten geoffenbart" (vgl. auch 46, 1ff.; 48, 6f.). Eine Einwirkung der apokalyptischen Idee des verborgenen Menschensohnes auf die Redaktion Mt 16, 13ff. wäre auch deshalb gut vorstellbar, weil gerade Matthäus das im Henochbuch bezeugte Motiv vom „Herrlichkeitsthron des Menschensohnes" verwendet (19, 28; 25, 31). Zudem umfaßt auch „der Menschensohn" die eschatologisch zu verstehende Hoheit nicht nur des erhöhten und kommenden, sondern auch des irdischen Jesus[72]. Durch die bewußte Vorwegnahme der Menschensohnbezeichnung in 16, 13 würde der Evangelist schon in dieser ersten Bekenntnisszene, in der es wie im späteren Synedriumverhör thematisch um die Beantwortung der Frage nach dem Sendungsanspruch Jesu geht, dieselben drei bedeutsamen Würdenamen zum Zug bringen, und zwar hier wie dort das Gegenüber von „der Menschensohn" einerseits und „Messias", „der Sohn Gottes" andererseits. Außer dem Interesse an der Gottessohnschaft des Messias und ihrer Offenbarung durch den Vater könnte somit auch die apokalyptische Vorstellung von dem nur durch Gott zu offenbarenden Geheimnis des Menschensohnes die Mt 16, 13 – 17 gebotene Neubearbeitung der Jesusfrage und Jüngerantwort mitinsinuiert haben[73]. In Verbindung mit dem betont vorangestellten ὅτι σάρξ καὶ αἷμα οὐκ ἀπεκάλυψέν σοι (V. 17) ergibt im besonderen auch

---

[70] Bei der Wiederholung der Frage an die Jünger (16, 15) begnügt sich Matthäus freilich mit dem με von Mk 8, 29. Wenn man bedenkt, daß die einleitende Frage 16, 13c aufzulösen ist mit „Was sagen die Menschen, wer ich, der Menschensohn sei?", wird die zugleich verkürzende Formulierung „Was sagt *ihr* aber, wer ich sei?" (16, 15) wohl verständlich, zumal der Ton in der Wiederholungsfrage, wie schon bei Markus, auf dem ὑμεῖς liegt. Statt der Gegenüberstellung οἱ ἄνθρωποι - τὸν υἱὸν τοῦ ἀνθρώπου rückt jetzt situationsgemäß die Gegenüberstellung ὑμεῖς - οἱ ἄνθρωποι in den Vordergrund. Das με in 16, 15 kann somit schwerlich belegen, daß τὸν υἱὸν τοῦ ἀνθρώπου in 16, 13 lediglich als bedeutungsloser Ersatz des Personalpronomens verstanden ist. Vgl. auch Sjöberg, Menschensohn 133 Anm. 2.

[71] Diesen ideellen Zusammenhang von Mt 16, 13 – 17 mit der apokalyptischen Menschensohnvorstellung hat zuerst Otto, Reich Gottes 173, und später sehr ausführlich Sjöberg, Menschensohn, bes. 41 – 54. 133 f. 139. 196, geltend gemacht. Beide Autoren waren freilich von der weniger überzeugenden Absicht geleitet, ein wesentliches Motiv des Menschensohnverständnisses Jesu selbst aufzuzeigen.

[72] Wie auch Strecker zugibt: Weg 126 mit Anm. 1.

[73] Die Möglichkeit, daß beide Motivbereiche auf Mt 16, 13ff. einwirkten, dürfte unabhängig davon bestehen, ob die Weisheitstradition, die sich gewiß mit starken Gründen für die Erklärung des Jubelrufes und von Mt 11, 27 im besonderen geltend machen läßt (vgl. Christ, Jesus Sophia 81 u. bes. 85 – 93), auch die apokalyptische Menschensohnvorstellung beeinflußt hat (so nachdrücklich

– als unmittelbare Replik auf σὺ εἶ ὁ Χριστὸς ὁ υἱὸς τοῦ θεοῦ τοῦ ζῶντος –
die Unterstreichung der bloß menschlichen Qualität Petri durch die Anrede
Σίμων Βαριωνά eine passende Pointe.

6. Warum liegt dem Evangelisten aber gerade an dieser Stelle an einem vom
himmlischen Vater geoffenbarten, also höchstmöglich autorisierten Ausspruch der heilsgeschichtlichen Würde Jesu? Die Antwort scheint sich mir aus
dem angeschlossenen Bevollmächtigungswort 16, 18f. zu ergeben. Der hier in
der Vollmacht des göttlichen Kyrios sprechende Jesus, der auf Petrus als Fundament seine Kirche bauen wird, der die Schlüssel des Himmelreiches besitzt
und diese Petrus verleihen wird, damit er mit vor Gott geltender Verbindlichkeit die Heilsgemeinde lehre und leite, muß der Gegenwart und Zukunft um-
greifende hoheitsvolle Menschensohn, der Messias, sein, in dem Gott selbst
präsent und handelnd ist, der Sohn „des lebendigen", des geschichtlich wirk-
mächtigen „Gottes"[74]. Und damit könnte noch eine zweite Absicht zusammenhängen. Mk 8, 29f. folgend, läßt auch Matthäus sowohl die Wiederholung der
Frage (16, 15) als auch das Redeverbot (16, 20)[75] an alle Jünger richten. Warum dann nicht auch den von ihm als unmittelbare Antwort auf das Bekenntnis
geschaffenen Makarismus V. 17? Natürlich wird durch die alleinige Anrede
Petri (V. 17: εἶ - σοι) der Anschluß des den Petrus allein anredenden Christus-
wortes V. 18f. (σὺ εἶ . . .) formal vorbereitet. Dazu könnte aber noch eine
sachliche Rücksicht kommen. Dadurch, daß Matthäus das Bekenntnis Petri so
nachdrücklich als Wirkung göttlicher Offenbarung bezeichnen läßt, derentwe-
gen Petrus selig zu preisen ist, könnte er zugleich den Gnadencharakter der Simon zuteil werdenden Bevollmächtigung und „Auszeichnung" unterstreichen
wollen. Dabei liegt ihm die historisch-psychologisierende Vorstellung, Petrus
habe von diesem Augenblick an sozusagen über ein vollkommenes Wissen und
Verständnis des Heilsplanes Gottes, der Christusoffenbarung verfügt, sicher
völlig fern, wie seine nachfolgende Verschärfung des Mk-Kontrastes zwischen
Jesu und Petri Heilbringerauffassung unmißverständlich verraten dürfte[76].
Der Umstand, daß V. 22f. offenbar die einzigartige Stellung des Petrus kon-
trapunktieren und auch in 18, 15ff. ein kräftiger Kontrapunkt „zu einem ein-
seitigen und formalen juristischen Verständnis" der Vollmachtsworte gesetzt
werden soll[77], kann die zuletzt genannte Intention des Evangelisten m. E. nur

---

SJÖBERG, Menschensohn 184−190), ob der Menschensohn geradezu „apocalypticized and mytho-
logized wisdom" ist (MUILENBURG, J.: The Son of Man in Daniel and the Ethiopic Apocalypse of
Enoch: JBL 79 (1960) 209). In Auseinandersetzung mit Christ u. a. hat jüngst Hoffmann in der
„in der Apokalyptik vorgegebenen, in der Deutung Jesu weitergeführten Begegnung und Ver-
schmelzung von Menschensohn und Weisheitstradition" den Grund dafür erblickt, „daß die einzigartige Funktion Jesu, des Menschensohnes, mit Hilfe der Sohn-Vater-Aussage beschrieben
wurde": Offenbarung 285f. 270−288.
[74] Als Sinnuance des großen alttestamentlich-jüdischen Gottesprädikates ζῶντος käme freilich
auch der auf das Ostergeschehen ausblickende Gedanke an den den Tod überwindenden Gott in
Betracht. So GRUNDMANN, Matthäus 386.
[75] Zu den redaktionellen Veränderungen desselben vgl. VÖGTLE, Messiasbekenntnis 168.
[76] Zu dieser Verschärfung vgl. jetzt auch DINKLER, Petrusbekenntnis 131; STRECKER, Weg 206
Anm. 3.
[77] TRILLING, Petrusamt 118f.

bestätigen. Selbst wenn ein impliziter Hinweis auf den Gnadencharakter der Sonderberufung des Petrus als Überinterpretation gelten müßte und es dem Evangelisten also nur um den Gedanken geht, daß das Vollmachtswort V. 18f. die durch göttliche Offenbarung verbürgte Gültigkeit der Heilbringerwürde Jesu als des Messias, des Sohnes des lebenden Gottes zur Voraussetzung hat, wäre die nicht nur formale, sondern auch sachlich bedeutsame Funktion des Makarismus V. 17 nicht zu bezweifeln.

7. Angesichts dieses Makarismus kann sich eben auch die Pointe des κἀγὼ δέ σοι λέγω (V. 18a) nicht schon erschöpfen in der Gegenüberstellung Petrus − Jesus: du hast gesagt, wer ich bin − und ich sage dir, wer du bist. Mit dem betonten ἐγώ stellt sich der hier sprechende Jesus nicht nur und wohl nicht primär dem bekennenden Petrus von V. 16 gegenüber, sondern „seinem Vater im Himmel"; dementsprechend weist das σοι von V. 18a unmittelbar auf das σοι des voraufgehenden Makarismus (V. 17) zurück. Die gedankliche Verknüpfung von V. 16f. einerseits und V. 18f. andererseits ist deshalb etwa folgendermaßen zu verdeutlichen: weil *mein Vater* im Himmel durch die dir geschenkte Offenbarung dich sagen ließ, wer und was ich bin, sage ich dir, kann auch ich dir sagen[78], wer und was du bist, welche Funktion für die Heilsgemeinde dir zukommt.

Ergebnis: Auf dem Hintergrund der oben diskutierten Möglichkeiten scheinen mir die angeführten Momente doch die Hypothese zu bekräftigen, daß Matthäus durch seine Neufassung der Caesareabekenntnisszene in 16, 13 − 17 den Anschluß der ihm überlieferten Petrusverheißung V. 18f. nicht nur formal, sondern auch und vor allem sachlich vorbereiten wollte. Gerade auch das traditionsgeschichtlich schwierigste Stück seines Sonderguts, V. 17, läßt sich sehr wohl als matthäische Bildung verständlich machen; im besonderen erweist sich auch die individuelle Beschränkung dieses Makarismus V. 17 auf Petrus als voll berechtigt. Vom Standpunkt der Begriffsstatistik ist im Grunde „Βαριωνά" das einzige rätselhafte Element[79]. Auf die Sache gesehen, ist dem oben Gesagten zufolge nicht zu bezweifeln, daß zu Beginn von V. 17 nicht nur die Anrede „Simon", sondern auch und im besonderen die Unterstreichung seiner bloß menschlichen Art durch das hinzugefügte „Βαριωνά" zum Tenor der matthäischen Neubearbeitung er Caesareaszene bestens paßt. Trotzdem wäre der Aufweis einer Wortüberlieferung, die dem Evangelisten die Bezeichnung „Βαριωνά" lieferte, natürlich die sympathischste Möglichkeit. Der Vorschlag Thyens, diese ältere Wortüberlieferung aus Jo 1, 42 zu rekonstruieren, erweist sich jedoch als sehr anfechtbar. Vor allem auch deshalb, weil seine gleichzeitige Voraussetzung eines Petrusbekenntnisses „du bist der Sohn des lebendigen Gottes", das innerhalb einer Protophanieerzählung ein „du bist Simon Bariona" als unmittelbare Replik verständlich machen könnte, eine

---

[78] Gut DENIS: „puisque le Père l'a faite, Jésus peut affirmer ce qui va suivre": L'investiture 504.
[79] Der bei den Rabbinen und in der Umgangssprache geläufige Semitismus „Fleisch und Blut" war dem Evangelisten sicher nicht unerschwinglich.

kaum zu begründende Vermutung Thyens darstellt. Unter Voraussetzung der Protophanieerzählungshypothese, die eine gewisse Wahrscheinlichkeit für sich hat, läßt sich für diese Erzählung als Wortbestandteil mit gutem Gewissen m. E. nur die Deutung des Petrusnamens (16, 18 f.) beanspruchen. Diese begann wahrscheinlich schon ursprünglich mit σὺ εἶ Πέτρος (wie 16, 18 a). Die Frage, woher Matthäus das Personaldetail „Bariona" kannte – eine Frage, die sich mutatis mutandis natürlich auch für Jo 1, 42 (21, 15 – 17) stellt – könnte insofern an Schärfe verlieren, als nach einer heute bevorzugten Erklärung der sonst nicht bezeugte Name Jona in Bariona eine erst im Griechischen erfolgte Kontraktion aus ᾿Ιωανᾶ ist[80]. Damit wäre immerhin belegt, daß die griechischsprechende Christenheit Simon als Bariona kannte. Aber eben auch für den mehr erwünschten als erwiesenen Fall, daß Matthäus Βαριωνά nach der Hypothese Thyens aus einem von der Protophanieerzählung gebotenen σὺ εἶ Σίμων Βαριωνά schöpfen konnte, wäre nicht zu bezweifeln, daß der Makarismus V. 17 als solcher eine matthäische Bildung ist. Und deshalb sollte man darauf verzichten, von „Mt 16, 17 – 19" als „Traditionsstück", „Logion" u. dgl. zu sprechen – so lange jedenfalls, als es nicht gelingt, das von ἀπεκάλυψεν V. 17 geforderte Bezugsobjekt plausibel zu machen.

LITERATUR

Barbagli, P.: La promessa fatta a Pietro in Mat. XVI, 16 – 18, E Carm XIX (1968) S. 323 – 353.

Bornkamm, G.: Der Auferstandene und der Irdische. Mt 28, 16 – 20, in: Zeit und Geschichte. Dankesgabe an R. Bultmann. Hrsg. von E. Dinkler, Tübingen 1964, S. 171 – 191.

– Die Binde- und Lösegewalt in der Kirche des Matthäus, in: Die Zeit Jesu. Festschrift für H. Schlier. Hrsg. von G. Bornkamm und K. Rahner, Freiburg 1970, S. 93 – 107.

Bultmann, R.: Die Geschichte der Synoptischen Tradition, Göttingen ²1931. Ergänzungsheft 1958, ³1966, 4. Aufl. bearb. v. G. Theißen und P. Vielhauer 1971.

– Das Evangelium des Johannes, Göttingen 1953.

– Theologie des Neuen Testaments, Tübingen ⁵1965.

Campenhausen, H. v.: Kirchliches Amt und geistliche Vollmacht in den ersten drei Jahrhunderten, Tübingen 1953.

Carroll, K. L.: „Thou art Peter", NovT 6 (1963) S. 268 – 276.

Christ, F.: Jesus Sophia. Die Sophia-Christologie bei den Synoptikern, Zürich 1970.

Conzelmann, H.: Geschichte des Urchristentums, Göttingen 1969.

– Zur Analyse der Bekenntnisformel 1 Kor 15, 3 – 5, EvTh 25 (1965) S. 1 – 11.

Cullmann, O.: L'Apôtre Pierre, instrument du Diable et instrument de Dieu, in: New Testament Essays. Studies in Memory of T. W. Manson. Ed. by A. J. B. Higgins, Manchester 1959, S. 94 – 105.

– Petrus, Jünger – Apostel – Märtyrer. Das historische und das theologische Petrusproblem, Zürich 1952, 2. Aufl. Zürich – Stuttgart 1960.

Denis, A.-M.: L'investiture de la fonction apostolique par „apocalypse": Etudes thématiques de Gal 1, 16, RB LXIV (1957) S. 335 – 362. 492 – 515.

Dinkler, E.: Die Petrus-Rom-Frage. Ein Forschungsbericht, ThR 25 (1959) S. 189 – 230. 289 – 335; (1961) S. 33 – 64.

– Petrusbekenntnis und Satanswort. Das Problem der Messianität Jesu, in: Zeit und Geschichte. R. Bultmann zum 80. Geburtstag. Hrsg. von E. Dinkler, Tübingen 1964, S. 127 – 153.

---

[80] Vgl. Jeremias, J.: ThW III 410, 15 ff.; Schmid, J.: LThK² V Sp. 1113.

Dupont, J.: La révélation du Fils de Dieu en faveur de Pierre (Mt 16, 17) et de Paul (Gal 1, 16), RSR 52 (1964) S. 411 – 420.

Feuillet, A.: „Chercher à persuader Dieu" (Gal 1, 10a). Le début de l'Epître aux Galates et de la scène matthéenne de Césarée de Philippe, NovT 12 (1970) S. 350 – 360.

Filson, Floyd V.: Geschichte des Christentums in neutestamentlicher Zeit, Düsseldorf 1967.

Gaechter, P.: Das Matthäusevangelium, Innsbruck 1963.

Gerhardsson, B.: Memory and Manuscript. Oral tradition and written transmission in rabbinic Judaism and early Christianity, Uppsala 1961.

Grundmann, W.: Das Evangelium nach Matthäus, Berlin 1968.

Gundry, R. H.: The Narrative Framework of Matthew XVI 17 – 19, NovT 7 (1964) S. 1 – 9.

Haenchen, E.: Die Komposition von Mk VII 27 – IX 1 und Par, NovT 6 (1963) S. 81 – 109.

Hahn, F.: Christologische Hoheitstitel, Göttingen 1963.

– Die Petrusverheißung Mt 16, 18f. Eine exegetische Skizze. Materialdienst des konfessions-kundlichen Instituts 21, 1 (Bensheim 1970) S. 8 – 13.

Hengel, M.: Die Ursprünge der christlichen Mission, NTS 18 (1971) S. 15 – 38.

Hoffmann, P.: Die Offenbarung des Sohnes. Kairos 12 (1970) S. 270 – 288.

Jeremias, J.: Neutestamentliche Theologie. 1. Teil: Die Verkündigung Jesu, Gütersloh 1971.

Kasting, H.: Die Anfänge der urchristlichen Mission. München 1969.

Klein, G.: Die Verleugnung des Petrus. Eine traditionsgeschichtliche Untersuchung, ZThK 58 (1961) S. 285 – 328.

Kümmel, W. G.: Die Theologie des Neuen Testaments. Nach seinen Hauptzeugen Jesus, Paulus, Johannes, Göttingen 1969.

Legault, A.: L'authenticité de Mt 16, 17 – 19 et le silence de Marc et de Luc, in: L'Eglise dans la Bible. Hrsg. von M. C. Matura u.a., Bruges – Paris 1962, S. 35 – 52.

Marxsen, W.: Der „Frühkatholizismus" im Neuen Testament, Neukirchen 1958.

Obrist, F.: Echtheitsfragen und Deutung der Primatsstelle Mt 16, 18f. in der deutschen protestan-tischen Theologie der letzten dreißig Jahre, Münster 1961.

Otto, R.: Reich Gottes und Menschensohn, München ²1940.

Pesch, R.: Die Stellung und Bedeutung Petri in der Kirche des Neuen Testaments, Concilium VII (1971) S. 240 – 245.

Refoulé, F.: Primauté de Pierre dans les Evangiles, RSR 38 (1964) S. 1 – 41.

Rigaux, B.: Der Apostel Petrus in der heutigen Exegese. Ein Forschungsbericht, Concilium III (1967) S. 585 – 600.

Ringger, J.: Das Felsenwort. Zur Sinndeutung von Mt 16, 18, vor allem im Lichte der Symbolge-schichte, in: Begegnung der Christen. Festschrift für O. Karrer. Hrsg. von M. Roesle und O. Cullmann, Stuttgart – Frankfurt ²1960, S. 271 – 347.

Ritter, A. M.: Amt und Gemeinde im Neuen Testament und in der Kirchengeschichte, in: A. M. Ritter und G. Leich: Wer ist die Kirche? Amt und Gemeinde im Neuen Testament, in der Kir-chengeschichte und heute, Göttingen 1968, S. 17 – 115.

Roloff, J.: Apostolat – Verkündigung – Kirche. Ursprung, Inhalt und Funktion des kirchlichen Apostelamtes nach Paulus, Lukas und den Pastoralbriefen, Gütersloh 1965.

Schlier, H.: Der Brief an die Galater, Göttingen ¹²1962.

Schmid, J.: Petrus „der Fels" und die Petrusgestalt der Urgemeinde, in: Begegnung der Christen. Festschrift für O. Karrer. Hrsg. von M. Roesle u. O. Cullmann, Stuttgart. Frankfurt ²1960, S. 347 – 354.

Schnackenburg, R.: Das Johannesevangelium I, Freiburg 1965.

Sutcliffe, E. F.: St. Peter's Double Confession in Mt 16, 16 – 19, Heythrop Journal 3 (1962) S. 31 – 41.

Sjöberg, E.: Der verborgene Menschensohn in den Evangelien, Lund 1955.

Spinetoli, O. da: Le Vangelo del primato, Brescia 1969.

Stendahl, K.: Matthew, London 1962.

Strecker, G.: Der Weg der Gerechtigkeit, Göttingen ²1966.

Thyen, H.: Studien zur Sündenvergebung im Neuen Testament und seinen alttestamentlichen und jüdischen Voraussetzungen, Göttingen 1970.

Trilling, W.: Zum Petrusamt im Neuen Testament. Traditionsgeschichtliche Überlegungen an-hand Matthäus, 1 Petrus und Johannes, ThQ 151 (1971) S. 110 – 133.

Trocmé, E.: La formation de l'Evangile selon Marc, (EHPhR 57) Paris 1963.

Vögtle, A.: Messiasbekenntnis und Petrusverheißung. Zur Komposition Mt 16, 13 – 23 par, BZ 1 (1957) S. 252 – 272. 2 (1958) S. 85 – 103. Jetzt in: Das Evangelium und die Evangelien. Beiträge zur Evangelienforschung, Düsseldorf 1971, S. 137 – 170.

– Messias und Gottessohn, Düsseldorf 1971.

– Jesus von Nazareth, in: R. Kottje – B. Moeller: Ökumenische Kirchengeschichte I, Mainz, München 1970, S. 3 – 24.

Zerwick, M.: L'episodio di Cesarea di Filippo: Critica Letteraria del Nuovo Testamento nell'esegesi cattolica dei vangeli, S. Giorgio Canavese 1959.

NACHTRAG

Die Frage nach der Herkunft der Petrus-Verheißung wurde zwischenzeitlich mehrfach, teilweise mit recht originellen Lösungsvorschlägen diskutiert.

Unter Berufung auf rabbinischen Hintergrund von „Mt 16, 16 – 19" läßt *F. Manns* die mattäische Gemeinde eine dem jüdischen Synedrium ähnliche Körperschaft besitzen: „to determin Christian halakah". Petrus, „der Fels", habe zusammen mit den Ältesten die Schrift zu interpretieren und die Normen christlicher Lebensführung festzulegen.[81] Hingegen rechnete zuvor *G. W. E. Nickelsburg* mit den Visionen aethHen 12 – 16 und TestLevi 2 – 7 als Hintergrundtexten.[82] Die als Beauftragungserzählung eine formale Einheit bildenden beiden Stücke Mt 16, 13 – 16 und 16, 17 – 19 seien auch durch ihre Parallelen zur Hen-Levi-Tradition miteinander verknüpft; außerdem ließen sich Sprache und Bildwerk der VV 18 – 19 als „a parabolizing on the geographical environs of Caesarea Philippi" erklären. 16, 13 – 19 gebe somit wahrscheinlich eine von Mk verkürzte Tradition wieder. Nickelsburg gibt natürlich auch zu verstehen, bei dieser Annahme sei die Seligpreisung 16, 17 voll verständlich (598). Diese Hypothese hat indes die kaum zu widerlegende, geradezu allgemein akzeptierte Auffassung gegen sich, daß innerhalb von Mt 16, 13 – 20 ein – so oder so zu bestimmender – Einschub in die markinische Caesarea-Szene vorliegt. Die angezogenen Hintergrundtexte reichen keinesfalls aus, um die sachliche Priorität der Mt-Fassung wahrscheinlich zu machen.

Die Protophaniehypothese, der ich „eine gewisse Wahrscheinlichkeit" zubillige, wurde inzwischen weiterhin befürwortet, auch dies mit divergierenden Ergebnissen. Dabei kommt der Beurteilung des Makarismus 16, 17 nach wie vor eine Schlüsselstellung zu. Von „Mt 16, 17 – 19" (als Überlieferungseinheit) zu sprechen, was zwei der anschließend vorzustellenden Hypothesen erneut zu rechtfertigen suchen, blieb auch sonst geläufig.[83]

---

[81] BibOr 25 (1983) 129 – 136.

[82] Enoch, Levi and Peter: Recipients of Revelation in Upper Galilee: JBL 100 (1981) 575 – 600; bes. 590 – 600.

[83] Vgl. z. B. K. H. SCHELKLE, Theologie des Neuen Testaments 4/2 (Düsseldorf 1976), 95. 99 f.; L. GOPPELT (Hrsg. J. Roloff), Theologie des Neuen Testaments (Göttingen 1976, ³1978) 564; W. TRILLING, Die Botschaft Jesu (Freiburg 1978) 67; J. P. MEIER, The Vision of Matthew (New York

1. Nach *G. Künzel*[84] „kann man für Mt 16, 17 – 19 mit einer vor-mt verbundenen Überlieferungseinheit rechnen, die Mt an einzelnen Stellen seinem Sprachgebrauch angeglichen hat" (185). Als „Sitz im Leben" des in 16, 17 vorausgesetzten Offenbarungsgeschehens biete sich „der Kontext der Ersterscheinung vor Petrus als Bezugspunkt an" (188 f.); näherhin sei 16, 17 ff. „vermutlich aus dem Zusammenhang der nachösterlichen (Wieder-)Berufung des Petrus zu verstehen", die auch die Verleihung des Würdenamen „Petrus" gut verständlich machen würde (190). Davon ausgehend, daß sich die redaktionelle Bildung des Makarismus (= Seligpreisung) durch Mt nicht „zuverlässig" feststellen lasse (184), erklärt der Autor, der Inhalt der Offenbarung sei in 16, 17 nicht genannt; das Logion selbst lasse jedoch „erkennen, daß die Offenbarung von 16, 17 ein singuläres in das Leben des Simon hineinreichendes Ereignis ist, für dessen Ermöglichung menschliche Mitwirkung oder Vermittlung grundsätzlich ausgeschlossen ist . . ." (186).

Die Erfahrung der „(Wieder-)Berufung" des Petrus durch den erscheinenden Herrn wäre natürlich ein solches Ereignis. Nur: in der Erscheinungserzählung müßte etwas voraufgegangen sein, dessentwegen der Auferstandene Simon als Empfänger göttlicher Offenbarung seligpreist. Die Gewährung der Erscheinung als solcher kann jedoch nicht der Grund der in 16, 17 formulierten Seligpreisung sein. Das ausdrückliche „Nicht Fleisch und Blut hat dir geoffenbart" wäre als einleitende Feststellung des Erscheinenden nicht nur befremdlich sondern geradezu unvorstellbar. Der für den Makarismus verantwortlich gemachte „Schöpfer" dieser Erscheinungserzählung konnte doch nicht auf die Idee kommen, den Auferstandenen die bare Selbstverständlichkeit feststellen zu lassen, daß die Erfahrung der Erscheinung bzw. Ersterscheinung nicht dem menschlichen Vermögen Petri verdankt ist.[85] Was soll dem Schöpfer der Seligpreisung dann als logisches Objekt des offenbarenden Handelns des Vaters vorgeschwebt haben? Eine Antwort auf diese Frage bleibt unser Autor schuldig. Nun nennt er unter den Autoren, die schon den Bezug von Mt 16, 17 ff. zur Ostertradition erwogen haben (189 Anm. 33) und/oder „für 16, 17 – 19 mit einer vor-mt verbundenen Überlieferungseinheit rechnen" (185 Anm. 20), auch C. Kähler. Wie unten zu belegen ist, vermutet derselbe, der

---

1979) 107; 110; E. Grässer, Neutestamentliche Grundlagen des Papsttums?, in: Papsttum als ökumenische Frage (Hrsg. Arbeitsgemeinschaft ökumenische Univ.-Institute) (München-Mainz 1979) 41; J. Blank, Petrus und Petrus-Amt im Neuen Testament, a.a.O. 72. 76; M. A. Chevallier, dem speziell am Nachweis liegt, daß die maßgebende Basis für das christliche Verständnis der Rolle Petri die Deutung des „Du bist Petrus" von 16, 18 als „Du bist der neue Abraham" sei: ETR 57 (1982) 375 – 388; hier 376: Vgl. auch F. Mussner, der meine Auffassung, von Mt 16, 17 – 19 nicht als einem „zusammengehörigen Überlieferungsstück" zu sprechen, eher zustimmend referiert (Petrus und Paulus – Pole der Einheit, QD 76 [1976] 15 f.), selber aber von den historischen und traditionsgeschichtlichen Problemen des Stückes absehen will, um in seinem nachfolgenden Abschnitt nach „De(m) nachapostolische(n) ‚Sitz im Leben' für Mt 16, 17 – 19" zu fragen (18).

[84] Studien zum Gemeindeverständnis des Matthäus-Evangeliums, CThM 10 (1978), bes. 180 – 193.

[85] Deshalb hilft auch die Nähe zu Gal 1, 15 f., wo ebenfalls „die Sphäre von ‚Fleisch und Blut' ausgeschlossen wird" (189 f.), nicht weiter.

ursprüngliche Makarismus der Erscheinungserzählung habe „den Sohn" als Objekt des väterlichen Offenbarens genannt. Künzel sagt indes nirgends, daß er diese Auffassung teile. Das ist auch kaum anzunehmen, da er sich in diesem Fall seine oben zitierte Beurteilung des Makarismus von S. 186 schenken könnte.

2. Von neuen Hintergrundtexten[86] her wurde die Protophanie- bzw. Erscheinungshypothese von *C. Kähler*[87] und im neuesten Petrus-Buch von *R. Pesch* befürwortet, der sich auf die von Kähler eruierten visionsähnlichen Szenen beruft[88], die sich nach Kähler „vereinzelt in zeitgleichen Schriften und vermehrt in den ntlichen Apokryphen" als „formgeschichtliche Parallelen" zu Mt 16, 17 – 19 finden würden (Kähler 46 f. 46 – 56). Beide Autoren setzen eine Erscheinungserzählung[89] als Ursprungsort der Petrus-Verheißung voraus. Im Unterschied zu mir befürworten sie aber „16, 17 – 19" (Kähler) bzw. „16, 16 – 19" (Pesch) als Bestandteil des vorausgesetzten Dialogs zwischen Petrus und dem auferstandenen Herrn.

Höchst unterschiedlich urteilen die beiden Autoren indes bereits über Grund und Alter der Konzipierung dieser österlichen Epiphanieerzählung. Kähler beschränkt sich auf die Auswirkung der Ersterscheinung vor Petrus. Wegen dieser wird es ihm zufolge „in Gemeinden, die sich auf ihn [Petrus] berufen, kaum ohne größere Legendenbildung abgegangen sein (cf. Joh. XX/XXI)". Mt 16, 17 – 19 könne „der Rest" einer solchen Legende sein (46), dessen „(s)prachliche und sachliche Indizien" auf „eine relativ späte Entstehung in hellenistisch berührten Gemeinden nach 60" weisen würden (43). Demgegenüber nennt R. Pesch einen konkreteren Sitz im Leben, der eine frühere Entstehung erfordert. Mt 16, 16 – 19 sei „eine Epiphanieerzählung, in der die Autorität des Petrus (wohl anläßlich des antiochenischen Konflikts) für die Kirche aus Juden und Heiden geltend gemacht wird, indem seine ‚Investitur als Offenbarungstradent' erzählt wird . . ."[90]

Damit ist schon eine weitere wesentliche Differenz zwischen den beiden Formen der Epiphanieerzählungs-Hypothese angedeutet, die geradezu auf eine gegenseitige Kompromittierung der Argumentation hinausläuft: d. i. die unterschiedliche Bestimmung des Umfangs des vormatthäischen Traditionsstücks. Als der springende Punkt beider Varianten erweist sich wiederum die Beurteilung der Seligpreisung (16, 17). „Der ‚Makarismus' ist" – wie Pesch ausdrücklich bestätigt – „ein Element einer Gattung, die C. Kähler nachgewiesen und ‚Die Investitur des Offenbarungstradenten' genannt hat" (Simon-

---

[86] Dieselben haben mit der von G. W. E. Nickelsburg angezogenen Henoch/Levi/Tradition nichts zu tun. Derselbe erwähnt C.Kähler's Hypothese übrigens noch nicht.

[87] Zur Form- und Traditionsgeschichte von Matth. XVI. 17 – 19: NTS 23 (1976) 36 – 58.

[88] Simon-Petrus. Geschichte und geschichtliche Bedeutung des ersten Jüngers Jesu Christi (Päpste und Papsttum 15) (1980) 97 – 111.

[89] Auf eine Erzählung von der „Protophanie" vor Petrus scheinen sie nicht ausdrücklich abheben zu wollen.

[90] Art. Πέτρος: EWNT III (1982) 200; Einzelbegründung in seiner Monographie: Simon-Petrus 97 – 104.

Petrus 98). An dem als ein fundamentales gattungsgeschichtliches Element beanspruchten Makarismus scheiden sich aber nun die Geister.

a) *R. Pesch* erblickt in Mt 16, 16f. den vom „Bruchstück" der Erscheinungserzählung selbst gebotenen Wortlaut des Petrusbekenntnisses[91] wie der dieses beantwortenden Seligpreisung Jesu (97). Er spricht deshalb von „Mt 16, 16–19" als vormatthäischer Überlieferungseinheit. Zugegeben: Besser, als von Pesch vorgeschlagen, hätte die angenommene Epiphanieerzählung dem Evangelisten nicht vorarbeiten können. Nicht einmal das „Du bist der Christus" von Mk 8, 29d hätte er durch den Zusatz „der Sohn des lebendigen Gottes" zu verstärken brauchen, weil er ein Petrusbekenntnis samt Seligpreisung in dem Mt 16, 16f. vorliegenden Wortlaut einschließlich der VV 16, 18f. komplett aus der Epiphanieerzählung übernehmen konnte. Insofern Pesch im Unterschied zu seinem Hauptgewährsmann C. Kähler in der Epiphanieerzählung als Reaktion Simons auf die Erscheinung des Auferstandenen das Mt 16, 16 zu lesende Christusbekenntnis voraussetzt, kann er spannungslos auch die dieses beantwortende Seligpreisung von Mt 16, 17 für jene Erzählung beanspruchen. Damit entfällt für ihn die Schwierigkeit, mit der Kähler in dieser Hinsicht ringt (s. u. b.). Um ein Indiz für die Zugehörigkeit von Mt 16, 16–19, speziell auch von 16, 16f., zur Epiphanieerzählung zu gewinnen, möchte Pesch annehmen, dem Paulus von Gal 1 sei die Überlieferungseinheit Mt 16, 16–19 bekannt gewesen. Dieser könne mit der Feststellung seiner „Investitur" (Gal 1, 13–17a) sehr wohl „Mt 16, 16–19", also die von der Epiphanieerzählung gebotene Investitur des Petrus, im Blick haben (100f.). Das ist freilich eine höchst zweifelhafte Annahme[92], die Kähler durch seine Datierung der Entstehung von „16, 17–19" völlig ausschließt. Es scheint somit sehr auf die Frage anzukommen, ob sich „Mt 16, 16–19", und zwar speziell die VV 16–17 von dem auch nach Pesch als vorchristlich erwiesenen Investitur-Schema her als Inhalt der Epiphanieerzählung wahrscheinlich machen lassen.

b) Im Unterschied zu Pesch sprach *C. Kähler* zuvor stets nur von „Mt 16, 17–19" als corpus der Epiphanieerzählung. Seine Hypothese hat den Vorzug, daß sie offensichtlich der Eigenart und damit der begrenzten Beweiskraft der angezogenen gattungsgeschichtlichen Parallelen Rechnung tragen will. Ohne „konditioniert" zu werden, werde der Makarismus in denselben „begründet mit Offenbarungserlebnissen, die dem Angesprochenen zuteil wurden oder werden" (55). Grund für den Makarismus ist – was zweifellos einen wesentlichen Unterschied zu Mt 16, 16f. ausmacht – somit nicht ein voraufgehendes Glaubensbekenntnis des Angesprochenen, eben auch nicht in den beiden –

---

[91] Diesem läßt Pesch in der Erscheinungserzählung sogar die auch matthäischem Sprachstil entsprechende Redeeinführung (Mt 16, 16a: ἀποκριθεὶς δὲ Σίμων Πέτος εἶπεν) voraufgehen.

[92] (S.o.S. 111f.). Auch nach F. Mussner braucht Gal 1, 15f. „nicht auf irgendeine Abhängigkeit von Mt 16, 17 oder einer anderen Tradition zurückgeführt zu werden": Der Galaterbrief, HThK IX (1974, ⁴1981) 90 A. 59. Den Autoren des unten (s. A. 103) zu nennenden ökumenischen Petrus-Buches ist es ebenfalls „unwahrscheinlich", daß die teilweise ausdrucksmäßige Übereinstimmung zwischen Mt (16, 17) und Paulus (Gal 1, 15f.) als „Übernahme des einen vom andern" erklärt werden kann (80).

strukturell übrigens unterschiedlichen[93] – „zeitlich nächsten Parallelen" zu Mt 16, 17 – 19, in denen der Engel Uriel (4 Esra 10, 57) bzw. der wohl als Michael zu identifizierende himmlische Heerführer (JosAs 16, 14) als Sprecher fungiert (47 – 50). Kähler verzichtet deshalb darauf, für die Epiphanieerzählung ein dem Makarismus voraufgehendes Bekenntnis Petri zu beanspruchen. Weil die Seligpreisung des Angesprochenen als das greifbarste Element des vorausgesetzten „Schemas" gilt, vermutet er, der ursprüngliche Text des Makarismus müsse folgendermaßen rekonstruiert werden: „Selig bist du, Simonbariona, weil dir der (mein) Vater (in den Himmeln) *den Sohn* offenbarte" (46). Mit dieser wesentlich anderen Rekonstruktion der Vorlage setzt sich Pesch nicht auseinander. Eine indirekte Stellungnahme kann man wohl darin erblicken, daß er von „zwei verwandten Gattungen" (nämlich allem nach von dem Investitur-Schema und von Epiphanie- bzw. Visionsschilderungen) spricht, deren Elemente in der Epiphanieerzählung (= „Mt 16, 16 – 19") „in einer eigenständigen Form zusammengebunden wurden" (98. 99). Wenn ich ihn recht verstehe, meint er, das Christusbekenntnis Simons werde aus der Gattung der Erscheinungserzählung verständlich, die jenes beantwortende Seligpreisung hingegen aus der strukturell maßgebenden Gattung der „Investitur des Offenbarungstradenten" (98 f.).

Sehen wir davon ab, inwieweit das von beiden Autoren angezogene Investitur-Schema traditionsgeschichtlich als vorgegeben gelten kann.[94] Dies einmal vorausgesetzt, lautet die entscheidende Frage, ob die von Kähler vorgeschlagene vormatthäische Fassung, die sich einzig am vorausgesetzten Investitur-Schema orientieren möchte, zu einer ungezwungenen Erklärung von Mt 16, 16 – 19 verhilft. Für seinen Artikel hatte der Autor meinen erstmals 1957/58 in der BZ publizierten Aufsatz „Messiasbekenntnis und Petrusverheißung" (s. o. Literaturverzeichnis) zur Hand. In einem „Korrekturnachtrag" macht er auch gegenüber dem ihm nachträglich zugänglich gewordenen obigen Aufsatz geltend: es „dürfte auch aus dem fehlenden Objekt zu ἀποκαλύπτειν in V. 17 kein literarkritisches Argument zu gewinnen sein, weil der Gegenstand der Offenbarung nicht das Bekenntnis als solches ist. Auch das Bekenntnis *setzt* die Offenbarung *voraus,* die in der heutigen Szene Matth. XVI. 13 – 20 *nicht* enthalten ist" (57). Daß damit meine früher und oben angeführten sprachlichen,

---

[93] So liegt nach Kähler der entscheidende Unterschied zwischen 4 Esra 10, 57 einerseits und Mt 16, 17 – 19 sowie JosAs 16, 14 andererseits „darin, daß Esra im Zusammenhang mit der Seligpreisung nicht in seine Funktion *eingeführt* wird, sondern daß sie als gegeben vorausgesetzt wird" (48). Der Makarismus JosAs 16, 14, auf dessen Ähnlichkeit mit Mt 16, 18 zuerst C. Burchard hinwies (vgl. Kähler, der D. Gewalt und H. Thyen als weitere Autoren anführen kann: a.a.O. 48 A. 5), stellt nach Kähler „wahrscheinlich die schlagendste Parallele zu Matth. XVI. 17 – 19" dar (48).

[94] In einem ganz auf das Mt-Verständnis der Gestalt und Rolle Petri ausgerichteten Artikel merkt J. D. Kingsbury wohl zurecht an: Die tragende Stütze für Kähler's Argumentation, im wesentlichen nämlich nur die beiden oben zitierten Parallelstellen, ist „thin, and this is all the more the case because the validity of his parallels is by no means beyond disput": JBL 98 (1979) 75 A. 26. In der neuesten Edition von JosAs (Jüd. Schriften aus hellenist.-römischer Zeit II, 4, 1983) spricht C. Burchard auch dort, wo er Mt 16, 16 – 18 oder auch 16, 17 und 16, 18 als Parallelstellen notiert, nirgends von einem Schema der Investitur des Offenbarungstradenten, auch 676 A. 7 c nicht.

kompositorischen und sachlichen Argumente für die Erklärung des Makarismus (V. 17) als Mt-Redaktion widerlegt sind[95], vermag ich allerdings nicht einzusehen; wohl aber, daß der Autor diese redaktionelle Urheberschaft des V. 17 von seinem gattungsgeschichtlichen Ansatz her ablehnen *muß*, weil gerade die Seligpreisung des Empfängers von Offenbarungen als das Element gilt, das den Schöpfer der Epiphanieerzählung die Investitur Petri (Mt 16, 18 f.) konzipieren ließ. Da das für die Rekonstruktion beanspruchte Schema die Annahme eines der Seligpreisung voraufgehenden Bekenntnisses Petri nun einmal nicht rechtfertigt, Petrus aber doch „vom erhöhten Christus als legitimer Offenbarungszeuge" bezeichnet werden soll (56), sieht sich der Autor zu Recht genötigt, für den „ursprünglichen" Makarismus der Erscheinungserzählung ein Akkusativobjekt zu „offenbarte" zu postulieren. Es ist sodann verständlich, daß er im Hinblick auf das die Sinnspitze des matthäischen Petrusbekenntnisses bildende „der Sohn des lebendigen Gottes" (16, 16) wie auf das „mein Vater" der matthäischen Seligpreisung (16, 17) als Objekt „den Sohn" vorschlägt, um dem Evangelisten eine Brücke zu seiner Seligpreisung bzw. zu seinen VV 16, 16 – 17 zu bauen.

Nun kann man sich in der Tat kaum vorstellen, das Redestück der österlichen Epiphanieerzählung habe mit dem von Kähler vorgeschlagenen Makarismus – als Anrede des erscheinenden Christus an Petrus – eingesetzt. Es ist deshalb nicht weniger begreiflich, daß der Autor „Mt 16, 17 – 19" als „de(n) Rest" einer solchen Erzählung bezeichnet (46) und votiert, „daß eine solche Szene wie Mt XVI. 17 – 19 kaum allein umgelaufen sein wird", was aus „den formgeschichtlichen Parallelen" hervorgehe (44). Darüber hinaus scheine es ihm „sicher zu sein, daß die hier beschriebene Form der Seligpreisung innerhalb einer einzelnen Erzählung weniger sinnvoll ist als im größeren Rahmen einer ,literarischen Komposition'". Diese Erzählung bzw. „Legende" sei „vermutlich nicht allein umgelaufen, sondern gehörte zu einem Erzählungskranz, der möglicherweise weitere Petrusgeschichten sowie bestimmte apokalyptisch gefärbte Offenbarungen enthielt, und . . . dessen Höhepunkt dar(stellt)" (57). Setzt der Autor mit dieser Zusatzhypothese die Glaubwürdigkeit seines Lösungsvorschlags, speziell des von ihm für die Epiphanieerzählung beanspruchten Makarismus aber nicht selbst berechtigtem Zweifel aus? Er wird doch nicht behaupten wollen, die Epiphanieerzählung mit den christologisch und ekklesiologisch anspruchsvollen, dazu noch sehr doktrinär (Mt 16, 19) ausgerichteten VV 16, 18 – 19 sei legendarischem Interesse entsprungen, sozusagen der Absicht, einen auch von ihm ausdrücklich nur hypothetisch angenommenen Erzählungskranz von Petruslegenden um ein weiteres Stück zu bereichern,

---

[95] Zwischenzeitlich haben dieser Erklärung unabhängig voneinander zwei weitere Autoren zugestimmt: H. Frankemölle (dem nur mein älterer BZ-Aufsatz vorlag): Jahwebund und Kirche Christi, NTA, NF 10 (1974) 236 – 238, a.a.O. (237 A. 87) auch zu der früheren Ablehnung der redaktionellen Herkunft von V. 17 durch G. Strecker; im gleichen Jahr P. Hoffmann der auch auf meinen obigen Beitrag Bezug nehmen konnte: Der Petrus-Primat im Matthäusevangelium, in: J. Gnilka (Hrsg.), Neues Testament und Kirche, FS für R. Schnackenburg (Freiburg 1974) 96 f. Hoffmann wiederholte seine Zustimmung in dem jüngeren Beitrag: Die Bedeutung des Petrus für die Kirche des Matthäus, in: J. Ratzinger, Dienst an der Einheit (Düsseldorf 1978) 11.

nämlich als „Höhepunkt des vormatthäischen Legendenkranzes um Petrus" (45). Seine Rekonstruktion des ursprünglichen Makarismus bezeichnet der Verfasser selbst mit Recht auch nur als „Vermutung" (46).[96] Wenn er als eines von drei Momenten, die für diese „Vermutung" sprechen würden, sodann „die Überlegung" nennt, „daß die Auslassung von ‚Sohn' in V. 17 durch den Redaktor [= Mt] im Blick auf V. 16 geschehen sein könnte" (46), ist das ein zweischneidiges Argument. Dasselbe impliziert doch das Eingeständnis, daß Mt in der das Christusbekenntnis Petri (V. 16) beantwortenden Seligpreisung (V. 17) auf ein grammatisches Objekt auch dann verzichten konnte, wenn die Seligpreisung statt aus einer Erscheinungserzählung von ihm selber stammen würde. Provoziert Kähler mit seinem Eingeständnis, der Makarismus mit dem von ihm vermuteten Wortlaut sei – sogar: „sicher" – „innerhalb einer einzelnen Erzählung weniger sinnvoll . . . als im größeren Rahmen einer literarischen Komposition" (57), nicht selbst den Versuch, nach einer weniger gezwungenen Erklärung des Makarismus Mt 16, 17 Ausschau zu halten?

3. Das Bemühen der angeführten Varianten der Erscheinungserzählungs-Hypothese, in einer solchen Erzählung speziell Mt 16, 16 – 17 (Pesch) oder doch die Seligpreisung 16, 17 in einem modifizierten (Kähler) bzw. substantiell gleichlautenden (Künzel) Wortlaut zu verankern, erschiene mir mehr begründet: (1.) wenn Mt die Cäsarea-Szene Mk 8, 27 – 30 mit dem Petrusbekenntnis „Du bist der Christus" (Mk 8, 29 d) nicht vor sich gehabt hätte und insofern für die Idee eines Bekenntnisses Petri zur Heilbringerwürde Jesu auf eine Erscheinungserzählung oder auch auf eine andere Vorlage angewiesen gewesen wäre; (2.) wenn sodann nicht beträchtliche Momente für die Möglichkeit sprächen, daß Mt selbst das markinische Bekenntnis durch den Zusatz „der Sohn des lebendigen Gottes" potenzierte und die dieses qualifizierte Bekenntnis erklärende und bestätigende Seligpreisung (16, 17) bildete, um dadurch den Anschluß der Verheißungsworte 16, 18b – 19 – woher diese auch stammen mögen – formal und sachlich vorzubereiten. Die Möglichkeit dieser Erklärung der VV 16, 16 – 17 erscheint mir vor allem auch diskutabel unter der meist vertretenen Voraussetzung, daß dem Evangelisten die Verheißungsworte 16, 18b – 19[97] oder doch die Kirchenbauverheißung 16, 18b in der Überlieferung vorgegeben waren. Da diese Verheißungsworte anerkanntermaßen die mit dem Glauben an die Erhöhung Jesu gegebene nachösterliche Situation im

---

[96] Das hindert ihn indes nicht, in seinem „Korrekturnachtrag" seine Hypothese als „die wahrscheinlichste Lösung" festzuhalten (57).

[97] Nach R. Schnackenburg ist „die Spruchfolge in Mt 16, 18 – 19 traditionsgeschichtlich noch nicht als früheste Stufe der Traditionsbildung" anzusehen, da die beiden „schon eine Reflexion über das Verhältnis von Kirche und künftiger Basileia" voraussetzenden Sprüche V. 19a und 19b als späterer Zuwachs zu beurteilen seien. Er hält aber daran fest, „daß Mt 16, 18 – 19 dem Evangelisten schon als geschlossener Traditionsblock vorgegeben war" (Das Vollmachtswort vom Binden und Lösen, traditionsgeschichtlich gesehen, in: P.-G. Müller-W. Steger [Hrsg.], Kontinuität und Einheit, FS F. Mußner [Freiburg 1981] 150f.). Als „unwahrscheinlich" bezeichnet Schnackenburg deshalb die Hypothese von P. Hoffmann, „der Mt 16, 18 ‚eher als eine Formulierung der zweiten oder dritten Generation' beurteilen möchte" und sogar nicht ausschließe, daß Mt selbst auch den Spruch 16, 18 gebildet habe: a.a.O. 151 A. 23.

Blick haben, ließen sich – was man m. E. durchaus einräumen darf – die Vollmachtsworte 16, 18b – 19 oder doch das Kirchenbauwort 16, 18b sehr wohl als aus einer petrinischen (Erst-)Erscheinungs-Erzählung stammende Christusworte verstehen (s. o. II: S. 113 – 117). Eine Erscheinungserzählung dürfte sogar als die am meisten situationsgemäße Verortung von 16, 18b – 19 oder doch der Kirchenbauverheißung 16, 18b gelten. Angesichts der verbreiteten Meinung, schon in einer solchen Erzählung müsse der Kirchenbauverheißung eine positive Stellungnahme Simons zum Erscheinenden, am besten gleich ein qualifiziertes Christusbekenntnis wie das von Mt 16, 16 vorausgegangen sein, verdient immerhin zugleich der oben (II) schon genannte Umstand Beachtung. Auch in Erscheinungserzählungen, die die Auftagserteilung als dominantes Motiv beinhalten, geht die eigentliche Initiative nicht von den Erscheinungsempfängern, sondern vom Erscheinenden selbst aus[98]; dieser ist es, der das Wort ergreift.

a) Weil der Hauptstreitpunkt die Frage ist, ob sich Mt 16, 16 – 17 bzw. 16, 17 eher als Bestandteil einer Erscheinungserzählung oder als Mt-Redaktion wahrscheinlich machen läßt, meine ich, einige der im obigen Artikel bedachten, von den genannten Befürwortern der Erscheinungshypothese nur teilweise oder gar nicht berücksichtigten Gesichtspunkte verdeutlichend und ergänzend in Erinnerung bringen zu sollen. Charakteristisch für die Struktur der Bekenntnisszene der Mk-Vorlage ist der Unterschied zwischen „den Menschen" (= den übrigen Israeliten) und „den Jüngern" hinsichtlich der Einschätzung der heilsgeschichtlichen Bedeutung Jesu. Auf dessen nochmalige Frage „Ihr aber, wer sagt ihr, daß ich sei" (Mk 8, 29a) schwingt sich der im Namen der Jünger antwortende Petrus im Unterschied zu „den Menschen" mit dem „Du bist der Christus" zur höheren Einschätzung Jesu auf. Schon dieser Umstand konnte den Evangelisten mit auf die Idee bringen, das Jüngerbekenntnis durch die Prädizierung „des Christus" als „der Sohn des lebendigen Gottes" zu einem noch höheren, nämlich adäquaten Bekenntnis zu steigern. Daß es Mt darum geht, Petrus die spezifische heilsgeschichtliche Würde und Sendung Jesu aussprechen zu lassen, hatte er schon vorweg angezeigt. In der einleitenden Frage ersetzt er, so gut wie sicher bewußt, das Personalpronomen von Mk 8, 27b durch Jesu Selbstbezeichnung als „der Menschensohn", mit der ja auch er in seinem Evangelium Jesus seine Gegenwart und Zukunft umfassende Sendung umschreiben läßt: „Wer, sagen die Menschen, daß der Menschensohn sei?" (Mt 16, 13b). „Die Menschen", also die von den Jüngern unterschiedenen Leute, vermögen diese Frage nicht zu beantworten, wie die Wiederholung der Frage Jesu an die Jünger zeigt (s. o. III, 5 mit Anm. 70). Wie kommt es im Verständnis des Evangelisten dann zur Beantwortung dieser Frage? Da gerade dieser die in den Bilderreden des aethHen bezeugte Menschensohnerwartung nachweislich kennt[99], steht möglicherweise sogar die

---

[98] So auch im Dialog des Auferstandenen mit Simon in Joh 21, 15 – 19.

[99] Zu der von Mt aufgenommenen typischen Wendung vom „Sitzen des Menschensohnes auf dem Thron seiner Herrlichkeit" vgl. ausführlich J. Theisohn, Der auserwählte Richter, StUNT 12 (Göttingen 1975) 153 bzw. 158 – 183; vgl. auch zu Mt 13, 40 – 43 a.a.O. 184 – 201.

dortige Vorstellung im Hintergrund, daß „der Höchste" den zuvor verborgenen Menschensohn „den Auserwählten offenbart" (62, 7; vgl. 48, 7 und 69, 26). Diese Vorstellung von dem nur durch Gott den Auserwählten zu offenbarenden Menschensohn könnte also bereits den Gedanken insinuiert haben, daß die Frage, wer Jesus als „der Menschensohn" ist, nur aufgrund göttlicher Offenbarung beantwortet werden kann. Ob dieser ideelle Impuls in Anschlag zu bringen ist, kann zudem offen bleiben. Auch ohne jenen speziellen Impuls hätte Mt zu der in 16, 16f. ausgesprochenen und bestätigten Deutung des Anspruchs Jesu, „der Menschensohn" zu sein, kommen können, wie ein Blick auf zentrale Aussagen der matthäischen Jesusüberlieferung zeigen dürfte. Diese bezeichnet ja nicht erst den erhöhten, im Himmel existenten und am Ende „auf dem Thron seiner Herrlichkeit" Gericht haltenden Christus als „den Menschensohn" (Mt 19, 28; 25, 31), sondern schon den auf Erden wirkenden Jesus und läßt sie diesen den unerhörten Anspruch auf ein exklusives wechselseitiges Erkennen von Vater und Sohn erheben (Mt 11, 27/Lk 10, 22).

b) Bezeichnenderweise wird auch von Kähler an erster Stelle „der vergleichbare Sprachgebrauch in Matth. XI. 25, 27" genannt, der für den von ihm vermuteten Urwortlaut des Makarismus spreche, nämlich für: „Selig bist Du . . . weil dir der (mein) Vater (in den Himmeln) den *Sohn* offenbarte" (46). Warum sollen jene bei Mt voraufgehenden, ihm also sicher bekannten Q-Logien den Evangelisten nicht ebensogut inspiriert und sachlich zur Bildung des Makarismus 16, 17 berechtigt haben können wie den Schöpfer der vermuteten Epiphanieerzählung? Weil das offenbarende Wirken des Vaters Erwählung bedeutet (11, 25f.) und dem Offenbarungslogion 11, 27b zufolge nur „der Vater" „den Sohn" kennt, kann der Evangelist Jesus Petrus mit Fug und Recht als Empfänger einer exceptionellen Offenbarung seines Vaters seligpreisen lassen, weil Petrus über das von ihm ausgesprochene Jüngerbekenntnis der Mk-Vorlage hinaus nachdrücklich die Gottessohnschaft des Christus bekannte (16, 16 – 17). Die Vollmacht Jesu, feststellen zu können, daß dieses Bekenntnis nur durch einen offenbarenden Akt seines Vaters ermöglicht wurde, ist ebenso durch 11, 27 gedeckt: denn „niemand kennt den Vater als nur der Sohn und wem der Sohn es offenbaren will" (11, 27c). Nun macht Künzel den Unterschied geltend, „daß das Offenbaren von 16, 17 auf ein einer einzelnen Person, nicht einer Vielzahl von Personen (νήπιοι: 11, 25) zuteil gewordenes Ereignis bezogen ist und außerdem nichts darauf hindeutet, daß es als wiederholbar oder ‚übertragbar' gedacht ist (anders 11, 27d)" (184). Durch seinen eigenen Hinweis auf das Offenbarungswort 11, 27, das die inhaltlich noch relevantere Parallele zu 16, 17 darstellt und, grammatisch wenigstens, singularisch formuliert ist („. . . und der, dem (es) der Sohn offenbaren will"), wird der Einwand im Grunde entkräftet.

c) Verrät aber nicht doch die Verwendung einer in der zweiten Person Singularis formulierten und zwar „unkonditionierten" Seligpreisung (Kähler 44 mit Anm. 4) ein vormatthäisches Element? Setzen wir einmal als formgeschichtliche Vorgabe voraus, daß eine Einzelperson wegen „Offenbarungserlebnissen, die dem Angesprochenen zuteil wurden oder werden", selig gepriesen wurde (Kähler 55). Dann könnte ja auch Mt durch diese Vorgabe zur Verwendung der Stilform des Makarismus inspiriert oder doch mit inspiriert worden sein. Die Behauptung, er sei auf das Wissen um einen diesbezüglichen Makarismus in der jüdischen Überlieferung oder in einer Epiphanieerzählung geradezu angewiesen gewesen, wäre m. E. indes äußerst gewagt. Mt kennt immerhin Seligpreisungen aus dem Munde Jesu selbst (statt eines Engels), sogar eine in der zweiten Person des Plural gehaltene unkonditionierte Seligpreisung, die ebenfalls mit Offenbarungserlebnissen begründet wird: Mt 13, 16f. Obwohl diese Seligpreisung den Begriff „offenbaren" nicht verwendet, sondern vom Standpunkt der von Jesus angesprochenen Israeliten von deren Sehen und Hören spricht, ist der Grund der Seligpreisung eindeutig das in der Wort- und Tatverkündigung Jesu erfolgende eschatologische Offenbarungsgeschehen, nämlich die beginnende Erfüllung der Heilsprophetie. Geht es dem Evangelisten in 16, 16f. darum, Petrus die speziellere Frage, wer der ist, der die anhebende Erfüllung der Heilsprophetie erfahren läßt, dank einer exzeptionellen Offenbarung adäquat beantworten zu lassen, erfordert die Seligpreisung, die ohnehin ein beliebtes stilistisches Ausdrucksmittel des Mt ist, statt der zweiten Person der Mehrzahl die der Einzahl. Es geht einfach darum, welche Erklärung mit weniger Hypothesen auskommt und als näherliegend gelten kann. Weil das vorausgesetzte Investitur-Schema die Annahme, in der Epiphanieerzählung sei der Seligpreisung ein Glaubensbekenntnis Petri voraufgegangen, nicht rechtfertigt, sieht sich Kähler, wie erinnerlich, genötigt, eine anders lautende, nämlich eine ein voraufgehendes Petrusbekenntnis ersparende Seligpreisung zu „vermuten" bzw. – mangels eines halbwegs stichhaltigen Anhaltspunktes[100] – zu postulieren und darüber hinaus noch einen Erzählungskranz von Petruslegenden zu vermuten, weil es dem Autor „sicher zu sein" scheint, „daß die hier beschriebene Form der Seligpreisung innerhalb einer einzelnen Erzählung weniger sinnvoll ist als im größeren Rahmen einer ‚literarischen Komposition'" (Kähler 57). Einen anders lautenden, dazu innerhalb einer einzelnen Erzählung, nämlich in der angenommenen Epiphanieerzählung nicht einmal ganz sinnvollen Makarismus für diese zu postulieren, bestünde doch wohl eher Anlaß, wenn das Petrusbekenntnis von Mt 16, 16 nicht nächstliegend als Potenzierung des markinischen Petrusbekenntnisses zu erklären wäre und nicht dazukäme, daß dieses von Mt potenzierte Christusbekenntnis seiner Jesusüberlieferung zufolge (bes. 11, 24 – 27) folgerichtig mit der Seligpreisung Simons als Offenbarungsempfänger beantwortet werden kann.

---

[100] Das gilt auch von einem letzten, noch nicht genannten Moment, das nach Kähler für die von ihm vermutete Urform des Makarismus sprechen soll, nämlich: „der Hiatus zwischen ‚Fleisch und Blut' gegen ‚mein Vater' im heutigen Text, wo man eher als Korrelationsbegriff ‚Gott' oder ähnliches erwarten würde (vgl. Gal. II. 15f.)" (46). Dieser auf den ersten Blick am ehesten Eindruck machende Einwand gegen die Mt-Herkunft des Makarismus ist keinesfalls beweiskräftig. Mt schreibt ja nicht: „denn Fleisch und Blut *haben* dir (das) nicht geoffenbart", was grammatisch sogar nahe gelegen hätte. Er verwendet den Singular (ἀπεκάλυψεν), weil für ihn selbstverständlich nur Offenbarung durch Gott in Betracht kommt, und zwar gerade durch den Vater (11, 27), nicht aber „Offenbarung ‚durch Fleisch und Blut'" (zu Kähler 46). Von „Fleisch und Blut" kann Mt im negierenden Vordersatz sehr wohl sprechen, wenn und weil er die Unfähigkeit Petri, das voraufgehende Bekenntnis aus eigenem Erkenntnisvermögen auszusprechen, unterstreichen will.

d) Man kann – was bei der Suche nach der Herkunft von Mt 16, 16–17 sicher Beachtung verdient – nicht bestreiten, daß die beiden Verse, Petri vollgültiges Christusbekenntnis und die dieses erklärende und bestätigende Seligpreisung, sich gegenseitig bedingen und daß der Evangelist gerade durch dieses Verspaar den Anschluß der Verheißung 16, 18b–19, auf die seine Neugestaltung des markinischen Christusbekenntnisses hinzielt, nicht nur formal, sondern auch sachlich-begründend vorbereiten konnte. Als der von seinem Vater so – nämlich als der Messias, „ der Sohn des lebendigen" d. i. des Leben gewährenden und bewahrenden „Gottes" – Geoffenbarte, dem nach Mt 11, 27a „alles" von seinem Vater „übergeben wurde", kann Jesus schon in der Situation von Cäsarea Philippi das nachösterliche Bauen „seiner" Heilsgemeinde[101] auf Petrus („ = auf diesen Felsen") voraussagen und versichern, daß die Macht des Todes (= „die Hadestore") dieselbe nicht zunichte machen werden (16, 18b). Sodann konnte Mt durch die exzeptionelle Auszeichnung des Wortführers der Jünger[102], nämlich durch die diesem zuteil gewordene göttliche Offenbarung der heilsgeschichtlichen Würde Jesu, auch die Verheißung der besonderen Funktion, die Petrus für die vom Erhöhten zu bauende Kirche zukommen wird, anvisieren, ohne deshalb in seinem Evangelium die Schwachseiten Petri im geringsten herunterspielen zu müssen. Indem Mt anschließend Jesu Ablehnung des Einspruchs Petri gegen sein Leidenmüssen gegenüber Mk 8, 33 noch verschärft (16, 23), bestätigt er nur nochmals, daß der Jünger nicht imstande war, das vollgültige Christusbekenntnis von sich aus abzulegen.

e) Hat diese Erklärung von Mt 16, 16f. als Mt-Redaktion aber nicht doch das frühere Bekenntnis aller Jünger zu Jesus als „Sohn Gottes" (14, 33) gegen sich? Daß Mt die Spannung zwischen 16, 16f. und 14, 33 „in Kauf genommen hat, könnte" nach G. Künzel „seinen Grund darin haben, daß ihm 16, 13ff. 17 (18f.) 20ff. bereits als Einheit vorgelegen hat" (182). Diese Erklärung dürfte indes schon deshalb ausscheiden, weil es denkbar unwahrscheinlich ist, daß die von Künzel genannte, sogar mit der mattäischen Fassung der einleitenden Jesusfrage (16, 13) einsetzende Versfolge dem Evangelisten als eigenständige Überlieferung zur Verfügung stand. Die Autoren des 1973 erschienenen Petrus-Buches einer ökumenischen Kommission der USA, das hier nach der deutschen Übersetzung[103] zitiert wird, äußern sich zu diesem Fragepunkt zwiespältig. Im Abschnitt über die Perikope Mt 14, 28–31 bzw. 33 urteilen sie zunächst, das Bekenntnis zu Jesus als „Sohn Gottes" komme „im wesentlichen auf das gleiche Bekenntnis hinaus, das Petrus in Mt 16, 16b machen wird" (74). Dazu merken sie aber an: Weil im Bekenntnis 14, 33 im Griechischen vor „Sohn Gottes" im Unterschied zu Mt 16, 16b kein Artikel steht, sei es „schwie-

---

[101] „Die Wendung ‚meine Ekklesia' ist nur verständlich, wenn aus dem Sprachgebrauch der LXX in ἐκκλησία κυρίου der Kyrios nun mit Jesus identifiziert ist": K. BERGER, Volksversammlung und Gemeinde Gottes: ZThK 73 (1976) 205.

[102] Von einer Petrus hervorhebenden Auszeichnung muß man sprechen, obwohl Mt, worauf H. FRANKEMÖLLE treffend hinweist, im Vergleich zu den Seitenreferenten „mittels verwandter Wortfeld-Verben" das Thema der Erkenntnis der Jünger „wesentlich gesteigert" hat: Jahwebund 237.

[103] Der Petrus der Bibel, Stuttgart 1976.

rig, die Bedeutung dieses Unterschiedes zu werten" (213 Anm. 188). Auf diese Anmerkung zurückverweisend, erklären sie an späterer Stelle jedoch: „Das Vorhandensein früherer Bekenntnisse . . . verrät die Tatsache, daß der über-schwängliche Ausdruck von Jesu Begeisterung über das Bekenntnis des Petrus kaum an seinem ursprünglichen Platz steht" (214 Anm. 201). Beachtet man die beträchtlichen Unterschiede, die zwischen dem „Gottes Sohn"-Bekenntnis aller Jünger von 14, 33 und dem Petrusbekenntnis von 16, 16 hinsichtlich der Veranlassung des Bekenntnisses, seines Wortlauts sowie seiner kontextlichen Einordnung bestehen (s. auch o. III, 1), wird man kaum stichhaltig argumen-tieren können: Hätte Mt die VV 16, 16 – 17 „selbst geschaffen, hätte er ihnen nicht durch Vorwegnahme des Petrusnamens in 4, 18 und des Gottessohnbe-kenntnisses in 14, 33 ihr Gewicht geraubt"[104]. Selbst der Satz, „daß das Petrus-Bekenntnis im Mt-ev durch 14, 33 in seiner Einzigkeit eingeschränkt worden ist" (Künzel 182), scheint mir eher zu weit zu gehen; was der Sache nach auch J. P. Meier bestätigt[105].

4. Es scheint mir bislang nicht gelungen zu sein, Mt 16, 16 – 19 en bloc (R. Pesch) oder doch die VV 16, 17 – 19 – mit substantiell gleichlautendem Wort-laut der Seligpreisung 16, 17 (G. Künzel) oder in einer anders lautenden Fas-sung der Seligpreisung (C. Kähler) – als Bestandteil einer Erscheinungserzäh-lung wahrscheinlich zu machen[106]. Die wahrscheinlichere Hypothese scheint mir doch zu bleiben, daß das Petrusbekenntnis 16, 16 als matthäische Poten-zierung des markinischen Bekenntnisses und die dieses beantwortende Selig-preisung 16, 17 als redaktionelle Bildung des Evangelisten zu erklären ist[107].

---

[104] E. Schweizer, Das Ev. nach Mt: NTD 2 (1981) 220.

[105] „We can see therefore that Peter's confession, his definition of what Son of Man means, has a Christological depth and richness to it which far surpasses the previous occurrences of either Mes-siah or Son of God in the Gospel": The Vision of Matthew (Theological Inquiries) (New York 1979) 109.

[106] Was übrigens auffällt: Die Mt 16, 16f. als matthäische Redaktion beurteilende Monographie von H. Frankemölle wird von Kähler, Pesch und Künzel überhaupt nicht genannt. Pesch führt zwar die in gleicher Weise urteilenden Aufsätze von R. Hoffmann, der die Erscheinungserzäh-lungshypothese ausdrücklich ablehnt, zwar an, setzt sich mit diesem aber nicht im geringsten aus-einander. Obwohl Mt 16, 18f. nach Kähler „sicher nicht von Matth. selbst gebildet wurde" (43), läßt er in seiner Nachtragsreplik ausgerechnet unerwähnt, daß Hoffmann 16, 18f – 19 nicht als ursprüngliche Einheit beurteilt, vielmehr mit der erst matthäischen Bildung dieser ganzen Spruch-gruppe rechnen möchte. Dieser Verzicht ist insofern von Belang, als Hoffmann mit seiner Auffas-sung Kähler's Hypothese wie natürlich auch der von Pesch und Künzel völlig den Boden entziehen würde.

[107] Was die Herkunft von 16, 17 betrifft, scheinen sich die Autoren des ökumenischen Petrus-Buches auf einen Kompromiß einigen zu wollen. Meiner Erklärung von V. 17 gegenüber merken sie an: „Hätte Matthäus den Vers selber abgefaßt, hätte er sich wahrscheinlich klarer und glatter ausgedrückt" (214 A. 202; vgl. auch den oben (3. e.) zitierten Einwand der Autoren von 214 A. 201). Andererseits meinen sie: „Daß sich" – außer „vormatthäischem Material" – „darin einige Bestandteile finden, die der Redaktion des Mattäus zuzuschreiben sind, liegt auf der Hand" (79). Als vormatthäische Bestandteile, die Mt miteinander verbunden habe, vermuten sie außer dem ge-wiß schon vorgegebenen „Simon Barjona" eine sowohl Mt 16, 17 als auch Gal 1, 16 zugrundelie-gende „Ausdrucksweise einer traditionellen Art, die nachösterlichen Erscheinungen des verherr-lichten Jesus zu beschreiben" (79f.). Offensichtlich wollen die Autoren nicht behaupten, Mt habe das substantielle Satzgefüge des Makarismus vorgefunden, dem Evangelisten vielmehr in hohem

Das hätte zur Folge, daß die weitere Diskussion der Herkunft und Traditionsgeschichte von 16, 18 b – 19 – angefangen mit der für diese Diskussion keineswegs unerheblichen Frage nach der Herkunft der „Petrus"-Bezeichnung[108] – von den VV 16, 16 – 17 absehen kann.[109]

Maße redaktionelle Tätigkeit zubilligen. Warum sollte der doch nicht ungeschickte Redaktor dann nicht auch die von den Autoren vermißte klarere und glättere Ausdrucksweise zustande gebracht haben können? Ist ihre Bemängelung etwa nur ein Feigenblatt, um zur Herkunft von V. 17 nicht eindeutiger Stellung nehmen zu müssen?

[108] Zur Frage nach den auf Jesus selbst zurückgehenden Einzelelementen und Motiven der VV 16, 18 b – 19, die in der vorliegenden Gestalt nachösterlichen Ursprungs sind, ist nach wie vor die 1970 erschienene Studie von F. HAHN zu vergleichen: Die Petrusverheißung Mt 16, 18 f., jetzt in: K. KERTELGE (Hrsg.), Das kirchliche Amt im Neuen Testament (WdF 439) (1977) 543 – 563).

[109] Während C. KÄHLER auf diese Frage nicht eingeht, und G. KÜNZEL mit anderen Autoren dafür plädiert, daß Simon als „erster Zeuge des Auferstandenen" den Würdenamen „der Fels" erhielt (190), läßt R. PESCH im Anschluß an die semantische These vom P. LAMPE den Beinamen im Erdenwirken Jesu verwurzelt sein. Jesus habe Simon den Übernamen bzw. Beinamen „Stein" gegeben, nämlich (als dem „ersten" im Zwölferkreis) wohl im Sinne von „Edelstein", wozu des weiteren die Assoziation „Grundstein" gekommen sein könne; erst in nachösterlicher Zeit sei sodann der Weg vom „Grundstein" zum „Felsenfundament" beschritten worden: So zuletzt auch im Art. Κηφᾶς (EWNT II [1981] 721 f.) und in seinem Beitrag „Neutestamentliche Grundlagen des Petrusamtes", in: K. LEHMANN (Hrsg.), Das Petrusamt (Kath. Akademie Freiburg 1982) 15 f. Die Frage, ob schon Jesus Simon mit der Sachbezeichnung „kêphä" ausdrücklich als „Fels" bezeichnete, ist vor allem mit der Bestimmung der Funktion des so gut wie sicher schon vorösterlichen Zwölferkreises (vgl. meinen Art. „Zwölf": LThK ²X, 1443 – 1445; zur vorösterlichen Existenz der Zwölfergruppe vgl. bes. W. TRILLING, Die Entstehung des Zwölferkreises, in: R. SCHNACKENBURG u. a. [Hrsg.], Die Kirche des Anfangs, FS H. Schürmann [Freiburg 1978], 201 – 222) verquickt, die kaum eine sichere Entscheidung erlaubt (vgl. auch W. TRILLING, Die Botschaft Jesu [Freiburg 1978] 66 f.). Eine beliebte Hypothese läßt Jesus die Zwölf als Stammväter des neuen Gottesvolkes verstehen. Waren die Zwölf in der Intention Jesu „gleichsam die Stammväter der Christenheit in Entsprechung zu den zwölf Söhnen Jakobs als den Stammvätern Israels", wäre verständlich, daß Simon als „der erstberufene Jünger . . . von Jesus den Beinamen ‚Fels' erhalten (hatte), weil mit seiner Berufung der Grundstein für das neue Gottesvolk gelegt war und" – wie F. Hahn fortfährt – „weil dieser Gemeinschaft die Verheißung galt, daß sie von den Mächten dieser Welt und des Bösen nicht überwunden werden kann . . ." (F. HAHN, Berufung, Amtsübertragung und Ordination im ältesten Christentum, in: A. GANOCZY u. a. [Hrsg.], Der Streit um das Amt in der Kirche [Regensburg 1983] 42). Bei dieser Hypothese kann man es weniger gut begreiflich finden, daß die Zwölf als Institution in der nachösterlichen Gemeinde „sehr bald ihre Bedeutung verloren (haben)" (T. HOLTZ, Art. δώδεκα: EWNT I [1979] 879) und die Zwölf keinesfalls zu einer bleibenden, die Organisation und Struktur der nachösterlichen Kirche bestimmenden Institution geworden sind. Man muß davon ausgehen, daß Jesus das ganze empirische Israel als Heilserben zurüsten wollte, ohne die glaubenswilligen Israeliten in eine Sondergemeinde hineinzurufen. Mit dieser Absicht dürfte sich der der Idee der Stammväter des neuen Gottesvolkes anhaftende Gedanke der vorgängigen Ausgrenzung eines „Anfangs" oder Kerns" des endzeitlichen Gottesvolkes kaum vertragen.
Aus der Überlieferung läßt sich leider nicht ermitteln, zu welchem Zeitpunkt Jesus den Zwölferkreis bildete. Mehrere Logien sprechen dafür, daß er sich von Anfang an um einen offenen, wachsenden Kreis persönlicher Nachfolger bemühte. Wenn ein Selbstzitat erlaubt ist: „Durch das Tatbekenntnis verzichtbereiter Lebens- und Schicksalsgemeinschaft mit Jesus (Lk 9, 57 – 62 par; Mk 10, 21 par) sollen die ihm nachfolgenden Jünger seinen Heils- und Bußruf an Israel bekräftigen, diesen als das schlechthin aktuelle Ereignis für Israel unterstreichen" (Jesus von Nazareth, in: R. KOTTJE-B. MOELLER, Ökumenische Kirchengeschichte 1 [1970, ⁴1983] 17). Die Schaffung des geschlossenen Zwölferkreises könnte damit zusammenhängen, daß Jesus nicht nur in der Öffentlichkeit auch Unverständnis und Ablehnung erfuhr, sondern auch im Jüngerkreis Zweifel an der

Gültigkeit und am Enderfolg seiner Botschaft von der anbrechenden Gottesherrschaft aufkamen und manche seiner Begleiter sich von ihm zurückzogen (a.a.O. 17f.). Dann wäre die Konstituierung des geschlossenen Kreises der Zwölf als Akt der Sicherung einer nachfolgegetreuen Jüngergruppe zu verstehen. (Dem stimmt mit K. MÜLLER auch L. OBERLINNER zu: Todeserwartung und Todesgewißheit Jesu, SBB 10 [1980] 85; vgl. ebenda zur Jüngeraussendung: 85f.) Durch die Zwölfzahl der ihn stets begleitenden und sich zu ihm bekennenden Gefolgsleute könnte Jesus zeichenhaft demonstrieren wollen, daß er trotz einer ihm auch begegnenden mangelnden Glaubensbereitschaft und menschlichen Widerspruchs seinen Anspruch, das endzeitliche Zwölfstämme-Volk zu bereiten, aufrecht erhält. Die Meinung, Jesus habe durch die Schaffung des Zwölferkreises grundlegend seinen Anspruch, im Auftrag Jahwes das Zwölfstämmevolk Israel zu sammeln, symbolisiert, scheint weithin geteilt zu werden (z.B. von W. G. KÜMMEL, Die Theologie des Neuen Testaments nach seinen Hauptzeugen, NTD Erg.-Reihe 3 [1969, ⁴1980] 34; E. LOHSE, Grundriß der neutestamentlichen Theologie [Stuttgart 1974] 42; R. PESCH, Das Markusev., HThK II, 1 [1976, ⁴1984] 208; D. ZELLER, Die weisheitlichen Mahnsprüche bei den Synoptikern, fzb 17 [1977] 171; vgl. auch J. GNILKA, Das Ev nach Mk, EKK II, 1 [1978] 143; E. SCHWEIZER, Das Ev nach Mk, NTD 1 [1975] 40). In ihrer ausführlichen Behandlung unseres Fragepunktes äußert sich auch M. TRAUTMANN, die wie die genannten Autoren auf die Idee der Stammväter-Funktion verzichtet und Jesus lediglich an die eschatologische Erwartung der Wiederherstellung des Zwölfstämmevolkes anknüpfen läßt, in der gleichen Richtung: „Die intentionale Hinwendung zu ganz Israel, wie sie in der Konstituierung der Zwölf abgebildet wird, impliziert zugleich seinen Anspruch auf ‚Gesamtisrael‘ als eschatologische Größe" (Zeichenhafte Handlungen Jesu, fzb 27 [1980] 167 – 233; hier: 228). Bei diesem Verständnis der zeichenhaften Bedeutung der Zwölfergruppe ist es schwieriger, die Auszeichnung Simons durch den Beinamen „Fels" für die Zukunftsperspektive Jesu zu beanspruchen und in diese einzuordnen, was hier nicht weiter diskutiert werden kann.

6

Grundfragen der Diskussion um das heilsmittlerische Todesverständnis Jesu*

Die evangelischerseits längst geführte und weithin ausgestandene Diskussion der Frage, ob Jesus selbst seinen Tod als heilseffizient gedeutet hat[1], ist katholischerseits erst im vergangenen Jahrzehnt voll ausgebrochen und mit der umstrittenste Punkt der Jesus-Forschung geworden[2]. Sie wurde vor allem durch H. Schürmann angeregt, der seine 1973 publizierte Untersuchung „Wie hat Jesus seinen Tod bestanden und verstanden?"[3], zugleich in Auseinandersetzung mit anderen katholischen Beiträgen[4], des weiteren begründete und auch modifizierte[5]. Nachdem ich selbst 1964 und 1970[6] auf die Problematik eines vorgängigen Wissens Jesu um ein heilseffizientes Sterben verwiesen und H. Patsch 1972 seine Befürwortung der Wahrscheinlichkeit, daß Jesus seinem Tod Sühnekraft zuschrieb, mit der ausdrücklichen Konzession eines „qualitativen Sprunges" verbunden[7] hatte, verschärfte mein Schüler P. Fiedler 1974 die Diskussion noch beträchtlich durch das Bedenken, ob es als wahrscheinlich gelten könne, daß Jesus auch nur angesichts des Todes auf den Gedanken kam, hinter seine pointierte Proklamation des schon im Alten Testament bezeugten absoluten Vergebungswillens Gottes zurückzugehen und sein Sterben als von

---

* Durchgesehener Teilabschnitt meines Referates (vom IV. Europäischen Theologenkongreß 1981) „Neutestamentliche Wissenschaft − Gegenwärtige Tendenzen und Probleme aus römisch-katholischer Sicht", in: O. MERK (Hrsg.), Schriftauslegung als theologische Aufklärung. Aspekte gegenwärtiger Fragestellungen in der neutestamentlichen Wissenschaft (Gütersloh 1984) 52−74, hier 62−69.

[1] Wiederaufgenommen und bejaht wurde die Frage 1980 von P. STUHLMACHER und M. HENGEL; vgl. dazu kritisch W. G. KÜMMEL: ThR 45 (1980) 334−337.

[2] Vgl. den guten kritischen Überblick von M.-L. GUBLER, die neuere, besonders seit 1976 publizierte Studien (vgl. u. Anm. 4 und 5) nicht mehr berücksichtigte: Die frühesten Deutungen des Todes Jesu. Eine motivgeschichtliche Darstellung aufgrund der neueren exegetischen Forschungen (OBO 15) (Göttingen 1977).

[3] In: P. HOFFMANN (Hrsg.): Orientierung an Jesus (Freiburg 1973) 325−363.

[4] Bes. von J. GNILKA: Wie urteilte Jesus über seinen Tod?, in: K. KERTELGE (Hrsg.): Der Tod Jesu (QD 74) (Freiburg 1976, ²1980) 13−50, der seine daselbst (50) geäußerte Auffassung in Mk II, 248 f. aber dahin korrigierte, daß wohl Jesus selbst sein Sterben als „Heilstod" verstand; A. VÖGTLE: Todesankündigungen und Todesverständnis Jesu, a.a.O. 51−113; DERS., Der verkündigende und verkündigte Jesus „Christus", in: J. SAUER (Hrsg.): Wer ist Jesus Christus? (Freiburg 1977, ²1980) 56−70 bzw. 79; P. Fiedler (s. u.) u. R. Pesch (s. u.).

[5] Jesu ureigener Tod (Freiburg 1975, ³1979); Jesu ureigenes Todesverständnis. Bemerkungen zur „impliziten Soteriologie" Jesu, in: J. ZMIJEWSKI und E. NELLESSEN (Hrsg.): Begegnung mit dem Wort (FS H. ZIMMERMANN, BBB 53) (Bonn 1980) 273−309; Jesu Todesverständnis im Verstehenshorizont seiner Umwelt, ThGl 70 (1980) 141−160.

[6] In: ÖKG I (Mainz und München 1970, ³1980) 21 f.

[7] Abendmahl und historischer Jesus (CThM Reihe A. Bd. 1 (Stuttgart 1972) 219.

Gott gefordertes Sühnesterben zu verstehen, was sogar die Frage einer Desavouierung seiner öffentlichen Heilsverkündigung aufwerfen lasse[8]. Unter den katholischen Versuchen, Jesus beim letzten Mahl die Heilsbedeutung seines Sterbens bekunden zu lassen[9], dürfen die markanten Hypothesen von H. Schürmann und R. Pesch als die beiden extremen Positionen gelten, die zunächst kurz skizziert seien.

I

1. Den Eindruck der ursprünglichen Fassung seiner Hypothese, als habe Jesus die Heilsbedeutung seines Todes speziell im stellvertretenden Sühnetod erblickt, bezeichnet *H. Schürmann* in seiner jüngeren Studie „Jesu ureigenes Todesverständnis" (aus der, soweit nicht anders vermerkt, im Folgenden zitiert wird) als „eine Verengung" − „weil das Heil der Basileia ja doch viel umfassender beschrieben werden kann" (279 mit A. 29). Er hält aber daran fest, daß die Heilsbedeutung des Todes Jesu, dessen „aktuelle Heilseffizienz" freilich erst aufgrund der Auferstehung Jesu erkennbar wurde, „im bewußten proexistenten Todesdienst" des absoluten eschatologischen Heilbringers *potentiell* grundgelegt" war und in „den dienenden und gedeuteten Gebegesten Jesu beim letzten Abschiedsmahl . . . drastisch-bildhaft (und in Begleitworten nur andeutend), aber doch *direkt thematisiert*" wurde (300. 305). So entschieden Schürmann begleitende Deuteworte postuliert, deren vermutlich älteste Form Lk 22, 19 − 22a vorliege, betont er, daß wir ihren genuinen Wortlaut nicht kennen (299. 301 − 304). Ob Jesus seinen Tod direkt als stellvertretenden Sühnetod verstand, sollten wir nach Schürmann „aufgrund der Dienstgesten seines letzten Mahles zumindest offen lassen und für möglich halten . . ." (304). Zugleich trägt er einem vom neutestamentlichen Befund her erhobenen Einwand Rechnung mit der Erklärung, Jesu Abendmahlsgesten und Begleitworte hätten das Wissen um die stellvertretende Sühneleistung „auch nicht so deutlich artikuliert haben (müssen), daß diese Deutung des Sterbens Jesu von da an unverlierbarer Besitz der Jünger gewesen wäre" (302). „Über Jesu Abendmahlsworte wissen wir also mit Sicherheit nicht mehr, als was die Abendmahlsgesten aussagten: das eschatologische Heil kommt staurologisch zu" (304). Da das „proexistente Grundverhalten Jesu ‚hyper' . . . in seiner Einmaligkeit und Einzigartigkeit sich vorösterlich kategorial überhaupt nur gänzlich unzulänglich hätte artikulieren lassen", „sollten wir auch nicht lange nach expliziten soteriologischen Äußerungen Jesu suchen", wie wir uns ja auch „abgewöhnt" hätten, „in den genuinen Worten Jesu explizite Hoheitstitel zu suchen, so sehr Jesus sich hoheitlich thematisiert hat"[10].

---

[8] Sünde und Vergebung im Christentum, Conc(D) 10 (1974) 569 − 571; DERS.: Jesus und die Sünder (BET 3) (Frankfurt 1976) 277 − 281.

[9] Zu solchen Versuchen vgl. R. PESCH: Das Abendmahl und Jesu Todesverständnis (QD 80) (Freiburg 1978) 13 − 21, und jetzt P. FIEDLER: Probleme der Abendmahlsforschung, ALW 24 (1982) 190 − 323. Zu den beiden unterschiedlichen Rekonstruktionen des Abendmahlsgeschehens von H. MERKLEIN (1977) und E. RUCKSTUHL (1981), der seinen Vorschlag in eingehendem diakritischem Gespräch mit R. Pesch begründet, vgl. jetzt W. G. KÜMMEL, ThR 47 (1982) 157 − 159.

[10] Jesu Todesverständnis 157 f.

2. Während Schürmann die für Peschs Hypothese fundamentale Paschaliturgie nicht voraussetzt und bezüglich der Abendmahls*worte* den Rekurs auf die Mk-Fassung traditionsgeschichtlich nicht mitzumachen vermag (302 A. 128), ist nach *R. Pesch*[11] in Mk 14, 22 – 25 der „älteste ursprüngliche Bericht vom letzten Mahl Jesu, dem Paschamahl in der Nacht seiner Auslieferung (Mk 14, 12 – 26)" zu erblicken, demgegenüber der ebenfalls schon in der aramäisch sprechenden Urgemeinde abgefaßte „älteste, ursprüngliche kultätiologische Text der christlichen Herrenmahlfeier" von 1 Kor 11, 23b – 25 sekundär, nämlich aus jenem ableitbar sei (59. 66 bzw. 21 – 66). Im weiteren Unterschied zu Schürmann läßt Pesch Jesus mit den die Gebegesten begleitenden Deuteworten von Mk 14 in einer dem Denk- und Verständnishorizont der Jünger angemessenen Weise ausdrücklich die sühne- und bundstiftende Kraft seines Sterbens eröffnen (69 – 102). „Nach seinem eigenen, in den Deuteworten des letzten Mahles ausgesprochenen Todesverständnis stirbt Jesus den Sühnetod für die, die ihn verwerfen, für ‚die vielen', für ganz Israel, dem Gott sich durch die Auslieferung seines Sohnes, des Menschensohnes (Mk 9, 31a), neu verpflichtet" (108). Ohne diese geschichtliche Vorgabe bleibe „die nachösterliche Entwicklung der Jesusbewegung historisch unverständlich" (114).

II

Aus der Problematik, mit der die beiden Autoren ringen[12], sei hier nur ein fundamentaler Punkt herausgegriffen, nämlich die unterschiedliche Art und Weise, in der sie Jesu heilseffizientes Todesverständnis in seine Gottes- und Gottesreichverkündigung einordnen.

1. *H. Schürmann* meint, „daß Jesus sein Basileia-Angebot eigentlich von Anfang an, jedenfalls sehr früh koexistent, wenn auch noch unausgesprochen, mit dem Gedanken des Todes [sc. als Mittel der Heilserlangung] verkündet hat", weshalb „man auch nicht (mit H. Patsch, P. Fiedler und R. Pesch) einen ‚qualitativen Sprung' (benötigt). Nicht einmal einen neuen, zu seinem bisherigen Wirken hinzukommenden heilsmittlerischen Akt, weil Jesu Proexistenz sein ‚Wesen' war und weil die Offenheit Jesu ihn dem Heilswillen des Vaters gegenüber für beide Möglichkeiten bereit sein ließ" (292). Oder wie Schürmann letzteres noch pointierter formuliert: „Jesus lebte . . . total offen auf den Ratschluß Gottes hin und überließ es dem Vater, wie dieser der Welt sein Heil schenken werde: durch sein Wirken und Verkünden oder – über seine eigene Leiche hinweg – durch seinen Tod."[13] Jesu Bereitschaft für beide Möglichkeiten bedeutet indes auch für Schürmann keinen völligen Optionsver-

---

[11] Das Abendmahl; Die Überlieferung der Passion Jesu, in: K. KERTELGE (Hrsg.): Der Tod, 148 – 173; Mk II, bes. 364 – 377; Wie Jesus das Abendmahl hielt (Freiburg 1977, ³1980). Soweit nicht anders vermerkt, zitiere ich nach der QD: Das Abendmahl (s. Anm. 9).

[12] Zu den verschiedenen Aspekten des Problems und der beiden Hypothesen im bes. nimmt jetzt P. FIEDLER, Probleme, 192 – 217, Stellung, der noch seine eigene Hypothese „Zur nachösterlichen Entwicklung" (215 – 220) anschließt.

[13] Jesu Tod – unser Leben. Ein Versuch zu verstehen (Antwort des Glaubens 18) (Freiburg 1980) 6.

zicht, da auch er Jesus vor dem Abschiedsmahl ja von der einen und nur der einen der beiden Möglichkeiten der Heilsvermittlung sprechen läßt. Höchstwahrscheinlich will er deshalb dahin verstanden werden, Jesus selbst habe sich bis zuletzt darum bemüht, Israel für das von ihm verkündete Heilsangebot zu gewinnen und die Möglichkeit des Heilstodes für den Fall des Scheiterns als zweites Projekt in petto gehabt und bis zum Abschiedsmahl behalten. Impliziert aber nicht schon das eine bedenkliche Spannung, daß Jesus nämlich die eine Möglichkeit unbestreitbar als endgültige Heilsaktion Gottes proklamiert, also doch so redet, als sei die Annahme und Weitergabe der vergebenden Liebe Gottes der einzige Weg zur Erlangung des Heils der Gottesherrschaft, obwohl er „eigentlich von Anfang an, jedenfalls sehr früh" weiß, daß Gott noch eine zweite Möglichkeit der Heilsvermittlung bereithält? Auch dieses Bedenken scheint Schürmann ausräumen zu wollen, eben mit dem Argument, aufgrund seines proexistenten Wesens und Verhaltens habe Jesus seinen eventuellen Heilstod nicht als einen gegenüber seinem öffentlichen Wirken „neuen" heilsmittlerischen Akt zu beurteilen brauchen.

Nun liegt die eigentliche Schwierigkeit anerkanntermaßen nicht in der Annahme, daß Jesus „mit wachsender geschichtlicher Erfahrung mit der Wahrscheinlichkeit seines Todes" rechnete und diese „am Ende" sich zur „moralischen Gewißheit" verdichtete[14]. Jesu *Bereitschaft,* für seine Gottes- und Gottesreichbotschaft auch mit seinem Tod einzustehen, wird ohnehin von kaum jemandem bestritten. Warum begnügt sich Schürmann aber nicht damit, Jesus erst aufgrund der Erfahrung, daß sich Israel „in seiner Mehrzahl" seiner Botschaft versagt (294), bzw. in Verbindung mit der Erwartung seines wahrscheinlichen oder sicheren Todes diesen als weitere Möglichkeit der Heilsvermittlung erkennen zu lassen? Warum liegt ihm daran, daß Jesus „eigentlich von Anfang an" auch diese zweite Möglichkeit in petto hatte? Im ersten Fall ließe sich nicht bestreiten, daß es sich bei der Konzeption der zweiten Möglichkeit um eine Revision des ersten und einzigen von Jesus vorgesehenen Modus der Heilsvermittlung gehandelt und der neue Modus als „qualitativer Sprung" zu gelten hätte. Um dieser Konsequenz zu entgehen, beruft sich Schürmann auf das Jesu Wirken von Anfang an kennzeichnende und bis in den Tod aktiv durchgehaltene ‚proexistente‘, liebende und dienende Grundverhalten des „Repräsentanten der Basileia", des „absoluten und endgültigen Heilbringers" (296 u. ö.) als inneren Grund dafür, daß Jesus „eigentlich von Anfang an" die zweite Möglichkeit der Heilsvermittlung mit der Basileia-Verkündigung zusammendenken konnte, „zumal Jesu Basileia-Verkündigung der Gedanke an das Scheitern inhärent gewesen zu sein scheint" (284). Letztere Formulierung müßte dann eigentlich dahin verdeutlicht werden, Jesus habe „von Anfang an" mit dem Scheitern seines Heilsangebots gerechnet, daß sich dieses wegen

---

[14] Jesu Todesverständnis, 144. 142; doch vgl. jetzt P. FIEDLER, Probleme 204 f., Mein Schüler L. OBERLINNER, der sehr gründlich zum Problem einer historischen Begründung der „Todeserwartung und Todesgewißheit Jesu" (SBB 10) (Stuttgart 1980) Stellung nahm, rechnet mit der Möglichkeit, daß die Todesgewißheit Jesu „bis zum Schluß eben nur eine ‚Gewißheit‘ unter dem Vorbehalt des ‚Wenn‘ des Willens Gottes war" (165).

der Ablehnung Israels somit als Fehlschlag erweisen könne. Ein anderer Grund dafür, daß er von Anfang an ein heilsmittlerisches Sterben als mögliche Alternativlösung ins Auge faßte, ließe sich ja kaum plausibel machen. Da man Jesus doch mit der entschiedenen Überzeugung von der Gültigkeit seines Heilsangebots in Israel antreten lassen muß, darf man aber bezweifeln, ob selbst die – von Schürmann nicht behauptete – vorgängige Erwartung, die religiösen Führer würden ihn wegen seiner Botschaft sogar zu Tode bringen, für ihn schon Grund genug gewesen wäre, jene Alternativlösung zu konzipieren. „Alternative" wäre für Schürmann freilich ein unpassender Ausdruck. Denn: „Nicht ein neuer, heilsmittlerischer Akt ist verlangt, wenn die proexistente Hingabe durchgehalten wird, sondern nur eine Anpassung des proexistenten Aktes an die neu zukommende Martyriumssituation" (292 A. 88).

2. Im Unterschied zu Schürmann läßt *R. Pesch* Jesus erst aufgrund der Erfahrung der generellen Ablehnung seiner Botschaft durch Israel den Gedanken des Heilstodes konzipieren (103 – 109). Dadurch vermeidet er die Unwahrscheinlichkeit, die Schürmanns Tendenz, Jesus „eigentlich von Anfang an" mit einer zweiten Möglichkeit der Heilsvermittlung rechnen zu lassen, anhaftet. Er gerät aber in ähnliche Schwierigkeiten wie Schürmann, weil er eindeutig die höchst zweifelhafte Annahme in Kauf nimmt, Jesus habe seine Basileia-Botschaft am Ende als gescheitert betrachtet, so sehr er selbst freilich darauf besteht, daß Jesus mit seiner Gottesreichverkündigung nur „scheinbar", „in Wahrheit aber Israel selbst" und nur Israel gescheitert ist (107). Die den Heilsmittler bewegende Problematik kommt ihm zufolge beim (letzten) Jerusalem-Besuch zur Sprache, bei dem Jesus die Hauptstadt mit seiner Basileia-Botschaft konfrontieren will, weil hier die Entscheidung fallen muß[15]. Hier habe Jesus in der das Strafgericht Gottes androhenden Parabel von der Tötung des Sohnes (Mk 12, 1 – 9) den „Konflikt" exponiert, in den er angesichts seiner Ablehnung in Israel geriet: „Wird Israel nicht gerade durch die Abweisung des letzten Boten, der Gottes unbedingten Heilswillen verkündigt, verworfen? Wird der eschatologische Heilsmittler so geschichtlich-faktisch zum Unheilsmittler?" (105) „Jedenfalls:" – schreibt Pesch hier weiter – „Der Konflikt, in den Jesus gerät, ist durch die faktische Situation seiner Ablehnung in Israel bedingt, auch der theologische Konflikt zwischen dem Gott des Heils und dem Gott des Gerichts, den Jesus überwunden zu haben schien, der aber angesichts seiner Verwerfung, angesichts seiner beabsichtigten Tötung neu entsteht" (106). *„Diesen Konflikt . . .* löst Jesus, indem er *seine Sendung als Heilssendung bis in den Tod* durchhält und seinen Tod als den Tod des eschatologischen Heilsboten, als Heils- = Sühnetod für Israel versteht" (107).

Die Formulierungen Pesch's sprechen für dessen Annahme, die sichere Erkenntnis der Notwendigkeit des Sühnesterbens habe Jesus erst bei seinem letzten Bemühen um die Hauptstadt gewonnen. Seit wann Jesus mit jenem „Konflikt" rechnete, ob der Verfasser Jesus schon in Verbindung mit seinen früheren Voraussagen, daß er als der prophetische Messias, d. h. seines Erachtens als der Menschensohn und der Gerechte katexochen, den Tod erleiden (und

---

[15] Das Evangelium der Urgemeinde. Wiederhergestellt und erläutert (Freiburg 1979).

aus demselben erhöht werden) wird, an die Möglichkeit eines notwendigen Sühnesterbens für Israel denken läßt, lassen seine diesbezüglichen Ausführungen nicht erkennen. In dieser Hinsicht schafft auch seine Feststellung keine Klarheit, es sei „richtig und voll verständlich", daß „Jesus nicht schon mit seiner Verkündigung der Gottesherrschaft auf seinen Tod als notwendigen Sühnetod hinwies", weil er damit seiner Umkehrpredigt „den eschatologischen Ernst genommen (hätte)"[16]. Mit dieser voll zutreffenden Begründung provoziert freilich auch er die Frage, ob man Jesus diese Spannung zwischen Reden und Wissen unbedenklich zuschreiben darf. Insofern er Jesus das Sühnesterben aber allem nach nicht von Anfang an als Möglichkeit im Blick haben, sondern erst im Dialog mit der Geschichte konzipieren läßt, und zwar eindeutig als Notlösung – ohne das Sühnesterben wäre der Heilsmittler für Israel zum Unheilsmittler geworden! –, rechnet ihn Schürmann zu Recht zu den Autoren, die einen „qualitativen Sprung" behaupten. Von einem solchen spricht Pesch selbst freilich nicht und will auch er offensichtlich nicht gesprochen haben. Deshalb bemüht er sich ebenso wie Schürmann, den „qualitativen" Unterschied zwischen den beiden Modi der Heilsvermittlung – Gottesreichverkündigung und Sühnesterben – zu minimalisieren, wenn nicht gar aufzuheben: „Jesu Sühnetod konkurriert nicht mit seiner Gottesreichverkündigung, sondern ist deren sie selbst aufgipfelnde, in eine neue heilsgeschichtliche Lage überführende Konsequenz: die Stiftung des Neuen Bundes" (109). Warum er sich dazu berechtigt glaubt, wenigstens implizit der Vorstellung eines qualitativen Sprungs zu wehren, wird aus seiner Begründung der Notwendigkeit des Sühnesterbens ersichtlich, die s. E. zugleich Fiedlers prinzipielles, nämlich theo-logisches Bedenken entkräftet: Hätte nicht der Tod des „Bote(n) der Liebe des Vaters" – als „souveränes Werk der ‚Feindesliebe' Gottes" – „in der Situation des endzeitlichen Abfalls Israels den Sündern (= ganz Israel) Gottes unbedingtes Gnadenangebot" vermittelt, dann hätte statt des „Gottes der Gnade" (= der Liebe) der „Gott des Gerichtes" das letzte Wort behalten (105 – 109). Die Stichhaltigkeit dieser in sich stringenten Begründung hängt freilich davon ab, ob Jesus wirklich in den vorausgesetzten Konflikt geriet, weil in seiner Sicht (spätestens beim letzten Mahl) „ganz Israel" sich seiner Botschaft endgültig verweigert habe und deshalb dem gnadenlosen Gericht verfallen gewesen und insofern eben doch nicht nur Israel sondern auch er selbst gescheitert wäre.

III

Die beide scharfsinnigen Hypothesen leitende Tendenz wird fast durchweg, vor allem katholischerseits gutgeheißen[17]. Bei Schürmann wird vielfach dessen Vorsicht gelobt, bei Pesch die mutige Zielstrebigkeit, mit der er in kombinier-

---

[16] Wie Jesus, 83 f.

[17] Von J. P. CALVIN SJ bes. Schürmanns Hypothese, die im Unterschied zu Peschs ja die Einbeziehung der Heiden in die Heilseffizienz ermöglicht, die aber auch noch „unvollendet" sei: Jesus' Approach to Death, TS 41 (1980) 716 – 729.

ten Arbeitsgängen[18] die vorherrschende Skepsis zu überwinden sucht. Es verwundert nicht, daß Schürmann für Pesch bezüglich der Abendmahlsworte zu skeptisch ist und Pesch für Schürmann, der bis auf den auch seine eigene Hypothese treffenden Punkt W. G. Kümmels Kritik an Pesch teilt, „zuviel weiß"[19]. Außer kritischen Voten beider Konfessionen[20] zu dem freilich vielzitierten und zur Erwägung gestellten Lösungsvorschlag Schürmanns wären katholische Autoren zu nennen, „die zwar eher dazu zu tendieren scheinen, daß nicht bereits Jesus seinem Sterben irgendeinen heilsmittlerischen Sinn zugesprochen hätte, die sich aber jeweils auf Schürmanns Auslegung berufen"[21]. Deren Problematik scheint auch sein Schüler und heutiger Bischof J. Wanke insinuieren zu wollen. Er erklärte jüngst: „Historisch war es sicherlich so, daß die soteriologische Komponente des Sterbens Jesu in Konsequenz des Auferstehungsgeschehens erkannt wurde", ohne, wie P. Fiedler vermerkt, im ganzen Zusammenhang „von daraufhin ausdeutbaren Abendmahlsgesten (oder eben gar anderen -worten als von Mk 14, 25)" zu reden[22]. Die Reaktionen auf Peschs Hypothese reichen von „im ganzen" – nämlich trotz möglicher Einzelbeanstandungen – „überzeugend"[23] und der Zustimmung zu wesentlichen Punkten[24] über die Meinung, es handle sich um einen höchst beachtlichen „möglichen", wegen zweifelhafter grundlegender Punkte jedoch unbewiesenen Lösungsvorschlag,[25] bis zu eindeutiger Ablehnung[26]. Die angestrengten Versuche, Jesu heilsmittlerisches Todesverständnis zu sichern, dürften zumindest dazu beitragen, den Blick für die Problematik zu schärfen. Daß und in welchem Sinn Jesus sein Sterben als heilseffizient verstand und kundtat, kann aber auch katholischerseits noch keineswegs als entschieden gelten.

---

[18] Die volle Kombination wird indes auch gerade vermißt, da das gesamte Problem des Verhältnisses der vier Abendmahlsberichte des Neuen Testaments „wiederum auf rein literarischer Ebene abgehandelt (wird)". So bes. F. Hahn in seiner ausführlichen Rezension: TRv 76 (1980) 267 f.

[19] Schürmann in: FS Zimmermann 286 Anm. 61 und 294 Anm. 93.

[20] Vgl. W. G. Kümmel: ThR 41 (1977) 345; 43 (1978) 259 f.; 45 (1980) 333 f.; 47 (1982) 160 f.; P. Fiedler, Probleme, bes. 204 f.; 208 – 211. Im Hinblick auf die theologische Akzentuierung des Wirkens und der Botschaft Jesu plädiert auch L. Oberlinner – damit der Sache nach sich von Schürmann wie von Pesch distanzierend – dafür, daß die heilsmittlerische Deutung des Todes Jesu in einer ‚Antwort' Gottes auf diesen Tod, konkret also erst im Glauben an die durch Gott gewirkte Auferstehung Jesu begründet war: Todeserwartung, 166 f.

[21] P. Fiedler, a.a.O., 211 bzw. 211 – 213.

[22] A.a.O., 212.

[23] H. Giesen: ThG(B), 23 (1980) 60.

[24] So I. H. Marshall: Last Supper and Lord's Supper (Exeter 1980) 35. 40 f. 92, und T. Holtz, demzufolge Pesch trotz „doch wohl etwas zu sicher" vorgetragener Lösungen mit Recht die Vereinbarkeit von Gottesreichverkündigung und Sühnetodverständnis sowie Mk 14, 22 – 25 als historisch im wesentlichen zuverlässig befürwortet: TLZ 106 (1981) 812 f. Der These von Jesu „Konflikt" und dessen Lösung scheint auch E. Ruckstuhl zuzustimmen: Heiße Eisen, 729 f.

[25] R. J. Daly SJ: BTB 11 (1981) 24 – 26; ders.: CBQ 43 (1981) 310.

[26] So W. G. Kümmel: ThR 43 (1978) 262 – 264; 45 (1980) 332 f.; 47 (1982) 159 f.; F. Hahn: TRv 76 (1980) 265 – 272; J. Hainz: MThZ 31 (1980) 149 – 152; P. Fiedler, Probleme, bes. 184 – 202. 206 – 208.

NACHTRAG

Unter den seit Abschluß obigen Referats erschienenen Diskussionsbeiträgen ist an erster Stelle die erstmalig 1982 veröffentlichte, nun erneut durchgesehene Studie „Jesu ursprüngliches Basileia-Verständnis" zu nennen, die *H. Schürmann* zusammen mit vier weiteren publizierten Aufsätzen in seinem Sammelband „Gottes Reich − Jesu Geschick. Jesu ureigener Tod im Licht seiner Basileia-Verkündigung" (Freiburg i. Br. 1983) vorgelegt hat (21 − 64). Zentrales Anliegen dieser Studie[27] ist der einleitenden „Hinführung" zufolge die Beantwortung der Frage: „Konnte Jesus das eschatologische und das staurologische Heil − das der nahenden Basileia und das seines Märtyrertodes − zusammendenken oder gar koinzident verstehen?" (15). Da unser Autor in genannter Studie alle Aspekte ins Licht zu heben sucht, „die das Symbol-Wort ‚Basileia Gottes' involviert" (44), hat sie offenbar als zusammenfassende Behandlung unserer Thematik zu gelten. Schon angesichts des Scheiterns der Täuferpredigt an Israels Unbußfertigkeit „konnte (Jesus) von Anfang an schwerlich sich in der Hoffnung wiegen. Gott würde mittels seiner Predigt ganz Israel zur Umkehr bringen und auf das kommende Reich bin ‚sammeln'" (33). Ja − und diese scharfe Akzentuierung ist der eigentlich neue Aspekt der Studie: „Wir haben Jesu Basileia-Geschick noch nicht begriffen, wenn wir es nicht schon im Ansatz als irdisches Miß-Geschick Gottes (und Jesu) verstanden haben" (45). Unter Hinweis auf „die Gefährlichkeit" und „die geschichtliche Erfolglosigkeit der Basileia-Verkündigung Jesu" sowie auf Jesu „Gegenwarts-Eschatologie als Deszendenz Gottes", worin der Tiefengrund für „den Mißerfolg der Basileia-Verkündigung als innerlich notwendiges Ge-Schick der Basileia selbst" liege (45 − 51), betont Schürmann deshalb: „Jesus konnte sich sein Basileia-Geschick eigentlich von Anfang an, und zwar aus dessen innerstem Wesen heraus, eigentlich wohl nur als Miß-Geschick denken". (45) Oder nach anderer Formulierung: „Jesus mußte also wohl von Anfang an seinen Basileia-Auftrag mit dem Gedanken der Erfolglosigkeit zusammendenken, ja *mußte den Mißerfolg als innerlich notwendiges Ge-Schick der Basileia selbst verstehen"* (49; Sperrung von mir).

1. Die Relevanz dieser Ausgangsthese liegt auf der Hand. Unter dieser Voraussetzung kann die Frage, ob Jesus mit einer Alternative zu der von ihm verkündeten Weise der Heilsvermittlung rechnen konnte, nur bejaht werden. Dies jedenfalls unter der gleichzeitigen, auch von Schürmann nachdrücklich betonten Voraussetzung, daß Jesus den Anspruch erhob, der absolute und endgültige Heilbringer zu sein. Denn in diesem Fall hätte Jesus „eigentlich von Anfang an" (45) es für unerläßlich halten müssen, daß Gott eine Alternativlösung zu dem von ihm zu verkündenden, aber „innerlich notwendig" mißlingenden Weg der Heilsvermittlung bereit hält. Dieser Versuch, die Vereinbarkeit von Basileia-Verkündigung und heilsbedeutsamem Todesverständnis zu begründen, erfordert freilich einen bedenklich hohen Preis. Jesus hätte mit einem Heilsangebot begonnen und dasselbe mit einem unerhörten Vollmachts-

---

[27] Soweit nichts anderes vermerkt, wird im Folgenden aus dieser Studie zitiert.

anspruch bis zuletzt als endgültige Weise der Heilsvermittlung vertreten, obwohl er „eigentlich von Anfang an" wußte, es werde „innerlich notwendig" im Mißerfolg enden. Darf man Jesus diese Spannung – um einen moderaten Ausdruck zu verwenden – ernsthaft zumuten?

In kaum bestreitbarem Widerspruch zu dieser Ausgangsthese von Jesu vorgängigem Wissen um das notwendige Scheitern seiner Basileia-Verkündigung rekurriert unser Autor jetzt aber zugleich auf seine frühere Begründung der Vereinbarkeit von Basileia-Verkündigung und heilseffizientem Todesverständnis: daß nämlich Jesus „eigentlich von Anfang an, jedenfalls sehr früh" dem Heilswillen des Vaters gegenüber offen blieb und es seinem Ratschluß überließ, „wie dieser der Welt sein Heil schenken werde: durch sein Wirken und Verkünden oder – über seine eigene Leiche hinweg – durch seinen Tod" (s. o. II a). Diese „grundsätzliche Offenheit für die Weisen des Basileia-Geschickes des Vaters" (51) unterstreicht er jetzt sogar nachdrücklichst, indem er die Frage des Erfolges oder Mißerfolges bei Jesus „in vielfacher Hinsicht" offen bleiben läßt, einschließlich der Frage, „was das mit Sicherheit erwartete Reich am Ende für Jesu Geschick bedeuten werde".[28] Warum läßt er Jesus entgegen seinem vorgängigen Wissen um den „innerlich notwendigen" Mißerfolg seiner Basileiaverkündigung sogar betont mit dem möglichen Erfolg derselben rechnen? Vermutlich doch deshalb, weil er zugleich einer bedenklichen Konsequenz, die seine Ausgangsthese mit sich bringt, entgegensteuern will. So sehr ihm „scheinen möchte, daß die *Möglichkeit* des Märtyrertodes von Anfang an von Jesus einkalkuliert war" (54 Anm. 104), will er Jesu Erkenntnis des tatsächlichen Scheiterns seines Basileia-Auftrags unverkennbar möglichst weit, möglichst bis zum Schluß hinausschieben, um Jesus nicht in den Konflikt zu bringen, ob es überhaupt noch Gottes Wille ist, nach wie vor mit aller Verve sein Heilsangebot als definitive Möglichkeit der Heilserlangung zu verkünden. Daß es Jesus auch nur zum Schluß darauf anlegte, eine seine Hinrichtung begünstigende, ja erzwingende Todfeindschaft zu provozieren, um statt seiner notwendig scheiternden Basileia-Verkündigung der anderen, von ihm „eigentlich von Anfang an" mitgedachten Möglichkeit der Heilsvermittlung, nämlich durch seinen Tod, zur Realisierung zu verhelfen, ist denn auch bei unserem Autor nicht zu lesen.

2. Wozu dann aber überhaupt jene Ausgangsthese? Unverkennbar will Schürmann die direkte Behauptung vermeiden, Jesus habe das Wissen um den innerlich notwendigen Mißerfolg seines Basileia-Auftrags im voraus abstrakt

---

[28] „Nicht nur, daß die Nähe desselben", nämlich des „immer mehr deutlich werdenden Todes-Geschicks", „bei Jesus in keiner Weise terminlich fixiert war – auch die Frage des Erfolges oder Mißerfolges bleibt in Jesu Basileia-Verkündigung in vielfacher Hinsicht offen". Von den vier Punkten, mit denen diese vielfache Offenheit belegt wird, seien hier nur drei zitiert: „Offen blieb (1.), ob Israel sich auf das Reich hin würde bereiten lassen. Die Erfahrung mit des Täufers und der eigenen Predigt sprach von Anfang an nicht dafür . . . (3.). In der Zeit seiner Verkündigungstätigkeit formte sich der offenbleibende Wille des Vaters im Dialog mit der Geschichte immer stärker aus, bis hin zur Wahrscheinlichkeit bei seinem Abschiedsmahl. (4.) Dunkel blieb aber auch die Frage, was das mit Sicherheit erwartete herrliche Reich am Ende für Jesu Geschick bedeuten werde: Ob es dann *trotz* des Mißerfolges der Israelwerbung Jesu und seiner Jünger kommen würde oder ob vielleicht gar *aufgrund* des Scheiterns Jesu" (52).

als grundsätzliche Konsequenz aus der in seiner „Gegenwarts-Eschatologie" beschlossenen „Deszendenz Gottes" (50) gewonnen. Seine diesbezügliche Hemmung verrät sich bereits in dem meist hinzugefügten *„eigentlich", „wohl schon"* (von Anfang an); etwa auch dadurch, daß er in einem Satz, in dem er uneingeschränkt „von Anfang an" schreibt, einen vorsichtigen Hinweis auf (seinem öffentlichen Auftreten) voraufgehende mögliche negative Erfahrungen Jesu einfügt und Jesus aus dem Vorwissen um den innerlich notwendigen Mißerfolg seines Basileia-Auftrags nicht schon die Notwendigkeit, sondern erst „die Möglichkeit" seines Todes-Geschicks folgern läßt.[29] Nicht allein schon „die Niedrigkeitsgestalt", sondern: „. . . die Niedrigkeitsgestalt und Erfolglosigkeit seiner Basileia-Verkündigung (war) für Jesus ständig Anlaß, sich Gedanken zu machen über sein eigenes Ge-Schick und dessen Bedeutung, damit über den Charakter seines *eigentlichen* Auftrags" (55 f.; Sperrung von mir) – was übrigens so klingt, als würde Jesus erst mit der Übernahme des heilsbedeutsamen Sterbens zu seinem „eigentlichen" Auftrag kommen. Offensichtlich, und sicher ganz zu Recht, will auch unser Autor die Jesus empirisch widerfahrende Ablehnung als geschichtlichen Grund für den schließlichen Beschluß des Synedriums, Jesu Unschädlichmachung zu erwirken, voll zur Geltung bringen. Seine These vom Miß-Erfolg des Basileia-Auftrags Jesu als „innerlich notwendigem Ge-Schick der Basileia selbst" begründet er denn auch an erster Stelle mit der konkret-geschichtlichen „Gefährlichkeit der Basileia-Verkündigung Jesu" (45 – 48). So sehr liegt auch ihm an Jesu faktischer Erfahrung von Mißerfolg, daß er mit dem in Anm. 29 zitierten Satz der Möglichkeit Raum gibt, dem „eigentlich" von Anfang an vorhandenen Wissen Jesu vom innerlich notwendigen Miß-Erfolg seiner Basileiaverkündigung sei schon vor Beginn seines öffentlichen Auftretens die Erfahrung von Widerspruch voraufgegangen. Man kann sich schwerlich des Eindrucks erwehren: die Ausgangsthese vom „innerlich notwendigen" Miß-Erfolg des Basileia-Auftrags Jesu sei nur konzipiert worden, um die Vereinbarkeit der Verkündigung Jesu mit seinem Heilstod, ja man müßte konsequenterweise sagen, um dessen Notwendigkeit schlagend zu begründen. Kann jene Jesu Wirken bedenklich belastende und für die geschichtliche Erklärung des Todesschicksals Jesu ohnehin überflüssige Ausgangsthese aber wirklich überzeugen? Demgegenüber kann Schürmann mit allgemeiner Zustimmung rechnen, insofern auch er erklärt, daß Jesus „ – im Dialog mit der Geschichte – am Ende (spätestens beim letzten Mahl) sein Martyrium auch für wahrscheinlich oder gegeben halten konnte" (47 f.); selbstverständlich auch, wenn er hinzufügt, wir „müßten uns Jesus schon sehr gedankenlos vorstellen, wenn wir sagen würden, Jesus habe sich, in solcher Weise und in solcher Situation verkündend, über einen möglichen Märtyrertod keine Gedanken gemacht" (48).

3. Was die Zuordnung von Basileia-Verkündigung und heilseffizientem Todesverständnis betrifft, wiederholt Schürmann sodann – bis auf die Punkte,

---

[29] So in dem Satz: „Da dieses sein Basileia-Verständnis nach unserer These aber ihm von Anfang an zu-geschickt war, wird er auch von Anfang an (schon aufgrund von Nazaret-Erfahrungen?) mit der Möglichkeit gerechnet haben, daß es ihm zum Ge-Schick und zum Schicksal, ja möglicherweise zum Todes-Geschick werden könnte" (48).

in denen *R. Pesch* ihm „zuviel sicher weiß: über das Ebed-Jahwe-Bewußtsein Jesu, über Mk 11, 27 – 33, über Mk 14, 22 ff. [= Abendmahlsbericht] als *ipsissima verba* Jesu" – seine Zustimmung zu Pesch's Lösung. Dieser frage „richtig", ob Israel nicht gerade durch die Abweisung des letzten Boten, der Gottes unbedingten Heilswillen verkündete, verworfen wird. Richtig sehe er sodann den *„Konflikt* zwischen der unbedingten Heilszusage . . . und der Verweigerung Israels . . ."; ebenso, wie Jesus diesen Konflikt löst, nämlich durch seinen „Heils = Sühnetod für Israel". Ebenda zitiert er Pesch weiter: „Heilsgeschichtlich-konkret sind Jesu Gottesreichverkündigung und seine Todesdeutung nicht nur vereinbar, sondern aufeinander verwiesen" (57 f. Anm. 116). Man würde es gern als Gewinn buchen, wenn die beiden namhaften Autoren der Sache nach einander bestätigen würden. Gewiß, sie stimmen auch in wesentlichen Hinsichten überein. Beide – trotz seines Widerspruchs auch Pesch (s. u.) – lassen Jesus mit seinem Heilsangebot „scheitern"; beide lassen ihn seine prinzipielle Funktion als Heilsmittler bis in sein Sterben hinein durchhalten; beide bemühen sich sodann, den „qualitativen" Unterschied zwischen den beiden Modi der Heilsvermittlung – Gottesreichverkündigung und Heilstod – zu minimalisieren (Pesch) bzw. gänzlich aufzuheben (Schürmann). Über dem Eindruck weitgehendster Deckungsgleichheit[30] lassen sich im Interesse einer Klärung des Diskussionsstandes sehr unterschiedliche Auffassungen hinsichtlich des für Jesus beanspruchten Grundes und Zweckes seiner heilsbedeutsamen Lebenshingabe aber nicht verschweigen.

a) Zunächst, was den „Konflikt" Jesu betrifft. In den von Pesch behaupteten prinzipiellen Konflikt „zwichen dem Gott des Heils und dem Gott des Gerichts" (s. o. II. b.) kann Jesus für Schürmann keinesfalls geraten sein, weil Jesus ihm zufolge eigentlich von Anfang an „für eine zweite Weise der Heilsvermittlung, nämlich durch seinen Tod, „offen" war; und schon gar nicht, wenn Jesus seiner neueren Ausgangsthese zufolge „wohl von Anfang an" den Mißerfolg seiner Basileiapredigt „als innerlich notwendiges Ge-Schick der Basileia selbst verstehen (mußte)" (49). Jesus hätte den von ihm erfahrenen Mißerfolg in diesem Fall gerade als Bestätigung seines vorgängigen Wissens verstehen müssen.

b) Trotz der beiderseitigen Berufung auf das strafende Gericht und auf die unbedingte Feindesliebe Gottes bzw. Jesu lassen sich weitere wesentliche Differenzen nicht übersehen. „Denen, die das übergroße Heilsangebot Jesu ablehnen", – formuliert Schürmann – „werden die Androhungen Jesu [nämlich des Gerichts] am Ende zur Ankündigung" (59). Er argumentiert sodann auch mit der Einsicht Jesu, Gottes Strafgericht abwenden zu müssen. Jesus habe „schwerlich anders an seiner Heilserwartung der Basileia festhalten" können, als dadurch, daß er seine Forderung der Feindesliebe sterbend lebte: „Er mußte sich existentiell dem Gericht entgegenstemmen und der Bosheit und

---

[30] Diesen Eindruck verstärkt Schürmann, indem er im letzten Drittel der übernommenen Anmerkung das frühere „vor allem" aber ersetzt durch „Richtig jedoch urteilt Pesch", wodurch der Eindruck entsteht, die nachfolgenden Sätze (58 A. 116) würden Pesch's eigene Formulierungen wiedergeben, was die zuvor zitierten Publikationen Pesch's indes schwerlich bestätigen.

Unbußfertigkeit ‚liebend‘ . . . begegnen" (60). Warum formuliert unser Autor: „Denen, die . . . ablehnen"? Warum spricht er auch im anschließenden Satz nicht ausdrücklich von dem Gericht „über Israel"? Auch in Verbindung mit dem Satz „wenn er [Jesus] das verkündete Gericht aus seiner (prä- und) proexistenten Tiefe heraus selbst auf sich nahm" sagt er nur: „angesichts der Ablehnung des Heilsangebotes", ohne ausdrücklich „durch Israel" oder „durch ganz Israel" hinzuzufügen (60). Vorsichtig bleibt auch seine im Schlußabschnitt begegnende Formulierung: „. . . eine, aufs Ganze gesehen, *geschichtlich* erfolglose Aktion" (63). Zu seiner Ausgangsthese vom „innerlich notwendigen Mißerfolg" der Basileiaverkündigung Jesu würde es gewiß besser passen, wenn auch er ausdrücklich von der totalen Ablehnung durch Israel sprechen würde, zumal er Jesus „mit seiner Basileia-Verkündigung in Israel" de facto nicht nur „viel Mißerfolg" erfahren, sondern am Ende damit „scheitern" läßt (54). Will er, ohne dies auch festzustellen, die höchst anfechtbare Behauptung (s. u. 6) vermeiden, mit der Pesch Jesu Entschluß zur Übernahme des Heilstodes begründet? Daß nämlich Jesus am Ende überzeugt war, ganz Israel habe sein Heilsangebot abgelehnt und dadurch das Gericht Gottes heraufbeschworen. Angenommen, er würde sich eindeutig zu dieser Voraussetzung bekennen. Da Jesus mit seinem und seiner Jünger missionarischem Wirken speziell Israel ansprechen und als Heilserben zurüsten wollte, wäre es unter dieser Voraussetzung konsequent, mit Pesch Jesus nur für das sich verweigernde Israel sterben zu lassen.

Eben diese Beschränkung der heilsbedeutsamen Wirkung des Sterbens Jesu will Schürmann allem nach vermeiden, wie er auch in seiner jüngsten Studie zu verstehen gibt: „Wenn er [Jesus] mit seiner Basileia-Verkündigung in Israel wenig Erfolg, dafür aber viel Mißerfolg hatte und am Ende damit gescheitert ist, muß er sich doch Gedanken gemacht haben, wie Gott denn seine Basileia als eschatologisches Heil werde zukommen lassen – *für das unbußfertige Israel und ‚die vielen‘ (Heiden) vgl. Mk 14, 22ff.)"* (54f.; Sperrung von mir). In der Tat kann Jesus schwerlich auf den Gedanken eines heilseffizienten Todesleidens gekommen sein, ohne sich auch eine Vorstellung davon zu machen, wem sein Heilstod zugute kommen soll. Dem Anliegen unseres Autors, Jesus auch die Heidenvölker in die Heilseffizienz seines Sterbens einbeziehen zu lassen, entspricht es, daß er in einer früheren Studie Israel und die Menschheit unter den Begriff „die Sünder" (auf deren Heil Jesu „proexistentes" Verhalten „noch sterbend" ausgerichtet war) subsumierte[31] und auch jetzt erklärt: „Die Annahme ist vernünftig, daß Jesus angesichts des Todes seine zentrale Liebesforderung selbst erfüllt, liebend gestorben ist und aus seinem Tod einen *Dienst für die Sünder* gemacht hat" (60). Die Vernünftigkeit dieser Annahme dispensiert den Exegeten indes nicht von der Nachfrage, warum diese Annahme „vernünftig" ist, unter welcher Voraussetzung Jesus aus seinem Tod einen Dienst für „die Sünder" = für die Israeliten und für die Heidenvölker machen konnte. Ich bezweifle nicht, daß in den Augen Jesu auch die Heiden Sünder

---

[31] Jesu Todesverständnis im Verstehenshorizont der Umwelt (jetzt im eingangs zitierten Sammelband: Gottes Reich – Jesu Geschick) 243.

sind. Sein Gebot der Feindesliebe gilt sodann gewiß jedem potentiellen „Feind" gegenüber. Ferner war die von ihm als Inbegriff des eschatologischen Heils verkündete Gottesherrschaft von ihrem Begriff her offen für die Einbeziehung der ganzen Welt und Menschheit. Auch dieser Umstand berechtigt uns indes nicht schon zum Schluß, Jesus habe es schließlich als gottgewollte Aufgabe erkannt, für alle Menschen sein Leben zu opfern. Denn die Einbeziehung der Heiden in das Endheil[32] kommt für die ganz dem privilegierten Heilserben Israel geltende Verkündigung Jesu höchstwahrscheinlich nur im Sinne der prophetischen Erwartung der endzeitlichen Völkerwallfahrt in Betracht;[33] kaum aber (auch im Hinblick auf Jesu „Nah"- bzw. „Stets"-Erwartung) aufgrund voraufgehender Konfrontierung mit dem Heilsweg, für den er bis zum letzten Mahle in Israel geworben hat. Worauf es schließlich ankommt, ist die außer allem Zweifel stehende Tatsache, daß die nicht-israelitische Menschheit bis zu diesem Zeitpunkt überhaupt keine Gelegenheit hatte, Jesu Heilsangebot abzulehnen. Deshalb konnte Jesus die Heidenvölker unmöglich unter dem Gesichtspunkt der Heilsangebotsverweigerung mit den Israeliten als „Sünder" zusammenfassen. Soll er das doch tun können, bleibt unserem Autor kaum eine andere Möglichkeit, als Jesus folgenden heilsökonomischen Entschluß fassen zu lassen: Nachdem meine Basileiaverkündigung gescheitert, sogar „innerlich notwendig" gescheitert ist, mache ich – sit venia verbi! – Nägel mit Köpfen: ich sterbe für alle Menschen, ob sie nun mein Heilsangebot ablehnten (wie viele oder auch die meisten Israeliten) oder dazu keine Gelegenheit hatten (wie die Heidenvölker), weil alle Menschen „Sünder" sind, damit aufgrund meines Todesdienstes alle, Israeliten und Heiden, in das Heil der Gottesherrschaft eingehen können. Sollte es Zufall sein, daß unser sehr wohl auch um Details besorgter Autor Jesus fast nur beiläufig die universale Heilsbedeutsamkeit seines Todesdienstes in den Blick nehmen läßt, ohne auf die Fragen einzugehen, die diese Annahme mit sich bringt?

Verwundern darf man sich jedenfalls über die von ihm weiterhin festgehaltene Behauptung: Man benötige „auch nicht (mit P. Fiedler und R. Pesch) einen ‚qualitativen Sprung'. *Nicht einmal einen neuen, zu seinem bisherigen Wirken hinzukommenden heilsmittlerischen Akt,* weil Jesu Proexistenz sein Wesen war und weil die Offenheit Jesu ihn dem Heilswillen des Vaters gegenüber für beide Möglichkeiten bereit sein ließ".[34] Auch bei aller Anerkennung der „sich aktiv bis in den Tod hinein durchhaltende(n) Pro-Existenz Jesu . . ." (55) kann man doch nicht bestreiten: Erlangung des Endheils aufgrund der

---

[32] Zu dieser meist stiefmütterlich behandelten Problematik vgl. auch meinen Beitrag. Todesankündigungen 67 – 70. 72 – 75. 93.

[33] Vgl. J. JEREMIAS, Neutestamentliche Theologie I (Gütersloh 1971) 235 – 237. Das Logion Mt 8, 11 f./Lk 13, 28 f., dessen vermutliche Q-form D. ZELLER rekonstruierte (BZ 15, [1971] 222 – 224), „schließt eine spätere Heidenmission weder ein noch aus" (BZ 16 [1972] 90). Es ist derselben eingehenden Untersuchung Zeller's zufolge schon deshalb kein sicherer Beleg für Jesu Erwartung der eschatologischen Völkerwallfahrt, da der den Ausschluß der Israeliten vom Endheil besiegelnde Spruch wahrscheinlicher nachösterlichen Ursprungs ist (89 – 93). Dem pflichtete jüngst auch H. MERKLEIN bei: Jesu Botschaft von der Gottesherrschaft (SBS 111) (1983) 35 A. 37; 42 A. 21.

[34] Jesu ureigenes Todesverständnis (jetzt im Sammelband) 207; Sperrung von mir.

Annahme der dem Sünder Vergebung schenkenden und zu schöpferischer Liebe verpflichtenden Vatergüte Gottes oder aufgrund des heilsbedeutsamen Sterbens Jesu sind zwei qualitativ verschiedene, nicht einfach auswechselbare heilsmittlerische Aktionen – dies erst recht, wenn der zweite Modus der Heilsvermittlung im Unterschied zum ersten außer Israel auch die bislang nicht angesprochenen Heidenvölker zum „Objekt" haben soll.

Auf der anderen Seite ist es inkonsequent, wenn R. Pesch, der die Redeweise von einem „neuen heilsmittlerischen Akt" akzeptiert (107 f.) – im Unterschied zu H. Schürmann –, sich dagegen verwahrt, von einem „Scheitern" Jesu zu sprechen, weil die Verweigerung Israels nur „scheinbar Gottes Boten, in Wahrheit aber Israel selbst scheitern ließe" (107). Der von ihm als Ergebnis des Wirkens Jesu behauptete Tatbestand wird durch diese globale Bestreitung ebenso heruntergespielt und sogar vertuscht wie durch die harmonisierend klingende, auch von H. Schürmann gutgeheißene Formulierung (s. o.): „Heilsgeschichtlich-konkret sind Jesu Gottesreichverkündigung und seine Todesdeutung nicht nur vereinbar, sondern aufeinander verwiesen" (107). Jesu Basileiaverkündigung war nach Pesch doch eindeutig deshalb auf die Deutung des Todes als Sühnesterben für Israel „verwiesen", richtiger: angewiesen, weil Jesus den von ihm in Israel verkündeten Heilsweg als Fehlschlag erkannte, insofern doch auch selbst mit seinem Heilsangebot gescheitert war – was nach Pesch im Unterschied zu Schürmann freilich keineswegs innerlich notwendig der Fall war – und er das Sühnesterben deshalb als reine Notlösung konzipierte. Das konzediert er doch selbst, indem er den „den Sündern (= ganz Israel) Gottes unbedingtes Gnadenangebot" vermittelnden Tod Jesu als „Gottes ,Ersatzleistung' für die Nicht-Annahme seiner Gnade . . ." bezeichnet (109). Weil Pesch selbst durchaus konsequent von „Gottes ,Ersatzleistung' spricht, kann auch eine weitere verführerisch klingende Formulierung über den dem Heilsmittler abverlangten „qualitativen Sprung" nicht hinwegtäuschen: „Jesu Sühnetod konkurriert nicht mit seiner Gottesreichverkündigung, sondern ist deren *sie selbst aufgipfelnde,* in eine neue heilsgeschichtliche Lage überführende Konsequenz: Die Stiftung des neuen Bundes" (109).

4. Für R. Pesch enfallen die Fragen, die Schürmann's Befürwortung der Absicht Jesu, für Israel und die Heidenvölker den „Heilstod" auf sich zu nehmen, unweigerlich aufdrängt. Wir nannten auch bereits den Gesichtspunkt, warum Peschs Begründung für Jesu Konzipierung des Heilstodes – daß Jesus nämlich aufgrund der Verweigerung ganz Israels für dieses und nur für dieses den Sühnetod auf sich nehmen wollte – als in sich konsequenter gelten muß. Da die Überlieferung Jesu Deutung seines Todes als Sühnesterben beim letzten Mahl erfolgen läßt, darf man zugunsten dieser Hypothese noch hinzufügen: dieses Mahl läßt sich als Zeitpunkt reklamieren, in dem zwei weitere Voraussetzungen gegeben sein konnten. Einmal, daß Jesus aufgrund eigener Lagebeurteilung die moralische Gewißheit hatte, führende Männer Israels, näherhin die Sadduzäer, würden Mittel und Wege finden, um seine Hinrichtung durchzusetzen; zum andern, daß Jesus – weil er seine Verkündigung somit als beendet betrachten konnte – seinen Jüngern die Heilseffizienz seines Sterbens hätte eröffnen können, ohne in einen Widerspruch zwischen seinem bedingungs-

losen Reden (von dem endgültigen Israel verpflichtenden Heilsangebot) und seinem Wissen (von einem anderen möglichen Weg der Heilsvermittlung) zu geraten. Fundamentale Voraussetzung für die Schlüssigkeit dieses Lösungsvorschlags ist freilich Jesu Überzeugung, ganz Israel habe sein Heilsangebot abgelehnt und dieses damit als Fehlschlag erwiesen.

5. Auf diese höchst anfechtbare Voraussetzung (s. u. 6) will auch der neue Lösungsvorschlag von *H. Merklein* sichtlich nicht bauen[35], der sich in seiner bereits zitierten bedeutsamen Schrift „Jesu Botschaft von der Gottesherrschaft" ebenfalls um den Nachweis bemüht, das Heil des Sühnetodes Jesu sei „integraler Bestandteil jenes eschatologischen Heilshandelns Gottes, das mit Jesu Proklamation der Gottesherrschaft angehoben hatte" (142). Ihm zufolge ist, kurz gesagt, „ernsthaft mit der Möglichkeit zu rechnen" (142), daß Jesus im Hinblick auf die von ihm erwartete negative Auswirkung seiner Hinrichtung auf Israel, „dessen mehrheitliche Ablehnung und dessen Beharren im vor-findlichen Unheilsstatus sich deutlich abzeichnete", „wohl unter Rückgriff auf Jes 53" beim letzten Mahle seinen zu erwartenden Tod als „Sühne für Israel" deutete (141 f.). Näherhin wird argumentiert: „Die mit der Möglichkeit seines Todes sich abzeichnende definitive Verwerfung durch die offiziellen Repräsentanten Israels mußte Jesu Botschaft von dem auf *ganz* Israel abzielenden eschatologischen Erwählungshandeln Gottes weit mehr in Frage stellen als die Ablehnung durch viele einzelne, die Jesus wohl auch schon bisher erfahren hatte". Hinzu komme als situativer Kontext „der Streit um die Sinnhaftigkeit des bestehenden Kultes", daß nämlich „eine Beseitigung Jesu durch die offiziellen Vertreter des jüdischen Tempelstaates einerseits die Legitimität des von ihnen repräsentierten, von Jesus aber inkriminierten Kultbetriebes vor aller Öffentlichkeit nur bestätigen konnte, während andererseits der von Jesus dagegen aufgebrachte Entscheidungsruf offensichtlich ins Unrecht gesetzt wurde, so daß zu erwarten war, daß auch die große Mehrheit des Volkes weiterhin den bestehenden Kult als entscheidende Heilsmöglichkeit für Israel ansehen mußte" (141). Das eigentlich theo-logische Problem, das für Jesus entstand, sei aber die Frage gewesen, ob „durch die zwar partielle, aber in ihrer Auswirkung auf die Mehrheit des Volkes nicht minder repräsentative Ablehnung Jesu durch die Repräsentanten Israels das auf *ganz* Israel ausgerichtete Erwählungshandeln Gottes, wie es Jesus verkündete, in seiner Qualität als *göttliches* Geschehen nicht erheblich beeinträchtigt, wenn nicht – als *unwirksames* Geschehen – ad absurdum geführt wird". Eben dieser theologischen Folgerung habe Jesus durch die Deutung seines Todes als Sühnesterben entgehen können (141 f.). Denn: „Damit war sichergestellt, daß selbst die Verweigerung des Unheilskollektivs den eschatologischen Heilsentschluß Gottes nicht rückgängig machen und die Wirksamkeit des göttlichen Erwählungshandelns nicht in Frage stellen kann" (142).

Ging es bei der von Jesus in Jerusalem gesuchten Entscheidung direkt darum, daß Israel „nicht den Kult als Möglichkeit *gegen* Gottes [durch Jesu Wort- und Tatverkündigung erfolgendes] sündentilgendes Erwählungshan-

---

[35] Wenngleich er Pesch als Befürworter dieser Voraussetzung nicht nennt.

deln in Anspruch nehmen oder unter Berufung auf eine kultische Heilsmöglichkeit sich von der Entscheidung *für* das jetzt zu ergreifende Erwählungshandeln dispensieren (kann)" (136),[36] ist oder wäre damit eklatant belegt, daß Jesus seine Botschaft bis zuletzt als einzig möglichen Zugang zum Heil der Gottesherrschaft verstanden und verfochten hat. Warum soll er in letzter Minute von der definitiven Gültigkeit dieses Heilsweges dann doch abgerückt sein und das Sühnesterben für Israel konzipiert haben? Weil er befürchtete bzw. voraussah, seine Hinrichtung werde als Widerlegung des von ihm beanspruchten Heilshandelns Gottes beurteilt werden und Israel somit in seiner sich abzeichnenden „mehrheitlichen Ablehnung" bestärken? – wobei unser Autor auffallenderweise eine erhebliche Beeinträchtigung der göttlichen Qualität des Handelns Jesu, nicht aber den Erweis der Absurdität seines Sendungsanspruchs apodiktisch behauptet. Zweifellos wurde das schmachvolle Ende Jesu am Schandpfahl des Kreuzes nicht nur von der Führungsschicht Israels sondern auch von der Majorität des Volkes als Widerlegung seines Heilsmittleranspruchs bzw. jeglicher göttlicher Sendung bewertet. Nach der am besten zu begründenden Auffassung war Jesu Kreuzigung selbst für die Elf ein so schwerer Schock, daß sie in ihre galiläische Heimat zurückkehrten, sich als Jüngerkreis auflösten und Simon/Petrus daselbst die erste Christophanie zuteil wurde. Eine andere Frage ist aber doch, ob Jesus selbst die bis zu seiner Hinrichtung führende negative Reaktion von Menschen als derart entscheidenden, nämlich seinen Sendungsanspruch als vollmächtiger Verkünder der Gottesherrschaft widerlegenden Faktor beurteilte, oder ob nicht vielmehr Gott für ihn die über die Gültigkeit seines an Israel ergangenen Heilsangebots entscheidende Autorität war und blieb, was vor allem L. Oberlinner zu bedenken gab (s. u. 6). Hätte der Autor seine Begründung des heilsmittlerischen Todesverständnisses Jesu auch ersonnen, wenn er nicht zu Recht die Hemmung empfunden hätte, dasselbe mit Pesch mit der erfolgten totalen Ablehnung des Heilsangebotes Jesu und der damit verschuldeten Gerichtsverfallenheit Israels zu begründen?

6. Damit sind wir wiederum auf die für R. Pesch's Hypothese fundamentale, aber nicht wirklich belegbare Voraussetzung verwiesen. Daß die „galiläische Krise" zum Bruch innerhalb der Wirksamkeit Jesu führte, läßt sich nicht wahrscheinlich machen[37]; ebensowenig überzeugt ein weiterer Versuch, die Logienquelle als „klares" Zeugnis für diesen Bruch zu beanspruchen: daß nämlich in der Sicht Jesu aufgrund einer vollzogenen Ablehnung seiner Botschaft durch Israel „die Entscheidungsfrist für Israel abgelaufen (ist)"[38]. Die eingehende und vorsichtig abwägende Prüfung der Problematik durch L.

---

[36] Was sich in dieser Zuspitzung aus der provozierenden Tempelaktion Jesu und aus seinem im ursprünglichen Wortlaut auch nach Merklein „kaum mehr" rekonstruierbaren tempelkritischen Logion (134) doch wohl nicht ganz sicher erschließen läßt.

[37] Zur diesbezüglichen These von F. MUSSNER vgl. schon W. G. KÜMMEL: ThR 40 (1975) 334.

[38] Vgl. zu dieser These von A. POLAG auch meinen obigen Beitrag „Bezeugt die Logienquelle die authentische Redeweise Jesu vom ‚Menschensohn'?", Ziffer I, bes. I. 2. Vgl. außer den daselbst in A. 10 genannten Stellungnahmen auch D. ZELLER, Das Logion Mt 8, 11f./Lk 13, 28f.: BZ 16 (1972) 91.

Oberlinner führte zu dem bis jetzt nicht widerlegten Ergebnis: Q-Worte Jesu dokumentieren sehr wohl, „daß Jesu Verkündigung auch wesentlich geprägt war von d(ies)em Ringen um den Glauben derer, die ihn und seine Heilsbotschaft ablehnten". Eine Zweiteilung des Wirkens Jesu, die mit den Stichworten Erfolg und Mißerfolg, Heilsangebot und Verweigerung desselben „einen historischen Ablauf beschreiben wollte, ist eine Hilfskonstruktion, die sogar . . . den Mk-Aufriß noch vereinfachen muß".[39] Schon deshalb erscheint es höchst problematisch, Jesus auch nur bei seinem letzten Jerusalemaufenthalt die Überzeugung gewinnen lassen zu wollen, ganz Israel habe sich seinem Heilsangebot verweigert und dieses damit als Fehlschlag erwiesen.

Wie P. Fiedler gut beobachtete, will es auch Pesch nicht gelingen, die Situation der universalen Ablehnung „plausibel zu machen. Denn seine Beschreibung des Konflikts, ‚in den Jesus angesichts seiner Ablehnung in Israel gerät', fällt durch eine merkwürdige Antiklimax auf: ‚Was geschieht, wenn Israel, . . . wenn Jerusalem als Israels repräsentatives Zentrum, wenn die Führer des Volkes als seine Repräsentanten Jesus, den letzten Boten Gottes (nach dem letzten Boten), den Boten eschatologischen, jetzt zu ergreifenden Heils verwerfen und zu Tode bringen? (105). Jesu Gegner schrumpfen also auf eine winzige Gruppe von mehreren Millionen damals lebender Juden (deren größter Teil von Jesus gewiß keine Ahnung hatte)".[40] Die Behauptung, Jesus selbst habe im Gleichnis von den „bösen Winzern" (Mk 12, 1 – 9) den Konflikt exponiert, in den er wegen seiner Ablehnung durch ganz Israel geraten sei, führt in dieser Hinsicht nicht weiter. Die Parabel wird mit starken Gründen als urchristliche Bildung beurteilt[41] oder doch im vorfindlichen Umfang nicht auf Jesus zurückgeführt[42]. Selbst wenn man – wie Pesch (Mk II, 213 – 222) – mit keinen redaktionellen Zusätzen rechnet, läßt sich mit der Parabel nicht belegen, Jesus habe ganz Israel als dem Gericht verfallen erklärt[43]. Sowenig Jesu Bereitschaft, für seine Heilsbotschaft auch mit seinem Leben einzustehen, zu bezweifeln ist, spricht doch alles dafür, daß Jesus bei seinem letzten Jerusalembesuch den Glauben an seine Heilsbotschaft, nicht aber seine Hinrichtung provozieren wollte[44]. In seiner jüngsten Stellungnahme hat sich Pesch leider weder mit den Einwänden von P. Fiedler[45] auseinandergesetzt[46] noch den von L. Oberlinner in die Diskussion eingebrachten wesentlichen Aspekt des Jerusalemer Konflikts zur Kenntnis genommen: daß nämlich der Konflikt zwi-

---

[39] Todeserwartung 102. 96.

[40] Probleme 206.

[41] So mit anderen Autoren auch von J. GNILKA, Das Evangelium nach Markus 2 (EKK II, 2) (1979) 142 ff. 158 f.

[42] Vgl. zur Diskussion L. OBERLINNER, Todeserwartung 151 – 153.

[43] Vgl. L. OBERLINNER a.a.O., bes. 153 f. A. 89. Auch H. SCHÜRMANN läßt in seiner jüngsten Basileia-Studie Mk 12, 1 – 12 ganz außer acht.

[44] Worin jüngst auch H. MERKLEIN (Jesu Botschaft 135) L. OBERLINNER (Todeserwartung 129) zustimmt.

[45] Probleme, besonders 194 – 196. 206 – 208.

[46] In seinem Beitrag des von P. STUHLMACHER hrsg. Sammelbandes „Das Evangelium und die Evangelien" (WUNT 28, 1983) begnügt sich Pesch mit bloß generellen Verdikten: Das Evangelium in Jerusalem: Mk 14, 12 – 26 als ältestes Überlieferungsgut der Urgemeinde, 127 f.

schen Jesus und den seine Botschaft ablehnenden Menschen nicht nur diese unmittelbar Beteiligten angeht; er betreffe letztlich Gott, weshalb „eine wesentliche ‚Kategorie'" nicht unterschlagen werden dürfe, „nämlich Gott als die Jesu Tun und Reden tragende ‚Realität'"[47]. Es finden sich denn auch keine Worte oder sonstigen Anhaltspunkte, die auf eine Unsicherheit Jesu hinsichtlich der unbedingten Gültigkeit seines an Israel ergangenen Heilsangebots schließen ließen. Hingegen kann der in seiner substantiellen Herkunft von Jesus kaum umstrittene sogenannte „eschatologische Ausblick" (Mk 14, 25) mit guten Gründen als ursprüngliches Kelchwort gelten und damit als Beleg, daß Jesus seinen Jüngern nicht nur seine Todesbereitschaft bekundete, sondern dieselben auch mittels des traditionellen Bildes vom eschatologischen Mahl der neuen Gemeinschaft in der volloffenbaren Gottesherrschaft versicherte und damit auch bezeugte, daß er „im Angesicht seines Todes an seiner Reich-Gottes-Erfahrung festhält und sich selbst als den Ansager desselben von Gott bestätigt fühlt."[48] Das Urteil: „die These, daß Jesus mit dem von Pesch entwickelten Verständnis seines Todes den Konflikt zwischen Gottes Heilszusage und Israels Heilsverweigerung gelöst habe, ist eine unbewiesene und m. E. unbeweisbare Konstruktion"[49] ist schwer zu widerlegen. Es kann mit anderen Worten nicht als bewiesen gelten, Jesus sei je in den Konflikt geraten, den Pesch behauptet, um Jesus diesen Konflikt mit dem Sühnesterben für das gerichtsverfallene Israel lösen zu lassen.

7. Von der Thematik „Basileiaverkündigung und heilseffizientes Todesverständnis" läßt sich auch die Frage nach der Rolle der Abendmahlsjünger nicht ablösen. Was zu deren Rolle gesagt oder auch nicht gesagt wird, reflektiert ein weiteres Mal die Schwierigkeit dieser Thematik.

a) Da R. Pesch Jesus nur für Israel den Sühnetod sterben läßt und Mk 14, 22–25 als vollgültigen historischen Abendmahlbericht voraussetzt, läßt er die Zwölf bzw. Elf folgerichtig als Repräsentanten des gerichtsverfallenen Israel fungieren, denen Jesus „die Sühne" zueignet (102). Diese Jünger – so folgert er weiter – „stellen das neue, durch Jesu Tod entsühnte Gottesvolk dar und werden die Boten des ‚Neuen Bundes', zu dem sie nach Ostern ganz Israel einladen – und später alle Völker".[50] Daß die Jünger in diesem Fall als Offenbarungsempfänger fungieren würden, die den Israeliten die unerwartete neue Chance zur Heilserlangung zu verkünden und, wie im Hinblick auf die nachösterliche Geschichte freilich zu verdeutlichen wäre, jene erneut zur „Umkehr", zur gläubigen Annahme der Sühne stiftenden Liebe Gottes aufzurufen hätten,[51] würde der vorausgesetzten Situation voll entsprechen, sofern für Jesus selbst wie für die Jünger akuteste Naherwartung ausgeschlossen werden darf. Das ist freilich nicht schon gleichbedeutend mit der Behauptung, die nachösterliche Geschichte würde die so verstandene Botenfunktion der Jünger

---

[47] Todeserwartung 129 f.

[48] H. Schürmann, Jesu ureigenes Todesverständnis 211. Zu der über diese Aussageintention hinausgehenden Folgerung Schürmanns vgl. u. A. 66).

[49] So mit weiteren Bedenken W. G. Kümmel: ThR 43 (1978) 264.

[50] Wie Jesus 78.

[51] Zu dieser Konsequenz vgl. P. Fiedler, Probleme 207.

bestätigen. Man darf schon beachten, daß sich ein Wort, mit dem Jesus den Jüngern den Auftrag zur verbalen Verkündigung seines Heilstodes erteilt hätte, in den Abendmahlsberichten (einschließlich 1 Kor 11, 23 – 26) nicht findet. Die Gesamtüberlieferung berechtigt uns sodann auch nicht zur Annahme, die Jünger hätten aufgrund eines Auftrags Jesu oder aufgrund ihres Sonderwissens es nach Ostern für ihre Pflicht gehalten, möglichst umgehend im ganzen Wirkungsbereich Jesu, in Jerusalem wie vor allem auch in Galiläa, Jesu Sühnesterben als neue Ermöglichung oder Voraussetzung der Heilserlangung zu verkünden und die Israeliten zur Aneignung der geleisteten Sühne aufzufordern. Man kann es kaum befriedigend nur mit der Lückenhaftigkeit unserer Quellen, besonders etwa auch der Apostelgeschichte, erklären, daß dieselben Hinweise auf jene neu ansetzende Israelmission der Abendmahlsjünger vermissen lassen. Merkwürdig wäre schon, daß der in diesem Fall wesentliche Gesichtspunkt des „noch einmal" erfolgenden, nämlich auf neue Weise Sündenvergebung vermittelnden Heilsangebots nicht auch die Artikulierungen der nachösterlichen Todesverkündigung mitprägte. Diese Artikulierungen bleiben auch in anderer Hinsicht auffällig. Die Verkündigung des errettenden und bestätigenden Handelns Gottes am hingerichteten Jesus hätte für die Jünger selbstverständlich auch dann die missionarisch grundlegende Aussage sein müssen, wenn sie vom letzten Mahl das sie sicher schockierende, deshalb auch unvergeßliche Wissen um Jesu ausdrückliche Deutung seines erwarteten Todes als Sühnesterben mitgebracht hätten: daß Jesus nämlich vom Vergossenwerden seines Blutes „für die Vielen" gesprochen hatte (Mk 14, 24), bei denen die Jünger in concreto zunächst nur an Israel gedacht hätten. Es ist deshalb voll verständlich, wenn die als älteste kerygmatische Formel anerkannte Aussage lautete: „Gott erweckte Jesus aus (den) Toten", ohne auf die dem Tod Jesu innewohnende Heilseffizienz hinzuweisen. Warum sollte die nachösterliche Verkündigung unter der genannten Voraussetzung zur Bewältigung des Todesschicksals Jesu, seiner doch so skandalösen Hinrichtung als Falschmessias, nicht auch von Anfang an die Sühne und Bund stiftende Kraft dieses Sterbens geltend gemacht haben? Die vorpaulinische zweigliedrige Bekenntistradition 1 Kor 15, 3 b – 5, die das Gestorbensein des Christus „für unsere Sünden" – „gemäß den Schriften" übrigens, nicht etwa: wie er gesagt hat –, ist allem nach aus ursprünglich selbständigen Bekenntnissätzen zusammengesetzt und läßt sich in der vorliegenden Gestalt keineswegs sicher als urgemeindliche, gar von Anfang an vorhandene Credo-Formel beanspruchen. Dürfte man aber nicht erwarten, daß in anderen zwei- und mehrgliedrigen Formeln, die der Auferweckung bzw. Erhöhung Jesu ebenfalls die Aussage von seinem „Sterben" voranstellen, dieses ausdrücklich auch mit dem angeblich aus Jesu Mund stammenden „für die Vielen" gedeutet würde? Im Unterschied zu Pesch anerkennt Schürmann der Sache nach diese Frage sehr deutlich als echtes Problem, wie u. a. seine unten (Anm. 60) zitierte Äußerung belegt.[52] Pesch's Behaup-

---

[52] Vgl. dazu etwa auch I. BROER, der urteilt, daß „die Jünger auf das sie selbst und ihren Messias in Frage stellende Kreuz zunächst wohl anders, zumindest nicht unisono mit dem Stellvertretungs- oder Sühnegedanken geantwortet haben": Erlösung durch Jesus und Verkündigung Jesu, in: Diakonia 3 (1974) 80. In seiner religions- und kerygmageschichtlich informativen Studie „Der stell-

tung, ohne Jesu Deutung seines Todes als Sühnetod bleibe „die nachösterliche Entwicklung der Jesusbewegung historisch unverständlich" (114), schießt entschieden über das Ziel des Belegbaren hinaus. Sie verkennt die für den Neuansatz der nachösterlichen Verkündigung entscheidende Bedeutung des Osterglaubens.

Von seinen eingangs genannten Voraussetzungen her muß Pesch die Abendmahlsjünger konsequenterweise zuerst als Sühneempfänger fungieren lassen. Die Jesu Hinrichtung betreibenden Synhedristen, denen die Rolle offizieller Repräsentanten des sich Jesus verweigernden Israel zustehen würde, kamen als Mahlgäste Jesu ohnehin nicht in Betracht. Trotzdem ist schwer einzusehen, daß Jesus die ihm bis in den Abendmahlssaal treu bleibenden Jünger als Repräsentanten des sein Heilsangebot ablehnenden und gerichtsverfallenen Israel betrachtet und behandelt haben soll, eben durch die Applikation seiner Sühneleistung. Durch die im Laufe seines Wirkens erfolgende Konstituierung der geschlossenen Gruppe von zwölf ständigen persönlichen Nachfolgern wollte Jesus doch die Aufrechterhaltung seines Anspruchs, ganz Israel als das Heil erbende Gottesvolk zuzurüsten, zeichenhaft zum Ausdruck bringen. Die Jünger lassen sich deshalb ungezwungen nur als Repräsentanten des sich dem Heils- und Umkehrruf Jesu öffnenden Israel verstehen, „so sehr auch sie es an der steten und radikalen Erfüllung des von Jesus proklamierten Gotteswillens fehlen lassen mochten".[53]

Zum Abschluß seiner schon zitierten Studie (Anm. 52), deren Hauptinteresse der Beantwortung der Frage gilt, wie die Kreuzigung Jesu ihren Platz in der Mitte der frühchristlichen Predigt erhielt, beruft sich *M. Hengel* auf R. Pesch, der die Thesen von J. Jeremias zu einem guten Teil bekräftigt habe, weshalb er sich zum Todesverständnis Jesu kurz fassen könne. Wenn er hier Jesus beim letzten Mahl[54] seinen Tod – im Anschluß an Jes 53 – „im Blick auf die hereinbrechende Gottesherrschaft *für alle Menschen* Versöhnung mit Gott" bewirken läßt (146; Kursivhervorhebung von mir)[55], folgt er damit eindeutig J. Jeremias und stellt er sich, ohne dies zu vermerken, durch seine Betonung der „Grenzenlosigkeit der Heilszueignung", die „der Freiheit der Verkündigung und des Wirkens Jesu gegenüber allen Ausgestoßenen, Verlorenen und Sündern in Israel" entspreche (146), ebenso eindeutig gegen Pesch's Beschränkung der Sühnewirkung auf Israel. Dementsprechend kann Hengel die Jünger

---

vertretende Sühnetod Jesu. Ein Beitrag zur Entstehung des urchristlichen Kerygmas" (IKZ Communio 9 (1980) 1–29; 135–147) betont M. HENGEL: „Ein reines Auferstehungs*kerygma* als eine soteriologische Deutung des Todes Jesu läßt sich nicht in eindeutiger Weise nachweisen" (145). Noch weniger läßt sich freilich eindeutig nachweisen, daß die Deutung des Todes Jesu als Sühnesterben für das älteste Kerygma ein ebenso unverzichtbares Moment war wie die Auferweckungs-/Erhöhungsaussage.

[53] Todesankündigungen 96. Entgegen dieser von mir daselbst (95) vertretenen Bestimmung der Zwölf drängt eine dortige Formulierung das Mißverständnis auf, die Jünger könnten beim letzten Mal das sühnebedürftige Israel repräsentieren.

[54] Für dieselbe Nacht beansprucht er auch Mk 10, 45 als Jesu rätselhafte Zeichenhandlung verdeutlichendes Urwort (146).

[55] Für diese Deutung des Abendmahlgeschehens gibt Hengel nach W. G. KÜMMEL außer der Berufung auf die Anschauungen von J. Jeremias und R. Pesch „keine nähere Begründung"; es bleibe sodann „der schwerlich zu beseitigende Widerspruch dieses angeblich von Jesus selbst vertretenen Todesverständnisses zu seiner sonstigen Verkündigung bestehen . . .": ThR 45 (1980) 337.

beim letzten Mahl in weiterem Gegensatz zu Pesch nicht als Repräsentanten des unbußfertigen Israel fungieren lassen. Jesus habe „den Jüngern – aber darüber hinaus allen Menschen" die Sühne als Frucht seines Todes zugeeignet (146). Soll dies Jesus getan haben, weil er Israel und die Heidenvölker als grundsätzlich sünd- und gerichtsverfallene Einheit vor sich sah und seine Jünger als präsente Glieder oder auch Vertreter dieser zu entsühnenden Gemeinschaft ansah und behandelte? Ob Hengel so verstanden werden will, ist insofern nicht klar, als er drei Seiten zuvor speziell die „Solidarität der Sünde" geltend machte, in der sich alle bei der Passion Mitspielenden, eben auch der Verleugner Petrus und die fliehenden Jünger, befinden würden (143). Will der Autor etwa damit sagen, Jesus habe speziell in Voraussicht des Versagens seiner Jünger diesen vorweg die Sühnewirkung seines Sterbens appliziert?[56] Nicht nur Pesch gegenüber dürfte die Frage berechtigt sein: Gehört die Zueignung der sühnenden Kraft des Sterbens Jesu an die Jünger eben auch zu jener Reihe von Momenten[57], bei denen sich die Frage aufdrängt, ob sie sich ungezwungener bei der Annahme der erst nachösterlichen Erkenntnis der Sühnekraft des Sterbens Jesu erklären lassen oder / als unter der Voraussetzung, Jesus selbst habe diese beim letzten Mahl schon expressis verbis seinen Jüngern eröffnet?

b) Insofern Jesus nach H. Schürmann's Vorschlag aus seinem Tod „einen Dienst für die Sünder", nämlich für Israel und die Heidenvölker machen konnte, kommen die Abendmahlsjünger als Repräsentanten der ganzen sündigen Menschheit oder doch als dieser Sündersolidarität ebenfalls zugehörige Glieder in Betracht. Also dann auch als jetzt schon Entsühnung Erfahrende? Schürmann schließt zwar nach wie vor nicht aus, daß Jesus seinen Märtyrertod nicht nur „proexistent annahm", sondern auch „darüber hinaus ihn als möglicherweise von Gott her als heilsbedeutsam thematisierte (etwa wie in den Abendmahlsgesten und Abendmahlsworten Jesu)" (57). Auch für diesen Fall sucht er aber Jesu Zueignung der Heilswirkung seines erwarteten Todes an die Jünger zu vermeiden und als Diskussionspunkt gar nicht aufkommen zu lassen. Für diese Absicht spricht bereits sein erstaunlich dekretierender Satz, bei Jesu proexistentem Sich-Heineingeben in sein Todesschicksal sei „grundlegend nicht gedacht an Sühne für den einzelnen, sondern an die Konstituierung der (Bundes- =) Heilsgemeinde durch Jesu Sühne".[58] Mit der Betonung der erst prospektiven Heilsbedeutsamkeit des Sterbens Jesu macht Schürmann sodann einen inneren Grund geltend, aus dem die vorgreifende Applikation derselben in der Tat nicht sinnvoll wäre: Jesus habe „seine aktive Pro-Existenz", mit der er dem Tod entgegen ging, verstanden als „ein existentielles Anerbieten – und das in der Hoffnung, der Vater würde seinem impetratorischen Sterben Heilsbedeutsamkeit zuerkennen" (62) – weshalb Schürmann denn auch statuiert, Jesus habe seinem moralisch gewissen Tod beim letzten Mahl „auch eine von Gott verordnete ‚Notwendigkeit' zuerkennen und auch zuspre-

---

[56] Eine „allzu durchsichtige Hilfskonstruktion", meinte P. FIEDLER, Probleme 206 A. 66.

[57] Vgl. meinen Beitrag: Todesankündigungen 107.

[58] Jesu ureigenes Todesverständnis 220.

chen" können, „freilich auch dann vorösterlich noch keine unbedingte *Heils-notwendigkeit*" (53).

Darüber hinaus hält Schürmann auch in seiner jüngsten Studie an zwei stark restringierenden Schlußfolgerungen fest, die zu Pesch's Hypothese und überhaupt zu allen Autoren, die Jesus seinen Tod explizit als Sühnesterben deuten lassen, in direktem Widerspruch stehen. Im Sinne seines früheren Vorschlags, wir sollten „nicht lange nach expliziten soteriologischen Äußerungen Jesu suchen, wenn dieser sich als der absolute Heilbringer und Repräsentant der Basileia proexistent verstanden hat und wenn er mit diesem *überkonzeptionellen Verständnis* dem Tode entgegengegangen ist"[59], erklärt er auch jetzt, man müsse „damit rechnen, daß Jesus seine ihm zu-geschickte Todeshingabe aus einer Tiefe heraus lebte und verstand, die sich begrifflich nicht adäquat in ihrer Heilsbedeutsamkeit artikulieren ließ" (58). Wäre übrigens den bis dahin – auch nach Schürmann – ahnungslosen Jüngern in der vorausgesetzten Situation mit einer noch unzulänglichen Artikulierung der Heilsbedeutsamkeit des Sterbens Jesu nicht besser gedient gewesen als mit gar keiner? Jesu etwaige Erklärung der Absicht, „für die Vielen = die Ungezählten" sein Leben hinzugeben, könnte ja nicht völlig inadäquat gewesen sein, wenn es doch „Jesu proexistente Hingabe" ist, die „eine Kontinuität zwischen vorösterlichem und nachösterlichem Hyper" [= Für] begründe (60)[60]. Die Erwartung einer derartigen Absichtserklärung Jesu bzw. einer adäquaten Artikulierung der Heilsbedeutsamkeit seiner Lebenshingabe riskiert unserem Autor zufolge außerdem eine ungebührliche Überforderung Jesu eigenen Wissens, wie seine abschließenden Sätze verdeutlichen: „Wenn Jesus sein Todes-Geschick als Basileia-Geschick verstanden hat, konnte er zuversichtlich hoffen, dieses würde Heil wirken. Das nähere Wissen, wie der Vater diese seine Hingabe heilseffizient machen würde, mag auch für ihn in der Todesstunde *nur ein existentiell-dunkles ‚Verstehen'* gewesen sein" (62, Sperrung von mir). Gilt dieses nur „existentiell-dunkle ‚Verstehen'" Jesu, wie der Vater seine Lebenshingabe heilseffizient machen würde, übrigens auch für die Frage, *wem* seine Lebenshingabe zugute kommen werde? Im Falle der Bejahung wäre der oben (3. b.) besprochenen Annahme, Jesus habe aus seinem Tod einen Dienst für „die Sünder", nämlich für Israel und die Heidenvölker machen wollen, ohnehin der Boden entzogen. Wird mit jener Reduzierung des Wissens Jesu ernst gemacht, muß jedenfalls die eminent offenbarungsrelevante Bedeutung der mit dem Osterglauben gegebenen Überzeugung, daß sich Gott mit dem als Falschmessias hingerichteten Jesus identifiziert hat, indem er ihn durch die Erhöhung aus

---

[59] Jesu Todesverständnis im Verstehenshorizont 245; Sperrung von mir.
[60] Ließe Schürmann Jesus jene Absichtserklärung aussprechen, könnte er nicht gut unter Hinweis auf das „relativ späte nachösterliche Aufkommen des stellvertretenden Sühnegedankens" (Jesu ureigenes Todesverständnis 221) erklären, „Jesu Abendmahlsgesten und ihre kurzen begleitenden Worte (deren genauen Wortlaut wir nicht kennen)" müßten den Sinn seines Sterbens „auch nicht so deutlich artikuliert haben, daß diese Deutung des Sterbens Jesu von da an unverlierbarer Besitz der Jünger gewesen wäre. *Sie war es nach Ostern zunächst gewiß nicht,* und eben hier liegt das Bedenken, die dienenden Gebegesten Jesu bereits für Jesu letztes Mahl auf den stellvertretenden Sühnetod hin zu deuten" (a.a.O. 221. 219; Sperrung von mir).

dem Tod in die gottgleiche messianische Machtstellung für die Vollendung seines Heilswerkes qualifizierte, außer Zweifel stehen. Das bestätigt Schürmann
auch selbst mit seinem anschließenden, etwas gewunden formulierten Satz:
„Ostern sollte dann deutlicher werden, wie sehr hier letztlich alle überlieferten
soteriologischen Redeweisen versagten, weil Jesu proexistente Sünderliebe die
proexistente Liebe Gottes präsentierte, die alle Sünde in sich aufnahm und im
Herzen Jesu überwand" (62). Kommt unser Autor damit etwa dem Urteil seines Schülers J. Wanke,[61] aber auch meiner einstigen Begründung der wahrscheinlich − von „sicher" habe auch ich nie gesprochen − erst dem österlichen Offenbarungsgeschehen verdankten Erkenntnis der sühnenden und
bundstiftenden Kraft des Sterbens Jesu[62] nicht fast bedenklich nahe? Oder,
um die Schlußfolgerung von L. Oberlinner in Erinnerung zu bringen: Weil es
in Jesu Tod um viel mehr ging als nur um seine Hinrichtung, nämlich „um das
,Recht' Gottes", war der durch Jesu Kreuzestod heraufbeschworene Konflikt
auch nur „durch Gott selbst" lösbar. „Wurzel und tragende Basis für die *Heils-*
funktion dieses Todes konnte deshalb auch einzig die ,Antwort' Gottes sein",
die nach einmütigem uraapostolischem Zeugnis durch die von Gott gewirkte
Auferweckung Jesu von den Toten gegeben wurde[63].

c) *F. Hahn,* der seit seinem grundlegenden Aufsatz von 1967 über „Die alttestamentlichen Motive in der urchristlichen Abendmahlsüberlieferung"[64] die
Diskussion durch mehrere nachfolgende Untersuchungen ganz wesentlich vor-
antrieb, äußert sich in seiner neueren Studie „Das Verständnis des Opfers im
Neuen Testament"[65] auch kurz zum Todesverständnis Jesu (66 − 69). Im Unterschied zu H. Schürmann's Hypothese, derzufolge den Jüngern faktisch nur
die Funktion der Zeugen des Abendmahlgeschehens zukommt, hat Jesus ihm
zufolge, zumindest vordergründig, die Jünger als die im Blick, denen seine Lebenshingabe zugute kommt. Der Autor läßt Jesus mit dem markinischen Brot-
wort „Das ist mein Leib", mit dessen Ursprünglichkeit auch ich rechnete, angesichts des Todes nicht nur im Sinne von „Das bin ich" die sein Sterben über-
dauernde bleibende Verbundenheit mit den Jüngern versichern, sondern bezeugen, daß er „seinen eigenen Tod als ein Zerbrechen seines Leibes verstand,
was den Jüngern als Gabe zugute kommen soll. Da das Brot von ihm selbst ge-
brochen wird, darf zudem vorausgesetzt werden, daß er seinen Tod als ein

---

[61] Für J. WANKE war es historisch sogar „sicherlich" so, „daß die soteriologische Komponente des
Sterbens Jesu in Konsequenz des Auferstehungsgeschehens erkannt wurde": Der „Todesdienst"
und der „Lebensdienst" Jesu und der Kirche: Diakonia 12 (1981) 151.
[62] „Da Jesus im Wissen seiner Jünger mit seinem Tod für die von ihm proklamierte und gelebte
Botschaft von dem dem Sünder zuvorkommenden, absolut heilswilligen Vater-Gott eingestanden
war, *konnte der Heilssinn dieses Sterbens nicht anders, denn als von Gott initiierter sündentilgen-
der Akt erkannt und verstanden werden.* Auch im Falle der erst nachösterlichen Erkenntnis des
Heilssinns des Sterbens Jesu besteht kein Grund, deren Offenbarungsqualität zu bezweifeln": Der
verkündigende und der verkündigte Jesus „Christus", in: J. SAUER (Hrsg.), Wer ist Jesus Christus? (Freiburg 1977) 78.
[63] Todeserwartung 166 f.
[64] EvTh 27 (1967) 337 − 374.
[65] In: K. LEHMANN − E. SCHLINK (Hrsg.), Das Opfer Jesu Christi und seine Gegenwart in der Kirche (Dialog der Kirchen 3) (Freiburg-Göttingen 1983) 51 − 91.

freiwilliges Auf-sich-Nehmen des unausweichlichen Geschickes verstanden hat. So stand Jesu Sterben, wie aus seinem Abschiedsmahl hervorgeht, für ihn selbst unter dem Vorzeichen der Hingabe für die Seinen im Zusammenhang des begonnenen Anbruchs der Gottesherrschaft und im Blick auf deren Vollendung" (69). Ohne sich in diesem Zusammenhang von H. Schürmann abzusetzen, läßt Hahn Jesus das „materiale Substrat" für die heilseffiziente Deutung des Todes, als das Schürmann „Jesu proexistente Hingabe" bezeichnet (60), somit ausdrücklich ins Wort heben, nämlich seinen Tod als den Jüngern zugute kommende Gabe bekunden. Daß er Jesus diese Gabe den anwesenden Jüngern zusprechen läßt, ist bei diesem Verständnis des die Brothandlung begleitenden Wortes wiederum nur konsequent.

Das Verständnisvermögen der anwesenden Jünger darf hier aus dem Spiel bleiben, da Jesu eigene Aussageintention der entscheidende Ausgangspunkt ist. Dann stellt sich als erstes die Frage, was Jesus mit der durch seinen Tod den Jüngern zu vermittelnden Gabe meinte. Etwa daran, daß er durch „ein freiwilliges Auf-sich-Nehmen des unausweichlichen Geschickes" des Todes zu seiner Erhöhung und Qualifizierung für die Vollendung seines Heilswerkes gelangen werde, wird unser Autor Jesus bei dem „Das ist mein Leib" nicht denken lassen. Andererseits versagt er es sich, Jesus im Begleitwort zum Kelch die Deutung jener Gabe als Sühneleistung nachreichen zu lassen. Gegenüber dem „überladenen" Kelchwort, in dem „die Interpretation der Urgemeinde im Sinne des Sühnetodes und der Stiftung des Neuen Bundes im Vordergrund steht", befürwortet auch er Mk 14, 25 als „ursprüngliches Kelchwort" (69), das sich als solches in der Tat nicht als auch nur implizite Bekundung einer Jesu Sterben immanenten Heilsbedeutsamkeit beanspruchen läßt.[66] Wollte Jesus aber doch mit der Bekundung der „Hingabe für die Seinen" implizit seinem Todesleiden als solchem Heilseffizienz zuschreiben? Obgleich unser Autor das keineswegs ausspricht, ist eine andere Intention schwer denkbar – so man nicht

---

[66] H. Schürmann's Meinung, durch Mk 14, 25 werde der Tod Jesu als „ein (vielleicht stellvertretend sühnender?) *Heilstod* qualifiziert" (Jesu ureigenes Todesverständnis 213; a.a.O. auch 222: die im bewußten proexistenten Todesdienst Jesu „erst *potentiell*" grundgelegte „Heilsbedeutung" sei durch Mk 14, 25 „*implizit* ins Wort gebracht" worden), riskiert eine Überinterpretation. Der Autor beobachtete selbst treffend, daß sich Jesus in Mk 14, 25 „als Teilnehmer am himmlischen Mahl, nicht als Tischherr, als Heilbringer oder gar als der ‚Menschensohn' (sieht)" (a.a.O. 211). Warum spricht Jesus, der sich Schürmann's früher zitierter Auslegung von Mk 14, 25 zufolge im Angesicht seines Todes „als den Ansager" des Gottesreichs „bestätigt fühlt" (a.a.O. 211), hier aber von sich als Mahlteilnehmer? Nach gut begründbarer Auslegung doch deshalb, weil er die Jünger mit diesem Trostwort unter dem Bild des eschatologischen Mahles der vollendeten Gemeinschaft in der volloffenbaren Gottesherrschaft versichern will. Da Jesus das gegenwärtige Mahl zu dem der Heilsvollendung in Beziehung setzt, liefert der Umstand, daß im Nachsatz ein „mit euch" (so Mt 26, 29) nicht zu lesen ist, kein stichhaltiges Argument gegen diese Auslegung. Insofern sich Jesus mit den Jüngern als Mahlteilnehmern zusammenschließt, kann er geradezu unmöglich seinen Heilstod als die die Teilnahme am Endmahl ermöglichende Voraussetzung im Blick haben. Er müßte mit dem Logion den Jüngern dann schon zugleich zu verstehen geben wollen: im Unterschied zu mir, werdet ihr aufgrund meines Heilstodes am eschatologischen Mahl teilbekommen. Diese gedankliche Unterscheidung läßt sich aus dem Logion als solchem nicht begründen. Umso bedeutsamer bleibt freilich, daß dasselbe für das dem Tode nachfolgende Offenbarungsgeschehen der Auferweckung und Erhöhung Jesu offen bleibt.

annehmen will, Jesus sei von dieser Heilseffizienz überzeugt gewesen, ohne zu wissen oder doch ohne klar zu wissen, worin diese bestehen wird. Warum soll Jesus – das ist naturgemäß die zweite Frage – sein Sterben sodann speziell als „den Jüngern", „den Seinen" zugute kommendes Heilsgeschehen bekundet haben? Weil nach Jesu Urteil auch die Jünger der entsühnenden Wirkung seines Sterbens bedürfen, um gemäß seiner nachfolgenden Versicherung der Heilsvollendung (Mk 14, 25) mit ihm am Mahl der volloffenbaren Gottesherrschaft teilnehmen zu können? Da unser Autor Jesus sicher nicht sagen lassen will, er wolle speziell für die Jünger oder für seine Anhänger sterben, müßte man hinzufügen: weil Jesus die Jünger als Repräsentanten aller versteht, denen sein Heilstod zugute kommen soll. Damit wären wir nicht nur ein weiteres Mal mit der oben behandelten Problematik konfrontiert, wer diese „alle" in der Sicht Jesu sind, Israel oder die gesamte Menschheit. Man wäre darüber hinaus auch zur Folgerung genötigt, Jesus habe den von ihm verkündeten Zugang zum Heil der Gottesherrschaft nicht als den endgültigen Weg der Heilsvermittlung festgehalten, sondern schließlich, aus welchem konkreten Grund auch immer, mit der Konzeption seiner heilseffizienten Hingabe eine neue Voraussetzung für die Heilserlangung erwirkt. Die Hypothese hat den Vorzug, mit dem für Jesus beanspruchten Verständnis des Brotwortes den Jüngern einen ganz erheblichen Anknüpfungspunkt für die spätere ausdrückliche Deutung seines Todes als Sühnesterben zu liefern. Zugleich fordert sie aber kaum abweisbare Rückfragen heraus, eben auch die nach der Zuordnung der (eventuell) impliziten heilseffizienten Todesdeutung Jesu zu seiner öffentlichen Verkündigung.[67]

8. Um *das wesentliche Fazit* zu ziehen: Es scheint mir noch nicht gelungen zu sein, Jesu Konzeption eines heilseffizienten Sterbens seiner Gottes- und Gottesreichbotschaft überzeugend zu- und einzuordnen.[68] Aus welchem

---

[67] Einen etwas zwiespältigen Eindruck macht m. E. das jüngste Resümee von G. FRIEDRICH: „Weder aus Markus 14, 24 noch aus Mk 10, 45 hat sich ergeben, daß Jesus von seinem Sterben als einer Sühne für alle Menschen geredet hat. Daraus folgt aber keineswegs, daß er seinen Tod nicht als Heilsereignis aufgefaßt hat. Wenn er eine Sinndeutung seines Sterbens nicht gegeben und eine solche auch nicht angedeutet hat, darf daraus nicht geschlossen werden, er habe sich über den Sinn seines gewaltsamen Todes überhaupt keine Gedanken gemacht. Auf Grund der kritischen Sichtung der Texte muß man sich mit der Feststellung begnügen, ‚daß wir nicht wissen können, wie Jesus sein Ende, seinen Tod verstanden hat'": Die Verkündigung des Todes Jesu im Neuen Testament (Bibl.-Theol. Studien 6) (1982) 14. Gegenüber letzterer völliger Skepsis begründete L. OBERLINNER zurecht: „Die Tatsache, daß Jesus der Gefahr nicht ausgewichen ist und den Tod bewußt auf sich genommen hat, darf zugleich als Beleg dafür gelten, daß er auch hier in der Erfüllung des Willens Gottes gehandelt hat. Auch wenn wir uns mit der Frage, wie Jesus seinen Tod bestanden hat, auf unsicherem Gebiet bewegen, so scheint die Möglichkeit, daß er ihn als Katastrophe seines eigenen Lebens und als bloß persönlichen Mißerfolg verstanden habe, wegen der Grundsätzlichkeit des von ihm ausgelösten Konflikts um die Autorität und das Bild Gottes, die am wenigsten zutreffende und unwahrscheinlichste zu sein": Todeserwartung 166.
[68] Auch R. SCHNACKENBURG, für den „die verhüllte Todesprophetie" Mk 14, 25 auf Jesu Gedanken kurz vor seinem Tod durchblickt, anerkennt allem nach die Situation eines non liquet mit seiner Erklärung: „Schwerer festzustellen ist es, in welchem Sinn Jesus seinen Tod verstanden hat": Das Neue und Besondere christlicher Eschatologie, in: DERS. (Hrsg.), Zukunft. Zur Eschatologie

Grund soll Jesus den Schritt von dem von ihm verkündeten Heilsweg (Heilerlangung aufgrund des existentiellen Eingehens auf den von ihm proklamierten Heils- und Heiligkeitswillen Gottes) zur Konzeption seines heilseffizienten Sterbens getan haben? Davon nicht zu trennen ist die Frage, wem dieses Sterben nach der Intention Jesu zugute kommen soll. Soweit sich die Autoren diesen grundlegenden Fragen stellen, lassen sie weder eine einhellige noch eine in allem überzeugende Antwort erkennen. Die These, Jesus habe jenen Schritt tun können, weil er eigentlich von Anfang an um den innerlich notwendigen Mißerfolg seines Basileia-Auftrags wissen mußte, belastet den vollmächtigen Sendungsanspruch Jesu noch bedenklicher als die gleichzeitige Annahme, er habe sich eigentlich von Anfang an für eine zweite Weise der Heilsvermittlung, nämlich durch seinen Tod, als möglicher Alternative des Heilswillens Gottes offen gehalten. Demgegenüber darf die Hypothese, Jesus sei schließlich zur Erkenntnis gekommen, daß sich ganz Israel seinem Gnadenangebot verweigert hatte, und habe deshalb, um nicht zum Unheilsmittler zu werden, als Notlösung das Sühnesterben für Israel und nur für dieses konzipiert, als in sich einsichtige Begründung seines heilsmittlerischen Todesverständnisses gelten. Insofern dieser Lösungsvorschlag die Jesus widerfahrende Ablehnung bis zur Erwirkung seiner Hinrichtung gehen läßt, kann er die Jesu Hinrichtung betreibenden Glieder des Synedriums als Repräsentanten des ganzen Jesu Heilsangebot ablehnenden Volkes Israel fungieren lassen. Dieser Vorteil ist aber zugleich der entscheidende Nachteil dieses Vorschlags, weil die Voraussetzung, nach Jesu eigener Überzeugung habe sich ganz Israel seiner Heilsbotschaft verweigert und sich dadurch das nur durch die Ersatzleistung seines Sühnesterbens abwendbare Gericht Gottes zugezogen, nicht wahrscheinlich gemacht werden kann. Echte Probleme tauchen aber auch auf, wenn man Jesus zwar auch „Mißerfolg" und direkte partielle Ablehnung erfahren, aber nicht vom völligen Fehlschlag seines Wirkens überzeugt sein läßt. Dann lassen sich das Volksganze und die für Jesu Hinrichtung verantwortlichen Führer nicht unter dem Aspekt „Ablehnung" über einen Leisten schlagen. In diesem Fall gewinnt Jesu Erwartung, seine Gegner würden seine Hinrichtung mit Erfolg durchsetzen, entscheidendes Gewicht für die Möglichkeit der Konzipierung der heilsbedeutsamen Lebenshingabe. Damit stellt sich die Frage, ob die schon früher oder erst am Ende Jesu moralisch gewiß werdende gewaltsame Beendigung seines Wirkens für Jesus letztlich der Anstoß und Grund war, nach dem möglichen gottgewollten Sinn dieses Endes zu fragen und zum Schluß von dem bis zuletzt verkündigten Zugang zum Heil der Gottesherr-

---

bei Juden und Christen (Düsseldorf 1980) (Schriften der Kath. Akademie in Bayern 98) 68 f. mit Anm. 69. A. Kolping, der sich auch im neuesten Band seiner „Fundamentaltheologie" (III. 1. Teil Münster 1981) eingehend mit „Jesu möglichen Todesankündigungen und Todesdeutung" befaßt (601–622), urteilt: „Die Notwendigkeit eines sühnenden Todes Jesu braucht nicht im Widerspruch zur ursprünglichen Verkündigung Jesu zu stehen, die ganz im Kontext der at Gottesoffenbarung . . . gesehen werden muß. Nur daß *ein Ausgleich von Jesus selbst nicht* ausgesprochen worden ist! Der durch Deutung des Todes Jesu als Sühne auftretende unreflektierte ‚Bruch' macht gerade skeptisch, daß wirklich *Jesus selbst* seinem Tod sühnende Kraft beigemessen habe" (733).

schaft dadurch als endgültiger Weise der Heilsvermittlung abzurücken, daß er und weil er es im Verstehenshorizont verfügbarer Deutungsmodelle als Wille Gottes erkannte, durch seine heilseffiziente Lebenshingabe eine neue Voraussetzung für das Eingehen in das Gottesreich zu schaffen — nun aber für wen? Für ihn ablehnende und ihn teilweise sogar zu Tode bringende Israeliten? Oder zugleich auch für die große Masse der von ihm bislang nicht erreichten Israeliten? Oder unterschiedslos für alle Israeliten und für die von ihm noch nicht angesprochenen Heidenvölker, die insgesamt überhaupt noch keine Gelegenheit hatten, seine Heilsbotschaft zu vernehmen und abzulehnen? Auch wenn man Jesus den Entschluß fassen oder das Anerbieten an Gott machen läßt: weil die zu erwartende Hinrichtung die Weiterverkündigung meines bisherigen Heilsangebots unmöglich machen wird, gebe ich mein Leben hin, um der ganzen, faktisch sündverfallenen und verlorenen Menschheit das Erben des Endheils zu ermöglichen, bleibt — abgesehen von der zusätzlichen Problematik, in welcher Weise und inwieweit Jesus die Absicht seines heilsbedeutsamen Sterbens den Abendmahlsjüngern kundgetan haben soll — als kritischer und letztlich entscheidender Punkt nicht die m. E. unbedenklich zu bejahende Frage, ob der Repräsentant der Basileia seine liebende Pro-Existenz bis in sein Sterben hinein durchgehalten hat, als vielmehr die prinzipielle theologische Frage, ob Jesus auch angesichts seines Todes, des von ihm in Erfüllung des Willens Gottes als Durchgang zur volloffenbaren Gottesherrschaft zu übernehmenden Todes (Mk 14, 25)[69], an der Überzeugung festhielt, daß er mit seiner Wort- und Tatverkündigung von der als heilwirkende Macht sich anzeigenden Gottesherrschaft die Sache Gottes selbst vertreten hat.

Jeder der angestrengten löblichen Versuche, eben auch die im Endeffekt äußerst vorsichtige Minimallösung von H. Schürmann[70] (die als Versuch, die mögliche Heilsbedeutsamkeit des Sterbens in Jesu eigener Intention, näherhin in einem wohl nur „existentiell-dunklen ‚Verstehen‘" zu verankern, sinnvollerweise nicht mehr unterschritten werden kann), operiert mit Voraussetzungen und Argumentationen, die als zweifelhaft bis unhaltbar gelten müssen oder sich doch anstehenden Fragen entziehen. Mein Versuch, solchen Fragen Raum zu geben sowie die unterschiedlichen Ansätze und Beweisverfahren der einzelnen Hypothesen zu beleuchten, hat denn auch nichts anderes zum Ziel, als Gesichtspunkte herauszustellen, die für die weitere Diskussion einer die Exegese mit Recht bewegenden zentralen Thematik von Belang sein dürften.

---

[69] Vgl. L. Oberlinner in Anm. 67.
[70] Auch für H. Schürmann selbst ist sein Ergebnis „nicht mehr als der Aufweis einer *Möglichkeit,* in welcher Weise Jesu Todes-Geschick als heilsbedeutsames Basileia-Geschick gedacht werden kann" (63).

7

Das markinische Verständnis der Tempelworte*

Die treffenden Beobachtungen und richtungweisenden Überlegungen, die der Jubilar zu den Tempelworten der Evangelien und von Apg 6, 14 äußerte, haben mich zur Beschäftigung mit diesen höchst kontrovers diskutierten Texten angeregt. Im Hinblick auf seine seltene Gabe, bei allen geschichtswissenschaftlichen Anstrengungen stets auch den Dienst des Wortes im Auge zu haben, hoffe ich, den guten Freund nicht allzusehr zu enttäuschen, weil ich mich hier auf das markinische (= mk) Verständnis der Tempel (= T.)worte beschränken muß. Sofern meine Hypothese als diskutabel gelten kann, meine ich damit aber auch einige Gesichtspunkte zu gewinnen, die für die am meisten umstrittene traditionsgeschichtliche Beurteilung der T.worte, vorab für die Frage nach Herkunft und Vorgeschichte des im Mittelpunkt des Interesses stehenden Zeugenwortes Mk 14, 58, von Belang sind.

Die Frage nach dem mk Verständnis der T.worte ist vordergründig durch zwei widersprüchliche Aussagen gestellt. Einerseits läßt Mk in der Verhörszene die zweigliedrige T.prophetie 14, 58 vorbringen, die wie deren Fassung von 15, 19 Jesus behaupten läßt, er selbst werde den Herodianischen T. – auch in 14, 58a kann nur dieser gemeint sein – „niederreißen". Andererseits brachte er schon zuvor die passivisch formulierte T.prophetie 13, 2. Ob der Evangelist noch vor oder erst bald nach Beendigung des jüdisch-römischen Kriegs schrieb, wie in den letzten Jahren überwiegend und wohl am besten angenommen wird[1], ist für unsere Frage nicht von entscheidendem Belang. Denn auch im ersten Fall ist die Zerstörung des T.s in keiner Weise mit der Person Jesu oder seinem Geschick verknüpft und kaum zu bezweifeln, daß Mk an die Römer als feindliche Zerstörer gedacht hätte. Da die Zerstörung des T.s (13, 2) im ersten Fall für Mk noch echte Zukunft wäre, wäre bereits das οὐ μὴ ἀφεθῇ λίθος ἐπὶ λίθον als Voraussage der Schleifung des T.s erstaunlich präzis. Auch deshalb, weil es sich nicht als altbiblische Wendung erklären läßt. Wie R. Pesch gut beobachtete, begegnet die Wendung λίθος ἐπὶ λίθον in keiner der

---

* Erstveröffentlichung des durchgesehenen Beitrags: U. Luz – H. Weder, Die Mitte des Neuen Testaments, FS E. Schweizer (Göttingen 1983) 362 – 383.
[1] Vgl. außer den von W. G. Kümmel (Einleitung in das Neue Testament [Heidelberg 1980] 70, Anm. 65) genannten Autoren etwa D. Dormeyer (u. a. mit E. Gräßer; G. Harder), Die Passion Jesu als Verhaltensmodell: NTA NF 11 (1974) 161, Anm. 588; R. Pesch, Das Markusevangelium: HThK I (1976) 14; J. Gnilka, Das Evangelium nach Markus: EKK I (1978) 34; W. Schmithals, Das Evangelium nach Markus, Kap. 9, 2 – 16: ÖTK 2/2 (1979) 577; J. Ernst; Das Evangelium nach Markus: RNT (1981) 23.

alttestamentlichen Weissagungen der T.zerstörung[2]. Hingegen kann die dra-
stisch-konkrete Formulierung von 13, 2 nicht überraschen, wenn sie von der
Wirklichkeit des in Trümmern liegenden T.s abgelesen wurde[3]. Damit ist freilich nicht schon die Möglichkeit ausgeschlossen, daß bei der Bildung des vaticinium auch in diesem Fall eine ältere überlieferte T.prophetie mitspielte. Im
einen wie im andern Fall bleibt jedoch die Frage, ob und wie sich die widersprüchlich klingenden Aussagen in der Sicht des Evangelisten vereinbaren
lassen.

I

Ohne auf Einzelbegründungen eingehen zu können, stelle ich drei charakteristische Hypothesen vor, denen zufolge Mk keinen Grund gehabt hätte, einen
Widerspruch zwischen 13, 2 und 14, 58 zu empfinden.

1. Um den „unfairen" Charakter der Synedriumsverhandlung zu unterstreichen, will Mk nach D. Lührmann die von ihm aufgenommene und in der Verhörszene eingeführte T.prophetie 14, 58 als nicht von Jesus stammendes Wort
und deshalb als lügnerische Unterstellung verstanden haben. „Falsch ist nach
ihm (= Mk) ja die Behauptung, Jesus habe solches gesagt, nicht bloß ein falsches Verständnis . . ."[4].

2. Die Gegenposition vertritt D. Dormeyer, demzufolge der Endredaktor
der Markuspassion den Drohspruch eines urchristlichen Propheten zu der
T.prophetie 14, 58 weitergebildet und in die Zeugenverhörszene eingeführt
hat. Nach Auffassung des Erzählers bzw. des Evangelisten sind die Zeugen
zwar von „unredlicher Gesinnung", insofern sie mit der T.prophetie eine zur
Verurteilung ausreichende Anklage vorbringen wollen, zitieren sie jene als solche aber korrekt und richtig verstanden, nämlich nicht als Behauptung der
materiellen Zerstörung des T.s. Letzteres gelte auch von der verkürzenden
Wiedergabe durch die Spötter (15, 29)[5].

3. Eine Mittelposition bezog jüngst W. Schmithals. Ihm zufolge ist die ganze Synedriumsverhandlung, einschließlich der Zeugenverhörszene 14, 55 – 59,
ein „einheitliches Stück aus der Hand des Markus"[6], der den Hohenpriester
aus dem T.wort 14, 58 den messianischen Anspruch Jesu heraushören, mit je-

---

[2] R. Pesch selbst wertet diesen Umstand freilich als Indiz der Echtheit der T.prophetie 13, 2, bis
auf den „überschießenden Schluß" ὃς οὐ μὴ καταλυθῇ, bei dem er mit einer ex eventu hinzugefügten „Verdeutlichung" rechnet: Mk II (1977) 271. .

[3] So nachdrücklich J. Gnilka, Mk II (1979) 184.

[4] Markus 14, 55 – 64: Christologie und Zerstörung des Tempels im Markusevangelium, NTS 27
(1981) 457 – 474. 466. Von anderen literarkritischen Ergebnissen ausgehend, beurteilt E. Linnemann die ganze Zeugenverhörszene in der Substanz (also einschließlich des T.wortes 14, 58) als
vormk Überlieferung, die das „falsche Zeugnis" darin erblickte, „daß Jesus eine vermessene Behauptung zugeschrieben wird, die er nicht geäußert hat": Studien zur Passionsgeschichte:
FRLANT 102 (1970) 118 f. 130 – 132. Ihre Ausführungen (130 f.) lassen vermuten, daß sie den die
Zeugenszene aufnehmenden Evangelisten 14, 58 ebenfalls als völlig verleumderische Erfindung
verstehen läßt.

[5] Passion 163. 159 – 163. 212.

[6] Mk 660.

nem somit die Messiasfrage provozieren läßt. Für den Evangelisten sei die dem „falschen Zeugen in den Mund gelegte T.prophetie in der vorliegenden Form, vor allem der Ich-Form, kein authentisches Jesuswort; er erachte sie wie auch die gleichfalls von ihm stammende Wiedergabe derselben in 15, 29 dem Aussagegehalt nach als ‚falsch‘, nicht aber der Intention nach, da die Zeugen mit 14, 58 einen wahren Anspruch Jesu, eben den der Messianität, als Anklagepunkt vorbringen". „Das Wort vom Abbruch des alten Tempels und vom eschatologischen Neubau des Tempels der Heilszeit durch seine Hand kann nur der Messias sprechen!"[7] Im Unterschied zu D. Lührmann liegt Mk nach W. Schmithals daran, daß das Verfahren des Zeugenverhörs wie das aufgrund des Messiasanspruchs Jesu ergehende Todesurteil „ordnungsgemäß", „formal korrekt" abgewickelt wurde[8].

Diese Autoren teilen übrigens die heute vorherrschende und gut begründbare Auffassung, daß 14, 58 kein historisches Element der Synedriumsverhandlung war[9]. Wie ihre unterschiedlichen Vorschläge illustrieren, kommt es bei der Beantwortung der Frage, ob und wie sich die widersprüchlich klingenden T.worte im Verständnis des Mk vereinbaren lassen, entscheidend auf die mk Beurteilung von 14, 58 und 15, 29, vorab der T.prophetie 14, 58 an.

II

Ich meine, vorweg zwei Momente nennen zu sollen, die für die mk Sicht bereits relevant sein können. Mk läßt Jesus die T.schleifung im Jüngerkreis voraussagen (13, 1 f.). Er kann deshalb sehr wohl annehmen, daß die jüdische Öffentlichkeit, im Gegensatz zum Leser, zu Lebzeiten Jesu von dieser Voraussage nicht wußte. Die Geltendmachung der Prophetie 14, 58 (15, 29), die im Unterschied zu 13, 2 auch das Bauen eines anderen T.s ansagt, setzt demgegenüber ein in der Öffentlichkeit gesprochenes Wort Jesu voraus: „Wir haben ihn sagen hören" (14, 58a). Dann handelt es sich für sein Verständnis um zwei verschiedene T.prophetien. Diese scheinen außerdem unter verschiedenem Aspekt vom Jerusalemer „Tempel" zu reden. Es ist zwar nicht möglich, für den ntl. Sprachgebrauch eine eindeutige Unterscheidung zwischen ἱερόν und ναός vorauszusetzen. Da das vaticinium 13, 2 auf die Schleifung des ganzen T.bezirks zurückblicken dürfte, ist dieser mit dem hier verwendeten ἱερόν gemeint. Dann ist es schon in Anbetracht der prekären Thematik kaum bloßer Zufall, daß Mk in 14, 58 den Ausdruck ναός verwendet bzw. übernimmt. Man darf also annehmen, daß in 14, 58 in seinem Verständnis speziell vom T.haus, nicht vom ganzen T.bezirk die Rede ist.

Auch unter der gut begründeten Voraussetzung, daß es sich in der Sicht des Mk um zwei verschiedene Weissagungen handelt, von denen die eine (13, 2)

---

[7] A.a.O. 668 f.

[8] A.a.O. 666.

[9] So rechnete jüngst auch J. Ernst die ganze Falschzeugenszene 14, 55 – 59 nicht zu den wahrscheinlich historischen Fakten (Mk 441. 446 f.), obgleich er 14, 58 ein zweigliedriges antithetisches Rätselwort Jesu zugrunde liegen läßt (369 f. 441 f.).

vom Gesamttempel, die andere (14, 58) speziell vom Tempelhaus spricht, bliebe indes ein Widerspruch bestehen, sofern Mk der Meinung wäre und die Meinung insinuieren wollte, Jesus habe mit 14, 58a tatsächlich die durch ihn erfolgende materielle Zerstörung des T.hauses vorausgesagt[10]. Will man nicht allzu sehr mit einem sorglos schreibenden Evangelisten rechnen, darf man ihm diese Meinung nicht zuschreiben. Nicht nur, weil sie in Spannung stünde zum vaticinium 13, 2, das, ob prospektiv oder wahrscheinlicher retrospektiv verstanden, die Römer als Zerstörer der T.anlage und damit auch des T.hauses im Auge hat. Mk weiß doch mit vielen seiner Leser, daß Jesus gekreuzigt wurde, ohne vorher das T.haus niederzureißen, und daß dieses nach seinem Tod jahrzehntelang weiterbestand. Weil es sich in der Sicht des Mk bei 13, 2 und 14, 58 um zwei verschiedene T.prophetien handelt, besteht andererseits schon von daher die Möglichkeit, daß er auch das Zeugenwort 14, 58 als von Jesus stammende Prophetie verstanden haben will, die aber etwas anderes als den durch Jesus erfolgenden materiellen Abbruch des T.hauses voraussagt.

III

Auszugehen ist von der Zeugenverhörszene. Daß der Evangelist uns den Gefallen tut und Jesus zu dem von den Zeugen vorgebrachten T.wort Stellung nehmen, den authentischen Wortlaut oder den authentischen Sinn desselben feststellen läßt, ist nicht zu erwarten, wenn auch ihm am kerygmatischen Sinn des Schweigens Jesu auf vorgebrachte Zeugenaussagen (das Schweigen des Gerechten) liegt, was heute von niemandem bezweifelt wird. Da 14, 58 in der Verhörszene nicht von Jesus selbst, sondern von „Falschbezeugenden" zitiert wird, muß auch in der Sicht des Mk eine irgendwie geartete Unstimmigkeit mit im Spiel sein. Worin könnte er diese erblicken? Autoren, die von der wesentlichen Historizität des Zeugenverhörs 14, 55 – 59 ausgehen und speziell auch 14, 58 als inhaltlich echte Prophetie Jesu sichern möchten, plädierten schon für die Erklärung: von zwei Zeugen, die separat verhört wurden, habe einer nur die eine und der andere nur die andere Hälfte des Ausspruchs Jesu genannt[11]. Es fehlt indes jeder Anhaltspunkt, daß die Vorstellung des Mk ebenfalls in diese Richtung ging. Einmal läßt er die T.prophetie nicht von „zwei" Zeugen vorbringen, wie es erst Mt 20, 60b – 61 geschieht. Obwohl es von den „einigen" der „falsch" Bezeugenden heißt, daß „ihr Zeugnis nicht gleich(lautend)" war, zitieren jene trotzdem einhellig ein und dasselbe T.wort (14, 57 – 59). Das Interesse des Evangelisten an der einhelligen Wiedergabe desselben verrät sich auch in dem singularischen μαρτυρία von 14, 59. Dächte er an

---

[10] So zuletzt offenbar W. R. Telford, The barren Temple and the withered Tree (Sheffield 1980) 39. 59. 231. Vgl. auch die Hypothese, die L. Gaston in seinem überaus materialreichen Werk „No Stone on another" (NT. S 23) 1970 vorschlägt (s. u. Anm. 24).

[11] J. A. Kleist, The Two False Witnesses (Mk 14, 55ff.), CBQ 9 (1947) 321 – 323. 322; vgl. auch R. Pesch: „Obwohl nur eine Version des angeblichen Jesuswortes mitgeteilt ist, kann wohl nur gemeint sein, daß verschiedene Versionen von den Zeugen zitiert wurden, vielleicht jeweils eine Hälfte des Wortes (vgl. auch zu 13, 2)": Mk II 433. Phantastisch wirken die zwei T.worte, die J. Bowman (The Gospel of Mark, StPB 8 [1965] 289) die Zeugen zusammensetzen läßt.

unterschiedliche Versionen des T.wortes, wäre der Plural („ihre Zeugnisse")
angebracht. Die beiden genannten Momente sprechen m. E. entschieden gegen
die Annahme, die Nichtübereinstimmung der Zeugen habe sich nach Auffassung des Mk auf die Wiedergabe des Wortlauts der T.prophetie bezogen. D.
Dormeyer scheint mir deshalb insoweit recht zu haben, als er die Zeugen nach
mk Auffassung die T.prophetie dem Wortlaut nach richtig wiedergeben läßt.
Er läßt den Evangelisten sodann annehmen, die Zeugen hätten hinsichtlich der
Nebenumstände des Ausspruchs wie Ort und Zeit desselben unterschiedliche
Aussagen gemacht. Daß Mk daran dachte, ist durchaus möglich, wenngleich
er, wie man hinzufügen muß, an einer diesbezüglichen Klarstellung nicht in-
teressiert ist.

Zur Beurteilung der Nichtübereinstimmungsfeststellung 14, 59 scheint mir
auch folgender Zusammenhang erwägenswert zu sein. Die pauschale Nennung
„vieler", die falsch gegen Jesus bezeugten, schloß mit der Feststellung: „und
die Zeugnisse waren nicht gleich(lautend)" (14, 56). Diese Feststellung hat
nichts Problematisches an sich, weil konkrete Aussagen nicht genannt wurden. Warum dann aber die Nichtübereinstimmungsfeststellung nach dem einhelligen T.wort? Unter der gut begründbaren Voraussetzung, daß die V.
57 – 59 sekundär einer älteren Zeugenverhörszene (V. 55 – 56) angefügt wurden, ist ohnehin nicht zu bezweifeln, daß das Zeugenaufgebot zu keinem juri-
stisch tauglichen Anklagepunkt führte und der Hohepriester deshalb zur direkten Befragung des Angeklagten überging, nämlich mit der Stellung der
Messiasfrage (14, 61 b – 62)[12]. D. Lührmann geht m. E. zwar zu weit mit der
Behauptung, Mk intendiere den Nachweis, daß im Zeugenverhör, speziell
auch was die T.prophetie betrifft, „rundum alles Lüge" ist „und nicht einmal
die Lügen (sich) decken"[13]. Er unterstreicht aber zutreffend, dem Evangelisten, der vorgängig nachdrücklich das göttliche „Muß" der gewaltsamen Tötung und der Auferstehung des Menschensohn-Messias betonte, sei daran gelegen, daß Jesus einzig aufgrund seines Selbstbekenntnisses, nämlich der Bejahung der Messiasfrage, als des Todes schuldig erklärt wurde[14]. Wollte Mk –
ob er die Zeugenverhörszene im vorliegenden Umfang übernahm oder erst selber das T.wort in dieselbe einfügte[15] – diesen Gedanken festhalten, durfte
auch das vorgebrachte T.wort keinen tauglichen Anklagepunkt abgeben. Das
konnte er eben dadurch zum Ausdruck bringen, daß er die prozeßtechnisch zu

---

[12] So auch L. Schenke (Der gekreuzigte Christus [SBS 69] 1974, 33) und J. Gnilka (Mk II
280f.), die beide selber die Einfügung von 14, 57 – 59 und 15, 29b einem vormk Redaktor zuschreiben: Schenke (36. 44f.); Gnilka (276).

[13] Markus 459.

[14] A.a.O 458 – 469; gegen W. Schmithals, demzufolge die Zeugen im Verständnis des Mk Jesus
mit 14, 58 speziell messianischen Anspruch erheben lassen (Mk 668f.). Das trifft erst für die mt
Redaktion zu (s.u. VII, 5).

[15] Letzteres wird heute überwiegend befürwortet: L. Gaston, No Stone 68f.; E. Schweizer, Das
Evangelium nach Markus: NTD 1 (⁴1975) 176 („vermutlich"): G. Schneider, Die Passion Jesu
nach den drei älteren Evangelien (München 1973) 58; D. Dormeyer, Passion 161; L. Schenke,
Der gekreuzigte Christus: SBS 69 (1974) 33. 84; D. Lührmann, Markus 463; schon F. Hahn (Das
Verständnis der Mission im Neuen Testament: WMANT 13 (1963) 100, Anm. 5): „Höchstwahr-
scheinlich". Vgl. die noch weitergehende Hypothese von W. Schmithals, Mk 660.

verstehende Feststellung der Nichtübereinstimmung aus der pauschalen Zeugenverhörnotiz (14, 55 f.) an der Stelle 14, 59 wiederholte und auf das eingefügte T.wort anwandte bzw., sofern ihm schon das ganze Zeugenverhör 14, 55 – 59 vorgegeben war, die Konstatierung der Nichtübereinstimmung übernahm. Davon abgesehen, daß er bei der Nichtübereinstimmung „ihres Zeugnisses" an unterschiedliche Angaben zu Nebenumständen des Ausspruchs Jesu denken konnte, könnte er auch oder bereits aus dem genannten Grund die Nichtübereinstimmungsfeststellung übernommen bzw. hinzugefügt haben. Auch im letztgenannten Fall wäre diese sehr wohl vereinbar mit seiner Vorstellung, daß die Zeugen das T.Wort als solches dem Wortlaut nach richtig wiedergaben.

Das muß indes noch nicht bedeuten, daß die Zeugen nach Auffassung des Mk das T.wort auch richtig verstehen. Sosehr sein offenkundiges Interesse am einhellig zitierten T.wort dagegen spricht, daß er dasselbe als reine Erfindung und in sich falsche Behauptung verstanden haben will, läßt sich die vorgängige ausdrückliche Qualifizierung der die T.prophetie Vorbringenden als „Falschbezeugende" (14, 57) nicht als belanglos abtun. Nach heute allgemein geteilter Auffassung will die Zeugenverhörszene wie die ganze mk Passionserzählung Jesus als den leidenden Gerechten zeichnen. Obwohl R. Pesch das Erzählstück 14, 55 – 65 als dem Evangelisten überlieferten „einheitlichen" und im wesentlichen historisch berichtenden Text beurteilt[16], zu dessen historisch glaubwürdigen Daten ein Jesus unterstelltes T.wort als „ein Hauptanklagepunkt" gehöre[17], sieht auch er sich genötigt, 14, 55 – 65 als eine „in ihrem Bericht auffallend wertende und kerygmatisierte Erzählung" zu beanspruchen; sie suche „durch Anspielungen an die passio iusti-Traditionen Jesus als den leidenden Gerechten und seine Gegner als dessen böse Feinde vorzustellen . . .". „Das Motiv der Falschzeugen . . . und der Feinde des Frommen, die Lüge reden . . ., gehört in die passio iusti-Traditionen", wie R. Pesch des weiteren belegt[18]. Wenn die Zeugen die T.prophetie dem Wortlaut nach jedoch richtig wiedergeben, kann die „Lüge" in diesem Fall sehr wohl in der Unterstellung eines falschen Sinnes bestehen. Ich stelle deshalb die Hypothese zur Diskussion: der Evangelist will zwischen einem falschen und dem wahren, nämlich von ihm selbst intendierten Verständnis der T.prophetie unterschieden haben[19].

IV

Da mit „dem von Menschenhand gemachten (Tempel(haus))" nur der Jerusalemer T. gemeint sein kann, legt sich entschieden nahe: die jüdischen Zeugen sind in der Vorstellung des Evangelisten vom wörtlichen Verständnis von 14,

---

[16] Mk II 428 – 430. 442 f.   [17] A.a.O. 442. 433 – 437.   [18] A.a.O. 431 f.

[19] Ich unterscheide mich damit auch von der Hypothese L. Gastons. Dieser zufolge unterstellen die Zeugen Jesus mit 14, 58 ein in der jüdischen Polemik aufgekommenes T.wort, das nur in der zweiten Hälfte (14, 58 b) eine von Jesus stammende T.prophetie wiedergebe. Da Mk gegen Ende des jüdisch-römischen Krieges die Katastrophe über Jerusalem und den T. hereinbrechen sehe, sei ihm selbst jedoch an einer positiven, also gültigen Interpretation des ganzen vorgebrachten T.wortes gelegen: No Stone 67 – 70.

58a ausgegangen, als habe Jesus behauptet, er selbst werde den Herodianischen T. abbrechen. Das ist eine Auslegung, die Mk aus den schon genannten Gründen für falsch hält und halten muß. Daß die Zeugen die T.prophetie Jesu falsch auslegen, läßt er m. E. durch Vertreter der Jerusalemer Öffentlichkeit ausdrücklich bekunden. Nämlich durch jene Passanten, die die T.prophetie in dem von ihnen unterstellten Sinn aufgreifen und dem am Kreuz Hängenden höhnisch entgegenhalten: „Ha, der du den Tempel niederreißt und in drei Tagen wiederaufbaust" (15, 29b)[20]. Die geläufige Erklärung, der Erzähler bzw. Mk, dem der Rückgriff auf das T.wort der Zeugen vielfach zugeschrieben wird[21] (was bei der Annahme, dieses sei von Mk eingeführt worden, als konsequent gelten kann), habe das von 14, 58 her schon bekannte T.wort an dieser Stelle „verkürzt" wiedergegeben, verkennt m. E. die Absicht des Evangelisten, die Spötter ein verfälschendes Verständnisses desselben aussprechen zu lassen. Ihre Berufung auf das T.wort wird als „Lästerung" – „die stärkste Form der *persönlichen Verspottung* oder *Verleumdung*"[22] – , somit als verfälschendes Reden gekennzeichnet, was dem „(sie) bezeugten falsch gegen ihn" der Verhörszene (14, 57) entspricht. Die Verfälschung besteht eben in der Jesus unterstellten Behauptung, er werde den Tempel buchstäblich verstanden niederreißen und denselben – τὸν ναόν ist Objekt zu Niederreißen und Bauen, weshalb letzteres hier mit W. Bauer eindeutig durch „wiedererbauen, neuerrichten" zu übersetzen ist – in drei Tagen wiederaufbauen. Um dieses falsche Verständnis des T.wortes anzuzeigen, sind die distinguierenden Elemente ἄλλον und die antithetischen Attribute ausgelassen, das „in drei Tagen" hingegen sicher ebenso bewußt beibehalten. Die angebliche Behauptung Jesu, er und er allein werden den T. „in drei Tagen" = in kürzester Frist wiederaufbauen, ist ja eine ebenso absurde Anmaßung wie der durch einen Einzelnen zu vollziehende Abbruch; genau dieser Gedanke exorbitanter Machtanmaßung soll unterstrichen werden. Mit der an Ps 22, 9; Weish 2, 17 – 20 erinnernden höhnischen Aufforderung zum Wunder der Selbsterrettung prangern die Passanten den Widerspruch zwischen der absurden Machtanmaßung Jesu und seiner sich jetzt erweisenden Ohnmacht an. Sie erblicken in der qual- und schmachvollen Hilflosigkeit des am Kreuz Hängenden die eklatante Widerlegung der T.prophetie Jesu[23]. Sollen die Spötter mit ihrer Behauptung, Jesus

---

[20] Die Frage, woher die Passanten das T.wort kennen, brauchte Mk nicht zu bewegen, da seine Formulierung „wir haben ihn sagen hören" (14, 58) die Hörer des T.wortes nicht auf die Zeugen beschränken muß.

[21] So etwa von E. LINNEMANN, Studien 158; G. SCHNEIDER, Passion 118; D. DORMEYER („Endredaktor der Markuspassion"), Passion 212; L. SCHENKE, (Christus 36. 84f.; W. SCHMITHALS 683.

[22] H. W. BEYER, Art. βλασφημία: ThWNT I 620, 17.

[23] Daß Mk die Passanten mit dem „Wort der Zeugen" im besonderen „den *Messias* Jesus" verhöhnen lasse (W. Schmithals, Mk 669; ähnlich R. Pesch, Mk II 486), beruht auf der schiefen Voraussetzung, die Zeugen würden im Sinne des Mk Jesus mit 14,58 speziell messianischen Anspruch erheben lassen. Noch mehr überrascht die Erklärung von D. DORMEYER, das Spottwort 15, 29b arbeite „den ekklesialen Aspekt der Passion" Jesu heraus (Passion 212). Sie ist nur begreiflich aus seiner These, die Falschzeugen würden das T.wort 14, 58 nach Auffassung des Evangelisten richtig verstehen (s. o. I. 2.), sowie aus der gleichzeitigen Ignorierung des Umstandes, daß die „Lästerungs"-Szene 15,29f. wie die „Falschzeugen"-Szene 14, 57 – 59 am Modell der lügnerisch reden-

abe mit 14, 58 eine durch seine Kreuzigung widerlegte Prophetie ausgesprochen, das letzte Wort zu Sinn und Geltung der T.prophetie Jesu haben? Das
wäre doch mehr als sonderbar, wenn meine Meinung, daß der Evangelist an
14, 58 als einer gültigen T.prophetie Jesu interessiert ist, begründet ist.

V

Bevor wir der Frage nachgehen, ob sich im weiteren Verlauf der Passionserzählung eine Richtigstellung zum Verständnis der T.prophetie 14, 58 entdecken
läßt, sind noch zwei Interpretationen zu bedenken, die für Mk nicht in Betracht
kommen oder doch nicht ausreichen. Er kann Jesus mit 14, 58 nicht auf seine
Parusie ausblicken und sagen lassen, er werde im Zusammenhang mit dieser
den T. zerstören und nach kurzer Frist einen anderen, nicht von Menschenhand
gemachten T. – etwa im metaphorischen Sinne (= die Heilsgemeinde der volloffenbaren Gottesherrschaft)[24] oder auch im Sinne der jüdischen Erwartung
eines himmlischen Heiligtums – bauen. Schon deshalb nicht, weil er nicht den
erhöhten Jesus, sondern die Römer als Zerstörer des T.s im Auge hat (13, 2).
Bei „Kriegen" und dem Aufstand von Volk gegen Volk, die der Evangelist unter anderen gemeinplatzartigen Vorzeichen der Äonenwende nennt, und zwar
als „Anfang der Wehen" (13, 7f.), denkt er, wie fast allgemein und wohl mit
Recht angenommen wird, auch an den zur Schleifung der Tempelanlagen führenden jüdisch-römischen Krieg, somit an ein noch innergeschichtliches Geschehen. Dem apokalyptischen Topos von den endzeitlichen Wehen entsprechend, will er diesen Krieg als Vorzeichen der Äonenwende verstanden haben.
Mk kommt sodann auch nicht auf den Gedanken, die durch den Parusie-Christus zu veranlassende Sammlung der Erwählten (13, 27) als Errichtung eines
anderen, nicht von Menschenhand gemachten T.s zu bezeichnen.

Nicht ausreichend – wenigstens was den Sinn von 14, 58 betrifft – erscheint mir sodann die zuletzt auch von J. Gnilka befürwortete Erklärung, im
rechtverstandenen Sinn des Mk spreche 14, 58 „vom Gericht über Israel und
der Auferstehung Jesu"[25]. Zweifellos impliziert 14, 58f den Gedanken an die
Auferstehung Jesu. Da 14, 58b aber vom „Bauen" als einem Handeln Jesu
spricht, müßte Mk diese zweite Satzhälfte eigentlich im Sinne der johanneischen Interpretation verstanden haben, so jene die Auferstehung Jesu als sol-

---

den Feinde des Gerechten orientiert ist. Obwohl J. ERNST diese Orientierung des Szenario 15, 29f.
richtig konstatiert (Mk 469), befürwortet auch er ein metaphorisches Verständnis: „Die metapho-
rische Ausdeutung ist hier gegenüber 14, 58 zwar verkürzt, aber in der Nennung der drei Tage
noch deutlich erkennbar" (470). Die Zeitangabe ist doch gerade im Interesse des nichtmetaphori-
schen Falschverständnisses beibehalten.
[24] So die u. a. ein kollektives „Menschensohn"verständnis (No Stone 370 – 409) voraussetzende
Deutung von L. GASTON: Mit der als Teil des letzten Gerichts zu verstehenden materiellen Zerstörung
des T.s wird die Parusie des Menschensohnes, d. h. die Errichtung des nicht von Menschenhand gemachten T.s = der die Heiden einschließenden Heilsgemeinde verbunden sein (468 – 483) – eine
freilich irrtümliche Interpretation des Mk, der aber auch der nach 70 schreibende Mt beipflichte
(483 – 487). Bezeichnend ist Gastons Bemerkung: wenngleich Mt nicht sage, daß die Zerstörung des
T.s das Werk des Menschensohnes war, sei dies bei seiner Theologie „zumindest denkbar" (485).
[25] Mk II, 280.

che ansagen soll. Gnilka beruft sich auf seine Interpretation freilich nicht auf die „spezifisch joh. Deutung, die in ihrer Verbindung mit dem T.wort einzigartig ist"[26]. Und er tut gut daran. Ein Vergleich von Joh 2, 19 mit Mk 14, 58 kann nämlich nur den Blick für die unterschiedliche Aussagetendenz der beiden Fassungen der T.prophetie schärfen. Die ausschließliche Deutung des ἐγερῶ (wie Joh bewußt statt οἰκοδομῶ sagt) αὐτόν auf die Auferstehung Jesu ist in Joh 2, 19 gesichert durch den Vordersatz, der mit dem Abbrechen „dieses Tempels" das gewaltsame Getötetwerden Jesu und nur dieses meint, weshalb die joh. Fassung, im Unterschied zu Mk 14, 58, denn auch in beiden Satzhälften ein und denselben T., nämlich „den Tempel seines Leibes" (Joh 2, 21), meint. Demgegenüber spricht Mk 14, 58a aber, was auch für unseren Autor selbstverständlich ist, vom Jerusalemer T. Wenn Mk Jesus mit 14, 58b seine Auferstehung als solche ansagen lassen wollte, wäre deshalb, statt des auffälligen διὰ τριῶν ἡμερῶν (auch Mt 26, 61), dem das ἐν τρισὶν ἡμέραις von Joh 2, 19; Mk 15, 29 (nur das ἐν ist textkritisch unsicher) und Mt 27, 40 äquivalent ist, das in Auferstehungsansagen verwendete „nach drei Tagen" oder „am dritten Tag" angebracht. Und dies doch wohl erst recht, wenn Jesus nach mk Verständnis von 14, 58 mit der Voraussage seiner Auferstehung den Gedanken verbinden soll: „Der erhöhte Herr wird den Tempel ersetzen bzw. überflüssig machen"[27].

VI

Da 14, 58b im Verständnis des Mk auch nicht die durch den Parusie-Christus zu versammelnde Heilsgemeinde der volloffenbaren Gottesherrschaft meinen kann, bietet sich als weitere Möglichkeit ein längst befürwortetes ekklesiologisches Verständnis von 14, 58b an. Für diese Möglichkeit beruft man sich mit Recht auf die bildliche Verwendung von Bau und Tempel in den Qumrantexten[28] und im besonderen auf die seit Paulus (1 Kor 3, 16; 2 Kor 6, 16) belegte Spiritualisierung des „Tempels" als der Gemeinde Jesu Christi. Die typisch hellenistischen distinguierenden Qualifikationen (χειροποίητον-ἀχειροποίητον)[29] erweisen sich als unerläßlich, wenn der Ausdruck „Tempel" in 14, 58a im eigentlichen Sinne, in 14, 58b hingegen sinnbildlich verstanden werden soll. Wenn in 14, 58a aber der steinerne T. gemeint ist, muß dann nicht auch das „Niederreißen" buchstäblich gemeint sein? Diese Erwägung steht vermutlich im Hintergrund, wenn auch manche Autoren, die entschieden ein ekklesiologisches Verständnis von 14, 58b befürworten, sich über den Sinn von 14, 58a ausschweigen bzw. eine ambivalente Formulierung wählen, die

---

[26] R. Schnackenburg, Joh I 367.

[27] J. Gnilka, Mk II, 280.

[28] Vgl. z. B. L. Gaston, No Stone 163 – 176; G. Klinzing, Die Umdeutung des Kultus in der Qumrangemeinde und im Neuen Testament: StUNT 7 (1971) 50 – 88.

[29] Diese bringen auch andernorts den Unterschied zwischen dem Alten und dem mit Christus gekommenen Neuen zum Ausdruck; vgl. G. Biguzzi, Mc. 14, 58: Un Tempio ἀχειροποίητος, RivBib 26 (1978) 225 – 240. Zur Auseinandersetzung mit E. Linnemann vgl. D. Dormeyer, Passion 161 f.

nicht eindeutig zu erkennen gibt, ob sie den Evangelisten an die Aufhebung der materiellen oder der funktionalen Existenz des T.s denken lassen. Es sollte aber doch klar sein, daß Mk nicht an ein dem Bauen des anderen T.s (= der irdischen Christengemeinde) voraufgehendes materielles Niederreißen des T.s gedacht haben kann. Er weiß ja und darf dieses Wissen wohl auch bei vielen Lesern voraussetzen, daß der T. nach Karfreitag und Ostern noch Jahrzehnte weiterbestand, alter und neuer T. somit „eine Zeitlang nebeneinander und nicht nacheinander" existierten[30]. Außerdem hat er das durch die Römer zu vollziehende bzw. vollzogene Niederreißen des T.s im Auge. Unsere weitere Fragestellung lautet deshalb: Lassen sich auch positive Anhaltspunkte dafür gewinnen, daß Jesus in der Intention des Mk das von ihm zu vollziehende „Niederreißen" des Jerusalemer T.s metaphorisch verstand? Wenn ja: wie ist das spiritualisierende Verständnis des ganzen T.wortes 14, 58 näherhin zu bestimmen?

1. Als nächstliegende Anhaltspunkte sind zwei mit dem Sterben Jesu verknüpfte Phänomene in den Blick zu nehmen: die nach den Verspottungen von der sechsten bis zur neunten Stunde, dem Hinscheiden Jesu, über das ganze Land hereinbrechende Finsternis (15, 33 – 37) und noch mehr das im Augenblick des Hinscheidens Jesu erfolgende Zerreißen des T.-vorhangs (15, 38). Nicht weniger als dieses wird Mk auch die Finsternis als „Naturwunder", jedenfalls als Zeichen des Himmels verstanden haben wollen. Bereits bei der Deutung der Finsternis gehen die Meinungen bis heute noch stärkstens auseinander. Von den verschiedenen Vorschlägen[31] scheint nicht zuletzt das Verständnis als „Gerichts"-Zeichen Beachtung zu verdienen, das den Anklang an den prophetisch-apokalyptischen Gerichtstopos, an Stellen wie Am 5, 18 – 20 und wegen des Stundenschemas besonders an Am 8, 9 („An jenem Tage wird es geschehen, spricht der Herr, da lasse ich die Sonne untergehen am *Mittag* und bringe *Finsternis über die Erde* am hellichten Tag") geltend machen kann[32]. Soweit sich die Autoren zum Bezug des Gerichts äußern, bezeichnen sie die Finsternis als Voranzeige der den Jüngsten Tag begleitenden kosmischen Katastrophe[33], als „Ausdruck dafür, daß die am Kreuz geschehene Of-

---

[30] G. Klinzing, demzufolge Mk in 14, 58b „aller Wahrscheinlichkeit nach an die christliche Gemeinde gedacht (hat)", konzediert diese Schwierigkeit (Umdeutung 202 mit Anm. 1), ohne jedoch auf die Frage einzugehen, wie Mk dann das Niederreißen des T.s verstanden haben will.

[31] Die Finsternis signalisiere die Befreiung der Schöpfung von den Chaosmächtigen der Finsternis (K. Graystone: Theology 55 [1952] 122 – 127), „die eschatologische, kosmische Dimension" des Heilstodes Jesu (H. Conzelmann, Art. σκότος ThWNT VII 440, 2 ff.); sie sei Ausdruck der „Mittrauer der Schöpfung in dem Drama" von Golgatha (R. Schnackenburg, Das Evangelium nach Markus, Geistl. Schriftlesung 2, 2 (Düsseldorf 1971) 307; ähnlich J. Ernst, Mk 471), der Trauer des Himmels über den Tod des Gottessohnes (W. Schmithals, Mk 694), Zeichen für „die Außergewöhnlichkeit und die apokalyptische Bedeutung des Todes Jesu" (D. Dormeyer, Passion 199); sie sei die göttliche Bestätigung des dem Tod ausgelieferten Messias (so in Frageform R. Pesch, MK II 493); oder auch: sie symbolisiere „die Nacht der Einsamkeit und Gottverlassenheit" des Gottessohnes (J. Ernst, Mk 471).

[32] So L. Schenke mit anderen Autoren: Christus 95; ferner E. Schweizer, Mk 193 f.; J. Gnilka, Mk 321.

[33] E. Schweizer, Mk 194; im gleichen Sinne vermutlich G. Schneider: „das Ende der alten Welt" (Passion 126).

fenbarung hingeordnet ist auf das Gericht über die Welt"[34], als Symbol des göttlichen Gerichts, das die den Messias dem Kreuzestod überantwortenden Juden treffen wird[35], oder auch als das im Kreuz ergehende Gericht, das „das Judentum und den Tempel (vgl. V. 38) betrifft"[36].

2. Vor dem Versuch einer Stellungnahme fragen wir erst nach der Bedeutung des zweiten Wunderphänomens (15, 38), das den uns besonders interessierenden T. betrifft und schon deshalb einen einzigartig bedeutsamen Sachverhalt anzeigen dürfte, weil es als unmittelbare Wirkung des Todes Jesu vorgestellt ist. Obwohl das Bekenntnis des Hauptmanns (15, 39) erzählerisch an den Jesu Sterben begleitenden lauten Schrei (15, 37) anknüpft, ist als erste, dem Verscheiden Jesu unmittelbar folgende „Reaktion" das zeichenhafte Geschehen am T.vorhang (15, 38) genannt.

a) Die eine der beiden hauptsächlichen Auslegungsrichtungen, die im einzelnen auch unterschiedliche Akzentuierungen aufweist[37], geht von der Ausschluß-Funktion des inneren oder äußeren T.vorhangs aus. Die einen lassen Mk an das Zerreißen des äußeren Vorhangs (vor „dem Heiligen") denken; es symbolisiere, daß außer den Juden auch die Heidenvölker nunmehr freien Zutritt in das T.haus = zu Gott haben[38]. Diese Variante der „Zugangshypothese", wie ich diese Auslegungsrichtung kurz nennen möchte, erfordert geradezu die Hintergrundvorstellung, das T.haus würde als Kultinstitution und Ort der Gottesbegegnung in Geltung bleiben; nur eben mit dem Unterschied, daß aufgrund des Sterbens Jesu das Eintrittsverbot für die Heidenvölker aufgehoben ist. Dafür, daß Mk an dieser Vorstellung liegt, könnte man sich kaum auf 11, 17 berufen. Denn nach gut begründbarer Auslegung will er mit dem wohl von ihm selbst stammenden Schriftzitat (Jes 56, 7) Jesus „die Tempelreinigung als grundsätzliche Aufhebung einer rein-innerjüdischen Institution" deuten lassen[39], wobei man sich allenfalls streiten kann, ob er, wie in 14, 58 b, die nachösterliche oder aber die vollendete Heilsgemeinde als neuen T. im Auge hat.

Nach anderer Auffassung kann Mk wegen seiner kultischen Bedeutung nur an den inneren Vorhang (vor dem „Allerheiligsten") denken. Das Zerreißen oder, wie manche lieber sagen, das Sich-Spalten desselben eröffne den Zugang zum Allerheiligsten, zu Gott[40]. Soweit sich die Befürworter dieser Variante noch präziser äußern, lassen sie meist den Zugang zu Gott für die nichtprie-

---

[34] J. GNILKA, Mk II, 321.

[35] J. SCHMID, Mk 303.

[36] L. SCHENKE, Christus 95. Nach P. CHR. BÖTTGER qualifiziert die Finsternis das Sterben Jesu als „Gerichtetwerden des Repräsentanten Israels am Tage Jahwes": Der König der Juden − das Heil für die Völker, NStB 13 (1981) 90.

[37] Vgl. auch die von E. LINNEMANN (Studien 160) genannten Autoren.

[38] So z. B. D. P. SENIOR, The Passion Narrative acc. to Matthew: BEThL 39 (1975) 310; H. W. BARTSCH, Der ursprüngliche Schluß der Leidensgeschichte, in: M. SABBE, L'Evangile selon Marc, BEThL 34 (1974) 419; H. BAARLINK, Zur Frage nach dem Antijudaismus im Markusevangelium, ZNW 70 (1979) 192; jüngst auch J. ERNST („wahrscheinlich"), Mk 473.

[39] E. SCHWEIZER, Mk 128; im gleichen Sinne R. SCHNACKENBURG, Mk 2, 135 − 137; J. GNILKA, Mk 129 − 131; auch J. ERNST selbst, Mk 328 − 331.

[40] F. HAUCK, Das Evangelium des Markus: ThHK II (1931) 190; C. SCHNEIDER, Art. καταπέτασμα: ThWNT III 631, 31 ff.; S. SCHULZ, Die Stunde der Botschaft (Hamburg 1967) 59.

sterlichen Juden und die Heiden sich eröffnen[41]. Sofern man auch Mk das
Wissen zumuten darf, daß nur der Hohepriester am Versöhnungstag den inneren Vorhang durchschreiten darf, müßte man ihn eigentlich an die Freigabe
des Zugangs auch für gewöhnliche Priester, somit für alle Israeliten (Priester
und Laien), aber auch nur für diese denken lassen. Daß das Zerreißen des
inneren Vorhangs die Aufhebung des hohepriesterlichen Privilegs zugunsten
aller Israeliten anzeige, will, soviel ich sehe, doch niemand Mk intendieren
lassen.

   Obwohl E. Linnemann den Umstand, daß die Zugangshypothese nicht von
der Vorstellung der Zerstörung, sondern des „Sich-spaltens des Vorhangs"
ausgeht, gutheißt, lehnt sie diese Hypothese ab. Weil der innere Vorhang ihr
zufolge die Funktion hat, die Erscheinung der Majestät Gottes zu verhüllen,
bedeute das Sich-teilen, „daß im Augenblick des Kreuzestodes Jesu, seiner
größten und letzten Ohnmacht, die Majestät Gottes unverhüllt in Erscheinung
tritt: Im Kreuzestode Jesu wird Gottes Majestät offenbar."[42] Entgegen der
Ansicht E. Linnemanns möchte J. Gnilka beide Interpretationen („Offenbarung der Majestät Gottes" und „Eröffnung des Zugangs") miteinander verbinden und das Zerreißen des Vorhangs bei Mk besagen lassen, „daß sich Gott im
Kreuz seines Sohnes enthüllt und für alle, auch für die Heiden, zugänglich
wird"[43]. In diesem Falle müßte eigentlich vom Zerreißen „der Vorhänge" des
T.s, des äußeren und des inneren, die Rede sein. Das empfindet auch Gnilka
zurecht, wenn er hinzufügt: „Letzteres" – daß nämlich Gott auch für die Heiden zugänglich wird – „wird erst durch das Bekenntnis des Hauptmanns na-
hegelegt"[44]. Jedoch bekennt dieser den Gekreuzigten als Sohn Gottes, weil er
„sah, daß er so schreiend aushauchte"[45], nicht etwa, weil er den T.vorhang
sich spalten sah. Daß er dies wahrgenommen habe, hat sich auch Mk so gut
wie sicher nicht vorgestellt[46]. Die Zugangshypothese dürfte das Zerreißen des
T.vorhangs zutreffend mit der Idee der Ermöglichung der umfassenden Heilsgemeinde in Verbindung bringen, aber auch in der zuletzt genannten Fassung
sehr fraglich bleiben. Die zusätzliche Begründung: „Weil die Zerstörung des
Tempels schon in Vers 29 zu verstehen gegeben war, muß das Zerreißen des
Vorhangs etwas Neues einbringen", nämlich den Gedanken, daß Gott für alle,
auch für die Heiden, zugänglich wird[47], scheint mir die Intention und Funktion von 15, 29 zu verkennen. Gegenüber 15, 29 würde das Zerreißen des
T.vorhangs auch dann einen neuen Gedanken einbringen, wenn dieses im Ver-

---

[41] So zuletzt auch J. GNILKA, Mk 524; ganz vorsichtig auch E. SCHWEIZER: „vielleicht sogar genauer: (das Ende) der Aussperrung der Nichtpriester, vor allem der Nichtjuden von dem Orte der
Gegenwart Gottes (vgl. Eph 2, 13f.)": Mk 195.
[42] Studien 162f.
[43] Mk II 324.
[44] Mk II 324.
[45] Übersetzung nach R. PESCH, Mk II 492.
[46] Der Satz „. . . der Hauptmann durchschreitet mit seinem Bekenntnis als erster Heide den Tem-
pelvorhang" (H. W. BARTSCH, Schluß 419) trifft deshalb trotz 11, 17 sicher nicht die Vorstellung
des Mk.
[47] J. GNILKA, Mk II 324.

ständnis des Mk den wahren Sinn der jüdischerseits ausgelegten T.prophetie 14, 58 anzeigen würde.

b) Vom Wortgebrauch her kann die auffällig betonte Spaltung (ἐσχίσθη) des (inneren oder äußeren) Vorhangs „in zwei Teile von oben bis unten" statt der Eröffnung des Zugangs ebensogut einen Akt der Zerstörung meinen. Von dieser Vorstellung geht die andere der beiden hauptsächlichen Interpretationsrichtungen aus, die wiederum in unterschiedlichen Ausprägungen begegnet. So lassen einige Autoren Mk das Zerreißen des Vorhangs als Anfang der materiellen Zerstörung des T.s[48] oder doch als Prophetie derselben[49] bzw. als „Prodigium für die Tempelzerstörung"[50] verstehen. Im ersten Fall müßte man sich fragen, ob die materielle Zerstörung des T.s dem Evangelisten so wichtig sein soll, daß er diese im Augenblick des Todes Jesu als erste Wirkung desselben beginnen läßt. Und dies, obgleich er sich bewußt sein müßte, daß das Entzweireißen des T.vorhangs die noch Jahrzehnte dauernde Fortexistenz des Jerusalemer T.s und seines Kultes keineswegs verhindert hatte. Außerdem hätte er die komische Vorstellung teilen müssen: was als geringfügige Wirkung des Todes Jesu begann, werde bzw. wurde durch die Römer aus- und zu Ende geführt. Dieselben Bedenken sprechen auch gegen die Ankündigungshypothese. Deshalb empfiehlt sich die ganz überwiegend vorausgesetzte Auffassung: Mk versteht das Zerreißen des T.vorhangs nicht als „Vor-zeichen" eines noch gänzlich zukünftigen Ereignisses (= des materiellen Niederreißens des T.s), sondern als „Zeichen" eines durch Jesu Sterben bereits bewirkten Gechehens: „eines im Tode Jesu schon vollzogenen Endes"[51], nämlich eines spirituellen, heilsgeschichtlichen Endes des T.s.

c) Worin besteht dann dieses Ende in der Sicht des Mk? Nach einigen Autoren darin, daß Gott nicht mehr hinter einem zerrissenen Vorhang wohnt, den T. also verlassen hat[52]. Aus 14, 58 müsse sodann ergänzt werden, daß die Funktion des Jerusalemer T.s als Wohnstatt Gottes übernommen werden wird durch den T., „den Jesus ‚nach drei Tagen' auferbauen wird: die neue Heilsgemeinde des Gekreuzigten"[53]. Statt von der Vorstellung der Eröffnung des Zu-

---

[48] Damit scheint auch E. Lohmeyer Mk 347) und – als einer von zwei Möglichkeiten – J. Schmid (Mk 303) zu rechnen.

[49] Autoren bei Linnemannn, Studien 160 mit Anm. 79; so wohl auch Chr. Maurer: „. . . Ankündigung des Endes des Tempels und damit zugleich des altisraelitischen Kultus": Art. σχίζω: ThWNT VII 962, 7ff.

[50] Als solches wird nach R. Pesch „erst Mk das Zeichen ‚ex eventu' (vgl. zu 13, 2) verstanden haben": Mk II 499.

[51] E. Schweizer, Mk 195.

[52] D. Dormeyer, Passion 205; L. Schenke, Christus 100, mit Berufung auf J. Schreiber und W. Grundmann, der merkwürdig widersprüchlich 15, 38 sowohl den Zugang der Menschen ins „Allerheiligste" als auch den Auszug Gottes aus dem T. zum Ausdruck bringen läßt: Mk 316. Mit dem Gedanken des Auszugs Gottes verbindet L. Schenke übrigens zugleich die anschließend zu nennende Deutung von 15, 38 auf das Ende des T.kults und der mit ihm verbundenen Heilsordnung: a.a.O. 100.

[53] L. Schenke, a.a.O. 100. Auch nach D. Dormeyer hat Mk schon mit 14, 58b die positive Ergänzung zur Abrogation des T.s als Wohnstatt Gottes vorweggenommen mit der Ankündigung „der Kirche, die nach der Auferstehung Jesu den Tempel als Wohnstatt Gottes ablöst . . .": Passion 161.

gangs zu Gott soll Mk somit von der des Auszugs Gottes aus dem T. ausgehen. Bei dieser „Auszugshypothese" entfallen die Schwierigkeiten, mit denen die Varianten der Zugangshypothese belastet sind. Sie hat m.E. darin recht, daß sie 15, 38 in Beziehung zu 14, 58 sieht, nämlich das Wundergeschehen am T.vorhang auf den wahren Sinn der T.prophetie 14, 58 hinweisen läßt[54]. Was diesen Sinn selbst betrifft, bezweifle ich allerdings, daß das Wundergeschehen am T.vorhang und damit auch die T.prophetie 14, 58 im Verständnis des Mk speziell zum Ausdruck bringen sollen, der T. habe aufgrund des Todes Jesu seine Funktion als Wohnstatt Gottes zugunsten der nachösterlichen Heilsgemeinde verloren. Bezeichnenderweise gibt L. Schenke διὰ τριῶν ἡμερῶν, das er sonst korrekt mit „binnen drei Tagen" übersetzt, an der zitierten Stelle mit „nach drei Tagen" wieder, und auch D. Dormeyer spricht von der „nach der Auferstehung" den T. ablösenden Kirche. Hätte der Evangelist speziell und lediglich den Wohnortwechsel im Auge, wäre in 14, 58 in der Tat „nach drei Tagen" zu erwarten, da die Kirche erst aufgrund des Ostergeschehens realiter existent wird und als neue Wohnstatt Gottes in Betracht kommt.

d) Was den symbolischen Sinn des Wunderzeichens angeht, scheinen mir E. Schweizer und andere den richtigen Ansatz zu treffen. Sie lassen das Zerreißen des Vorhangs als „Hinweis auf das im Tode Jesu liegende Ende des Tempelkults" verstehen[55]; „. . . die bisherige Kultordnung hat ein Ende, der Alte Bund hört auf"[56]. Sie erblicken im Zerreißen des Vorhangs allem nach aber nur ein Unheilszeichen. Soviel ich sehe, verzichten die Befürworter dieser Deutung auf die Behauptung, im Verständnis des Evangelisten würde das Zerreißen des Vorhangs auf den von ihm selbst intendierten wahren Sinn der T.prophetie 14, 58 − und zwar der ganzen − hinweisen[57]. Beläßt man es bei der ausschließlichen „Abrogationshypothese", kommt jenes in der Tat lediglich als Hinweis auf die Erfüllung der ersten Satzhälfte − „Ich werde den von Menschenhand gemachten Tempel niederreißen" − in Betracht. Durch jenen Verzicht vermeiden die Befürworter dieser Hypothese zwar das Risiko einer Überinterpretation des Wunderzeichens. Ich meine aber fragen zu sollen, ob sie nicht unbegründet auf halbem Wege stehenbleiben. Nicht nur deshalb, weil mit der Vorstellung des T.kults auch die der Kultgemeinde verbunden ist, die mit dem Ende der atl. Kultordnung eo ipso ihre heilsökonomische Existenz verliert; auch deshalb, weil sie selbst den Evangelisten 14, 58b zu Recht als Voraussage der Konstituierung der ntl. Heilsgemeinde verstehen lassen.

---

[54] Vgl. L. SCHENKE, Christus 86: 15, 38 „verhält sich zu 14, 58; 15, 29b wie die Erfüllung zur Verheißung".

[55] E. SCHWEIZER, Mk 195.

[56] R. SCHNACKENBURG, Mk 312; vgl. ähnlich R. HUMMEL, Die Auseinandersetzung zwischen Kirche und Judentum im Matthäusevangelium: BEvTh 33 (1966) 84; P. CHR. BÖTTGER, Der König 91. Dieses Verständnis befürworteten u.a. − neben anderen Deutungsmöglichkeiten − schon E. LOHMEYER (Das Evangelium des Markus: KEK 2 [1951] 347) und V. TAYLOR (The Gospel acc. to St. Mark [London 1952] 596), ausschließlich sodann besonders F. HAHN, Das Verständnis, a.a.O. 100f., obwohl er Mk 14, 58a vergeschichtlichend auf die materielle Zerstörung des T.s hinweisen zu lassen scheint (a.a.O. 65. 100).

[57] Ausgenommen L. SCHENKE, der aber, wie schon erwähnt, die eigentliche Sinnspitze im Gedanken des Auszugs Gottes aus dem Allerheiligsten erblickt (vgl. Christus 100).

VII

1. Es ist doch kaum eine ungebührliche Zumutung, daß sich Mk auch Gedanken darüber machte, aus welchem Grund im Augenblick des Todes Jesu der T.kult außer Kraft gesetzt wurde, und er – wenn die oben (VI. 2. a) genannte Deutung zutrifft – Jesus auch schon mit 11, 17 eine „alle Völker"[58] umfassende Heilsgemeinde ansagen ließ. Dann kann er m. E. nur im Blick haben, was er seine Leser an früherer Stelle mit dem Logion vom Menschensohn, der gekommen ist, „zu dienen und sein Leben hinzugeben als Lösegeld für viele" (10,45), und zuletzt mit den Abendmahlsworten über Sinn und Zweck des Sterbens Jesu wissen ließ. Bundstiftende, die endgültige Gemeinschaft mit Gott begründende Kraft hat das für „die Vielen" – und das sind für Mk die Unzähligen aus allen Völkern (14, 9) – zu vergießende Blut Jesu (14, 24)[59]. Diese, die endgültige Heilsgemeinde ermöglichende Effizienz der Lebenshingabe Jesu ist ja der innere Grund, warum die Blutopfer des T.s und bisherigen Bundesvolkes nach urchristlicher Auffassung außer Kraft gesetzt sind und die Verkündigung der Heilsbedeutung des Todes Jesu sich längst der Begriffe kultischer Sühnetradition bediente, um eben zum Ausdruck zu bringen, daß der Sühnekult des T.s durch die allein und universal wirksame Sühne des Opfertodes Jesu aufgehoben ist. Es läge ganz auf der Linie des früh einsetzenden Prozesses der spiritualisierenden, nämlich christologischen und ekklesiologischen Verwendung traditioneller Kultbegriffe und der darin zum Ausdruck kommenden Absage an den T.kult[60], wenn Mk das der Lebenshingabe Jesu unmittelbar folgende Wunderzeichen am T.vorhang im Licht seiner früheren Worte von der bund- und gemeindestiftenden Kraft des Sterbens Jesu gesehen und aus diesem Kontext verstanden haben wollte. Ich wüßte nicht, mit welchem Recht diese Möglichkeit bestritten werden könnte. Ich halte es deshalb für sehr wahrscheinlich, daß das Wunderzeichen in seiner Intention nicht nur die erfolgte Aufhebung der atl. Kultordnung und Kultgemeinde, sondern implizit auch die durch Jesu Sterben ermöglichte, schon eingeleitete Gründung des endgültigen, Juden wie Heiden umfassenden Bundesvolkes anzeigen soll.

Diese Intention des Evangelisten erweist sich als innerlich folgerichtig, wenn meine oben angestellten Beobachtungen und Erwägungen zu den beiden Fassungen der T.prophetie (14, 58; 15, 29) zutreffen. Durch die am Gekreuzigten Vorübergehenden (15, 29) ließ er sowohl die falsche Auslegung der T.prophetie, nämlich als Behauptung des materiellen Abbruchs und Wiederaufbaus des T.s, aussprechen, als auch den hilflos am Kreuz Hängenden ob der eklatanten Widerlegung seiner anmaßenden T.prophetie verspotten. Ich meinte, angesichts des kaum bestreitbaren Interesses des Evangelisten an Mk 14, 58 als einer gültigen T.prophetie Jesu wäre es höchst befremdend, wenn er die die breite jüdische Öffentlichkeit repräsentierenden „Verleumder" von 15, 29 das

---

[58] Das „für alle Völker" fehlt Mt 21, 13 und Lk 19, 40.
[59] Diesen ideellen Zusammenhang hat schon F. HAHN angedeutet: a.a.O. 101; vgl. jetzt auch P. CHR. BÖTTGER, Der König 91.
[60] Vgl. zusammenfassend F. HAHN, Der urchristliche Gottesdienst: SBS 41 (1970) 51 – 54, und besonders G. KLINZING, Umdeutung 167 – 224.

letzte Wort zu jener T.prophetie behalten ließe. Eine diese widerlegende und verurteilende Antwort des Himmels würde freilich bereits ergehen, wenn das Zerreißen des T.vorhangs lediglich das Ende des T.kults und seiner Gemeinde versinnbildlichen würde. Mk ließ die Passanten den Gekreuzigten aber auch verspotten, weil dieser seine Behauptung, den T. in drei Tagen wieder aufzubauen, nicht auszuführen vermochte. Insofern müßte dem Evangelisten daran gelegen sein, durch das Zerreißen des Vorhangs auf den wahren Sinn und die Erfüllung der ganzen T.prophetie 14, 58, somit implizit und freilich nur implizit auch auf das Bauen eines anderen T.s (= Heilsgemeinde des neuen Bundes) hindeuten zu lassen. Dieses Verständnis des Wunderzeichens kann Mk sehr wohl intendieren, weil er Jesus als unmittelbaren Sinn und Zweck der Vergießung seines Blutes ausdrücklich die Stiftung des endgültigen Bundesvolkes nennen ließ und diese nach urchristlicher Auffassung ja den Grund für die Außerkraftsetzung des atl. Opferkults und seiner Gemeinde abgibt. Es ist auch nicht zu übersehen: die T.prophetie 14, 58 ließ Jesus beides, das Niederreißen des T.s und das Bauen eines anderen T.s, als seine Aktion beanspruchen. Der das Zerreißen des T.vorhangs unmittelbar auslösende exitus Jesu wird in Mk 15, 37 denn auch als bewußtes Sterben und Aushauchen seines Lebens, somit als Akt des Handelns Jesu gekennzeichnet. Insofern Mk die T.prophetie 14, 58 wie das deren Erfüllung versinnbildlichende Wunderzeichen von 15, 38 aus dem Kontext der früheren Jesusworte zur Heilsbedeutung seines Sterbens verstanden haben will und jene Jesusworte den Effekt der Lebenshingabe Jesu ja ausdrücklich positiv, nämlich als Stiftung des endgültigen Bundes und Bundesvolkes artikulierten, kann Mk auch aus diesem Grund intendieren, daß das Zerreißen des Vorhangs zugleich den Hinweis auf die positive Wirkung des Sterbens Jesu, eben die Begründung der neuen Heilsgemeinde impliziert.

Im Augenblick des Todes Jesu ist dieses neue Bundesvolk noch nicht als existent in Erscheinung getreten. Seine Realisierung erfolgte vielmehr erst aufgrund des Ostergeschehens. Dessen war sich auch Mk sicher bewußt. Das brauchte ihn aber keineswegs daran zu hindern, das Zerreißen des T.vorhangs als zeichenhaften Ausdruck der eingeleiteten Erfüllung der ganzen T.prophetie 14, 58 zu verstehen. Hatte er bei dem im Augenblick des Verscheidens Jesu erfolgten Wunderzeichen Jesu eigene Todesdeutung im Blick, so war in jenem Augenblick der grundlegende kirchenstiftende Akt, der das „in kurzer Frist" erfolgende Bauen eines anderen T.s (= effektive Konstituierung der „christlichen" Heilsgemeinde) ermöglicht, ja bereits vollzogen.

2. Die vorgeschlagene Interpretation erlaubt m. E. auch eine ideell befriedigende Einordnung von 15, 38 in die Gesamtdarstellung der Kreuzigung Jesu (Mk 15, 20b – 41). Obgleich das Zerreißen des Vorhangs meiner Hypothese zufolge den Gedanken an die Heilseffizienz des Sterbens Jesu (= die Stiftung des neuen Bundesvolkes) impliziert, ist jenes seinem unmittelbaren Sinngehalt nach ein „Unheilszeichen". Als Zeichen des Himmels soll auch die bis zum Hinscheiden Jesu während Finsternis in der Intention des Mk wohl nicht nur allgemein die eschatologische Bedeutung des Sterbens Jesu anzeigen, sondern als „Gerichtszeichen" (s. o. VI. 1.) im voraus auf das im Tod Jesu ergehende

Gericht hinweisen. Das Gericht ergeht, wie das an erster Stelle genannte Zerreißen des Vorhangs besagt, über die Institution des T.kultes. Damit ist sicher auch im Verständnis des Mk „das endgültige Urteil" über ganz Israel – Priester wie Laien – als bisheriger Kultgemeinde gesprochen[61]. Da Mk zuvor zwei repräsentative Spöttergruppen nannte (15, 29 – 32 a) und er nach dem Zerreißen des Vorhangs noch eine zweite „Reaktion" auf das Sterben Jesu, nämlich das Bekenntnis des Centurio erwähnt (15, 39), dürfte er noch eine speziellere Sinngebung beabsichtigen. Das die begonnene Erfüllung der T.prophetie 14, 58 symbolisierende Zerreißen des T.vorhangs bedeutet im besonderen die Widerlegung und Verurteilung der die breite Öffentlichkeit repräsentierenden Passanten, die Jesus fälschlicherweise ob seines Unvermögens, die T.prophetie einzulösen, als Falschpropheten verspotteten (15, 31 f.). Sollen „die Hohenpriester und Schriftgelehrten", die den hilflos am Kreuz Hängenden als Falschmessias verhöhnten (15, 31 f.), dann jeder Verurteilung entgehen? Wie schon vermerkt, läßt Mk den Centurio auf die Art und Weise des Sterbens Jesu, nicht aber auf das Zerreißen des T.vorhangs Bezug nehmen. Dies ist auch wegen des mit 15, 38 erfolgenden Bühnenwechsels von Golgatha zum T. für die Vorstellung des Mk nicht vorauszusetzen, so man diesen nicht völlig gedankenlos verfahren lassen will. Deshalb scheint sich mir die Annahme zu verbieten, der Hauptmann repräsentiere die Heidenvölker, die zu der durch den Sühnetod begründeten Heilsgemeinde Zutritt haben. Schon die das Bekenntnis des Hauptmanns einleitende Beteuerungsformel, „die der Aussage feierlichen Nachdruck verleiht"[62], legt eine andere Auslegung nahe. Durch das Gottessohnbekenntnis des heidnischen Henkers kann der Evangelist im besonderen das Urteil über die religiösen Autoritäten Israels sprechen lassen, die den vollmächtigen Messiasanspruch Jesu als widerlegt verhöhnten, weil er diesen nicht durch ein Erweiswunder bestätigte.

Ich halte es somit für zumindest sehr wahrscheinlich, daß das Wunderzeichen am T.vorhang in der Intention des Evangelisten die mit Jesu Sterben eingeleitete Erfüllung der richtig verstandenen T.prophetie, kurz gesagt: die Ablösung der T.gemeinde durch die Heilsgemeinde Jesu Christ, anzeigen soll.

3. Was auch dem, der meine Argumentation nicht für unbegründet hält, die Zustimmung erschweren mag, bleibt vermutlich der Umstand, daß das Zerreißen des T.vorhangs als solches nur ein Ende, eben das Ende des T.kults und seiner Gemeinde symbolisiert, nicht aber die Begründung des neuen Bundesvolkes. Dieser Einwand muß sich indes die Gegenfrage gefallen lassen, wie das richtige Verständnis der T.prophetie und der begonnenen Erfüllung derselben in der Todesstunde Jesu anders und deutlicher zum Ausdruck gebracht werden konnte. Guter Rat ist da wirklich teuer. Ich fürchte, durch die Erwägung anderer Möglichkeiten mich fast lächerlich zu machen. Als Interpreten des Wunderzeichens kämen aufgrund ihres bei Mk vorausgesetzten Wissens um die bundstiftende Kraft des Sterbens Jesu vor allem die Elf in Betracht. Einen unter dem Kreuz stehenden Jünger konnte Mk das Himmelszeichen schon deshalb nicht ausdeuten lassen, weil er sinnvollerweise nicht annehmen

---

[61] F. Hahn, Das Verständnis 101.   [62] R. Pesch, Mk II 500.

konnte, jenes habe von der Hinrichtungsstätte aus gesehen werden können. Sollte er dann etwa auf die Idee kommen, die Elf oder doch einen derselben im Augenblick des Todes Jesu im T. sich aufhalten, das Zerreißen des Vorhangs wahrnehmen und dieses zeichenhafte Geschehen dechiffrieren zu lassen? Daran, daß dieses auch von jemandem wahrgenommen wurde und Reaktionen auslöste, ist Mk bezeichnenderweise und verständlicherweise nicht im geringsten interessiert. Oder soll er auf das von Golgatha aus nicht wahrnehmbare Wunderzeichen verzichten und statt dessen einen unter dem Kreuz stehenden Jünger bekennen lassen, die Erfüllung der T.prophetie Jesu habe begonnen o. ä.? Die in dieser Hinsicht glaubwürdige synoptische Überlieferung weiß zudem nichts davon, daß ein Jünger Jesu unter dem Kreuz stand oder sich auch nur um Jesu Bestattung kümmerte. Soll im Augenblick des Sterbens Jesu ein Hinweis auf den wahren Sinn der T.prophetie 14, 58 erfolgen, muß in dieser Situation ein den T. betreffendes Zeichen des Himmels als geradezu optimales Mittel gelten. Daß dieses Zeichen direkt nur die negative Wirkung des Sterbens Jesu, eben die Aufhebung der atl. Kultökonomie und -gemeinde, sinnbildlich zum Ausdruck bringt, liegt an der Grenze, die der Zeichensprache in diesem Fall gesetzt war. Der positive Effekt dieses Sterbens ließ sich durch ein zeichenhaftes Geschehen am Jerusalemer T. unmöglich direkt zum Ausdruck bringen. Deshalb würde ich die Behauptung, beim Wunderzeichen von 15, 38 habe die positive, nämlich die neue Heilsgemeinde stiftende Wirkung des Sühnesterbens Jesu nicht im Blickfeld des Evangelisten gestanden, für unbegründet halten.

4. Schließlich zur bekannten Streitfrage, ob Mk den inneren oder äußeren Vorhang meinte. Wir sahen bereits, welche Rolle dieser Fragepunkt für die Varianten der Zugangshypothese spielt, und beobachteten auch die Schwierigkeiten, die die Entscheidung der Autoren für den einen oder anderen Vorhang mit sich bringt. Soweit sich die Befürworter der „Abrogationshypothese" zu unserem Fragepunkt äußern, plädieren sie teils für den inneren, teils für den äußeren Vorhang oder lassen die Entscheidung auch ausdrücklich offen. Wegen seiner großen kultischen Bedeutung wäre nächstliegend an den inneren Vorhang zu denken, den nur der Hohepriester am Großen Versöhnungstag durchschreiten durfte und samt der Bundeslade mit dem seine eigenen Sünden sühnenden Opferblut besprengte. Indes rechtfertigt nichts, den Evangelisten im Sinne des Hebr an das Opferritual des Versöhnungstages denken zu lassen. Da offenbar die Aufhebung der atl. Kultopfer insgesamt sinnbildlich manifestiert werden soll, wäre sogar das Zerreißen beider Vorhänge zu erwarten. Am besten wird man D. Dormeyers Wink beachten. Obgleich er die Auszugshypothese befürwortet, die als solche, wenn nicht ausschließlich so doch in erster Linie, die Vorstellung vom Zerreißen des inneren Vorhangs erfordert, hält er die unsere heutige Exegese beschäftigende Frage, welcher Vorhang gemeint sei, für müßig, da sie für den Endredaktor der Mk-Passion „kein Problem" war, weil er den Vorhang sonst näher bestimmt hätte[63]. Jene Frage könnte in der Tat die geringste Sorge des Evangelisten gewesen sein, wenn wir das ihn

---

[63] Passion 205 Anm. 857.

bewegende Anliegen bedenken. Daß der T. durch den Tod Jesu seine Funktion als Ort des Opferkults und Gebetes verloren hat, würde natürlich ungleich deutlicher zum Ausdruck kommen, wenn im Augenblick des Sterbens Jesu das ganze T.haus einstürzen würde. Dieses massive Wunderzeichen konnte für Mk oder auch einen schon vormarkinischen Erzähler jedoch nicht in Betracht kommen. Das Zerreißen „des Vorhangs" des T.hauses als einer pars pro toto konnte einfach deshalb gewählt worden sein, weil sich dieses Himmelszeichen mit der Tatsache vertrug, daß der T. mit seinem Kultbetrieb nach dem Tode Jesu zunächst noch weiter bestand. Aus dem Umstand, daß der Evangelist weder sagt, welchen Vorhang er im Auge hat, noch von beiden Vorhängen spricht, läßt sich deshalb schwerlich Kapital gegen die Abrogationshypothese bzw. gegen meine, diese weiterführende Hypothese schlagen.

5. Es sei wenigstens noch angedeutet, daß die je anders orientierte, von Mk wie voneinander sich unterscheidende Behandlung der T.worte der Passionserzählung durch die beiden Seitenreferenten nicht gegen das hier befürwortete mk Verständnis ins Feld geführt werden kann. Da Lk die T.prophetie Mk 14, 58 wie deren verfälschende Wiedergabe durch das (bei ihm ja als positive Zeugen fungierende) Volk ausläßt, kann das Zerreißen des T.vorhangs bei ihm nicht denselben Sinn haben wie bei Mk. Er ordnet es denn auch zusammen mit der (Sonnen)finsternis vor dem Verscheiden Jesu ein (23, 44 f.)[64].

Obwohl Mt das Zerreißen des T.vorhangs zwei anderen apokalyptischen Zeichen zuordnet (27, 51 – 53), ist die Möglichkeit nicht auszuschließen, daß er jenes das durch Jesu Sterben bewirkte Ende des T.kults und seiner Gemeinde versinnbildlichen lassen will[65]. Auch in diesem Fall würde seine Redaktion jedoch nicht im gleichen Maße wie die des Mk die Annahme rechtfertigen, er wolle durch das Zerreißen des Vorhangs einschlußweise auch die durch Jesu Sterben erfolgte Stiftung der neuen Heilsgemeinde anzeigen lassen. Seine Zeugen zitieren ja nicht die T.prophetie Mk 14, 58. Er läßt die Zeugen Jesus nicht einmal die Behauptung zuschreiben: Ich *kann* . . . und *einen anderen nicht von Menschenhand gemachten Tempel* bauen. Sein Zeugenwort spricht in beiden Satzhälften von ein und demselben T., nämlich vom materiellen Abbruch und kurzfristigen Wiederaufbauen des Herodianischen T.s. Mt hat die T.prophetie Mk 14, 58 zu einem von „zwei" Zeugen vollgültig zitierten Vollmachtswort umgestaltet, mit dem er den Messias Jesus die absolute Verfügungsgewalt über „den Tempel *Gottes*" beanspruchen, jedoch nicht behaupten läßt, er werde von dieser Vollmacht auch tatsächlich Gebrauch machen (26, 60 b – 61). Dieser Umformung von Mk 14, 58 entspricht die mt Redaktion des Synedriumsverhörs (26, 57 – 66) und der Spötterszene (27, 39 – 43), die auf die Bekenntnisprädikation „der Sohn *Gottes*" (26, 63 b) und auf die Verspottung des Gekreuzigten als „Sohn *Gottes*" (27, 40; vgl. auch 27, 43) abhebt. Die Neufassung von Mk 14, 58 ermöglicht es dem Evangelisten, die Stellung der Messiasfrage durch ein betont „göttliche Vollmacht"[66] beanspruchendes Je-

---

[64] Zum Sinn der beiden Zeichen bei Lk vgl. A. BÜCHELE, Der Tod Jesu im Lukasevangelium: FTS 26 (1978) 51 f. 108 f.

[65] So D. P. SENIOR, Passion Narrative 311.

[66] E. SCHWEIZER, Das Evangelium nach Matthäus: NTD 2 (³1981) 326.

suswort zu motivieren. Ich halte es sogar für möglich, daß Mt, der mit seinen Lesern ja eindeutig auf die längst erfolgte Zerstörung Jerusalems und des T.s zurückblickt, durch seine Modifizierung von Mk 14, 58 zugleich das sich aufdrängende Mißverständnis vermeiden wollte, als habe Jesus sich selbst als Zerstörer des T.s angesagt. Weil die Unterschiede im vorliegenden Fall sicher als mt Redigierung der Mk-Vorlage zu erklären sind[67], kann man Mt 26, 61 übrigens nicht als von Mk unabhängige Überlieferung des zweigliedrigen T.wortes bewerten.

6. Ohne hier auf die Frage nach möglichen Folgerungen und Anhaltspunkten für die Diskussion der Herkunft und Traditionsgeschichte der T.worte eingehen zu können, muß ich abschließend doch auf die im Voraufgehenden erwähnten redaktionskritischen Beurteilungen der mk T.worte der Passionserzählung Bezug nehmen. Im Falle der von mir befürworteten Aussageintention des Mk müssen alle drei T.worte − 14, 58; 15, 29 b; 15, 38 − als konstitutive Elemente gelten. Nun wird mit guten Gründen auf breiter Front vertreten, daß die T.prophetie 14, 58 erst sekundär in die Falschzeugen-Szene eingefügt wurde und dem dafür verantwortlichen Autor auch der Rückgriff der spottenden Passanten auf jene Prophetie (15, 29), eventuell auch das den Erzählzusammenhang handgreiflich durchbrechende Wunderzeichen am T.vorhang (15, 39) zuzuschreiben ist. Wäre Mk selbst dieser Autor gewesen, könnte schon gar kein Zweifel bestehen, daß er die T.prophetie 14, 58 mit Hilfe von 15, 29 b und 15, 38 interpretieren, nämlich zwischen einem falschen und einem wahren Verständnis derselben unterschieden haben will. Diese Intention darf man ihm aber auch zuschreiben, falls er alle drei T.worte in der Passionserzählung schon vorgefunden und übernommen hätte. Nachdem er ja Jesus mit 13, 2 die Schleifung des T.(bezirk)s voraussagen ließ und diese höchstwahrscheinlich bereits durch die Römer erfolgt war oder doch als deren Aktion von ihm erwartet wird, 14, 58 a aber entschieden das wörtliche Verständnis aufdrängt, nämlich die Behauptung Jesu, er selbst werde den T. materiell abbrechen, mußte er darauf bedacht sein, dieses Verständnis als falsch abzuweisen, so ihm an der Wahrheit und Gültigkeit der T.prophetie 14, 58 gelegen war, was er im vorausgesetzten Falle nicht zuletzt durch die Übernahme des Wunderzeichens am T.vorhang bestätigt hatte. Er kann die von den Falschzeugen einhellig zitierte T.prophetie 14, 58 aber ebenso gut wie die an Jünger gerichtete T.prophetie 13, 2 als vollgültige Prophetie reklamieren, weil die beiden Prophetien in seinem Verständnis in völlig verschiedenem Sinne vom Ende des Jerusalemer T.s sprechen: von dem durch Jesu Sterben bewirkten heilsökonomischen Ende des T.s die eine (14, 58 a) und vom physischen Ende des T.s die andere (13, 2)*.

---

[67] Zum Einzelnachweis vgl. bes. D. P. Senior, Passion Narrative 165 – 312 bzw. 328.

* Nachträglich gab mir F. Hahn in einem Brief vom 5. 11. 1984 dankenswerter Weise zu bedenken, ob die beiden, zweifellos zu unterscheidenden T.weissagungen von 13, 2 und 14, 58 so stark voneinander abzuheben seien, da immerhin in beiden das Verbum καταλύειν gebraucht wird. „Zweifellos handelt es sich in 13, 2 um die vorhergesagte Zerstörung des T.s durch die Römer (ob vaticinium ex eventu oder nicht), aber 14, 58 steht offensichtlich nicht nur in Zusammenhang mit dem Ereignis von 15, 38, sondern auch mit dem von 13, 2. M.a.W.: Entscheidend ist das Gesche-

Aus den oben angeführten Gründen halte ich es für sehr wahrscheinlich, daß das Zerreißen des T.vorhangs in der Intention des Mk darüber hinaus auch den Gedanken an die unmittelbare positive Wirkung des Sterbens insinuieren, nämlich den erfolgten Beginn der Erfüllung der T.prophetie 14, 58 anzeigen soll: die durch das bundstiftende Sühnesterben Jesu ermöglichte Gründung der endgültigen, Juden und Heiden umfassenden Heilsgemeinde, deren effektive Konstituierung „binnen drei Tagen" (= in kurzer Frist) erfolgen wird. Wenn diese, die „Abrogationshypothese" im Sinne der mk Todesdeutung weiterführende Hypothese begründet ist, hat Mk mit seinem Verständnis der T.prophetie 14, 58 die Mitte der ntl. Heilsbotschaft getroffen.

---

hen von 15, 38, es hat in religiöser Hinsicht einen definitiven Charakter, und 13, 2 ist nur noch die Folge davon; aber in diesem Sinne soll wohl doch eine Verbindung nach Absicht des Evangelisten erkannt werden . . ." Die Sinndifferenz zwischen 13, 2 und 14, 58 brauchte den Evangelisten in der Tat nicht daran zu hindern, diese beiden T.worte in einem inneren Zusammenhang zu sehen. Er konnte die 13, 2 vorausgesagte materielle Zerstörung des T.s durch Feindeinwirkung sehr wohl als eine Art bestätigendes Zeichen, als nachträgliche Bestätigung der einst durch Jesu Sterben bewirkten Aufhebung der heilsökonomischen Funktion des T.s verstanden haben wollen.

II
Paulinische Verkündigung und Naherwartung

1

Röm 13, 11 – 14 und die „Nah"-Erwartung*

Für die Frage der Naherwartung kommt dem Römerbrief als wohl letztem sicher vom Apostel selbst stammenden Brief besondere Bedeutung zu. Bezeugt Röm 13, 11 – 14 „indirekt" das Bewußtsein der Parusieverzögerung[1], das den Apostel „zwar von einer Nähe" sprechen läßt, „aber in distanzierenden Worten"[2]? Oder bedient sich Paulus gegenüber früher doch einer vorsichtigeren Formulierung, die ihn nur mehr „eine relative Zeitansage" machen läßt? „Die komparativische Struktur solcher Bestimmung ist bezeichnend: eine Betrachtungsweise, welche die Distanz zum Ende an einem abgelaufenen Quantum Weltzeit abliest, kann die Endnähe nur noch relativierend ausmessen und unterscheidet sich darin prinzipiell von den eine ‚absolute Chronologie' so deutlich in Rechnung stellenden Aussagen des 1 Thess und 1 Kor."[3] Oder will Röm 13, 11. 12 a – was W. Harnisch im Rahmen seiner Auslegung von 1 Thess 5, 4 ff. freilich nur vorsichtig in Frageform anmerkt – „hintergründig ebenfalls dem *paradoxen* Sachverhalt Ausdruck geben, daß für das Selbstverständnis des Glaubenden die Zeit in der Zeit wechselte (vgl. E. Fuchs, Hermeneutik 4. Aufl. 1970, S. 269)"[4]? Will Paulus also möglicherweise hintergründig weder mit der Naherwartung noch überhaupt mit der Zukunftserwartung argumentieren? Oder hat doch E. Käsemann ins Schwarze getroffen? „Wie in 1. Th 4, 13 ff. wird brennende Naherwartung in der Gemeinde vorausgesetzt, die sich nicht . . . entmythologisieren läßt."[5]

I

Wir versuchen zunächst, *die Gliederung unseres Abschnitts* zu skizzieren:

A) *Zusätzliche Motivierung der voraufgehenden (12, 1 – 13, 10) und abschließenden (13, 11 – 14) Paränese:* 13, 11 a – 12 a

V. 11 a: καὶ τοῦτο (ποιεῖτε): Zusammenfassende Mahnung als Überleitung zu einer zusätzlichen Motivierung;

---

* Erstveröffentlichung des durchgesehenen Beitrags: J. Friedrich u. a. (Hrsg.), Rechtfertigung, FS E. Käsemann (Tübingen-Göttingen 1976) 557 – 573.

[1] So A. Strobel, Kerygma und Apokalyptik (1967) 88.

[2] E. Bammel, Judenverfolgung und Naherwartung, ZThK 56 (1959) 311.

[3] G. Klein, Apokalyptische Naherwartung bei Paulus, in: Neues Testament und christliche Existenz. Festschr. für Herbert Braun, hg. v. H. D. Betz und L. Schottroff (1973) (241 – 262) 258.

[4] Eschatologische Existenz. Ein exegetischer Beitrag zum Sachanliegen von 1 Thessalonicher 4, 13 – 5, 11, FRLANT 110 (1973) 130.

[5] An die Römer, HNT 8 a (1973) 346 (³1974, 350).

V. 11 b: εἰδότες τὸν καιρόν,: Kurzfassung der Motivierung mittels ὁ καιρός als Oberbegriff: (Und dies tut um so mehr als) ihr um den Kairos wißt;

V. 11 c: ὅτι ὥρα ἤδη ὑμᾶς ἐξ ὕπνου ἐγερθῆναι,: Konkretisierung des Kairos und seiner Forderung mittels einer metaphorischen Aussage (eschatologischer Weckruf): daß die Stunde schon da ist, vom Schlaf aufzuwachen;

V. 11 d: νῦν γὰρ ἐγγύτερον ἡμῶν ἡ σωτηρία ἢ ὅτε ἐπιστεύσαμεν.: Begründung des vorangehenden Themasatzes V. 11 c: denn jetzt ist das Heil, „die endgültige σωτηρία"[6] für uns näher als damals, da wir gläubig wurden.

V. 12 a: ἡ νὺξ προέκοψεν, ἡ δὲ ἡμέρα ἤγγικεν.: Überleitung zur parakletischen Ausführung des Themasatzes V. 11 c: Die Nacht ist vorgerückt, der Tag ist nahe herangekommen.

B) *Parakletische Explikation der im Themasatz V. 11a ausgesprochenen Forderung, vom Schlaf aufzuwachen:* V. 12 b – 14

Der Einsatz dieser Explikation ist formal angezeigt: a) durch den Wechsel von indikativisch-assertorischen Aussagen (V. 11 a – 12 a) zu kohortativen (ἀποθώμεθα [steht betont am Anfang des Satzes V. 12 b], ἐνδυσώμεθα, περιπατήσωμεν), die im Schlußsatz V. 14 durch direkte Anreden (ἐνδύσασθε, [μὴ] ποιεῖσθε) abgelöst werden; b) durch ein folgerndes οὖν[7] zu Beginn von V. 12 b.

Die Paraklese entfaltet sich in drei Antithesen, die je vom Gegensatz negativ und positiv qualifizierten Handelns bestimmt sind (V. 12 b – 13 bis 14):

(1) mittels des Gegensatzpaares „die Finsternis / das Licht":

V. 12 b: ἀποθώμεθα οὖν τὰ ἔργα τοῦ σκότους,

V. 12 c: ἐνδυσώμεθα δὲ τὰ ὅπλα τοῦ φωτός.

(2) mittels des Motivs des taggemäßen Verhaltens und seines Gegenteils:

V. 13 a: ὡς ἐν ἡμέρᾳ εὐσχημόνως περιπατήσωμεν,

V. 13 b: μὴ (περιπατήσωμεν) κώμοις καὶ μέθαις,

μὴ κοίταις καὶ ἀσελγείαις, μὴ ἔριδι καὶ ζήλῳ

(3) mittels der gegensätzlichen Prinzipien „Christus / σάρξ":

V. 14 a: ἀλλὰ ἐνδύσασθε τὸν κύριον Ἰησοῦν Χριστόν,

V. 14 b: καὶ τῆς σαρκὸς πρόνοιαν μὴ ποιεῖσθε εἰς ἐπιθυμίας.

II

Bereits *ein* (freilich ungebührlich gedrängter) *Vergleich mit zwei anderen Texten des corpus Paulinum* kann den Blick für Röm 13, 11 – 14 schärfen helfen.

Der nachpaulinische Abschnitt *Eph 5, 8 – 14* steht dem unsrigen insofern am nächsten, als außer Röm 13, 11 nur hier, nämlich im Taufliedfragment 5, 14 b, mit ἔγειρε, ὁ καθεύδων das Motiv vom *„Auf*wachen" vom Schlaf begeg-

---

[6] E. KÄSEMANN, An die Römer 347 (³350).

[7] Vgl. W. NAUCK, Das οὖν paraeneticum, ZNW 49 (1958) 134 f.

net[8] – freilich in einem anderen Kontext. Eph 5, 8 – 14 geht von der ausdrücklichen Gegenüberstellung des vorchristlichen (ποτέ) Seins als σκότος und des christlichen (νῦν) Seins als φῶς ἐν κυρίῳ (5, 8a) aus. Auf dem Indikativ des schon erfolgten Wechsels aus der Finsternis zum Licht gründet die Mahnung ὡς τέκνα φωτὸς περιπατεῖτε (5, 8b). Um diesen schon erfolgten Wechsel aus Finsternis zum Licht in Erinnerung zu rufen, wird der Weckruf des Tauflieds zitiert: „Wach auf, du Schläfer!" Sowohl im überlieferten Tauflied als auch im vorliegenden Kontext bezieht sich das Aufwachen vom Schlaf somit auf ein Geschehen der Vergangenheit, nämlich auf die Taufe. Obwohl die VV. Röm 13, 11 – 14 „als typische Taufermahnung zu betrachten (sind)"[9], wird das Aufwachen vom Schlaf hier – im Unterschied zu Eph 5 – unmittelbar nicht als Forderung des Taufempfangs, sondern als Forderung des Kairos-Charakters der Gegenwart, einer jetzt eingetretenen Zeitsituation gekennzeichnet.

Von den anerkannten Paulusbriefen kommt *1 Thess mit den VV. 5, 1 – 11 bzw. 5, 4 – 8* unserem Röm-Abschnitt am nächsten[10]. Im Unterschied zu Eph 5 steht 1 Thess 5, 4 – 8 wie Röm 13 im Zeichen der Parusieerwartung, jedoch in unterschiedlicher Ausrichtung. Ob 1 Thess 5, 1 – 11 „der apologetische Einschub eines Späteren"[11] oder ursprünglicher Bestandteil es Briefes ist[12], muß hier ebenso offenbleiben wie die damit verknüpfte schwierige Frage, welche gedankliche Perspektive oder auch welche zu attackierende Auffassung den Einsatz mit „Ihr habt es nicht nötig, daß ich euch über die χρόνοι und die καιροί schreibe" (5, 1) bedingt. Als Gegenstand des genauen Wissens der Adressaten wird jedenfalls vorausgesetzt, „der Tag des Herrn" werde kommen wie ein Dieb in der Nacht, als plötzliches, unerwartetes Verderben und unentrinnbare Qual (5, 2 – 3). Um die Adressaten zur situationsgemäßen Einstellung gegenüber der Parusie aufzurufen, die ihnen dem im Christusgeschehen bekundeten Willen Gottes zufolge nicht den Gerichtszorn, sondern das Heil bringen soll (5, 9f.), greift der Autor mit einer erneuten betonten Anrede („Ihr aber Brüder . . .") speziell den Vergleich des Kommens des Tages des Herrn mit dem Kommen des nächtlichen Diebes nochmals auf (5, 4). Dabei läßt er jetzt κυρίου hinter ἡ ἡμέρα weg (vgl. V. 4b mit V. 2b), um ἡμέρα wie das zusätzlich eingefügte correspondens φῶς von jetzt an als (ebenfalls eschatologisch qualifizierten) Gegenbegriff zu νύξ und σκότος verwenden zu können. Er will jetzt Kapital schlagen aus dem Motiv, daß der Dieb durch das während

---

[8] Das gilt auch wenn die Übersetzung „steh auf" vorzuziehen wäre, da der Schlafende ja zum Aufstehen geweckt wird.

[9] E. Käsemann, An die Römer 347 (³350).

[10] Zum Einzelvergleich zuletzt: G. Friedrich, 1. Thessalonicher 5, 1 – 11, der apologetische Einschub eines Späteren, ZThK 70 (1973) (288 – 315) 305 – 307; B. Rigaux, Tradition et rédaction dans I Th. V. 1 – 10, NTS 21 (1974/75) (318 – 340) 337 f.; U. B. Müller, Prophetie und Predigt im Neuen Testament, StNT 10 (1975) 145 – 157.

[11] Wie jüngst nachdrücklich G. Friedrich a.a.O. 288 – 315 vertrat.

[12] Was zuletzt besonders B. Rigaux a.a.O. (s. Anm. 10) und unabhängig von diesem auch U. B. Müller a.a.O. (s. Anm. 10) 152 Anm. 27 befürwortete.

Noch ohne Kenntnis des Beitrags von G. Friedrich legt auch F. Laub 1Thess 5, 1 – 11 als paulinisch aus: Eschatologische Verkündigung und Lebensgestaltung nach Paulus, BU 10 (1973) 157 ff. 183 ff.

der Nacht = der Finsternis erfolgende Kommen ein Verhängnis wird. Dementsprechend stellt er jetzt – wie Röm 13 gehen auch hier indikativische Aussagen den kohortativen voran – die Licht- und Tagzugehörigkeit der Angeredeten fest: Ihr seid ja nicht in der Finsternis, so daß euch „der Tag" wie ein Dieb überfallen könnte, sondern ihr seid Söhne des Lichtes und Söhne des Tages (5, 4f.), um aus diesem Indikativ sodann den Kohortativ zu folgern, nämlich die Mahnung, sich entsprechend zu verhalten, nämlich nicht zu schlafen (μὴ καθεύδωμεν), sondern zu wachen, wach zu bleiben (γρηγορῶμεν) und nüchtern zu sein (νήφωμεν) (5, 6f.). Während der Kontrastbegriff zu „Schlaf" in 1 Thess 5, 6 somit „*nicht* schlafen" und γρηγορεῖν (= wachen, wach sein) lautet, heißt er in Röm 13, 11 hingegen ἐγερθῆναι (= *Auf*wachen, mit dem Schlaf Schluß machen), was eben dann bedeutet, die Werke der Finsternis abzulegen usw.

Diese Unterschiedlichkeit der Kontrastbegriffe entspricht offensichtlich unterschiedlichen Aspekten der Parusieerwartung. Der Autor von 1 Thess 5, 1 – 11 geht vom unberechenbaren und überraschenden Kommen der Parusie aus, ohne daß die Frage ihrer größeren oder geringeren Nähe eine Rolle spielt[13]. Ausgehend von der Vorstellung, daß der Tag des Herrn wie ein Dieb in der Nacht kommt, will er den Gläubigen zum Bewußtsein bringen, a) warum und b) unter welcher Bedingung diese allesamt den Tag des Herrn nicht als verderbenbringendes Verhängnis zu fürchten brauchen: a) weil sie (zweifellos durch die Taufe) den Wechsel von der Finsternis zum Licht, von der Nacht zum Tag ja vollzogen haben, und b) sofern sie nur diesen Wechsel existentiell festhalten, nämlich nicht schlafen, sondern wach bleiben, also bereit *bleiben*. Warum bezeichnet der Autor von Röm 13 den Wechsel von der Nacht zum Tag demgegenüber als noch bevorstehendes bzw. als erst und schon eingeleitetes Geschehen (V. 12a) und fordert er dementsprechend das Aufwachen vom Schlaf, das Sich-bereit-*Machen*? Offenbar deshalb, weil er von der Vorstellung des baldigen Kommens der Parusie, der zeitlichen Nähe des Endheils geleitet ist und aufgrund dieser Erwartung die Gegenwart als für die Heilserlangung bedeutsame Aufbruchs-Situation beansprucht[14].

III

Muß *der Gedanke der zeitlichen Nähe des Endheils* in Röm 13, 11 – 12a aber wirklich eine wesentliche Rolle spielen? Das ist die erste grundlegende Frage. Wie schon oft aufgezeigt wurde, fanden die Kontrastbilder „Licht/Finsternis", „Nacht/Tag" in Verbindung mit der Weg-Vorstellung (vgl. zB Spr 4,

---

[13] Läßt sich, insofern 1 Thess 5, 1 – 11 nicht schon als ursprünglicher Bestandteil des Briefs vorausgesetzt wird, wirklich beweisen, daß der Autor von 1Thess 5, 1 – 11 „sich aufgrund seiner Naherwartung genötigt (sieht), die Unberechenbarkeit der Parusie einzuschärfen . . .", und vor allem, daß in unserem Abschnitt „die gleiche intensive Naherwartung wie in 1Thess 4, 13ff." herrscht, wie U. B.MÜLLER a.a.O. (s. Anm. 10) 152 schreibt?

[14] So berechtigt B. RIGAUX von Röm 6, 1 – 11 her auf 13, 11 – 14 Licht fallen läßt, scheint er mir (a.a.O. [s. Anm. 10] 337f.) den Unterschied zwischen Röm 13 und 1Thess 5, 1ff. doch nicht hinreichend zu bestimmen.

8 f.) bzw. mit positiv und negativ qualifiziertem Handeln, auch in Verbindung mit der Gegenüberstellung von Schlafen und Wachen, Nüchtern- und Trunkensein, seit der Weitheitsliteratur im apokalyptischen und rabbinischen Judentum starke Verbreitung, vielfach sogar ohne jede eschatologische Ausrichtung. Sodann gilt heute als erwiesen, daß diese Kontrastbegriffe der urchristlichen und paulinischen Belehrung, insonderheit auch der Taufparänese geläufig waren[15]. Auf diesem Hintergrund ist zweifellos auf die literarische Funktion des Satzes V. 12a zu achten[16], der vordergründig am ausdrücklichsten die Vorstellung einer sehr zugespitzten Naherwartung aufdrängen kann. Dieser nimmt das Bildmotiv des Themasatzes V. 11c wieder auf – der Schlaf ist ja das „der Nacht" gemäße Verhalten – und zwar so, daß das Schon-dasein der Stunde, vom Schlaf aufzuwachen, zugleich eine Konkretisierung erfährt durch den Hinweis auf die Aufhebung der Nacht durch den Tag. Da die Nacht ihrem Wesen nach „Finsternis" bedeutet und der Tag entsprechend „Licht", wird durch die ausdrückliche Einführung des Kontrastpaares „die Nacht/der Tag" nach der Bildseite hin unbestritten der Übergang zur anschließenden parakletischen Explikation des Aufwachens vom Schlaf (V. 12b – 14) sehr erleichtert: nämlich zunächst zur Verwendung des noch nachdrücklicher als „Nacht/Tag") moralisch qualifizierten Gegensatzpaares „Finsternis/ Licht" (V. 12b). Ist deshalb darauf zu verzichten, V. 12a als eigengewichtigen Beleg für die Naherwartung, gar für eine sehr zugespitzte Naherwartung zu beanspruchen[17]? Ja, erschöpfen sich Sinn und Zweck von V. 12a nicht völlig in der rein literarischen Funktion einer erleichternden Überleitung?

Sogar diese letzte Frage könnte man eher bejahen, wenn Paulus V. 11d auslassen würde, wenn er auf V. 11c also unmittelbar V. 12a folgen ließe. Der Sache nach versteht es sich für Paulus ja von selbst, daß die existentielle Verwirklichung der bei der Taufe erfolgten Überführung aus dem Machtbereich der Finsternis in den des Lichtes eine bleibende, täglich neu zu vollziehende Aufgabe der Christen ist. Verfallen diese wieder dem der Nacht, der Finsternis gemäßen Verhalten – eine Möglichkeit, mit der Paulus offensichtlich ernstlich rechnet –, dann gilt es eben, vom Schlaf aufzuwachen. Insofern kann Paulus immer wieder Grund haben zu sagen: die Stunde ist da, vom Schlaf aufzuwachen. Also, könnte man weiter argumentieren, braucht Paulus überhaupt nicht auf die zeitliche Nähe der Parusie abzuheben. Dem könnte man eher zustimmen, wenn – um hier von der Parenthese V. 11d noch ganz abzusehen – der Themasatz V. 11c nicht durch das betont am Anfang stehende δη gekennzeichnet wäre: *„schon* ist die Stunde da", „es ist hohe Zeit"[18], vom

---

Belege und Literaturhinweise zu diesem ganzen Traditionsprozeß vgl. außer E. Käsemann (An die Römer 346 – 348 [³349 – 351] etwa H. R. Balz, Art. ὕπνος κτλ ThW VIII 550, 29 ff.; J. Friedrich a.a.O. (s. Anm. 10) 294 f. und besonders R. Rigaux a.a.O. (s. Anm. 10) 327 – 334.

Auf diesen Gesichtspunkt wurde ich zuerst durch meinen Assistenten Dr. P. Fiedler aufmerksam gemacht.

Diese Problematik deutet auch G. Klein (a.a.O. [s. Anm. 3] 257) an, wenn er auf die Unterscheidung zwischen der „geschichtlichen" Perspektive von V. 11d und der „dualistischen" Perspektive von V. 12a mit dessen „stark traditionsbestimmter Terminologie" Wert legt.

Wie G. Delling wohl treffend übersetzt: Art. ὥρα κτλ, ThW IX 678, 20.

Schlaf aufzuwachen. Bleibt man beim Wortlaut unserer Bildsprache, so ist di
Stunde des Aufwachens als ein Zeitpunkt ins Auge gefaßt, der bisher noch de
Zukunft angehörte, jetzt aber eingetreten ist. Das entspricht zunächst völli,
der alltäglichen Erfahrung. Wer sich abends schlafen legt, rechnet gemeinhi
damit, daß der Augenblick des Aufwachens bzw. Aufgewecktwerdens kom
men und dasein wird. Und wer gut schläft, mag geradezu überrascht sein, da
es „schon" Zeit ist, vom Schlaf aufzuwachen und aufzustehen. Wie könnt
Paulus nach V. 11c dann also fortfahren? Er hat, wie der γάρ-Satz V. 11d be
legt, jedenfalls das Bedürfnis, seine Behauptung vom Schon-da-Sein der Stun
de zu begründen. Der unmittelbare Grund zum Aufwachen vom Schlaf is
normalerweise der Anbruch oder doch der bevorstehende Anbruch des Tages
Die Behauptung des V. 11c würde somit – vor allem unter Voraussetzung de
antiken und auch jüdischen Vorliebe, möglichst früh, meist vor der Dämme
rung aufzustehen[19] – auch eine Begründung erfahren, wenn Paulus (statt V
11d) unmittelbar V. 12a anschließen würde: „(Denn) die Nacht ist vorgerückt
der Tag ist nahegekommen". So verfährt er aber nicht. Zur Begründung seine
Themasatzes V. 11c macht er eine Aussage geltend, die bei der Bestimmun,
des „Jetzt" (d.i. der Stunde, vom Schlaf aufzuwachen) auffälligerweise au
die in V. 11c doch schon implizierte Bildthematik (Wechsel von der Nach
zum Tag) verzichtet und schon deshalb dem Apostel wichtig sein muß: „den
jetzt ist das (definitive) Heil für uns näher als damals, da wir gläubig wurden'
(V. 11d).

Diese Proklamation läßt sich nicht als abgeschliffene Naherwartungsaus
sage jüdischer Apokalyptik abtun. Nach den am nächsten kommenden Paral
lelen ist das Heil Gottes „nicht (mehr) fern wie ehedem", sondern „nahe dar
an, herbeizukommen" (ApkBar[syr] 23, 7), sogar „sehr nahe" (82, 2). Paulu
sagt aber noch etwas mehr: das Heil ist „näher" als „ehedem", als früher. Un
er bestimmt dieses „früher" als Zeitpunkt der einstigen Bekehrung[20]. Das Be
sondere ist also die komparativische Formulierung, die in den Paulinen ebens
singulär ist wie das „schon ist die Stunde da . . ." und unseren V. 11d nich
nur von Parallelen jüdischer Apokalyptik, sondern etwa auch vom Summa
rium Mk 1, 15 unterscheidet. Wie ist diese Formulierung aber genauer zu in
terpretieren? Für sich genommen, braucht sie nur zu besagen: jetzt ist da
Endheil um die seit der Bekehrung verflossene Zeitspanne näher. Bei diesen
Verständnis muß V. 11d keineswegs die andringende Nähe des Endheils be
haupten. Die zeitliche Distanz vom „Jetzt" bis zum Eintreten des Endheil
könnte als noch groß, sogar als beträchtlich größer denn die seit der Bekeh

---

[19] Vgl. die Literaturhinweise bei E. Lövestam, Spiritual Wakefulness in the New Testamen
LUÄ NF I 55. Nr. 3 (Lund 1963) 44 Anm. 1.
[20] „Als Termin des Gläubigwerdens ist offensichtlich die Taufe verstanden . . ." (E. Käsemann
An die Römer 347 [³350]). Warum verwendet Paulus dann nicht den Begriff ἐβαπτίσθημεν, durc
den er die Adressaten direkt an den sakramentalen Seinsgrund, der sie zum entsprechenden Le
bensvollzug verpflichtet, hätte erinnern können? Wollte er mit ἐπιστεύσαμεν die Adressaten au
die von diesen einst gefällte und fortdauernde, zur Aktivität verpflichtende Glaubensentschei
dung ansprechen? Für den uns bewegenden Gesichtspunkt hat die Beantwortung dieser Frag
jedenfalls keine entscheidende Bedeutung.

ung bis jetzt verflossene Zeit vorgestellt sein. Diese Vorstellung ist von Paulus aber sicher nicht intendiert. Denn sie würde keineswegs eine einigermaßen überzeugende und zwingende Begründung seiner doch pointierten Behauptung liefern, schon sei es Zeit, vom Schlaf aufzuwachen.

Nun läßt sich der Begründungssatz V. 11 d ungezwungen aber auch anders auflösen: das endgültige Heil war zum früheren Zeitpunkt des Zum-Glauben-Kommens „nahe", jezt aber ist es „näher". In diesem Fall würde Paulus den in eschatologischen Aussagen singulären Komparativ ἐγγύτερον (vgl. Phil 4, 5: ὁ κύριος ἐγγύς) als Steigerung eines für den Zeitpunkt der Bekehrung geltenden ἐγγύς verstehen[21]. Freilich ist es − wie übrigens auch bei der vorgenannten Auflösung des Satzes − sinnlos, die seit der Bekehrung bis „jetzt" verflossene Zeit einheitlich fixieren zu wollen. Paulus will ja nicht behaupten, er und die Christen Roms seien zum gleichen Zeitpunkt, im gleichen Jahr und Monat zum Glauben gekommen. Das Problem einer chronologischen Fixierbarkeit brauchte Paulus gerade auch dann nicht zu empfinden, wenn Gläubig-geworden-Sein für ihn zugleich die Übernahme der Naherwartung bedeutete, ob jener Zeitpunkt bei den einzelnen Römern nun schon längere Zeit − gar gute zwanzig Jahre wie bei ihm selbst − oder erst kürzere Zeit zurückliegt. Daß Paulus voraussetzen kann, wie anderswo hätten auch die Christen Roms mit dem Glauben an die künftige Heilsvollendung seit je die „Nah"-erwartung verbunden, besteht kein Grund zu bezweifeln.

Obgleich sich dem ἐπιστεύσαμεν eine konkrete Zeitangabe nicht abgewinnen läßt, bringt Paulus jedenfalls in Anschlag, daß zwischen dem Gläubig-geworden-Sein und dem „Jetzt" eine gewisse Zeit verflossen ist. Die Frage ist nur, warum er das tut. Wirklich deshalb, um sich distanzierend oder doch vorsichtiger hinsichtlich der Nähe des Endheils zu äußern? Sogar das letztere ist mir denkbar unwahrscheinlich. Auch wenn bei Paulus der Gedanke mitschwingen sollte, die Erwartung des baldigen Kommens der Parusie sei bislang nicht in Erfüllung gegangen, scheint mir die Intention seiner quantifizierenden Aussage unzweifelhaft zu sein. V. 11 d erfüllt seine Funktion als Begründung des voraufgehenden Themasatzes V. 11 c − daß nämlich die Stunde, vom Schlaf aufzuwachen, schon da ist − nur dann, wenn Paulus mit V. 11 d die zeitliche Nähe des Endheils unabgeschwächt aufrechterhalten, diese sogar intensivieren will[22]. Dann läßt sich auch nicht bestreiten, daß V. 12 a nicht nur die Bildthematik von V. 11 c wieder aufgreift und weiterführt, sondern auch den im Themasatz V. 11 c implizierten und im parenthetischen Begründungssatz V. 11 d explizit ausgesprochenen Gedanken der zeitlichen Nähe des End-

---

[1] So interpretiert auch G. Dautzenberg unseren Satz: „die Rettung ist nicht nur absolut, chronologisch näher − das wäre ein Binsenwahrheit −, sondern tatsächlich noch ‚näher' als zu der Zeit vor zehn oder zwanzig Jahren, als Paulus und die Römer unter den Bedingungen der Naherwartung gläubig wurden": Was bleibt von der Naherwartung? Zu Röm 13, 11 – 14, in: H. Merklein − J. Lange, (Hrsg.), Biblische Randbemerkungen. Schülerfestschrift für R. Schnackenburg (1974) 362.

[2] Auch die Formulierung, Paulus wolle mit V. 11 d „only" sagen, „that every day brings the End one day nearer" (A. L. Moore, The Parousia in the New Testament, NT.S. 13 [Leiden 1966] 122), erscheint mir deshalb als kontextwidrige Abschwächung.

heils aufnimmt. M. a. W.: Unbeschadet seiner Funktion, den Übergang zu
parakletischen Explikation V. 12b – 14 zu erleichtern, will V. 12a auch auf di
zeitliche Nähe der Aufhebung der Nacht durch den Tag abheben. Dafü
spricht auch die sofortige nochmalige Verwendung des ἐγγύς-Begriff
(V. 11d) in ἤγγικεν von V. 12a.

Zum besseren Verständnis unseres Textes empfiehlt es sich, an dieser Stell
noch zu erwägen, *ob Paulus für V. 11d wie für V. 12a auch andere Begriff
lichkeiten hätte wählen können.* Die Prüfung dieser Möglichkeit dürfte ehe
für als gegen das bisherige Ergebnis sprechen.

Beginnen wir mit dem Überleitungssatz V. 12a. Würde dieser lauten: *„Die
ser Äon* ist vorgeschritten, *der kommende* ist nahegekommen", wäre selbst
verständlich unbezweifelt, daß es Paulus in V. 12a auch auf die zeitliche Näh
des Endheils ankommt. Diese Formulierung wäre insofern möglich, als da
noch ausstehende, durch die Parusie Christi zur Realisierung kommende Hei
dem entspricht, was das Judentum „den kommenden Äon" heißt. Trotzden
ist billigerweise nicht zu erwarten, daß Paulus hier oder auch schon in V.11
ausnahmsweise vom Nahe- bzw. Näher-Sein „des kommenden Äons" spricht
So unbekümmert auch er von „diesem Äon" sprechen kann, ist für ihn „de
kommende Äon" als Heilsäon im Christusgeschehen zugleich schon angebro
chen und in der Taufe auf den alten Äon getroffen. Es ist also voll begreiflich
daß Paulus auf eine mit seinem soteriologischen Verständnis nicht kongruent
Verwendung des Kontrastpaares „dieser Äon/der kommende Äon" verzichte
zugunsten des Gegensatzpaares „die Nacht/der Tag", das zudem den Über
gang zur parakletischen Entfaltung V. 12b – 14 ungleich besser ermöglichte
Dieser Verzicht schließt aber nicht aus, daß die ungebrochene jüdische Vor
stellung vom noch ausstehenden Äonenwechsel im Hintergrund des Überlei
tungssatzes V. 12a steht, wie die meisten Ausleger mit Recht empfinden[23]
Denn obwohl für Paulus „die eigentliche Wende der Äonen nicht in der Zu
kunft liegt, sondern in der Vergangenheit"[24], so daß die beiden Äonen für sei
Geschichtsbewußtsein „paradoxerweise zugleich da (sind)"[25], erwartet e
nichtsdestoweniger die noch ausstehende Aufhebung dieses Äons durch de
kommenden Äon der Heilsvollendung. Der Verzicht auf den Äon-Begriff be
rechtigt deshalb keineswegs dazu, zu bezweifeln, daß es Paulus in V. 12a auc
auf den Gedanken der zeitlichen Nähe des Endheils ankommt.

Nun zum Begründungssatz V. 11d. Die Intensivierung der Naherwartun
wäre im gleichen Maß erreicht worden mit der Formulierung: „Denn jetzt is

---

[23] Besonders nachdrücklich E. Lövestam a.a.O. (s. Anm. 19) 30 – 33. 45. Vgl. weiter z. B. O. M
chel, Der Brief an die Römer, MeyerK IV (⁴1966) 328 – 330; C. K. Barrett, A Commentary o
the Epistle to the Romans, BNTC 6 (London 1957) 253; H. W. Schmidt, Der Brief des Paulus a
die Römer, ThHK 6 (²1966) 224f.; O. Merk, „Es ist die Nacht des alten Äon, in dem die Christe
noch leben (vgl. auch 12, 2), der Tag aber, der hereinbrechende Äon ist nahe": Handeln aus Glau
ben, MThSt 5 (1968) 166.
[24] W. G. Kümmel, Die Eschatologie der Evangelien, in: ders., Heilsgeschehen und Geschichte
MThSt 3 (1965) (48 – 66) 59.
[25] W. G. Kümmel, Jesus und Paulus, in: ders., Heilsgeschehen und Geschichte, MThSt 3 (1965
(81 – 106) 93.

der Tag des Herrn (Christi) näher als . . ." Warum Paulus den Ausdruck „der Tag des Herrn" vermied, ist leicht zu erraten. Nicht nur deshalb, weil „der Tag des Herrn" Licht und Finsternis, Heil und Unheil bedeuten kann, als solcher somit ausschließlich nicht „die Nacht" zum Gegenbegriff hat, der Anschluß der beabsichtigten parakletischen Explikation V. 12b – 14 aber nun einmal am besten durch das die Bildsprache des Themasatzes V. 11c aufnehmende Gegensatzpaar „Nacht/Tag" ermöglicht wird. In V. 12b – 14 will Paulus ja nicht von dem noch ausstehenden „Tag des Herrn" als solchem sprechen, sondern von der hier und jetzt bestehenden Pflicht der Gläubigen, mit der existentiellen Verwirklichung der in der Taufe geschenkten Überführung aus dem Machtbereich „der Finsternis" in den „des Lichtes" ernst zu machen (V. 12bc), dem „Tag" gemäß zu wandeln (V. 13) und Christus anzuziehen (V. 14). Deshalb spricht Paulus von der größeren Nähe der σωτηρία; er wählt einen Begriff, den er auch sonst als zusammenfassenden Ausdruck nicht nur für die am Gerichtstag erfolgende „Rettung", sondern auch für den positiven Inhalt des Endheils verwendet[26]. Die Erwartung dieses „Heils" soll die Gläubigen ja zu neuer Aktivität anspornen.

IV

Ehe wir zu prüfen versuchen, ob sich über den „Grad" der Naherwartung unserer Perikope etwas ausmachen läßt, sei *eine Zwischenfrage* gestellt. Nach ungezwungenem Verständnis teilt Paulus in V. 11a – b nicht sein eigenes Wissen mit, wie es jüdische Apokalyptiker tun[27], vielmehr appelliert er an ein den Adressaten zuhandenes Wissen (εἰδότες). Und zwar nennt er als Gegenstand desselben nicht einfach die Naherwartung, sondern den Kairos-Charakter der Gegenwart, den er metaphorisch als einen jetzt daseienden, schon eingetretenen Zeitpunkt des Aufbruchs konkretisiert (V. 11a – 12a). Durch die Berufung auf die eigene Kenntnis der Briefempfänger will Paulus offenbar auch den Anschein vermeiden, als sei das Wissen um das Schon-da-Sein der Stunde ein völliges Novum, das sie erst durch ihn erfahren. Mit welchem Recht kann er das aber tun, also ein diesbezügliches Eigenwissen der Adressaten voraussetzen?

Zunächst muß er nicht behaupten wollen, es handle sich um ein Wissen, das die römischen Christen in der von Paulus explizit gemachten Form (V. 11d – 12a) bereits von sich aus im Augenblick der Abfassung bzw. des Empfangs des Römerbriefes aktualisierten. Empfindet er es doch selbst offensichtlich nicht als überflüssig, das Schon-da-Sein des Zeitpunkts zum Aufwachen ausdrücklich zu begründen (nämlich durch die Parenthese V. 11d) und damit der Aktualisierung jenes Wissens nachzuhelfen[28]. Insofern Paulus vorausset-

---

[26] W. FOERSTER, Art. σωτηρία: ThW VII 902, 24ff.

[27] Am nächsten steht Röm 13 ApkBar(syr) 82, 2f.: „Wissen sollt ihr aber . . . auch [dies], daß sehr nahe ist das Ende, das der Höchste herbeiführen wird, und seine Gnade, die herbeikommen soll, und daß nicht ferne ist das Ende seines Gerichts."

[28] Wie er es übrigens schon vorher mit dem erklärenden apokalyptischen Exkurs Röm 8, 19 – 22 im Hinblick auf das Wissen (οἴδαμεν . . .) von 8, 22 tat.

zen kann, daß das Gläubigwerden auch bei den römischen Christen die Übernahme der Naherwartung einschloß, kann er das, was der Begründungssatz V. 11d sagt, und damit das Schon-da-Sein der Stunde zugleich als ein für die Christen Roms erschwingliches Wissen betrachten. Man darf aus εἰδότες V. 11ab zudem auch eine imperativische Nuance heraushören: Und das tut um so mehr, als ihr den Kairos kennt und kennen sollt!

An ihr eigenes Wissen zu appellieren, könnte sich Paulus auch deshalb berechtigt fühlen, weil er auf ein von ihm an früherer Stelle des Briefes vermitteltes oder doch aktualisiertes Wissen Bezug nehmen bzw. dieses miteinbeziehen könnte. Dann nämlich, sofern Paulus in dem schwierigen Abschnitt Röm 8, 18ff. τὰ παθήματα τοῦ νῦν καιροῦ als eschatologische Wehen verstanden haben will[29], die als solche auf den – jüdisch gesprochen – bevorstehenden Äonenwechsel, auf die bevorstehende Erlösung hinweisen. Dieses Verständnis läßt sich völlig unabhängig davon vertreten, ob man Röm 8, 18ff. nun eine betont kosmisch-universale Auswirkung der Erlösung lehren oder einzig auf eine tröstliche Aussage zum Thema der nach wie vor den Leiden dieser Welt ausgesetzten Christen abzielen läßt[30], was mir immer noch diskutabel erscheint[31].

V

Endlich zur zweifellos schwierigsten Frage. *Erlaubt unser Text eine exaktere Bestimmung der erwarteten Nähe der Parusie?* Zunächst ist zu beachten, daß V. 12a nicht lautet und auch nicht übersetzt werden darf[32]: „Die Nacht ist vorbei, der Tag ist da." Obwohl diese Formulierung das Ablegen der Werke der Finsternis usw. unüberbietbar dringlich machen würde, ist sie keinesfalls zu erwarten. Nach dem unmittelbar voraufgehenden Begründungssatz V. 11d würde sie das Mißverständnis nahelegen, das Endheil, die Parusie sei nicht nur „näher", sondern da, was ja nicht in Betracht kommt. Die faktische Formulierung des V. 12a ist zwar gewiß mit Bedacht gewählt, trotzdem aber nicht völlig eindeutig. Will Paulus sagen, a) daß wir zwar beim Ende der Nacht angelangt sind, uns aber noch in der Nacht, vor dem ersten Morgengrauen befin-

---

[29] So ausdrücklich auch E. Käsemann (An die Römer 222 [³224], der zu 13, 12a schreibt: „Man steht . . . auf jener Schwelle, die in 8, 19ff. als Stadium der messianischen Wehen charakterisiert wurde und hat daraus Folgerungen für den gegenwärtigen Augenblick zu ziehen": An die Römer 347 (³350).

[30] Vgl. meinen Band „Das Neue Testament und die Zukunft des Kosmos" (1970) 183–208. H. Paulsen, Überlieferung und Auslegung in Römer 8, WMANT 43 (1975) 132: „Deshalb ist es nicht unrichtig, wenn man das Telos der Zukunftsaussagen der Verse 18ff. in der Anthropologie gesehen hat."

[31] Ich bin noch nicht überzeugt, daß meine diesbezüglichen Ausführungen durch P. von der Osten-Sacken, Römer 8 als Beispiel paulinischer Soteriologie, FRLANT 112 (1975) 139–144. 260–271 und bes. 265f. 269 Anm. 29, widerlegt sind. Zur Auseinandersetzung mit den einschlägigen Hypothesen dieser Arbeit, vor allem auch im Hinblick auf den Zusammenhang der Verse 18–30 mit 31–39, kann ich auf die am 12. 7. 75 im Zug des Habil.-Verfahrens gehaltene Probevorlesung meines Schülers, des jetzigen Dozenten P. Fiedler, „Röm 8, 31–39 als Brennpunkt paulinischer Frohbotschaft" verweisen, die im Druck erscheinen wird.

[32] Wie bes. E. Lövestam unterstreicht: a.a.O. (s. Anm. 19) 29 (mit Literaturhinweisen).

den[33]? Oder b) befinden wir uns – nach der meist vertretenen Deutung – schon im Übergang von der Nacht zum Tag, im Zustand der Morgendämmerung? „Die Nacht ist vorgerückt, sofern ihr Ende begonnen hat, der volle Tag noch nicht da, obgleich sein Licht schon scheint."[34] Der Begründungssatz V. 11d kann hier kaum unmittelbar weiterhelfen. Philologisch ist eine sichere Entscheidung auch nicht zu erreichen, insofern der Aorist προέκοψεν beides andeuten kann: „die Nacht ist schon weit fortgeschritten" – die Zeit „vor dem Einbruch der Dämmerung", aber auch „das Moment des Beinahe-Abgeschlossenseins": „die Nacht ist beinahe vorüber"[35]. Sofern Paulus den Brauch voraussetzt, meist sogar vor Anbruch der Dämmerung aufzustehen, spricht dieser für die Auslegung a). Für die Auslegung b) läßt sich geltend machen, der Weckruf „schon ist es Zeit . . ." erscheine als noch begründeter, wenn Paulus an die schon angebrochene Dämmerung denkt. Angesichts der Vorliebe für möglichst frühes Aufstehen läßt sich in diesem Fall die Annahme, Paulus habe das erste Morgengrauen als Zeitpunkt des Aufwachens im Auge, gewiß gut verantworten. Wie lange soll sich Paulus dann die bis zur Parusie noch verbleibende Zeit vorstellen? Rechnet man vom Beginn des Morgengrauens bis zur vollen Tageshelle, so ist diese Zeitspanne – auch im Hochsommer – jedenfalls beträchtlich kürzer als die Nacht. Trotzdem verbleibt chronologischen Rechenversuchen noch ein beträchtlicher Spielraum. Läßt man Paulus in V. 12a bei „der Nacht" in concreto an die seit dem Gläubig-geworden-Sein dauernde Zeit denken, in der die Gläubigen der Versuchung erliegen, sich der Nacht gemäß zu verhalten = zu schlafen, sich „diesem Äon" gleichzuschalten (Röm 12, 2), so ergäbe sich unter Zugrundelegung von rund 20 oder auch 25 Jahren bislang verflossener christlicher Zeit eine Zeitspanne von nur ein paar Jahren – eine Kleinigkeit mehr, wenn Paulus in V. 12a an die Zeit kurz vor dem ersten Morgengrauen dächte. Hingegen ergeben sich ungleich größere Zeitproportionen, wenn man Paulus in V. 12a bei „der Nacht" an „diesen Äon" als Bezeichnung der ganzen Weltzeit denken läßt. Trotz der bescheidenen Vorstellungen Pauli über die Länge der bis zu seiner Gegenwart verflossenen Weltzeit, würde sich für die verbleibende Zeit ein ungleich größeres Quantum ergeben, das eine beträchtliche Zahl von Generationen umfassen müßte. Abgesehen davon, daß hier der Begriff „Äon" nicht begegnet, hat Paulus jedenfalls die letztgenannte Rechnung nicht aufgemacht. Denn sie ließe sich mit der bereits durch V. 11b – d sichergestellten Vorstellung von der den gegenwärtigen Aufbruch erfordernden Nähe des Endheils unmöglich vereinbaren. Was ist dann also von der erstgenannten „Kurz"-Berechnung zu halten?

Zuvor sei noch der Vorschlag erwähnt, die „Dämmerung" zu einem früheren Zeitpunkt beginnen zu lassen. A. L. Moore legt darauf Wert, daß „the dawn" nicht begrenzt wird: „only the present is characterised *as* dawn through-

---

[33] So z. B. C. K. BARRETT: „Paul means that his age has almost run its course, and that accordingly the Age to Come must very soon dawn": a.a.O. (s. Anm. 23) 253.

[34] E. KÄSEMANN, An die Römer 347 ([3]350).

[35] G. STÄHLIN (Art. προκοπή: ThW: VI 716, 20ff.), für den das zweite Moment im Vordergrund steht.

out its duration". Und er meint weiter, zur Zeit der Abfassung des Römerbriefes daure „die Dämmerung" immerhin schon rund 25 Jahre[36]. Auch dieser
Gesichtspunkt dürfte uns nicht weiterbringen. Die Vorstellung von der längst
begonnenen Dämmerung erscheint zunächst insofern diskutabel, als die
eigentliche Wende der Äonen nach Paulus schon durch das Christusgeschehen
erfolgte, die „neue Schöpfung" als Heilsgut „des kommenden Äons" seitdem
in den Getauften existiert, diese in der Taufe von der Sünde frei wurden (Röm
6, 1 – 11) und somit aus der Machtsphäre der Finsternis in die des Lichts über-
führt wurden. Natürlich fordert Paulus in Röm 13, daß die immer wieder diesem Äon, der Finsternis verfallenden Getauften ihrer Licht- und Tagzugehörigkeit entsprechend leben. Aber es ist zugleich auf die spezielle Motivierung
dieser Forderung zu achten. Wenn Paulus in V. 12a – zumal in Verbindung
mit der expliziten Naherwartungsaussage V. 11d – von der schon bevorstehenden bzw. schon eingeleiteten Aufhebung der Nacht durch den Tag spricht,
kommt hier offensichtlich der zweite Aspekt seiner Äonenvorstellung in Betracht, nämlich die bislang noch ausstehende Aufhebung dieses Äons durch
den kommenden. Zugegeben: da die Parusieerwartung von Anfang an als sogar intensive Naherwartung existierte, hätte von Anfang an von Paulus und
anderen proklamiert werden können: „*Schon* ist die Stunde da, vom Schlaf
aufzuwachen . . . die Nacht ist vorgerückt, der Tag ist nahegekommen." Daß
das tatsächlich geschah, daß die Gegenwart also mit den zitierten Worten als
„Dämmerung" gekennzeichnet wurde, ist mit Röm 13 oder anderen Stellen
freilich nicht zu belegen, was denn auch A. L. Moore nicht versucht. Was zur
Diskussion stehen muß, ist jedenfalls die vorliegende Formulierung Pauli.
Und diese spricht nun einmal von der Gegenwart als dem (schon daseienden)
Zeitpunkt, in dem die „Dämmerung" bevorsteht bzw. schon angebrochen ist.

Um zu einem Ende zu kommen, werden wir uns schlicht auf das Anliegen
des Apostels und nicht weniger auf die Gefahr der Überinterpretation seiner
Bildsprache besinnen müssen. Unter Voraussetzung und Geltendmachung der
Naherwartung will Paulus mit Hilfe von besonders in der Taufparänese geläufigen Motiven zur entschiedenen existentiellen Verwirklichung des Christseins
aufrufen (V. 12b – 14). Aus dieser Perspektive konkretisiert er den gegenwärtigen Kairos mit dem Satz „Schon ist die Stunde da, vom Schlaf aufzuwachen". Wenn er im Überleitungssatz V. 12a diesen gegenwärtigen Zeitpunkt,
der mit dem „Jetzt" des Näherseins des Endheils identisch ist, des weiteren als
bevorstehende bzw. als schon begonnene Aufhebung der Nacht durch den Tag
beschreibt, soll diese Aussage V. 12a, die – wie oben ausgeführt wurde –
nach V. 11d sowohl das Bildmotiv des Themasatzes V. 11c wieder aufgreift
und weiterführt als auch den im Themasatz V. 11c implizierten und in V. 11d
begründeten Gedanken der Naherwartung aufnimmt, jedenfalls bekräftigen,
daß die Stunde, vom Schlaf aufzuwachen, schon da ist, so daß sich das Ablegen der Werke der Finsternis usw. eben als der Gegenwartssituation gemäße
Folgerung anschließen läßt. Belegt Röm 13 dann also die Überzeugung Pauli:
das Ende „steht unmittelbar bevor"[37]? Eine derartige Formulierung klingt

---

[36] A.a.O. (s. Anm. 22), 122 m. Anm. 2.   [37] G. Friedrich a.a.O. (s. Anm. 10) 306.

stark nach einer terminlichen Festlegung und dürfte sich schon deshalb nicht empfehlen, weil Paulus die Absicht und die Vorbereitung seiner Spanienmission kaum hätte für sinnvoll halten können, wenn er die Parusie mit Sicherheit sozusagen in den nächsten Wochen und Monaten erwartet hätte[38]. Versuche, den Apostel geradezu auf einen Nahtermin festlegen zu wollen, überfordern sowohl das Anliegen als auch die Bildsprache unseres Abschnitts. Die Naherwartung steht hier doch ganz und gar im Dienst der Paraklese; weder wird sie thematisch behandelt noch – und schon gar nicht – um ihrer selbst willen geltend gemacht. Bedenkt man sodann, daß Paulus im Begründungssatz V. 11d unmöglich ein fixes Datum, etwa auch nur ein bestimmtes Jahr, als Zeitpunkt des Gläubig-geworden-Seins im Auge haben konnte, dann konnte ihm auch von daher nicht der Gedanke vorschweben, die seit der Bekehrung bis jetzt verflossene Zahl der Jahre sei mit der nun an ihr Ende kommenden Nacht gleichzusetzen und zugrunde zu legen, um etwa so die Dauer der „Dämmerung", also die bis zur Parusie noch verbleibende Zeit, proportional nach Jahr und Monat zu errechnen. Ähnliches gilt für den Überleitungssatz V. 12a. Berücksichtigt man den Zugzwang, der durch den Einsatz mit der ganz und gar parakletisch ausgerichteten Bildthematik vom Schon-da-Sein der Stunde zum Aufwachen gegeben war, sowie die Funktion, die V. 12a zwischen V. 11cd und V. 12b – 14 zukommt, dann wird man anerkennen müssen: in V. 12a mußte Paulus weder deutlicher sagen, an welchem exakten Zeitpunkt (vor der Dämmerung, im Augenblick des ersten Morgengrauens oder schon in der Mitte zwischen Nacht und Tag) wir stehen, noch mußte er darüber reflektieren, welches Quantum Zeit sich für die vom „Jetzt" bis zur Parusie verbleibende Zeitspanne ergibt. V. 12a eignet sich übrigens auch insofern nicht für eine allegorisierende Ausdeutung, also für eine rechnerische Festlegung, weil die Parusie und die durch diese auszulösende Äonenwende auch von Paulus als spontanes, punktuelles Geschehen vorgestellt ist. Obwohl er auch den Topos von den die Äonenwende ankündigenden Wehen verwenden kann, denkt er sich die Aufhebung dieses Äons sicher nicht als einen kontinuierlichen Prozeß, wie es das „wörtlich" genommene Bild von der Aufhebung der Nacht durch den Tag verlangen würde.

Demgegenüber dürfte es m.E. keine Überforderung unseres Textes sein, sondern als von diesem geforderte Annahme gelten müssen, daß Paulus die Naherwartung unabgeschwächt aufrechterhalten, dieselbe durch seinen ἐγγύτερον-Satz sogar intensivieren will. Es geht ihm um die Vorstellung „der andringenden Nähe" der Parusie, wie sich mit einem geläufigen Ausdruck wohl am besten formulieren läßt. Diese Vorstellung will Paulus den Adressaten insinuieren, um durch „eine zusätzliche und steigernde Motivierung"[39] sowohl die voraufgehende Paränese (12, 1 – 13, 10) bekräftigen als auch und so-

---

[38] Andererseits läßt sich Röm 11, 11 – 26 nicht dafür geltend machen, daß Paulus mit einer noch relativ langen Zeitperiode rechne, in der die missionarische Bekehrung Israels erfolgen würde. Vgl. jetzt zusammenfassend U. WILCKENS, Über Abfassungszweck und Aufbau des Römerbriefes, in: DERS., Rechtfertigung als Freiheit (1974) (110 – 170) 165 f. Anm. 121.

[39] W. SCHRAGE, Die konkreten Einzelgebote in der paulinischen Paränese (1961) 22.

gar im besonderen abschließend den Aufbruch zum kompromißlosen existentiellen Vollzug des in der Taufe geschenkten neuen Seins, des Lebens im schon
angebrochenen Heilsäon, als Forderung des „Jetzt" begründen zu können.
Und dafür dürfte sich E. Käsemann mit Recht auch auf Röm 8, 18 ff. berufen
können[40]. Die Zeit ist für den Paulus von Röm 13, 11 – 14 sicher nicht weniger
„nur noch kurz bemessen" als zum Zeitpunkt von 1 Kor (7, 29)[41]. „Wie in 1. Th
4, 13 ff. wird brennende Naherwartung in der Gemeinde vorausgesetzt . . ."[42]
Ich meine, unser Jubilar hat den Kern der Sache getroffen, wenn man sich
auch fragen darf, ob Paulus in der römischen Gemeinde „brennende" Naherwartung voraussetzt. Und auch das geben unsere VV. überaus deutlich zu
verstehen: Paulus, der von den Römern ja keine besonders schlechte Meinung
haben wird, sieht die Christen grundsätzlich noch *vor* der Vollendung der
ihnen bereits zuteil gewordenen *iustificatio*. So ist ihr Stand mit einem Wort
P. Stuhlmachers[43] als *„simul iusti et tentati"* zu bestimmen.

---

[40] Vgl. das Zitat in Anm. 29.
[41] Vgl. auch P. Stuhlmacher, Gottes Gerechtigkeit bei Paulus, FRLANT 87 (²1966) 203 Anm. 2.
[42] E. Käsemann, An die Römer 346 (³350).
[43] Gottes Gerechtigkeit 224 Anm. 1.

2
Paraklese und Eschatologie nach Röm 13, 11 – 14*

Die VV. Röm 13, 11 – 14 schließen die allgemeine Paraklese (vgl. 12, 1: Παρακαλῶ οὖν ὑμᾶς) 12, 1 – 13, 14 bzw. 13, 10 ab. Man kann ihr Thema mit E. Käsemann als „Gottesgerechtigkeit im christlichen Alltag" bezeichnen[1]. Näherhin darf der Abschnitt 13, 8 – 14 als „Summarium der allgemeinen Paränese" gelten[2]. Die erste Hälfte desselben (13, 8 – 10) mahnt zur Nächstenliebe als dem eigentlichen Sinn und Inbegriff des Gesetzes d.i. „aller negativen und positiven Gebote"[3]. Diese Mahnung ist bereits als in sich selbst motiviert empfunden. Paulus hat aber offensichtlich das Bedürfnis, die Dringlichkeit der Erfüllung des Liebesgebotes bzw. der voraufgehenden Mahnungen insgesamt (Kap. 12 – 13) noch zu unterstreichen, nämlich durch den Hinweis auf das Wissen der Leser um den gegenwärtigen Kairos und seine Forderung (13, 11 – 14).

I. Analyse des Abschnitts 13, 11 – 14

11a Das zurückweisende καὶ τοῦτο (V. 11a), das als Ergänzung einen Imperativ, etwa ποιεῖτε, verlangt[4], hat steigernden Sinn: „Und dies tut um so mehr, als ihr den Kairos kennt". Treffend formuliert C. K. Barrett: „. . . all the exhortation of chs. XII, XIII is contained within an eschatological framework, for XII. 2 bids Christians not to be conformed to this age, and XIII. 11 – 14 points to the new day which is at hand"[5].

11b Mit τὸν καιρόν als Objekt des Wissens nennt Paulus *den thematischen Oberbegriff.* Ὁ καιρός meint auch hier den schicksalsträchtigen, die Entscheidung für Heil oder Unheil im besonderen Maße fordernden Augenblick.

11c Der anschließende ὅτι-Satz konkretisiert den Kairos und seine Forderung dahin, „daß die Stunde schon da ist, vom Schlaf aufzuwachen"[6], was

* Erstveröffentlichung des durchgesehenen Beitrags: L. De Lorenzi (Hrsg.), Dimensions de la vie chrétienne (Rm 12 – 13), Série Monographique de „Benedictina", Section Biblico-Oecuménique 4 (Rome 1979) 179 – 192.

[1] An die Römer (Handbuch zum NT 8a) (Tübingen ³1974) 311.   [2] E. Käsemann, Röm 347.
[3] C. K. Barrett, A Commentary on the Epistle to the Romans (Black's NT Commentaries 6) (London 1957) 251.
[4] Vgl. z.B. O. Michel, Der Brief an die Römer (Kritisch-exegetischer Kommentar über dans NT 4. Abt.) (⁴1966) 328 mit Anm. 2; F. J. Leenhardt, L'épître de S. Paul aux Romains (CNT 6) (1957) 190.
[5] Rom 232. 252; vgl. auch E. Lövestam, Spiritual Wakefulness in the New Testament (Lunds Universitets Arsskrift N.F. 1, Bd. 55, 3 (1963) 25. 34f.
[6] So wird ἐγερθῆναι genauer zu übersetzen sein (vgl. W. Bauer, Wörterbuch s.v. ἐγείρω: 425, 2a und 2b; C. K. Barrett, Rom 252).

selbstverständlich auch die Forderung des Aufstehens einschließt. Dieses bisweilen als „Wächterruf", auch „Weckruf" bezeichnete Versstück 11 c hat als metaphorisch artikulierter *Themasatz unseres Abschnitts* zu gelten.

11 d Warum die Stunde, vom Schlaf aufzuwachen, schon da ist, wird durch den unmittelbar anschließenden γάρ-Satz begründet, wobei Paulus mit νῦν das ὥρα ἤδη des Thema-Satzes (V. 11 c) aufnimmt: „Denn jetzt ist unser (End-)Heil näher als damals, da wir zum Glauben kamen". Weil diese *Begründung des voraufgehenden Themasatzes* nicht das dem Bildzug vom Aufwachen aus dem Schlaf entsprechende Gegensatzpaar „die Nacht − der Tag" als Subjekt hat − wie der nachfolgende Satz V. 12 a −, wird sie bisweilen als überraschende Unterbrechung des Zusammenhangs zwischen 11 c und 12 a empfunden[7]. Diese „Unterbrechung" dürfte indes nur bestätigen, wie wichtig dem Apostel der Gedanke der Nähe der Parusie ist. Im übrigen darf nicht überraschen, daß Paulus nicht etwa von der größeren Nähe „des Tages des Herrn (Christi Jesu)" spricht, obwohl hinter der Kairos-Beschreibung V. 11 c und dem ihr ὥρα ἤδη explizierenden Satz V. 12 a („die Nacht ist vorgerückt, der Tag ist nahe herangekommen") die Vorstellung vom baldigen Äonenwechsel steht[8] d. i. im Verständnis Pauli: die Vorstellung von der Aufhebung „dieses" trotz des Schonanbruchs des Heilsäons weiterbestehenden Äons, die am „Tag des Herrn" erfolgen wird. Da dieser Licht und Finsternis, Heil und Unheil bedeuten kann, hat er als solcher nicht „die Nacht" zum ausschließlichen Gegenbegriff. Die parakletische Explikation der VV. 12 b − 14, auf die der Apostel von V. 11 b an doch hinzielt, bedarf aber gerade des Gegensatzes „die Nacht − der Tag", dem dann das Gegensatzpaar „die Finsternis − das Licht" entspricht. Paulus spricht deshalb passend von der größeren Nähe der noch ausstehenden definitiven σωτηρία. Er wählt einen Begriff, mit dem er auch sonst nicht nur die für den Gerichtstag erhoffte „Rettung" meint sondern auch den positiven Inhalt des Endheils zusammenfaßt[9], dessen Erwartung die Gläubigen zu neuer Aktivität anspornen soll.

12 a „Die Nacht ist vorgerückt, der Tag ist nahe herangekommen". Der Satz nimmt den im Themasatz V. 11 c implizierten und in V. 11 d ausdrücklich begründeten Gedanken der Naherwartung auf. Gleichzeitig leitet er zu der in VV. 12 b − 14 folgenden Explikation der Forderung, „vom Schlaf aufzuwachen" (11 c), über, indem er das bereits dem Themasatz V. 11 c zugrunde liegende Bildmotiv von der Verdrängung der Nacht durch den Tag aufgreift und − da „die Nacht" ihrem Wesen nach ja „Finsternis" bedeutet und „der Tag" entsprechend „Licht" − durch den Gegensatz „die Nacht − der Tag" den Einsatz der Entfaltung der Forderung des Aufwachens und Aufstehens vom Schlaf durch die Verwendung des noch nachdrücklicher moralisch qualifizierten, deshalb in der Paränese auch längst topischen Gegensatzpaares „die Finsternis − das Licht" (V. 12 b) erleichtert.

---

[7] So jüngst auch W. MOHN, Gethsemane (Mk 14, 32 − 42): ZNW 64 (1973) 203.

[8] So auch O. MERK: „Es ist die Nacht des alten Äons, in dem die Christen noch leben (vgl. auch 12, 2), der Tag aber, der hereinbrechende Äon ist nahe": Handeln aus dem Glauben (MThSt 5) (1968) 166.

[9] Vgl. etwa W. FOERSTER, Art. σωτηρία: ThWb VII 902, 24 ff.

12b – 14 Der Einsatz *der parakletischen Explikation* ist formal angezeigt: einmal durch ein folgerndes οὖν zu Beginn von 12b[10]; sodann durch den Wechsel von den indikativisch-assertorischen Aussagen (11c – 12a) zu kohortativen, die im Schlußsatz (V. 14) durch Imperative abgelöst werden.

Die ausgeführte Mahnrede gliedert sich in *drei Einheiten,* die je vom Gegensatz negativ und positiv qualifizierten Handelns bestimmt sind. Das geforderte Verhalten wird beschrieben:

(1) Mittels des Gegensatzpaares „die Finsternis – das Licht" (12b und 12c).

Dasselbe bezeichnet bei Paulus die beiden sich ausschließenden Machtsphären, die beide Existenzmöglichkeiten des Getauften bleiben und dessen fortwährende Entscheidung, seinen kämpferischen Einsatz erfordern. Letztere Forderung wird sehr nachdrücklich ausgesprochen durch den Begriff „die Waffen des Lichtes", der – im Unterschied zum Bild von der Waffenrüstung (vgl. Röm 6, 13; eventuell auch 1 Thess 5, 8) – bei Paulus nur hier begegnet.

(2) Mittels des Motivs der taggemäßen Lebensführung und ihres Gegenteils (13a und 13b).

Gegenüber anderen parakletischen Wendungen mit περιπατεῖν (z. B. Gal 5, 16: πνεύματι περιπατεῖτε; Röm 8, 4; περιπατοῦσιν . . . κατὰ πνεῦμα; Röm 6, 4: ἐν καινότητι ζωῆς περιπατήσωμεν) klingt die Mahnung „Wie am Tag[11] laßt uns εὐσχημόνως (= anständig, ehrbar) wandeln" manchen Autoren auffallend profan und unpneumatisch. Diese Formulierung der zweiten Mahnung hat aber ihren guten Grund. Die von Paulus gewählte Formulierung der positiven Hälfte ermöglicht es ihm, den Gegensatz „die Nacht – der Tag", der ja auch dem die voraufgehende Mahnung (12b und c) strukturierenden Gegensatz „die Finsternis – das Licht" zugrundeliegt, chiastisch aufzunehmen, sodann auf diese Weise auch mit der zweiten Mahnung in der Bildthematik zu bleiben und zugleich die „Aufbruch"-situation im Sinne des Themasatzes V. 11c – daß es nämlich für die Christen hohe Zeit ist, mit dem der Nacht zugehörigen Schlafen Schluß zu machen – erneut in Erinnerung zu rufen. Der Gedanke an die Nacht – als Gegensatz zu ἐν ἡμέρᾳ – fehlt auch hier in der negativen Satzhälfte (13b: μὴ [περιπατήσωμεν] κώμοις καὶ μέθαις κτλ.) keineswegs. Denn der kurze, drei Begriffspaare umfassende Lasterkatalog, der zugleich als Exemplifizierung des „Laßt uns (daher) die Werke der Finsternis ablegen" (V. 12b) verstanden werden kann, nennt kaum zufällig Beispiele von Fehlverhalten, die für nächtliche Gelage und deren Ausschweifungen charakteristisch sind. Die gern als Ausdruck eines bloß profanen Ehrbarkeitsideals empfundene Mahnung εὐσχημόνως περιπατήσωμεν gewinnt übrigens auch dadurch religiös-prinzipielle Sinntiefe, daß sie höchstwahrscheinlich als positi-

---

[10] V. 12b und c ist mit dem voraufgehenden Überleitungssatz 12a zugleich verbunden durch ein adversatives δέ zu Beginn des jeweiligen Nachsatzes.

[11] So ist sicher zu übersetzen; vgl. etwa H. W. Schmidt, Der Brief an die Römer (ThHK 6) (²1966) 233; G. Dautzenberg, Was bleibt von der Naherwartung? Zu Röm 13, 11 – 14, in: H. Merklein – J. Lange, Biblische Randbemerkungen (Schülerfestschrift für R. Schnackenburg) (1974) 362.

ves Gegenstück zu der den paränetischen Teil einleitenden zusammenfassenden Warnung μὴ συσχηματίζεσθε τῷ αἰῶνι τούτῳ (12, 2) zu verstehen ist.

Zudem läßt unsere Paraklese auch eine denkbar hoch pneumatisch gestimmte Artikulierung der Forderung christlicher Lebensführung keineswegs vermissen. Die dreimalige Wiederholung des μή in der unmittelbar voraufgehenden Warnung V. 13 b ermöglicht es, die abschließende parakletische Explikation des Themasatzes V. 11 c sehr wirkungsvoll durch ἀλλά antithetisch anzuschließen, nämlich:

(3) mittels der gegensätzlichen Prinzipien „Christus – σάρξ" (14 a und 14 b).

Das schon in V. 12 b verwendete Bildwort vom „Anziehen" aufgreifend, gebraucht der Apostel die Wendung vom Anziehen Christi, mit der er Gal 3, 27 das in der Taufe erfolgende Heilsgeschehen beschrieb, hier paränetisch: „Ziehet an den Herrn Jesus Christus" (14 a). Damit kann er in unserem Kontext nur ein erneutes Anziehen, genauer den existentiellen Vollzug des in der Taufe empfangenen Seins und Lebens meinen. Nur in der Lebensgemeinschaft mit dem Herrn Jesus Christus vermögen die Gläubigen die Werke des Fleisches abzulegen und die Waffen des Lichtes anzuziehen. Mit der Mahnung V. 14 a ist der Weckruf, vom Schlaf aufzuwachen, somit offensichtlich zu seinem Kulminationspunkt gelangt, was eben auch der Übergang in die direkte Anrede verraten dürfte.

Daß diesem unüberbietbaren Gebot noch ein Verbot (14 b) nachfolgt, wurde schon als „überraschend nüchtern" empfunden[12]. Abgesehen davon, daß das der thetisch-antithetischen Struktur der beiden voraufgehenden Paraklesen entspricht und daß speziell die VV. 13 und 14 die bei Paulus vielfach zu belegende Stilfigur der antithetischen correctio aufweisen[13], bestätigt die negative Mahnung „und verwirklicht nicht des Fleisches Neigung zu allerlei Begierden" (14 b)[14] nur das starke paulinische Empfinden für den Ernst der Spannung zwischen den Prinzipien des alten und des neuen Lebens: Obwohl die Gläubigen durch den Empfang der Taufe Christus angezogen haben (Gal 3, 27), können sie diese Gnadengabe nur bewahren und aktivieren im Widerstand zu den Mächten „des gegenwärtigen bösen Aeons" (Gal 1, 4), dadurch, daß sie der σάρξ und ihren Tendenzen keinerlei Recht einräumen. Die allgemeine Warnung vor der „Begierden" weckenden σάρξ war im übrigen sachlich schon unmittelbar vorbereitet durch die ἔργα τοῦ σκότους (V. 12 b), die ja mit den ἔργα τῆς σαρκός (Gal 5, 19) identisch sind, sowie durch den Lasterkatalog V. 13 b, der Beispiele dieser Werke des Fleisches nannte[15].

In diesem Abschluß der allgemeinen Paränese (V. 14) kann man zugleich eine nochmalige, das oberste Register ziehende Artikulierung der einleitenden

---

[12] O. Michel, Röm 232.
[13] Nach N. Schneider, Die rhetorische Eigenart der paulinischen Antithese (HUTh 11) (Tübingen 1970) 50.
[14] Übersetzung nach E. Käsemann, Röm 347.
[15] Zur mittelbaren Vorbereitung des abschließenden Doppelsatzes V. 14 innerhalb des Röm vgl. etwa 6, 11 f. 19; 7, 5 f.; 8, 5 – 12.

Mahnung zur Erneuerung des Sinnes, die sich dem noch andauernden alten Äon nicht gleichschalten läßt (12, 1 f.), erblicken.

II. Vergleich mit besonders nahestehenden Texten des corpus paulinum

Die Traditionsgeschichte der in unserem Abschnitt verwendeten Motive muß hier vorausgesetzt werden. Die Kontrastbilder „Finsternis – Licht", „Nacht – Tag" fanden in Verbindung mit der Weg-Vorstellung bzw. mit positiv und negativ qualifiziertem Handeln, auch in Verbindung mit der Gegenüberstellung von Schlafen und Wachen, Nüchtern- und Trunkensein, seit der Weisheitsliteratur im apokalyptischen und rabbinischen Judentum starke Verbreitung, vielfach sogar ohne jede eschatologische Ausrichtung. Sodann besteht Übereinstimmung, daß die genannten Kontrastbegriffe der urchristlichen und paulinischen Belehrung und Mahnung, insonderheit auch der Taufparänese, geläufig waren. In unserem Zusammenhang ist aber wenigstens summarisch auf *zwei Textabschnitt des corpus paulinum* zu verweisen, die hinsichtlich der Bildthematik Röm 13, 11 – 14 am nächsten stehen. Ein Vergleich kann dazu beitragen, den besonderen Aspekt dieses Röm-Abschnittes deutlicher hervortreten zu lassen.

1) Im nachpaulinischen Abschnitt *Eph 5, 8 – 14* begegnet zunächst auch der Gegensatz „Finsternis – Licht". Die Mahnungen, „als Kinder des Lichtes zu wandeln", sich auf „die unfruchtbaren Werke der Finsternis" nicht einzulassen (5, 8 b – 11), entsprechen weitgehend der ausgeführten Paraklese Röm 13, 12 b – 13 bzw. 14. Da im voraufgehenden V. 5, 8 a ausdrücklich das vorchristliche (ποτέ) Sein als σκότος und das christliche (νῦν) Sein als φῶς ἐν κυρίῳ gekennzeichnet wird – was Röm 13 jedenfalls nicht ausdrücklich geschieht –, werden jene Mahnungen, wiederum im Unterschied zu Röm 13, expressis verbis als Folgerung aus dem schon erfolgten Wechsel von der Finsternis zum Licht kenntlich gemacht. Um diesen einst, nämlich beim Taufempfang erfolgten Wechsel aus Finsternis zum Licht in Erinnerung zu rufen, wird das Taufliedfragment 5, 14 b[16] zitiert. Außer in Röm 13, 11 c begegnet nur hier im corpus paulinum das Motiv vom Aufwachen (und Aufstehen) vom Schlaf (ἔγειρε, ὁ καθεύδων), das im folgenden Parallelglied als Aufstehen von den Toten (καὶ ἀνάστα ἐκ τῶν νεκρῶν) verdeutlicht wird. Demgegenüber dürfte das Röm 13, 11 c gebotene postbaptismale Aufwachen vom Schlaf eher die Vorstellung des Sünden*schlafes* als die des Sünden*todes* voraussetzen. Aufschlußreicher ist freilich ein letzter Unterschied. Obwohl auch die VV. Röm 13, 11 – 14 „als typische Taufermahnung zu betrachten (sind)"[17], wird das Aufwachen vom Schlaf hier – im Unterschied zu Eph 5 – unmittelbar nicht als Forderung des einstigen Taufempfangs sondern als Forderung des Kairos-Charakters der Gegenwart gekennzeichnet, nämlich damit begründet, daß das Endheil jetzt näher ist als zum Zeitpunkt des Gläubiggewordenseins.

---

[16] Dazu und zu weiteren Einzelfragen des Abschnitts vgl. bes. J. GNILKA, Der Epheserbrief (Herders Theol. Kommentar zum NT X, 2) (1971, jetzt ²1977) 251 – 263.

[17] E. KÄSEMANN, Röm 350.

2) Von den anerkannten Paulusbriefen kommt *1 Thess 5, 1 – 11 bzw. 5, 4 – 8* unserem Röm-Abschnitt am nächsten. Außer dem Kontrastpaar „Licht-Finsternis" begegnet hier auch das von „Nacht – Tag", dann ein Kontrastbegriff zu Schlaf = Schlafen, der im Unterschied zu Röm 13, 11 („aufwachen") freilich „wachen, wach sein" heißt, ferner das Bild vom Anziehen der geistlichen Waffenrüstung. Die „Waffen" werden freilich unterschiedlich gekennzeichnet: 1 Thess 5, 8: ἐνδυσάμενοι θώρακα πίστεως κτλ.; Röm 13, 12b: ἐνδυσώμεθα δὲ τὰ ὅπλα τοῦ φωτός, wozu in Röm 13, 14a außerdem noch τὸν κύριον Ἰησοῦν Χριστόν als Objekt eines zweiten ἐνδύσασθε kommt. Schließlich ist die Übereinstimmung im Begriff μεθ- zu nennen, der an beiden Stellen ein der Nacht gemäßes bzw. dem Tag widersprechendes Verhalten meint.

Unter Voraussetzung der Authentizität des Abschnitts ergeben sich für die traditionsgeschichtliche Beurteilung unseres Röm-Abschnitts beachtliche Gesichtspunkte. So hätten wir beispielsweise einen direkten Beleg, daß Paulus mit „Wachsein" als einem dem Tag gemäßen Verhalten die Forderung der „Nüchternheit" – als Gegensatz zu der ebenfalls der Nacht zugehörigen „Trunkenheit" – verbunden hat und in Verbindung damit auch das Bild vom Anziehen (der Waffenrüstung) verwendete. Die Mahnung Röm 13, 13 mit dem Kontaktbegriff μεθ- (μέθαι), überhaupt mit den ersten beiden Begriffspaaren des Lasterkatalogs, aus denen man das Interesse an rauschhaften Ausschweifungen heraushören kann, läßt sich andererseits freilich auch ohne Rückgriff auf 1 Thess 5, 6f. verständlich machen[18], zumal Paulus in Röm 13 weder am Begriff γρηγορεῖν (wach, wachsam sein) noch an dem diesen interpretierenden Begriff νήφειν (nüchtern sein) interessiert ist. Er leitet V. 13 ja nicht etwa ein mit „Laßt uns wie am Tag nüchtern sein" (vgl. 1 Thess 5, 8a: ἡμεῖς δὲ ἡμέρας ὄντες νήφωμεν).

Nun ist aber die Frage, ob 1 Thess 5, 1 – 11 von Paulus selbst geschrieben wurde, erneut strittig. Die neueste Fassung der Hypothese, Paulus selbst wende sich in 1 Thess 5 gegen gnostisch-enthusiastische Bestreiter der Parusie überhaupt[19], bietet m. E. ebenso beträchtliche Angriffsflächen wie die herrschende Meinung, Paulus selbst wende sich gegen die Parole des „Noch lange nicht!" der Parusie. Die jetzt nachdrücklich von G. Friedrich verfochtene These, 1 Thess 5, 1 – 11 sei „der apologetische Einschub eines Späteren"[20], verdient m. E. immerhin weitere Diskussion.

---

[18] Vor allem als Konkretisierung der abzulegenden Werke der Finsternis durch einen Lasterkatalog, stereotype Begriffspaare der Lasterkatalog-Tradition usw.

[19] W. HARNISCH, Eschatologische Existenz. Ein exegetischer Beitrag zum Sachanliegen von 1 Thessalonicher 4, 13-5, 11 (FRLANT 110) (1973), bes. 125 – 142.

[20] 1. Thessalonicher 5, 1 – 11, der apologetische Einschub eines Späteren: ZThK 70 (1973) 288 – 315. Als ursprünglicher Bestandteil des Briefes wurde der Abschnitt inzwischen zuletzt besonders von B. RIGAUX (Tradition et Rédaction dans I Th. V. 1 – 10, in: NTS 21 (1974/75) 318 – 340) und unabhängig von diesem auch von U.-B. MÜLLER, Prophetie und Predigt im Neuen Testament, StNT 10 (1975) 152 Anm. 27, befürwortet. Noch ohne Kenntnis des Beitrags von G. FRIEDRICH legt auch F. LAUB 1 Thess 5, 1 – 11 als paulinisch aus: Eschatologische Verkündigung und Lebensgestaltung nach Paulus (BU 10) (1973) 157ff. 183ff.

Wichtiger für unseren Aspekt ist indes die Frage, inwieweit der Vergleich mit dem „paulinischen" oder auch „nachpaulinischen" Abschnitt 1 Thess 5, 1 – 11 die besondere Verwendung und Akzentuierung der gemeinsamen oder doch sehr verwandten Bildthematik in Röm 13 zu erkennen gibt[21]. Im Unterschied zu Eph 5 steht unser Abschnitt wie Röm 13 im Zeichen der Parusieerwartung, jedoch in unterschiedlicher Ausrichtung. Ausgehend von der Vorstellung, daß „der Tag des Herrn" wie ein Dieb in der Nacht kommt, will der Autor den Lesern zum Bewußtsein bringen: Weil sie (zweifellos durch die Taufe) den Wechsel von der Finsternis zum Licht, von der Nacht zum Tag ja vollzogen haben, brauchen sie den Tag des Herrn nicht als verderbenbringendes Verhängnis zu fürchten, sofern sie nur jenen vollzogenen Wechsel von der Nacht zum Tag auch existentiell festhalten, nämlich nicht schlafen (μὴ καθεύδωμεν), sondern wachen, wach bleiben (γρηγορῶμεν) und nüchtern (νήφωμεν) sind (5, 6f.). Während der Kontrastbegriff zu „Schlaf" in 1 Thess 5, 6 somit „*nicht* schlafen" und „wach sein" lautet, heißt er in Röm 13, 11 hingegen ἐγερθῆναι = *auf*wachen, mit dem Schlaf Schluß machen, was eben dann bedeutet, die Werke der Finsternis abzulegen usw. Diese Unterschiedlichkeit der Kontrastbegriffe entspricht offensichtlich unterschiedlichen Aspekten der Parusieerwartung. Der Autor von 1 Thess 5, 1 – 11 geht vom unberechenbaren und überraschenden Kommen der Parusie aus, ohne daß die Frage ihrer größeren und geringeren Nähe eine Rolle spielt. Warum bezeichnet der Autor von Röm 13 den Wechsel von der Nacht zum Tag – im Unterschied zu dem von 1 Thess 5 – als noch bevorstehendes bzw. als erst und schon eingeleitetes Geschehen (V. 12a) und fordert er dementsprechend das Aufwachen vom Schlaf? Offenbar deshalb, weil er von der Vorstellung des baldigen Kommens der Parusie, der zeitlichen Nähe des Endheils geleitet ist und aufgrund dieser Erwartung die Gegenwart als für die Heilserlangung bedeutsame Aufbruchs-Situation verstanden haben will.

III. *Röm 13, 11 – 12a als Zeugnis der „Nah"-Erwartung*

Damit berühren wir indes eine bis heute kontrovers beantwortete Frage[22]. Will Paulus überhaupt mit der Zukunftserwartung argumentieren? Bezeugt Röm 13 eher das Bewußtsein der Parusieverzögerung als die „Nah"-Erwartung? Was läßt sich etwa über den Grad der Naherwartung des Apostels ausmachen, sofern von einer solchen zu sprechen ist?

Bei der Diskussion dieses Problems verdienen m. E. vor allem folgende Momente Beachtung. Einmal das bei Paulus singuläre „*Schon* ist die Stunde da, es ist hohe Zeit . . ." (V. 11c). Sodann der Umstand, daß Paulus zwischen V. 11c und 12a den Begründungssatz V. 11d einschiebt, dessen komparativische Formulierung (ἐγγύτερον) sich nicht nur von Parallelen jüdischer Apokalyptik oder auch vom Summarium Mk 1, 15 unterscheidet, sondern auch in

---

[21] Dazu ausführlicher in meinem vorausgehenden Beitrag: Röm 13, 11 – 14 und die „Nah"-Erwartung u. Ziffer II.

[22] Die hauptsächlichen Meinungen sind a.a.O. in der Einleitung belegt.

eschatologischen Aussagen des Apostels singulär ist (vgl. Phil 4, 5: ὁ κύριος ἐγγύς). Dieser Einschub V. 11d läßt sich nicht als abgeschliffene Naherwartungsaussage traditioneller Apokalyptik abtun. Er erfüllt seine Funktion als Begründung des voraufgehenden Themasatzes – daß es nämlich hohe Zeit ist, vom Schlaf aufzuwachen und aufzustehen – nur dann, wenn Paulus das ἐγγύτερον als Steigerung eines für den Zeitpunkt der Bekehrung geltenden ἐγγύς versteht, wenn er durch den Einschub von V. 11d somit die Naherwartung nicht nur unabgeschwächt aufrechterhalten sondern sogar intensivieren will. Damit dürfte auch eine gutbegründbare Auslegung von Röm 8, 18ff. harmonieren[23]. Unbeschadet seiner literarischen Funktion, den Übergang zur parakletischen Explikation (VV. 12b – 14) zu erleichtern, will V. 12a deshalb auch auf die zeitliche Nähe der Ablösung der Nacht durch den Tag abheben, wofür auch die sofortige nochmalige Verwendung des ἐγγύς-Begriffs in V. 12a (ἤγγικεν) spricht. Der Versuch, aufgrund der Versteile 11c und 12a die bis zur Parusie verbleibende Zeit quantitativ bestimmen und den Apostel geradezu auf einen Nahtermin festlegen zu wollen, ist freilich zum Scheitern verurteilt, weil das auf eine kaum zulässige Überforderung der parakletisch ausgerichteten Bildthematik dieser Versteile hinauslaufen müßte. Man kann m.E. aber mit gutem Grund unter Verwendung eines geläufigen Ausdrucks sagen, es gehe Paulus hier um *die Vorstellung der andringenden Nähe der Parusie*[24].

IV. Eschatologie und Paraklese (Ethik)

Da der Röm-Brief von den uns erhaltenen Paulusbriefen wohl zuletzt geschrieben wurde und die Authentizität des Abschnitts 13, 11 – 14 nicht bestritten wird, verdient dieser besondere Beachtung für die Frage nach dem Verhältnis von Eschatologie und Paraklese. Als Ergebnis seien folgende Thesen zur Diskussion gestellt:

1) Röm 13, 11 – 14 spricht eher gegen als für die Hypothese, Paulus empfinde eine gewisse „Verzögerung" der Parusie und wolle die Konzession dieses Empfindens durch die Formulierung von V. 11d wenigstens indirekt zu verstehen geben. Auch die weniger weitgehende Hypothese, Paulus wolle durch seine Formulierung von V. 11d die Frage nach der Länge der bis zur Parusie noch verbleibenden Zeitspanne bewußt offenlassen, hat m.E. den unmittelbaren Kontext gegen sich. Da dem Apostel nach bestbegründeter Annahme am Gedanken der Nähe, sogar der andringenden Nähe des Endheils liegt, hat unsere spezielle Fragestellung deshalb zu lauten: *Welche Bedeutung hat die „Nah"-erwartung nach Röm 13, 11 – 14 für die ethischen Forderungen des Apostels?*

2) Die Paraklese unseres Abschnitts umfaßt das Ganze des christlichen Handelns, wie es Paulus versteht und fordert. Das zeigt sich am deutlichsten in der abschließenden Mahnung V. 14, die Christus und die σάρξ als Prinzi-

---

[23] Zur Ergänzung meiner früheren Ausführungen zu Röm 8, 18ff. (s.o. S. 199f.) vgl. jetzt auch P. FIEDLER, Röm 8, 31 – 39 als Brennpunkt paulinischer Frohbotschaft: ZNW 68 (1977) 23 – 34.
[24] Eine ausführlichere Begründung versuchte ich oben (S. 194 – 204) zu liefern.

ᵓien des neuen und alten, des erlösten und unerlösten Daseins nennt. Die vor-
ᴁufgehenden Mahnungen von Kap. 12 – 13, 10 wurden durch eine Antithese
ᴨtoniert, die ebenso prinzipiell und umfassend ist wie die eben genannte ab-
ᴋchließende Mahnung von 13, 14: Keine Konformität mit „diesem Äon", son-
ᴊern Umwandlung durch Erneuerung des Sinnes! (12, 2). Jene Mahnungen,
ᴊie bekanntlich mit dem Gebot der Nächstenliebe als dem Inbegriff des Geset-
ᴢes geschlossen haben, sind im bereits realisierten Eschaton begründet. Im
ᴠerständnis des Apostels besitzen sie schon vor jedem Ausblick auf die Erlan-
ᴈung oder den Verlust des Endheils, erst recht unabhängig vom Zeitpunkt der
Parusie, volle Gültigkeit.

3) Dieser Sachverhalt wird keineswegs dadurch aufgehoben oder auch nur
ᴓeeinträchtigt, daß die Mahnung zum christlichen Lebensvollzug in unseren
ᴠV. 13, 11 – 14 unmittelbar und direkt mit der andringenden Nähe des End-
ᴨeils begründet wird. Die Berechtigung dieser Behauptung erweist sich, wenn
ᴡir von V. 11 – 12a aus sowohl rückwärts als vorwärts blicken.

a) Wie schon vermerkt, legt der Anschluß von V. 11 an V. 8 – 10 bzw. an
ᴉ2, 1 – 13, 10 mit καὶ τοῦτο entschieden die Auflösung nahe: „Und dies tut
ᴜmsomehr, als ihr den Kairos kennt . . .". Oder auch: „Und dies tut 'the more
ᴢealously' [C. K. Barrett], weil ihr den Kairos kennt". Die andringende Nähe
ᴊes Endheils (V. 11 – 12a) wird lediglich als „eine zusätzliche und steigernde
ᴍotivierung"[25] zur Befolgung der voraufgehenden Mahnungen beansprucht.
Ob diese Nähe auch einen neuen, zusätzlichen Inhalt christlichen Handelns be-
ᴈründen soll oder nicht, läßt sich nur aus der nachfolgenden parakletischen
ᴇntfaltung des vom gegenwärtigen Kairos gebotenen Aufwachens vom Schlaf
ᴇrschließen.

b) Röm 13, 11 – 14 wird – im Unterschied zu 1 Thess 5, 4f. und auch zu
ᴇph 5 – nicht ausdrücklich gesagt, daß die befreiende Überführung aus dem
ᴋchicksalhaften Verfallensein des unerlösten Menschen an die Machtsphäre
ᴊer Finsternis in die neue Dimension des Lichtes bereits, nämlich in der Taufe,
ᴇrfolgt ist. Daraus könnte selbstverständlich nicht gefolgert werden, in Röm
13, 11 – 14 sei diese sakramentale Überführung nicht vorausgesetzt. Zunächst
ᴉst hier an die schon angedeutete soteriologische Konzeption des Apostels zu
ᴇrinnern. „Paulus hat" – wie W. G. Kümmel formuliert – „schärfer als die
ᴜrgemeinde gesehen, daß die eigentliche Wende der Äonen nicht in der Zu-
ᴋunft liegt, sondern in der Vergangenheit", so daß die beiden Äone für sein
Geschichtsbewußtsein „paradoxerweise zugleich da (sind)"[26]. Wenn er Röm 13
ᴍit dem Gedanken der baldigen Ablösung der Nacht (= dieses Äon) durch
ᴊen Tag (= des kommenden Äon) die Mahnungen 13, 12bff. verbindet, lag
ᴊer Gedanke an das mögliche Mißverständnis, die Forderung, die Werke der
Finsternis abzulegen usw., unseren Herrn Jesus Christus anzuziehen und der
Tendenz der σάρξ zur Weckung sündhafter Begierden nicht stattzugeben,
ᴡürde sich überhaupt erst jetzt aus der Nähe der totalen Aufhebung dieses
Äons ergeben, sicher völlig außerhalb seines Denkhorizonts. Mit diesem Miß-

---

[25] W. Schrage, Die konkreten Einzelgebote in der paulinischen Paränese (Gütersloh 1961) 22.
[26] Heilsgeschehen und Geschichte. Ges. Studien 1933 – 1964 (MThSt 3) (Marburg 1965) 59. 93.

213

verständnis brauchte er auch in der (nicht von ihm missionierten) Gemeinde Roms nicht zu rechnen. Er darf für das Bewußtsein seiner Leser ja voraussetzen, was er ihnen zuvor recht nachdrücklich über die erfolgte Rechtfertigung sagte, über den Geist als Gabe der Rechtfertigung und als ἀρραβών, über das in der Taufe geschenkte neue, zu neuem περιπατεῖν verpflichtende Leben mit Christus, über τὸ πνεῦμα und ἡ σάρξ, über die Christen als „Kinder Gottes . . ., Erben Gottes und Miterben Christi" (Röm 8, 17), über ihr auf Hoffnung hin erfolgtes Errettet-worden-Sein (8,29) usw.

Im übrigen sind zwei weitere Momente zu berücksichtigen. Daß der Apostel Röm 13, 11 c – 12 a den einstigen Taufempfang ausdrücklich erwähnt und sein Heilsgeschehen etwa als Aufwachen vom Schlaf, als erfolgte Überführung von der Finsternis zum Licht, von der Nacht zum Tag kennzeichnet, ist insofern nicht zu erwarten, als er das der Ablösung der Nacht durch den Tag entsprechende Motiv vom Aufwachen (und Aufstehen) vom Schlaf dazu verwenden will, als Gebot des gegenwärtigen Kairos die neue und entschiedene Bereitschaft zu christlichem Leben zu proklamieren. Daß er dieses nicht anders denn als existentiellen Vollzug des im Sakrament der Taufe geschenkten neuen Seins verstanden haben will, bringt er sodann auch hier deutlich zum Ausdruck, eben in der abschließenden Mahnung: „Ziehet an den Herrn Jesus Christus" (14a). Röm 13, 11 – 14 belegt freilich drastisch, was auch an anderen Stellen oft und deutlich genug zum Ausdruck kommt: Paulus nimmt die versucherische Macht, welche die Kräfte „dieses bösen Äons" gegenüber den Getauften ausüben, und damit das Fallen-können, sehr ernst; und deshalb nimmt er ebenso ernst die Forderung, das christliche Leben als fortwährenden „reditus ad baptismum" zu begreifen und zu realisieren. Insofern hat die Mahnung, vom Schlaf aufzuwachen und zu handeln, in der realistischen Sicht des Apostels auch für seine Adressaten immer schon gegolten, schon bevor er jetzt durch die Geltendmachung der andringenden Nähe der Parusie die erhöhte Dringlichkeit christlichen Handelns begründet, eben mit dem Themasatz, es sei hohe Zeit, vom Schlaf aufzuwachen.

4) „Werdet, was ihr in Wirklichkeit (nämlich durch Christus) schon seid! – nämlich die neue Existenz von Christus her und durch Christus"[27]. Dies ist selbstverständlich auch der Sinn der Paraklese Röm 13, 11 – 14. Da die Berufung auf die Nähe des Endheils nur dazu dient, die Bereitschaft zu diesem „Werden" neu zu wecken und zu stärken, läßt sich aus Röm 13 jedenfalls kein Anhaltspunkt für die Auffassung gewinnen, daß die Naherwartung bei Paulus auch das inhaltliche „Was" des christlichen Handelns normiere[28]. Insofern Paulus die Naherwartung bis zum Zeitpunkt des Röm-Briefs ungemindert durchgehalten hat, verbietet sich auch der Versuch, ein Nachlassen der Naherwartung als entscheidende Voraussetzung für das Aufkommen konkreter Paraklese (vgl. bes. 13, 1 – 7) zu betrachten.

5) Aus dem Gesagten ergibt sich bereits ein wesentlicher Unterschied zur

---

[27] H. D. Wendland, Ethik des Neuen Testaments (Göttingen 1970) 51.
[28] Damit ist freilich noch nichts über die genauere Beurteilung von Stellen wie bes. 1 Kor 7, 29 – 31 gesagt.

jüdischen Apokalyptik. Auch diese ruft angesichts des nahen Endes zur Total-erfüllung des Willens Gottes auf. Und in Qumran kann die Paränese auch in der Auffassung vom schon endzeitlichen Charakter der Gegenwart gründen, die als Kampfsituation verstanden ist. Für die Frommen von Qumran ist der jetzt schon zu führende Kampf zwischen Finsternis und Licht aber entschei-dend an der Zukunft orientiert. Er wird als eine gewisse Vorwegnahme des bzw. als Vorbereitung auf den noch ausstehenden Entscheidungskampf ver-standen. Bei Paulus ist die ebenfalls eschatologisch verstandene Auseinander-setzung zwischen Finsternis und Licht, welche die Christen nach Röm 13 ge-genwärtig bestehen und angesichts der Nähe des Äonenwechsels mit neuer Entschlossenheit aufnehmen sollen, hingegen in dem schon erfolgten Äonen-wechsel begründet: Aufgrund des Heilsgeschehens der Taufe und seit diesem ist der siegreiche Kampf zwischen Finsternis und Licht Möglichkeit und ver-pflichtende Aufgabe der Getauften geworden. Natürlich kommt u. a. der Un-terschied hinzu, daß diese Kampfsituation den für Qumran charakteristischen Affront gegen Außenstehende (= Nichtgetaufte) als „Söhne der Finsternis" nicht kennt.

6) Der Röm 13, 11 – 14 im Hintergrund stehende und am stärksten an die altbiblische Apokalyptik erinnernde Zug der Ablösung dieses Äons (= der Nacht) durch den kommenden Äon (= den Tag) in V. 12 a dient nur als zu der expliziten Paraklese V. 12 b überleitende Aritikulierung des Gedankens der an-dringenden Nähe des Endheils. Die jüdischerseits mit „dem kommenden Äon" verknüpften Vorstellungen vom Endheil interessieren den Apostel aber nicht im allergeringsten; denn der „in die Nähe gekommene Tag" ist bildhaftes Äquivalent für das nahe, spezifisch paulinisch verstandene, nämlich christolo-gisch bestimmte „(End)-Heil".

7) Schließlich stellt sich die Frage, ob und inwieweit die Forderungen unse-rer Paraklese heute noch Gültigkeit haben können. Gerade auch an unserer Stelle ist Paulus nicht im geringsten daran interessiert, die Naherwartung zu einem eigenständigen Thema zu machen. Um die Befolgung der voraufgehen-den Mahnungen (12, 1 – 13, 10) zusätzlich durch die Berufung auf den Kairos-charakter der Gegenwart zu motivieren und zu aktivieren, hätte Paulus an sich mit V. 11 d schließen können. Statt dessen verwendet er den Hinweis auf die andringende Nähe des Endheils zugleich als Ansatz für eine weitere parakleti-sche Explikation und legt er deshalb bereits die Formulierung von V. 11 b – 11 d bzw. 12 a auf die nachfolgende Beschreibung des christlichen Le-bens an, die noch einmal zusammenfassend die Tiefendimensionen und pola-ren Spannungen christlicher Existenz ins Bewußtsein rufen soll (V. 12 b – 14). Auch dadurch wird verdeutlicht, daß die Naherwartung hier nicht ihrer selbst wegen zum Zug gebracht wird.

Gleichzeitig ist aber nun doch ihre selbstverständliche Gültigkeit vorausge-setzt. Was bleibt dann von unserer Paraklese, nachdem die Geschichte diese Naherwartung längst widerlegt hat? Für sich genommen, bräuchte V. 11 d nur zu besagen: Jetzt ist das Endheil um die seit der Bekehrung verflossene Zeit-spanne näher. Die zeitliche Distanz vom „Jetzt" bis zum Eintreten des definiti-ven Heils könnte in diesem Fall als noch beträchtlich groß, ja als beliebig groß vorgestellt sein. Im Sinne dieser Auslegung lassen manche, nicht nur ältere Autoren Paulus mit V. 11 d nicht mehr sagen und meinen, als daß das Endheil mit jedem Tag und jeder Stunde näherrückt und die Pflicht, sich vom Schlaf zu erheben, insofern jeden Tag dringender wird. Es ist dann nurmehr ein kleiner Schritt zu der öfters zu lesenden Erklärung, die eschatologische Stunde, von der Röm 13 spricht, sei immer da, alle christlichen Generationen würden in der Röm 13 angesprochenen eschatologischen Situation leben[29]. Natürlich versteht es sich für Paulus von selbst, daß die existentielle Verwirklichung der bei der Taufe erfolgten Überführung aus dem Machtbereich der Finsternis in den des Lichtes eine bleibende, täglich neu zu vollziehende Aufgabe der Christen ist. Und da er offensichtlich ernstlich mit der Möglichkeit rechnet, daß auch Getaufte immer wieder dem „diesem Äon", der Nacht, der Finsternis gemäßen Verhalten verfallen, kommt die Stunde immer wieder, ist es immer wieder von neuem Zeit, sich vom Schlaf zu erheben. Wer Paulus lediglich auf diesen Gedanken der immer da seienden und immer von neuem kommenden eschatologischen Stunde abheben läßt, scheint mir aber den wirklichen ictus zu unterschlagen. Wenn der Apostel betont vom Schon-Dasein der Stunde zum Aufstehen spricht und das mit V. 11 d begründet und des weiteren durch V. 12 a bestätigt, lassen sich seine Aussagen nicht in eine hinsichtlich der zeitlichen Distanz irrelevante „Zukunfts"- und „End"-Erwartung auflösen, und dürfte auch der Ausspruch der Binsenwahrheit, die Parusie sei um die seit der Bekehrung verflossene Zeitspanne nähergerückt, unserem Abschnitt schwerlich voll gerecht werden, da dieser die Vorstellung der andringenden Nähe der Parusie erfordert.

Es fällt nicht schwer, die Konsequenzen für die ethische Auswertung und die Verkündigung zu ziehen. Weil die Naherwartung in Röm 13 wohl die Dringlichkeit christlichen Handelns, nicht aber dessen normativen Inhalt als solchen begründet, wird die Gültigkeit dieses Inhalts durch die Nichterfüllung der Naherwartung nicht berührt. Der Prediger kann sehr wohl die für Getaufte seit je und immer (bis zur Parusie) geltende Forderung, „vom Schlaf aufzuwachen", und ihre V. 12 b – 14 folgende parakletische Explikation aufnehmen, ohne sich in Gegensatz zum Aussagewillen Pauli zu bringen. Zur Motivierung der Erfüllung jener Forderung kann und muß er selbstverständlich auch am Hinweis auf das noch kommende Endheil festhalten. Um das faktische Überholtsein der Naherwartung des Apostels zu respektieren, wird der verantwortungsbewußte Prediger aber darauf verzichten, die Bereitschaft zum christlichen Lebensvollzug durch die Geltendmachung des von Paulus gemeinten gegenwärtigen Kairos, also mit der andringenden Nähe der Parusie moti-

---

[29] So jetzt auch H. Schlier: „Daß die eschatologische Stunde dafür [für das Sicherheben aus dem niederziehenden Weltenschlaf] gekommen ist als solche, die jetzt immer wieder kommt, erfährt im Zusammenhang eine zweifache Begründung (VV. 11 b und 12) . . . Mit jedem Tag nimmt seine [des Tages Christi] Nähe zu und seine Ferne ab. Es ist kein Datum. Seine Nähe ist ein unberechenbares, schlechthinniges Nahekommen, Damit ist seine zeitliche Nähe eine jederzeit bedrängende Ankunft, ja eine schon über uns gekommene Gegenwart. Und dieser neue Horizont ist Grund für die Notwendigkeit zu erwachen": Der Römerbrief (Herders Theol. Kommentar zum NT VI) (Freiburg 1977) 397.

vieren zu wollen. Selbst mit diesem Verzicht kann er sich indes immerhin noch auf einer paulinischen Linie bewegen. Auch bei Paulus selbst sind die Stellen, an denen er das christliche Handeln mit dem Hinweis auf die eschatologische Zukunft überhaupt motiviert, zahlreicher als die Fälle, in denen er auf die Nähe der noch ausstehenden ἔσχατα abhebt[30].

Vorstehende Studie ist ein Referat aus der 5. Tagung des von der Benediktinerabtei S. Paolo fuori le mura-Rom gestifteten „Colloquium Oecumenicum Paulinum". Der eingangs zitierte Band „Dimensions de la vie chrétienne (Rm 12 – 13)" enthält auch die anschließende Diskussion (195 – 220) einschließlich der durch die Diskussionsvoten angeregten weiteren Begründung meiner Thesen (199 – 208).

---

[30] Vgl. O. MERK, Handeln (Anm. 8) 242.

III
Apostolat und kirchliches Amt

1

Exegetische Reflexionen zur Apostolizität des Amtes und zur Amtssukzession*

Seitdem Heinz Schürmann seine auf katholischer Seite bahnbrechenden Untersuchungen „Das Testament des Paulus für die Kirche (Apg 20, 18 – 35)"[1] und „Die geistlichen Gnadengaben in den paulinischen Gemeinden"[2] vorgelegt hat, ist die Diskussion des Themas „NT und kirchliches Amt"[3] auf breiter Ebene weitergegangen[4]. Im Hinblick auf die faktische Entwicklung und damit auf das unterschiedliche „Amts"-verständnis der christlichen Konfessionen steht naturgemäß im Mittelpunkt das Problem, ob sich den ntl. Zeugnissen eine verbindliche Gemeindeordnung oder doch ein normatives Prinzip ekklesialer Struktur entnehmen läßt. Der neuralgische Punkt, zumindest innerhalb der katholischen Diskussion, ist nach wie vor die Frage der „Apostolizität" des Amtes und das Prinzip der apostolischen Amtsnachfolge. Unbeschadet der schwierigen Fragen, die der Begriff „die Apostel", die unzulängliche Information über den Kreis und das Wirken der Apostel vor Paulus (Gal 1, 17 – 19), die Aussonderung authentischer Apostelschriften = der authentischen Paulusbriefe[5] und damit die Unterscheidung von apostolischen und nachapostolischen Zeugnissen, von apostolischer und nachapostolischer Zeit mit sich bringen, gilt dabei heute auch für katholische Autoren als prinzipiell selbstverständlich: In ihrer Eigenschaft als heilsgeschichtlich einmalige Offenbarungsempfänger, als die sie eine normative Tradition konstituieren konnten, konnten die Apostel von ihnen intendierte oder direkt bestellte „Nachfolger" nicht haben; nur hinsichtlich ihrer Verantwortung für die Verkündigung und Wahrung des Evangeliums wie für den diesem entsprechenden Lebensvollzug der Gemeinden können Nachfolger im „Apostelamt" in Betracht kommen.

---

* Erstveröffentlichung des hier durchgesehenen Beitrags: R. SCHNACKENBURG u. a (Hrsg.), Die Kirche des Anfangs, FS H. Schürmann (Leipzig 1977 und Freiburg i. Br. 1978) 529 – 582.

[1] 1962, jetzt in: Untersuchungen 310 – 340.

[2] Erstmals erschienen 1966; jetzt leicht überarbeitet in: Ursprung 236 – 267.

[3] Vgl. auch H. SCHÜRMANNS jüngeren Grundsatzartikel „Die neubundliche Begründung von Ordnung und Recht in der Kirche": ThQ 152 (1972) 303 – 316.

[4] Eine Übersicht bieten A. LEMAIRE, The Ministries in the New Testament: Biblical Theology Bulletin 3 (1973) 133 – 166 und besonders H. SCHÜTTE, Amt, Ordination und Sukzession im Verständnis evangelischer und katholischer Exegeten und Dogmatiker der Gegenwart sowie in Dokumenten ökumenischer Gespräche (Düsseldorf 1974).

[5] Für die Beurteilung der Entwicklung ekklesialer Funktionen ist natürlich von beträchtlichem Belang, ob man entgegen der sententia communis den Eph für paulinisch hält oder/und gar für die wenigstens sachliche Herkunft der Past von Paulus plädiert; so J. JEREMIAS, Die Briefe an Timotheus und Titus (NTD 9) (Göttingen 1975) 10; Bo REICKE, Chronologie der Pastoralbriefe: ThLZ 101 (1976) 82 – 94.

Bis heute fehlt es nicht an Beiträgen, die das NT eine erstaunlich generelle und sozusagen geradlinig zur apostolischen Amtssukzession − als dem für die Kirche konstitutiven Prinzip − führende Entwicklung der ekklesialen Funktionen anzeigen lassen[6]. Die Problematik solcher Versuche verrät immerhin auch ein gelegentliches Verdikt über eine die Tradition und das Selbstverständnis der Kirche ignorierende Exegese[7]. Wohl noch beachtlicher ist indes ein weiterer Umstand. Bei manchen Autoren, die in Fragen der Verfasserschaft der vorherrschenden Meinung folgen und sich auch stärker der redaktions- und überlieferungskritischen Fragestellung öffnen, kann man nur den Eindruck haben, daß die Rollen geradezu vertauscht werden. So vertreten in einem neueren französischen Sammelband[8] katholische Autoren wie P. Dornier[9] und B. Sesboüé[10] die Ansicht, daß auch die Past die apostolische Sukzession nicht ins Auge fassen. Auch für A. Sand scheint sich in den Past das Problem der personalen apostolischen Sukzession überhaupt nicht zu stellen. „Einziger Garant der Überlieferung ist der Apostel, der Weg der Überlieferung ist allein die Verkündigung und Unterweisung. ‚Darum gibt es auch noch keinen Namen für irgendein Amt, das in der Nachfolge des Apostels seine Tradition weiterbilden könnte‘.“ Die Autorität der Personen, denen die Bewahrung der überlieferten Predigt auferlegt ist, „ist keine Amtsautorität, sondern eine Autorität, die sich aus der treuen Erfüllung des auferlegten Dienstes ergibt. Autorität hat allein das Wort, die Botschaft . . .“[11] Völlig gegenteilig äußert sich demgegenüber vor allem S. Schulz, dessen jüngster Band „Die Mitte der Schrift“ den bezeichnenden Untertitel trägt „Der Frühkatholizismus im Neuen Testament als Herausforderung an den Protestantismus“[12]. Ihm liegt daran, außerhalb der anerkannten Paulinen möglichst viele frühkatholische Entwicklungen und Merkmale herauszuarbeiten[13], um als die sachkritische Mitte des NT das paulinische Evangelium zu postulieren, von dem aus die frühkatholische Entwicklung „zu kritisieren und rückgängig zu machen

---

[6] An neueren Beispielen seien genannt Y. Congar, Wesenseigenschaften 546. 550; B. D. Dupuy, Theologie 404. 495; L. Bouyer, Ministère 248f. Vgl. auch E. Berbuir, Die Herausbildung der kirchlichen Ämter von Gehilfen und Nachfolgern der Apostel: Wissenschaft und Weisheit 36 (1973) 110−128, besonders 126f. Völlig phantastisch ist m. E. der neueste Versuch von S. Dockx OP, L'ordination de Barnabé et de Saul d'après Actes 13, 1−3; NRTh 108 (1976) 238−250. Äußerst massiv auch Ch. Pietri, Dès ministères pour le nouveau peuple de Dieu? in: Peuple de Dieu 5 (1976) 14−28, besonders 17−26.

[7] L. Bouyer, Ministère, 243−245.

[8] J. Delorme u. a., Ministère.

[9] Les épîtres pastorales a.a.O. 98.

[10] Ministères et structure de l'église a.a.O. 409.

[11] Anfänge einer Koordinierung verschiedener Gemeindeordnungen nach den Pastoralbriefen, in: J. Hainz, Kirche 235f.

[12] (Stuttgart/Berlin 1976); vgl. demgegenüber die differenzierenden „Erwägungen zur Entstehung des ‚Frühkatholizismus‘“ von U. Luz: ZNW 65 (1974) 88−111.

[13] Vgl. die Aufzählung der wichtigsten typologischen Merkmale, a.a.O. 80f., von denen eines lautet: „Die Unterordnung des Geistes unter die kirchliche Institution mit neuen Ämtern und ordinierten Amtsträgern (monarchischer Bischof, Presbyter, Diakone, Witwen), apostolischer Lehrtradition und kirchlich geregelter Amtsnachfolge der apostolischen Sukzession“ (81).

(ist)"[14]. Mehr als seine Auslassungen über die Past (103 f.) und über Apg 20 (116) überrascht sein Urteil über das Mt-Ev[15] und erst recht über den 2 Petr, der bekanntlich auch nicht mit einer Spur auf vorhandene Amtsträger hinweist, die etwa auf ihre spezielle Verantwortung anzusprechen wären. Obwohl Schulz zuvor feststellte, von nachapostolischen Amtsträgern (Presbyter, Episkopen) und einer auf Ordination beruhenden apostolischen Sukzession sei in 2 Petr „nicht ausdrücklich" die Rede (296), folgen doch erstaunlich positive Behauptungen wie diese: „Nur die apostolisch verfaßte Kirche der nachapostolischen Amtsträger vermag die Schriftauslegung durch Lehrgesetz und Lehrgewalt zu regulieren und so die vorhandene Glaubenswahrheit zu hüten. Die Kirche des 2. Petrusbriefes besteht frühkatholisch aus den in apostolischer Tradition und wohl auch apostolischer Sukzession stehenden Amtsträgern als den alleinigen Charismatikern und Geistträgern, denen allein das Recht der Schriftauslegung zukommt . . . Die Vertikale im Sinne einer Hierarchie von Amtsträgern und Laien und die Horizontale im Sinne einer apostolischen Sukzession der ordinierten Amtsträger reichen sich von nun an im fortgeschrittenen Frühkatholizismus die Hände und sind in der fertigen frühkatholischen Großkirche um etwa 180 das Selbstverständlichste der Welt" (297 f.)[16].

---

[14] Mitte 429 – 433. 82. Insofern Schulz durch die protestantischen Vertreter der historischen Kritik nicht nur „fast durchweg" bestreiten läßt, daß der Übergang zum „Frühkatholizismus" „sachlich-theologisch" berechtigt war, sondern auch, daß „er in dieser Weise verlaufen mußte" (82), urteilt er offenbar schärfer als E. Käsemann. Gewiß ist auch diesem „als Theologen jede historisch leicht zu entlarvende Legitimitätstheorie in der kirchlichen Ordnung, welche das einst Erforderliche für alle Zeiten verbindlich macht, (‚unerträglich')". In seiner Auseinandersetzung mit H. Küng versichert er aber, daß er keineswegs gegen das Frühkatholische im NT schlechthin protestiere. „Im Gegenteil erkenne ich als Historiker wie als Theologe dessen Symptome in der Einführung der Ordination, des Presbyteriums, des monarchischen Episkopats und selbst der Lehrkontrolle aus der konkreten Verkündigungssituation im Sinne Diems als notwendig, verständig und also geistgewirkt durch an": Das Neue Testament als Kanon (Göttingen 1970 = Berlin 1973) 374.

[15] Schon bei Matthäus seien „die Ansätze und Tendenzen zu einer naiven bzw. implizierten Sukzession . . . erkennbar. Die Lehrgewalt ist nicht nur auf Petrus beschränkt – das ergäbe kaum einen Sinn –, sondern den in seine Nachfolge tretenden Amtsträgern, den Lehrern, Schriftgelehrten und Weisen, vorbehalten, die für die verbindliche Bewahrung, Auslegung und Weitergabe der Gesetzeslehre Jesu Sorge tragen" (191).

[16] Hingewiesen sei an dieser Stelle auch auf K. M. Fischers originelle Monographie: Tendenz und Absicht des Epheserbriefes. Zur Rechtfertigung seiner Hypothese, daß der Eph die beginnende Durchsetzung der neuen episkopalen Kirchenordnung in Kleinasien, die durch die Ämter der Bischöfe, Presbyter und Diakone repräsentiert werde, aufzuhalten versuche (21 – 39), verficht Fischer die Thesen, es handle sich bei „den Presbytern" von 1 Petr 5, 4f. nicht um ein kollegial, sondern um ein „von einem" (= Episkopos) ausgeübtes Amt (31), und die Offb würde die Durchsetzung dieser episkopalen Kirchenordnung in Kleinasien „ebenfalls indirekt" bezeugen (33). Ein eindeutiger Zeuge für die „Einsetzung des Bischofsamtes durch den Apostel Paulus", näherhin für die Fiktion, daß „der erste Träger der bischöflichen Sukzession nur der sein (kann), der vom ersten Tag an, an dem Paulus Asien betrat, mit ihm war", ist für unseren Autor der Verfasser der Apg (28 – 30). Und natürlich würden die Past die Einsetzung zu Bischöfen „kraft apostolischer Sukzession" kennen, zwar nicht durch den Apostel Paulus selbst, wohl aber durch die „im ausdrücklichen Auftrag des Paulus bischöfliche Gewalt" ausübenden Schüler Timotheus und Titus (26 – 28).

I

Zur Klärung der Fragestellung sei von einem generellen Gesichtspunkt ausgegangen, über den man sich am ehesten einigen wird. Bei der in nachpaulinischer Zeit zu zunehmender Verfestigung und Institutionalisierung ekklesialer Funktionen führenden Entwicklung waren gewiß eine ganze Reihe von Faktoren im Spiel, auch wenn wir kaum mehr feststellen können, wie diese im einzelnen zusammenwirkten und in gewissen Regionen in unterschiedlichen Schritten und Formen zu einer Ämterstruktur in den Ortsgemeinden – nur diese, nicht schon eine gesamtkirchliche[17] oder auch nur regionale Organisation tritt in den neutestamentlichen Schriften zutage – führten. Für das nach 70 ohnehin im Vordergrund stehende paulinische Missionsgebiet ist an erster Stelle der Ausfall der Autorität des apostolischen Gründers und Vaters der Gemeinden, seines bestärkenden, bewahrenden und regulierenden Wortes zu nennen. Die Gemeinden mußten selbst mit alten und neuen Schwierigkeiten fertig werden. Mit der fortschreitenden Entspannung der Naherwartung ging allem Anschein nach auch ein Erlahmen des Eifers und der charismatischen Lebendigkeit Hand in Hand. Das paulinische Konzept „von einer wahrhaft christlich lebenden Gemeinde, aus der Realität geboren, aber im Schwung der Begeisterung entworfen"[18], hat offenbar nach und nach an Wirkkraft verloren und unter dem Druck der Realitäten schon bald eine Relativierung erfahren. Das Gesetz der Masse und der Gewohnheit mochte sich mehr und mehr geltend machen; und die Bewältigung der Gegenwartsaufgaben (Funktionieren der gemeindlichen Lebensvollzüge, die Beantwortung neuer Fragen und Zweifel, die Abwehr individualistischer Tendenzen, neuer Auslegungen und vor allem häretischer Gefährdungen[19], nicht zuletzt gnostischer Art) forderte eine zunehmende Verfestigung und Institutionalisierung lebenswichtiger ekklesialer Funktionen. Das alles wird im Prinzip von niemandem bestritten.

Zur Verteidigung der nachapostolischen Entwicklung wird deshalb zu Recht die geschichtliche Notwendigkeit beschworen[20]. Wer das Sichverziehen der Parusie und damit den Fortbestand der christlichen Gemeinden für gottgewollt hält, kann den Umstand, daß urchristliche Gemeinden die Herausforderungen der Geschichte eben auch durch eine stärkere Stabilisierung lebenswichtiger Funktionen zu bestehen versuchten, zumindest nicht a priori als illegitim bezeichnen. Ganz generell betont F. Mußner im Hinblick auf die nachapostolische Entwicklung: „Was aus geschichtlicher Notwendigkeit geschieht, was in

---

[17] Von der erst viel später erreichten institutionellen Einheit ist die ideelle Einheit der Kirche zu unterscheiden, die freilich schon in der ersten nachapostolischen Generation kräftig unterstrichen wurde, wie der Kol- und vor allem der Eph-Brief bezeugt. Bezüglich der Zeit des Paulus stellt K. M. Fischer treffend fest: „Die Einheit der Kirche war zur Zeit des Paulus nur eine personale und in actu demonstrierte, aber nicht institutionalisierte": Tendenz 44.

[18] J. Herten, Charisma – Signal einer Gemeindetheologie des Paulus, in: J. Hainz, Kirche 89.

[19] Mit Recht vermerkt H. Conzelmann, man habe erst die Maßstäbe schaffen müssen, um Häresie von Orthodoxie abgrenzen zu können, und bei diesem Vorgang habe „die Formierung des Amtes konstitutive Bedeutung": Grundriß 335; vgl. denselben auch u. Anm. 21.

[20] So nachdrücklich auch von F. Mussner, Die Ablösung des apostolischen durch das nachapostolische Zeitalter und ihre Konsequenzen, in: H. Feld – J. Nolte, Wort Gottes in der Zeit (FS K. H. Schelkle (Düsseldorf 1973) 166 – 177.

einer bestimmten Situation getan werden *muß,* kann grundsätzlich nicht als Fehlentwicklung und erst recht nicht als Abfall bezeichnet werden. Die Urkirche *mußte* in ihrem nachapostolischen Zeitalter einfach Antworten erarbeiten auf die Fragen, die die geschichtliche Situation selber mit sich brachte."[21] Ich würde freilich eine offenere Formulierung des ersten Satzes vorschlagen: (Was in einer bestimmten Situation getan werden *muß*), *muß* nicht schon grundsätzlich eine Fehlentwicklung oder gar einen Abfall darstellen. Das bedeutet eben, daß die Geltendmachung der geschichtlichen Notwendigkeit uns nicht schon der Aufgabe enthebt, speziell auch hinsichtlich der Gemeinde- und Ämterordnung nach der Legitimität der Entwicklung zu fragen. In dieser Hinsicht kann uns auch die Berufung auf das Wirken „des schöpferischen Geistes" kaum weiterhelfen. Auch wenn wir das NT als normative Größe anerkennen, kann die historische Betrachtung ja nicht einfach eine allgemein anerkannte Gemeindestruktur als Ergebnis der im NT sichtbar werdenden Entwicklung konstatieren. Davon kann nicht einmal die Rede sein, wenn wir den 1 Clem und die Briefe des Ignatius von Antiochien noch hinzunehmen. Bei aller Vorsicht gegenüber dem argumentum e silentio lassen bekanntlich beachtliche Anzeichen ernstlich bezweifeln, ob sich die Idee des Amtsprinzips, das uns doch wohl in ausgebildeter Form in den Past begegnet, um die Jahrhundertwende, ja noch einige Jahrzehnte später (z. B. 2 Petr) allgemein durchgesetzt hat. Die den beiden letzten Jahrzehnten und der Jahrhundertwende zuzurechnenden neutestamentlichen Spätschriften sprechen eher für das Vorhandensein von zunächst noch unausgeglichenen „Lösungen".

Natürlich „mußte" die Urkirche in der nachapostolischen Zeit auf die durch diese aufgegebenen Fragen Antworten erarbeiten. Aber es kommt doch wohl darauf an, wie diese notwendig gewordenen Antworten in concreto aussehen. Werden bei institutionellen Funktionen, soweit solche in Erscheinung treten, Legitimationsgesichtspunkte sichtbar, und wenn, in welchem Sinne? Im besonderen interessiert uns die Frage, ob und inwieweit man von einer Legitimierung der nachapostolischen Entwicklung ekklesialer Funktionen durch die Apostel sprechen kann. Auf die kaum diskutablen Versuche, zum Nachweis dieser Legitimation bei den Jerusalemer Aposteln einzusetzen (Wahl des Matthias, „die Sieben", die Presbyter), kann hier nicht eingegangen werden. Einige neuere Versuche katholischer Autoren, die unsere Beachtung verdienen, setzen deshalb aus guten Gründen bei Paulus an.

II

In einer erstmalig systematischen Weise hat sich *J. Hainz* auf *die Partizipation der unmittelbaren Mitarbeiter und der Gemeindedienste an der apostolischen*

---

[21] Die Ablösung 171. Vgl. auch H. CONZELMANN, Grundriß 335: „Daß man nach festen Regeln und Ordnungen suchte, entspricht zunächst einfach den Erfordernissen, ist also noch kein ‚Abfall', keine grundsätzliche Verwandlung der Kirche. Man kann auf die Dauer nicht die ursprüngliche freie Regulierung von Fall zu Fall durch den Geist konservieren, schon deshalb nicht, weil man es jetzt mit kollektiven Phänomenen neuer Art zu tun hat (Häresie)."

Vollmacht Pauli berufen[22]. Er erblickt ein Grundübel darin, daß die Rolle des Geistes innerhalb der paulinischen Ekklesiologie vor allem in der protestantischen Forschung „zu Unrecht verselbständigt worden (ist)" und kaum zwischen „Geistesgaben" (= bestimmten pneumatischen Erscheinungen) und „Gnadengaben" (= Charismen) unterschieden wurde (362). Pauli Theologie der Gemeinde – nämlich der konkreten Gemeinden, von denen allein Paulus spreche – sei „*primär* eine Komponente seines Apostolatsverständnisses" (359). Nachdrücklich plädiert Hainz deshalb für den Apostolat als „Vollgestalt" und „Ursprung" aller besonderen Ämter in der Kirche; der Geist werde bei Paulus nie unmittelbar mit den Gemeindediensten in Verbindung gebracht – „außer in 1 Kor 12 und hier in besonderer Weise" (328). „Zwar ist die heilsgeschichtliche Funktion des Apostels als ‚Grund'legender Vermittler des Versöhnungsgeschehens vom Apostelamt unablösbar, aber die Funktionen innerhalb seines ἔργον als θεοῦ συνεργός an der οἰκοδομή der Gemeinde werden von anderen mit ihm geteilt und gehen allmählich – in einem Prozeß, der sich in den paulinischen Briefen selbst nur andeutet – auf andere über . . ." (352). Der schon in den Tagen des Apostels erfolgende Ausleseprozeß, demzufolge es nur einzelne waren, denen als Mitarbeiter Pauli (im engeren und weiteren Sinne) auch „apostolische Vollmacht" zukam, „wird in den paulinischen Gemeinden offenbar nicht durch Amtsübertragung gesteuert; er vollzieht sich nach natürlichen Gesetzen" (362).

1. Die bereits in dieser Erstschrift enthaltene Hypothese, daß Paulus selbst zu seinen Lebzeiten die Idee der Nachfolge im apostolischen Amt grundlegte (vgl. bes. 295 – 310), versucht Hainz in seinem neuen Beitrag „Amt und Amtsvermittlung bei Paulus"[23] durch die spezielle Berufung auf die unmittelbaren Mitarbeiter des Apostels noch mehr zu präzisieren. Zwischen dem Apostel und seinen „Mitarbeitern" bestehe kein Unterschied hinsichtlich des gemeinsamen „Werkes"; der eine wie die anderen seien „Mitarbeiter (συνεργοί) Gottes". Wohl ergebe sich aber ein Unterschied „aus der zeitlichen und sachlichen Nach- und Zuordnung zum Apostel". Sodann sei zu unterscheiden „zwischen den Verkündern, die der Gemeinde gegenüberstehen und sozusagen ‚von außen' gegenübertreten, und jenen Diensten, die *in* der Gemeinde und ihren Versammlungen die erforderliche Aufbauarbeit leisten auf dem vom Apostel und seinen Mitarbeitern gelegten Fundament" (119). Unter den freilich verschieden zu bewertenden Beispielen von Sendungen eines Mitarbeiters gebe es wenigstens einen Fall – nämlich die Phil 2, 19 – 24 in Aussicht gestellte Sendung des Timotheus nach Philippi –, der zeige, daß Paulus Timotheus „wohl doch als Nachfolger" in Aussicht nahm (116f.), „der zumindest gegenüber der Gemeinde in Philippi seine apostolische Verantwortung übernehmen sollte" (118). Wenn auch alle Fragen der Amtsvermittlung offenbleiben, sei doch kaum zu leugnen, daß die „wesentlichen Grundlagen" der späteren Entfaltung der kirchlichen Ämterordnung „sich im Ansatz schon bei Paulus finden" (120).

---

[22] Ekklesia (BU 9), Regensburg 1972.
[23] In: J. Hainz, Kirche 109 – 122.

Die historische und theologische Relevanz dieser Hypothese liegt auf der Hand. Paulus selbst hätte im Sinne der Vorsorge, nämlich „für den Fall, daß r – vielleicht für immer – darin [d. i. an seinem eigenen baldigen Kommen] ehindert werden könnte" – wenigstens exemplarisch das Prinzip der Nacholge im apostolischen Amt prophylaktisch ausgesprochen und antizipiert.)ie Frage ist nur, ob sich diese Hypothese auch hinreichend begründen läßt. /Ian darf gewiß bereits bezweifeln[24], ob sich aus Phil 2, 19 – 24 mehr als die dee des ad hoc „mit der vollen Autorität" des Apostels ausgestatteten „Stellertreters"[25], nämlich in jetzt gerade zu regelnden Angelegenheiten herausesen läßt: eben die Idee des erkorenen Nachfolgers des Apostels[26]. Daß Pauus der Gemeinde den Timotheus als möglichen oder sogar designierten Nacholger vorstellen will bzw. – nach einer zur Generalisierung tendierenden Fornulierung von Hainz – daß Paulus aus den Reihen der mit bedeutsamen Geandtschaften betrauten Mitarbeiter „z. B. auch Timotheus als einen mögichen Nachfolger (wählt)" (118), würde doch wohl erst dann glaubhaft, wenn ich die Existenz dieser Nachfolger-Idee für die Zeit nach dem Tod Pauli einiermaßen wahrscheinlich machen ließe. Wäre, wenn „den Mitarbeitern als iesandten und Nachfolgern die Repräsentation des Apostels (obliegt)"[27], icht zu erwarten, daß diese „Repräsentations"- und Nachfolge-Funktion chon bald nach dem Tod Pauli auch irgendwie in Erscheinung tritt und sich icht erst – allerhöchstens – in den Past widerspiegelt? Daß die unmittelbaen Mitarbeiter geradezu allesamt ihrem Meister schon in Bälde in den Tod olgten, wäre eine Annahme, die doch sehr nach einer Verlegenheitsauskunft iecht. Die gegenteilige Behauptung, zur Zeit der Abfassung des Kol und Eph ätten Apostelschüler wie Timotheus und Titus noch gelebt und somit Briefe vie die beiden genannten unter ihrem eigenen Namen schreiben können, wäre reilich nicht weniger gewagt und willkürlich[28]. Es ist aber doch wohl nicht unillig, anzunehmen, daß der eine oder andere seiner Mitarbeiter den Apostel berlebte. Dürfte man unter Voraussetzung der Nachfolger-Hypothese dann icht erwarten, daß sich diese Mitarbeiter oder wenigstens einer in Wahrnehnung übergeordneter apostolischer Aufgaben auch mit überlieferungswürdien Briefen an paulinische Gemeinden gewandt hätte? Nehmen wir des weiteen an, zur Zeit der Abfassung der ältesten Deutero-Paulinen sei kein, jedenalls kein namhafter Mitarbeiter des Apostels mehr am Leben gewesen. Müßte s nicht selbst in diesem Fall überraschen, daß statt eines Mitarbeiters Pauli seudepigraphisch und auch primär die Autorität des Paulus (Kol; 2 Thess)

---

⁴ Vgl. auch E. RUCKSTUHL über die Diskussion bei der Tagung der Kath. Neutestamentler deutcher Sprache in Luzern vom 15. bis 19. März 1971 in: Erbe und Auftrag 47 (1971) 245.

⁵ J. GNILKA, Philipperbrief 160.

⁵ So schon E. LOHMEYER, Philipper 118.

⁷ Wofür HAINZ außer Phil 2, 19 – 24 auf 118 A. 14 nur noch vorsichtig 1 Kor 4, 17 als Beleg anührt. Er hätte sich übrigens auch auf H. SCHLIER berufen können, der in 1 Kor 4, 17 einen Hinveis auf die „faktische und bald auch formelle Sukzession" im apostolischen Dienst erblickt: ikklesiologie 170.

⁸ Was den Kol betrifft, hält laut mündlicher Auskunft übrigens auch E. SCHWEIZER es für mögich, wenn auch nicht gerade für wahrscheinlich, daß der verhinderte Apostel den Brief durch ïimotheus verfassen ließ.

227

bzw. die des Paulus allein (Eph) bemüht wurde, obwohl man in den Jahren und ersten Jahrzehnten nach dem Tod Pauli darum wußte, daß der Apostel nach seinem Hingang von Nachfolgern repräsentiert wird, deren Vollmachten und Rechte durchaus den seinen entsprechen? Hätte es m. a. W. der Nachfolger-Vorstellung wie dem größeren zeitlichen Abstand von Paulus nicht mehr entsprochen, unmittelbar und ausschließlich bekannte und anerkannte Mitarbeiter als fiktive Verfasser von Lehr- und Mahnbriefen zu beanspruchen? Schon gar nicht könnte davon die Rede sein, daß der Paulus der Apg einen oder mehrere Mitarbeiter als seine möglichen Nachfolger ins Auge fassen würde. Meines Wissens verfiel auch noch niemand auf die Idee, den Verfasser der Milet-Rede in den Presbytern von Ephesus engere Mitarbeiter des Apostels erblicken zu lassen. Und der auf die apostolische Generation zurückblickende Verfasser des Eph denkt offensichtlich auch nicht daran, unmißverständlich (die) Mitarbeiter der Apostels unterzubringen, weder in Verbindung mit der Fundament-Aussage[29] noch in seiner Aufzählung der der Kirche in Vergangenheit und Gegenwart vom erhöhten Christus geschenkten Dienste (4, 11). Da Hainz betont, daß auch Pauli Mitarbeiter mit den Rechten und Vollmachten des Apostels den Gemeinden gegenüberstehen und der Mitarbeiter im Fall des Timotheus „nicht etwa die Gemeindeleitung übernehmen (soll), sondern als Nachfolger und Vertrauensmann des Apostels . . . dessen Funktionen gegenüber der Gemeinde" (117), wird man schließlich eine weitere Überlegung nicht als abwegig bezeichnen können. Wäre in diesem Fall nicht zu erwarten, daß die Entwicklung zu „Monepiskopoi" statt über ortsgemeindliche Presbyter- und Episkopenkollegien über die Mitarbeiter verlief? Läge es m. a. W. nicht in der Konsequenz der genannten Hypothesen, daß, wenn schon nicht Timotheus allein den paulinischen Gemeinden gegenüber als apostolischer Nachfolger in Funktion trat, doch alle oder einige Mitarbeiter zum Zug kamen, diese in den Jahren nach Pauli Tod die Rolle von überörtlichen Kirchenleitern im Sinne der späteren Regionalbischöfe spielten? Was sich an Indizien gewinnen läßt, spricht doch wohl eher gegen als für die Annahme, nach dem Tod Pauli habe die Vorstellung existiert, seine Mitarbeiter würden als Nachfolger wie der Apostel selbst den Gemeinden gegenüberstehen und sein Werk zu sichern haben.

2. Auf den ersten Blick mag es zunächst überraschen, daß Hainz im gleichen Band einen weiteren Beitrag veröffentlicht[30], der zur Prüfung der Frage, ob es dem NT zufolge „eine Apostelnachfolge" gibt, „die ‚göttlichen Rechts' und daher unveränderlich ist" (91), von der Erwähnung von „Episkopen und Diakonen" in Phil 1, 1 ausgeht. Denn bei diesen handelt es sich auch nach ihm ja nicht um Mitarbeiter im engeren Sinne (wie bei dem nach Philippi gesandten Timotheus), von denen es hieß, daß sie im Unterschied zu innergemeindlichen Diensten den Gemeinden sozusagen von außen gegenübertreten, sondern um innergemeindliche Funktionsträger. Dieses zusätzliche Bemühen un-

---

[29] Obwohl die in der Gemeinde vorhandenen Dienste nach Hainz die erforderliche Aufbauarbeit leisten „auf dem vom Apostel und seinen Mitarbeitern gelegten Fundament": Amt a.a.O. 119.
[30] Die Anfänge des Bischofs- und Diakonenamtes, in: J. Hainz, Kirche 91 – 122.

seres Autors erklärt sich aus der Absicht, die spätere Verknüpfung des Gedankens der apostolischen Amtsnachfolge mit der Episkopenbezeichnung möglichst in der Intention Pauli zu verankern. Nachdem Paulus in der Gemeinde von Philippi ja bereits die Existenz von „Episkopen und Diakonen" voraussetzt, kann Hainz diese nicht durch einen Apostelschüler, etwa durch Timotheus, bestellt sein lassen. Andererseits hatte er die Voraussetzung für diesen gegenüber der Mitarbeiter/Nachfolger-Hypothese neuen Ansatz schon in seinem Hauptwerk „Ekklesia" bereitgestellt. Denn daselbst ließ er auch den innergemeindlichen Funktionsträgern (als Mitarbeitern im weiteren Sinne) apostolische Vollmacht zukommen.

Eine sehr vorsichtige Abwägung der Möglichkeiten der Herkunft und Bedeutung der Phil 1, 1 genannten „Episkopen und Diakone" bestätigt zunächst für Hainz die heute überwiegende Auffassung, es handle sich um „amtliche Bezeichnungen, Titel für Personen, die in der Gemeinde von Philippi verantwortliche Tätigkeiten wahrnehmen", die sich jedoch nicht näher bestimmen ließen, wenn auch der Literalsinn der Begriffe auf „Aufsicht" und „Dienstleistungen" verschiedener Art hindeute (107). Obwohl es zu weit ginge, das Bischofsamt als apostolische Einführung auszugeben, müsse doch „offen bleiben, daß auch Paulus dieses Amt, dem wir in Phil in seinen frühesten Anfängen begegnen, als eine notwendige Entwicklung akzeptiert hat und daß die späteren Bischöfe tatsächlich die Nachfolge der Apostel übernommen haben". Wenn auch „schwankend und ungesichert", existiere eben „doch eine Brücke zwischen Phil 1, 1 und dem späteren Bischofs- und Diakonenamt" (107). Zweifellos hat Paulus die so gut wie sicher aus der Gemeinde selbst erwachsene Bestellung von Funktionsträgern und deren Bezeichnung als ἐπίσκοποι und διάκονοι akzeptiert. Deren Stellung im Eingangsgruß des Briefes zeigt übrigens auch nach Hainz, daß dieselben „der Gemeinde zugeordnet, keinesfalls aber vor- und übergeordnet sind" (102; vgl. 106 f.). Da die Verknüpfung von Episkopen und Diakonen keine religionsgeschichtliche Parallele hat, ist sodann die Annahme, daß zwischen den beiden Phil 1, 1 genannten Funktionsträgern und den beiden gleichnamigen, sicher weiterentwickelten Ämtern der Past eine entwicklungsgeschichtliche Beziehung besteht, gewiß höchst vernünftig[31] – so schwierig es sein mag, die hier vorauszusetzende Brücke zu rekonstruieren. Der kritische Punkt des von unserem Autor versuchten Brückenschlags ist doch wohl der Ausgangspfeiler, nämlich die Befürwortung der Möglichkeit, daß Paulus das erstmals Phil 1, 1 begegnende Episkopenamt als eine „notwendige" Entwicklung akzeptiert hat. Wie soll diese Behauptung mit dem Umstand harmonisieren, daß Paulus anderswo unter anderen Bezeichnungen eine Vielzahl von Charismen und Gemeindediensten nennt, ohne dabei je „Episkopen" und/oder „Diakone" zu erwähnen? Zur Erklärung dieses Umstands müßte man schon die Annahme wagen, Phil 1, 1 stelle sozusagen die letzte, frühere Denominationen gewissermaßen überholende Äußerung Pauli über die erforderlichen Dienste in einer Gemeinde dar. Unterstellen wir

---

[31] Wie u. a. J. GNILKA dargetan hat: Geistliches Amt und Gemeinde nach Paulus: Kairos NF 11 (1969) 101 f.

einmal diesen günstigsten Fall. Dann hätten sich Timotheus bzw. die als Nach-folger vorausgesetzten Mitarbeiter des Apostels nach dessen Tod doch für die möglichst baldige und ausschließliche Verbreitung des Episkopen- und Dia-koneninstituts in den paulinischen Gemeinden einsetzen müssen. Aber auch wenn auf die Mitarbeiter/Nachfolger-Hypothese verzichtet wird, steht die Er-wägung einer „notwendigen" Entwicklung in Spannung zu dem unbestreitba-ren Faktum, daß schon in den ersten beiden Jahrzehnten nach Pauli Tod das synagogale Presbyterinstitut in das paulinische Missionsgebiet eingedrungen sein muß und sich als reguläre Amtsstruktur durchsetzte. Gewiß, der Eph kennt keine Presbyter. Er spricht aber auch nicht von „Episkopen" und „Dia-konen"[32]. Und das müßte als noch auffälliger gelten, wenn die Befürwortung der Möglichkeit Sinn haben soll, daß Paulus das Episkopenamt – konsequen-terweise dann wohl auch das Diakonenamt – als eine „notwendige" Entwick-lung akzeptiert hat. Obwohl sich Apg 20, 28, evtl. auch 1 Petr 5, 2[33] der Beginn der Verbindung des Presbyter-Instituts mit dem des Episkopenkollegiums an-zeigen wird, ist die Brücke zwischen Phil 1, 1 und den die Nachfolge der Apostel übernehmenden späteren Bischöfen jedenfalls insofern höchst „schwankend und ungesichert", als die befürwortete Möglichkeit, daß Paulus das Phil 1, 1 genannte Episkopenamt als eine „notwendige" Entwicklung ak-zeptiert hat, eher als unwahrscheinlich denn als nur ungesichert gelten muß.

Der ganze Versuch, die Apostolizität des Amtes und der apostolischen Amtssukzession auf die Partizipation der unmittelbaren (den Gemeinden vor-geordneten) und mittelbaren (innergemeindlichen) Mitarbeiter an der aposto-lischen Vollmacht zu gründen, beruht, wie ich fürchte, auf unhaltbar einseiti-gen Prämissen; nämlich auf der Auffassung, die Gemeindetheologie Pauli sei „*primär* eine Komponente seines Apostolatsverständnisses" (359) und dement-sprechend seien die Voraussetzungen des paulinischen Amtsverständnisses „durchweg am Apostolat orientiert" (353)[34].

III

Demgegenüber ging ein gleich zu nennender anderer repräsentativer Versuch, der die paulinischen Aussagen über seinen Apostolat ebenfalls mit den Ge-meindediensten in Verbindung bringt, mit vollem Recht von der Charismen-theologie aus. Was diese betrifft, hat die Diskussion zu *einem weitgehenden interkonfessionellen Konsens* geführt. Soweit dieser unsere spezielle Fragestel-lung berührt, müssen die wesentlichen Punkte hier kurz genannt werden.

1. Besonders seit der schon erwähnten grundlegenden Untersuchung von H. Schürmann[35] sind sich auch mehr und mehr katholische Systematiker und

---

[32] Es ist auch sehr zweifelhaft, ob man hinter der „Hirten"-Bezeichnung Eph 4, 11 den Episko-pen-Titel erblicken darf, weil der Begriff ἐπισκεπ- motivgeschichtlich in Verbindung mit dem Bild der Herde und des Weidens begegnet.

[33] Zu der höchst unsicheren LA ἐπισκοποῦντες s. u. Anm. 119.

[34] Vgl. auch die Rezension von N. WALTER: ThLZ 99 (1974) 761 – 763.

[35] Gnadengaben, besonders 238 – 261.

Exegeten[36] mit ihren evangelischen Kollegen[37] darin einig geworden, daß die Charismentheologie als grundsätzlicher und adäquater Ausdruck des paulinischen Gemeindekonzepts zu gelten hat. Es lassen sich keine ausreichenden Gründe geltend machen, die uns zur Annahme berechtigen würden, Paulus habe die Dienstleistungen, die auch außerhalb der Charismenlisten (1 Thess 5, 12f. z.B. die προϊστάμενοι; 1 Kor 16, 15; Röm 16, 5; auch Gal 6, 6: τῷ κατηχοῦντι) oder nur außerhalb dieser (Phil 1, 1: ἐπίσκοποι καὶ διάκονοι) begegnen, nicht ebenso als dem Wirken des Geistes verdankte Lebensvollzüge verstanden, wie etwa die 1 Kor 12 genannten „Fähigkeiten zur Hilfe, zur Verwaltung", wie die διακονία und den προϊστάμενος von Röm 12, 7f.[38] Die prinzipielle Geltung des am Organismusgedanken vom Leib Christi orientierten charismatischen Gemeindemodells dürfte auch durch die Wirkungsgeschichte bestätigt werden. Obwohl der Pragmatismus der Realität offenbar zunehmend sein Recht forderte, erwies das charismatische Gemeindemodell eine beträchtliche Wirkkraft (s. u. zu Eph und 1 Petr).

2. „Paulus hat" – wie U. Brockhaus eine annähernd allgemein anerkannte Erkenntnis formuliert – „seine Charismenlehre weder unter anti- noch unter proamtlichem Aspekt entworfen . . ."[39] Im Vorblick auf die nachpaulinische Entwicklung erlaubt dieser unbestreitbare Satz, wie heute ebenso ganz überwiegend zugestanden ist, eine zusätzliche Differenzierung. Das paulinische Gemeindemodell liefert in einem gewissen Sinn immerhin Voraussetzungen oder, vielleicht besser, Ansätze, von denen eine spätere zur Hervorhebung und Institutionalisierung besonders unentbehrlicher Charismen führende Tendenz ausgehen konnte. Unbeschadet der Einbeziehung beliebiger, auch recht bescheidener, zum Teil schwer klassifizierbarer Charismen (wie die διάκρισις πνευμάτων und ἑρμηνεία γλωσσῶν), kennt Paulus auch in den Charismenlisten mehr dauernde und personal gebundene Funktionen und will er wohl mit der übernommenen Trias zu Beginn von 1 Kor 12, 28 offenbar die wichtigsten und tragenden Charismen nennen.[40] Zu diesen auf Dauer angelegten

---

[36] Vgl. etwa H. Küng, Die Kirche (Ökum. Forsch. I) (Freiburg 1967); G. Hasenhüttl, Charisma-Ordnungsprinzip der Kirche (Ökumen. Forsch. V) (1969); K. Kertelge, Gemeinde 103 – 108; H. Merklein, Amt 226; zuletzt vor allem J. Herten, Charisma, in: J. Hainz, Kirche 57 – 89: Weil die 1 Kor gegebene Antwort „bei aller Konkretheit sehr prinzipiell angelegt und in Richtung auf ein Paulus vorschwebendes, ideales Gemeindebild stilisiert war" (80), könne Paulus aus vordergründig paränetischem Interesse durch Konzentration und Fortentwicklung seiner Gedanken von 1 Kor 12 in Röm 12 „eine prinzipielle Gemeindeparänese, die seine Idealvorstellung einer christlichen Gemeinde umreißt", entwickeln (88).

[37] Vgl. zusammenfassend U. Brockhaus, Charisma, bes. 89 mit Literaturverweisen und zuletzt besonders nachdrücklich S. Schulz, Die Charismenlehre des Paulus, in: Rechtfertigung (Festschr. für E. Käsemann (Tübingen/Göttingen 1976) 443 – 454 bzw. 460.

[38] Obwohl Paulus die Gemeinden zur Anerkennung und sogar zur Unterordnung unter fürsorgende und irgendwie ordnende Gläubige aufrufen kann, tut er das „stets nur am Rande, speziell in abschließenden Grußworten", ohne jene auf eine von ihm übertragene Verantwortung oder Mitverantwortung anzusprechen; vgl. auch U. Brockhaus, Charisma 126f. 236. Für den prinzipiell charismatischen Charakter aller Dienste sprechen auch die Umschreibungen des Charismabegriffs, die auf die einem jeden erfolgte Zuteilung abheben, z.B. 1 Kor 7, 17; 12, 11; Röm 12, 3.

[39] Charisma 239; vgl. auch H. Conzelmann, Art. χάρισμα ThWNT IX, 396, 11ff.

[40] Zur Erklärung der Reihenfolge und der numerischen Aufreihung vgl. H. Merklein, Amt 245f.

und durch ihre Personbezogenheit qualifizierten Charismen darf man außer den „Lehrern" wohl auch die „Propheten"[41] rechnen, wohl auch den – gewiß nicht leicht zu definierenden – προϊστάμενος von Röm 12, 8 bzw. die προϊστάμενοι von 1 Thess 5, 12f. und schließlich die „ἐπίσκοποι und διάκονοι" von Phil 1,1, bei denen man ohnehin von institutionellen Titeln sprechen kann. Insofern kann man sagen, die charismatische Gemeindekonzeption sei für eine organisatorische Verfestigung „amtlicher" Elemente wie Autorität, Dauer und Titel offen[42]. Das Neben-, In- und Durcheinander in den Aufreihungen erlaubt es andererseits aber nicht, in den Charismenlisten eine Rangfolge, eine statische Über- und Unterordnung von Funktionen, gar durchweg personal gebundener und erkennbar abgestufter Funktionen zu entdecken[43]. Es wäre sonst unverständlich, „daß Paulus jeweils die Gesamtgemeinde als verantwortliche Instanz anschreibt und daß er sich ausdrücklich bemüht, diese Gesamtgemeinde als insgesamt organisch zusammenwirkende Korporation, eben als ‚Leib des Herrn' auftreten zu lassen"[44]. Paulus mißt die Gnadengaben der einzelnen „an ihrer Funktionsfähigkeit innerhalb der Gemeinde"[45], d.h. daran, inwieweit die einzelnen Charismen und Charismatiker dem Kriterium der Erbauung des Leibes Christi (1 Kor 12, 12–27) und der Liebe (1 Kor 13) – als der alle Charismen gleichermaßen korrigierenden und relativierenden Norm – entsprechen.

3. Gegenüber dem immer noch virulenten Versuch, Paulus zwischen „Amtsträgern" und „Charismatikern" unterscheiden zu lassen[46], hat sich auf katholischer Seite m. W. am deutlichsten zuerst H. Schürmann ausgesprochen und seitdem auch nachdrücklich bestätigt erhalten[47]: „Eine Unterscheidung von ‚charismatischen' und ‚nichtcharismatischen' Diensten ist für ihn [Paulus] nicht durchführbar; auch die mehr amtlichen Dienste sind charismatisch verstanden"[48].

---

[41] Vgl. W. SCHRAGE: „Weiter ist wohl als einigermaßen gesichert anzunehmen, daß es sich bei den Propheten wie bei den Lehrern um einen zwar nicht grundsätzlich, aber doch relativ geschlossenen Kreis von bestimmten Charismatikern gehandelt haben wird (vgl. 1 Kor 12, 28f. 10)": Die konkreten Einzelgebote in der paulinischen Paränese (Gütersloh 1961) 182.

[42] Wie zuletzt bes. U. BROCKHAUS (Charisma 237) und H. Merklein (Amt 281–287) unterstrichen.

[43] Vgl. die Einzelübersicht bei U. BROCKHAUS (Charisma 215f.) und die besonders treffende Charakterisierung der Geistesgaben durch H. SCHÜRMANN: Gnadengaben 252.

[44] Dieser Umstand verdient auch im Blick auf die rechtlichen Voraussetzungen für eine Vereinsgemeinde Beachtung. Wie P. STUHLMACHER gut beobachtet, vermeidet es Paulus jedenfalls „auffälligerweise, in den von ihm gegründeten und betreuten Gemeinden ebenfalls die Bildung eines übergeordneten gemeindeleitenden Gremiums von Archonten" vorzuschlagen: Evangelium 37.

[45] F. HAHN, Grundlagen 23.

[46] So auch H. SCHLIER, der bezüglich der letzten meint: „Sie sind nicht wie die Amtsträger das ordnende Element der Kirche, aber sie sind ihre belebenden Energien": Ekklesiologie 171. Vgl. auch die nachfolgende Zusammenfassung a.a.O.: Der Heilige Geist bedient sich zur Erbauung der Kirche „des menschlichen Wortes und bestimmter Zeichen und eröffnet sich die Dienste des Amtes und der Charismen".

[47] Z.B. von K. KERTELGE: „Versteht man ‚Charisma' nach Paulus als christliche Wesensstruktur aller Lebensvollzüge innerhalb der Gemeinde, so ergibt sich von selbst, daß eine Aufteilung der Gemeinde in ‚Amt' und ‚Charisma' in dieser Konzeption nicht gefragt ist": Gemeinde 109.

[48] Gnadengaben 246; auf diesen Beitrag wird im Folgenden mit den Seitenzahlen verwiesen.

IV

Von dieser Erkenntnis ausgehend, versuchte *H. Schürmann,* einen neuen Ansatz zur Lösung des neuralgischen Punktes der Ämterfrage zu gewinnen. Nachdem er das Gesamt der vielfältigen geistgewirkten Gnadengaben als „Teile eines Ordnungsgefüges" aufgezeigt hat (247 – 251), hält er nach „Ordnungsprinzipien" Ausschau, und zwar konsequent nach „pneumatischen" Ordnungsprinzipien. Als solche werden ihm sichtbar: die (relative) Selbstregulation der geistigen Ordnung im Grundcharisma der Bruderliebe (261 – 263) und „dahinter und grundsätzlicher die apostolische Tradition und Leitung als Verleiblichung und Vergegenwärtigung des Pneumas" (261. 264 – 266), das ordnende und leitende Wort des Apostels, „der jene Tradition im Geist zur Wirksamkeit und in neuen Verhältnissen auslegend zur Anwendung bringt" (264). Und Schürmann merkt beiläufig an: „Nicht das von evangelischen Theologen gesehene Selbstregulativ der geistlichen Ordnung als solches ist falsch, sondern nur die Absolutsetzung dieses Prinzips und seine Ausspielung gegen jede ordnende Amtsfunktion. Paulus denkt theologisch komplexer; er schaut diese mit hinein in das Ganze der sich selbst regulierenden pneumatischen Gnadengaben. Das moderne Entweder-Oder zwischen Amt und Charisma ist gänzlich unpaulinisch" (263 A. 149). Das bedeutet dann im Endeffekt: „Die Selbstidentität der nachapostolischen Kirche mit der der Apostelzeit verlangt, daß es auch in nachapostolischer Zeit im Heiligen Geist *allezeit ein lebendiges Applikationsprinzip* gibt, *wie die apostolische Kirche ein solches in dem Charisma der Apostel hatte"* (265; Unterstreichung von mir).

1. Mit Recht läßt Schürmann Paulus den Apostolat nicht in dem von J. Hainz verstandenen Sinn als „Ursprung" der gemeindlichen Funktionen und Ämter betrachten, da für ihn auch der Apostel in das pneumatische Ordnungsgefüge der Gnadengaben eingeordnet ist. Doch hat der Apostolat auch für unseren Autor überragende Bedeutung. Denn er läßt denselben als das gewissermaßen alle anderen Gnadengaben zusammenfassende Charisma und insofern – auf der menschlichen Ebene – als ein den anderen Charismen übergeordnetes Ordnungsprinzip begreifen. Da Paulus in der 1 Kor 12, 28 vorangestellten Trias „Apostel" in seinem strikten Sinne verstehen dürfte[49], braucht nicht bezweifelt zu werden, daß er, für den sein Apostolat χάρις, gnadenhafte Berufung ist (Röm 1, 5), diesen Apostolat zu den Charismen zählt, und zwar demselben vorrangige Bedeutung beimißt. Die Nichterwähnung von „Aposteln" in Röm 12, 6 – 8 wie auch in 1 Kor 14, 26 – 30 braucht nicht dagegen zu sprechen. Sie läßt sich schon daraus erklären, daß Paulus hier jeweils die innerhalb einer Gemeinde vorhandenen und möglichen Gnadengaben im Auge hat. Zudem hat Schürmann sodann gut belegt, daß Paulus alle Gnadengaben auch selbst vorweisen kann und der Apostolat für ihn „nicht nur die erste [Gnadengabe] (ist), sondern der Inbegriff von allem, was *Sendung* und *Begabung* im Neuen Bund heißt" (245 f.). Mit der Berufung auf das ordnende und leitende Wort des Apostels wird deshalb gewiß ein unanfechtbarer Ausgangs-

---

[49] Im Unterschied zu dem Apostelbegriff, der für die vorpaulinische, wahrscheinlich aus Antiochia stammende Trias anzunehmen ist: vgl. H. MERKLEIN, Amt 278.

punkt in die Debatte geworfen. Und es wäre bedenklich, wenn man die Diskussion vorweg abschneiden wollte mit dem Argument, die Idee eines mit dem apostolischen Charisma gegebenen Ordnungsprinzips und dessen bleibender Geltung sei schon deshalb zur Bedeutungslosigkeit verurteilt, weil sich das paulinische Idealbild einer christlichen Gemeinde ja gar nicht durchsetzte, weil dasselbe – um eine Formulierung von J. Herten aufzugreifen – „in der Kirchengeschichte – von den Ausnahmen kleiner Gruppen und Basisgemeinden abgesehen – Theorie (blieb), erstarrt in immer wieder erneuerter bewundernder Verehrung"[50]. Abgesehen davon, daß die Enwicklung keineswegs abrupt verlief und jenes Idealbild in der zweiten Generation immerhin noch wirksam blieb, ist jedenfalls zunächst die Frage ernst zu nehmen, wie sich das Phänomen „charismatische Gemeinde" in der Sicht des Apostels selbst darstellt.

2. „Pneumatische Ganzheit und Einheit, deren Lebensprinzip Christus ist, läßt sich besser beschwören als verwirklichen"[51]. Dieses Urteil eines Paulusinterpreten, der wahrhaftig Herz und Sinn für Botschaft und Wirken des Apostels hat, scheint eben auch dieser selbst im voraus bestätigen zu müssen. Wären die Korinther von sich aus, d. h. aufgrund des Geistes als „des organisierenden Prinzips der christlichen Gemeinde,"[52] zur Beseitigung der vom Apostel gerügten Mißstände gekommen? Hätten sie z. B. im Falle des Blutschänders von sich aus die vom Apostel verfügte Folgerung gezogen? Wäre die Gemeinde oder auch irgendwie führende Gemeindeglieder aus eigener Initiative dazu gekommen, dem dortigen enthusiastischen Individualismus, jener die Einheit der Gemeinde gefährdenden Überschätzung der ekstatischen Glossolalie restringierend entgegenzutreten? Niemand wird diese Fragen mit gutem Gewissen bejahen wollen. Wenn man zugeben muß, daß Paulus sehr bestimmt mit Anordnungen und Entscheidungen, die „durchaus rechtlichen"[53] oder doch „mehr ‚rechtlichen'"[54] Charakter haben, in die Gemeinden und ihre Ordnungsfragen eingreift, und zwar – soviel wir sehen können – ohne daß ihm diese Befugnis bestritten wird, ist gewiß mit Fug und Recht vom apostolischen Charisma als „Ordnungsprinzip" die Rede.

Genau an diesem Punkt stellt sich die entscheidende, im Grunde alte Streitfrage. Wie ist das Eingreifen des Apostels näherhin zu bewerten? Geht Paulus von der prinzipiellen Suffizienz der charismatischen Begabung seiner Gemeinden aus, so daß er sein Eingreifen in die innere Ordnung einer Gemeinde als subsidiäre Akte versteht, durch die er den jungen, mehr oder weniger noch werdenden Gemeinden zu voller Funktionsfähigkeit verhelfen will? Oder geht es nach paulinischem Verständnis um ungleich mehr? Ist das apostolische Charisma für ihn nicht nur die selbstverständliche Voraussetzung seines fundamentlegenden, gemeindegründenden Wirkens, sondern auch im Hinblick auf die bestehenden Gemeinden ein konstitutives Ordnungsprinzip, so daß es

---

[50] Charisma, in: J. Hainz, Kirche 89.

[51] E. Käsemann, Römer 327.

[52] H. von Campenhausen, Amt 22.

[53] G. Bornkamm, Paulus 189.

[54] K. Kertelge, Gemeinde 112.

dem charismatischen Ordnungsgefüge wesensgemäß ist, wenn es zum vollen Funktionieren der gemeindlichen Lebensvollzüge des Eingreifens des in gewissem Sinne vor- und übergeordneten Charismas des Apostels bedarf? Man darf sich die Entscheidung nicht leicht machen. Gerade auch an einem Punkt wie diesem müssen wir mit dem fragmentarischen und okkasionellen Charakter der Äußerungen des Apostels rechnen. Sodann lassen sich immerhin für jede der beiden Möglichkeiten Argumente ins Feld führen.

Es mag nicht unnütz sein, folgende Erwägung voranzustellen: Situationen, die das Entscheidungs- und Ordnungsvermögen einer Gemeinde zu überfordern scheinen und das Eingreifen des Apostels − ob nun in dem einen oder in dem anderen Sinne − erforderten, mag es nicht nur in Korinth gegeben haben. Nun entscheidet aber doch erst die Bewährung in kritischen Situationen über den Wert einer gesellschaftlichen Struktur, also auch im Falle der christlichen Gemeinde. Muß Paulus deshalb nicht selber zur Reflexion über die Tragfähigkeit des Leitbildes seiner Gemeinden gedrängt worden sein? Muß er sich nicht wenigstens angesichts der Möglichkeit seiner Verurteilung, eines vorzeitigen gewaltsamen Todes Gedanken gemacht haben, wer nach seinem Tod die von ihm wahrgenommene Funktion des Ordnungsprinzips zu übernehmen habe? In der Konsequenz der Hypothese von dem alle anderen, eben auch die kerygmatischen und kybernetischen Charismen umfassenden und regulierenden Charisma des Apostels läge eigentlich die Bestellung *eines* für die paulinischen Gemeinden Verantwortlichen, allenfalls noch die Beauftragung Einzelner, sei es je für einen bestimmten Bereich von Gemeinden, sei es gar für jede Ortsgemeinde. Diese Erwägung ist naturgemäß nur in dem Grad sinnvoll, als dieser Vorgang oder wenigstens die Realisierung einer diesbezüglichen Intention des Apostels auch nur mit größerer oder geringerer Wahrscheinlichkeit aus der nachpaulinischen Entwicklung erschlossen werden kann. Das ist aber anerkanntermaßen nicht der Fall. Dazu kommt ein weiterer Aspekt. Insofern mit dem Festhalten des Apostels an der Naherwartung − nachweislich bis zum Römerbrief[55] − zu rechnen ist, muß zumindest offen bleiben, ob sich Paulus überhaupt je ernstlich zur Besinnung auf die nach seinem Tod bzw. nach der eventuell gewaltsamen Beendigung seines Wirkens fortdauernde Existenz seiner Gemeinden und deren Schicksal gedrängt sah. Daß sich Paulus selbst je zu dieser Reflexion und gar zu entsprechenden Konsequenzen veranlaß sah, wird gerade auch von Schürmann nicht im geringsten behauptet, wie seine überaus vorsichtigen Formulierungen (s. u.) auch indirekt bestätigen.

Auch wenn wir den Gesichtspunkt der möglichen Sorge Pauli um seine ihn überlebenden Gemeinden außer Betracht lassen und den Apostel auf die Gegenwart und die nächste Zukunft blicken lassen, wird man zunächst auch Röm 12, 4 − 8 nicht übersehen dürfen. Diese Verse sprechen sicher eher gegen als für die Annahme, Paulus habe die Möglichkeit des Einsatzes des apostolischen Charismas zur Sicherung der innergemeindlichen Ordnung als ein prinzipielles Erfordernis betrachtet; jedenfalls dann, wenn wir den Apostel nicht völlig gedankenlos der römischen Gemeinde das charismatische Gemeinde-

---

[55] A. Vögtle, Röm 13, 11 − 14 und die „Nah"-Erwartung, s. jetzt oben S. 191 − 203.

konzept zumuten lassen. Wer soll in eventuellen Notfällen dieser Gemeinde nach paulinischem Beispiel das apostolische Charisma, auch nur subsidär, zum Einsatz bringen? Ganz abgesehen davon, daß Röm 12, 6 – 8 der Apostolat nicht genannt wird, berechtigt nichts zur Annahme, Paulus habe zum Zeitpunkt der Abfassung des Briefes damit gerechnet, daß auch in Rom ein Apostel, wie er es ist, einspringen könnte. Auch wenn die lange Grußliste 16, 3 ff. wahrscheinlich nicht zum Röm gehört, wäre die Vermutung, Paulus setze die Anwesenheit des Petrus voraus, nicht zu begründen. Und schon gar nicht hat er die Absicht, nach seiner Ankunft in Rom sich selbst als apostolischen Ordnungsfaktor zur Geltung zu bringen. Trotzdem setzt er für die römische Gemeinde die charismatische Struktur voraus, ohne etwa auch nur eines der genannten Charismen im geringsten als vorrangig erkennen zu lassen.

Blicken wir dann also auf die von ihm selbst gegründeten Gemeinden. Für einen monarchischen Episkopat – sagt man – sei „vermutlich schon deshalb kein Raum" gewesen, weil „die Gemeindeleitung im strengen Sinn der Apostel selbst beansprucht, wenn auch nur gelegentlich durch Besuche oder Briefe ausgeübt haben (wird)"[56]. Oder nach einer Formulierung von J. Ernst war in der grundlegenden Epoche der apostolischen Zeit „kein Raum . . . für eine gegliederte und aufgeteilte Verantwortung. Das Berufungs- und Sendungsbewußtsein des Paulus ließ keine gleichberechtigten Partner zu". So habe es auch in der Gemeinde von Philippi neben der Autorität des Paulus „keine konkurrierenden Ämter" gegeben[57]. Warum soll eigentlich zu Lebzeiten Pauli noch kein Raum für eine aufgeteilte Verantwortung gewesen sein? Ist das wirklich völlig evident? Der Apostel war doch sicher, wie in der Diskussion immer wieder mit Recht betont wird, an einem geordneten Leben seiner Gemeinden interessiert; und ein Minimum „de souci pratique" darf man ihm doch auch zutrauen[58]. Insofern könnte man durchaus erwarten, daß er in seinen Gemeinden für die – doch als Normalfall vorauszusetzende – Zeit seiner Abwesenheit wenn nicht einen einzelnen so doch ein kleineres Gremium mit gewissen Ordnungsvollmachten betraute und diese konsequenterweise dann in seinen Briefen auch auf ihre Verantwortlichkeiten anspricht. So sinnvoll diese Erwartung an sich ist, muß man ihr eben doch die schon unzählige Male ausgesprochene Beobachtung entgegenhalten, daß sich jener Schritt nicht belegen oder auch nur einigermaßen wahrscheinlich machen läßt – auch nicht mit Hilfe gewisser Stellen, an denen Paulus „am Rande" um Achtung und Gehorsam gegenüber irgendwie fürsorgenden und ordnenden Gemeindegliedern wirbt (besonders 1 Kor 16, 15 f.). Warum eigentlich dieser „negative" Befund? Warum äußert sich Paulus, was das praktische Funktionieren der Gemeinden betrifft, mehr über das „principe d'animation" als über die „organes des fonctionnement" – wie auch Autoren[59] einräumen, die die Initiative des Apostels ja nicht unterschätzt haben wollen? Erklärt sich das eben nicht am ungezwungensten dar-

[56] J. Hainz, Die Anfänge, in: Kirche 105.
[57] Von der Ortsgemeinde, in: J. Hainz, Kirche 125 f.
[58] P. Grelot, Sur l'origine des ministères dans les églises pauliniennes: Istina 16 (1971) 457. 468.
[59] Vgl. P. Grelot a.a.O. 455.

aus, daß Paulus die Ermöglichung eines geordneten Gemeindelebens vom Zusammenwirken der Gnadengaben erwartet, deshalb die Adressaten „immer nur aufruft, den Geist durch den Glauben wirksam werden zu lassen und sein Wirken aufzunehmen . . ."[60], und die Gemeinde jeweils als Ganzes auf ihre Verantwortung hin anspricht?[61] Und ist es eben doch nicht zufällig, daß Paulus dort, wo er von den Verschiedenheiten der χαρίσματα = διακονίαι = ἐνεργήματα spricht, wohl von ein und demselben Geist, Herrn und Gott spricht (1 Kor 12, 4 – 6), ohne bei solcher Gelegenheit aber etwa auf die regulierende Funktion seines apostolischen Charismas hinzuweisen?

Wenn dem so ist, bleibt freilich nicht weniger, ja, wenn man so will, erst recht die Frage bestehen, warum und wozu der Apostel dann in Einzelfällen mit seinem entscheidenden Wort eingreift. Daß er sich dazu ermächtigt sehen konnte, steht außer Zweifel. Er spricht ja unmißverständlich von seiner ἐξουσία als Apostel (vgl. 2 Kor 10, 8; 13, 1) und setzt die Erteilung von Weisungen als offenbar selbstverständliches apostolisches Recht voraus (z. B. 1 Kor 7, 17; 16, 1). Und wo die Gültigkeit seines Evangeliums auf dem Spiel steht, nimmt er seine apostolische Autorität unbedingt wahr (Gal 3 – 5; 2 Kor 10 – 13). Es ist völlig einleuchtend, daß Paulus als unmittelbar von Christus selbst berufener Apostel normativer Garant des Evangeliums ist und daß seine apostolische Vollmacht „auch Gemeindeordnung und Leitungsfunktion" umfaßt. Weil bei Paulus Evangelium und Apostolat in der Offenbarung Jesu Christi unauflöslich verkoppelt sind, „muß Paulus" – wie H. Merklein weiter argumentiert – „auch als *Apostel* absolute Autorität sein" und „tritt er als *Apostel* seiner Gemeinden in absoluter Autorität" gegenüber[62]. Trotzdem fragt es sich, ob damit schon alles gesagt ist. Gerade bei Paulus ist das Autoritätsproblem „neu und bis an die Grenze der Paradoxie reflektiert (1 Kor 9, 13ff.; 2 Kor 11, 7ff.)", was ihn die Blicke „von sich weg auf Christus wenden läßt"[63]. Er kennt doch den erhöhten Herrn und den Geist als höchste, ihm selbst wie allen Gläubigen übergeordnete Autoritäten. Im Hinblick auf das tadelnde und verordnende Eingreifen des Apostels in die Gemeindeordnung kann deshalb der entscheidende Gesichtspunkt nur der sein, wie er den Einsatz seiner apostolischen Autorität versteht. Versteht er denselben wirklich als einen Akt, der für die Struktur der charismatischen Gemeinde konstitutiv ist und insofern nicht einem strukturwidrig defizitären Verhalten der Gemeinde,

---

[60] L. Goppelt, Die apostolische und nachapostolische Zeit (KIG, 1A) (Göttingen ²1966) 135.

[61] Das wird eben auch von J. Ernst befürwortet, wenn er in Verbindung mit den oben zitierten Sätzen bezüglich der Gemeinde von Philippi und der paulinischen Anfangsgemeinden insgesamt erklärt: „Das eigentliche Kennzeichen ist die Spontaneität, die ihre einzige Begründung in der lebendigen Erfahrung des Heiligen Geistes hat. Paulus spricht von der ‚κοινωνία πνεύματος‘ (2, 1), die Hand in Hand geht mit ‚Ermahnung in Christus‘, ‚Zuspruch aus Liebe‘, ‚Zuneigung und Erbarmen‘": Von der Ortsgemeinde, in: J. Hainz, Kirche 126.

[62] Amt 293 – 302; vgl. noch zugespitzter 306: Im Verständnis Pauli werde „der Apostelbegriff – wie das Evangelium selbst – zur Norm jeden Charismas in der Kirche".

[63] „Da er den gekreuzigten Christus als die Rechtfertigung der Gottlosen predigt, kann die Autorität des Apostels gerade darin deutlich werden, daß er als der in Ohnmacht und Schwachheit Vollmächtige, als der im Leiden Erhaltene und als der unverdientermaßen Begnadete die Blicke von sich weg auf Christus wendet (2. Kor 12, 9f.)": P. Stuhlmacher, Evangelium 34f.

besonders etwa der mit den Charismen der Verkündigung, Lehre und Leitung beschenkten Gemeindeglieder angelastet werden kann?

3. Die Bejahung dieser Frage erscheint zumindest sehr riskant. Bezeichnend ist doch wohl schon der Gesichtspunkt einer gegenseitigen Kontrolle der Dienste (vgl. 1 Kor 14, 20), einer Art Kontrolle durch die ganze Gemeinde (1 Thess 5, 20f.)[64]. Die seinerzeit besonders nachdrücklich von H. von Campenhausen vertretene Auffassung läßt sich m. E. nicht leicht abtun. Der Apostel sehe auch die Freiheit der Gemeinde, und diese „Freiheit ist immer schon da und verlangt Anerkennung"; denn die Gemeinde ist „unmittelbar Christus selbst unterstellt". Der Apostel „schafft nicht selbst die Norm, der dann ohne weiteres zu gehorchen wäre, sondern die Gemeinde derer, die den Geist haben, muß ihm vielmehr in Freiheit folgen, und auf diese Freiheit hin spricht er sie an"[65]. Obwohl Paulus aufgrund seiner einzigartigen Vollmacht als „berufener Apostel Jesu Christi" (1 Kor 1, 1) eingreift, „ist er auf ‚sehenden', ‚verstehenden' Gehorsam aus und bleibt sein Ziel, trotz aller Enttäuschungen und Rückschläge, die er vor allem im Umgang mit den Korinthern hinnehmen muß, stets die Mündigkeit und Selbständigkeit der Gemeinde"[66]. Die Diskussion dieser Problematik hat besonders den 1 Kor zu berücksichtigen, der ja vor allem Beispiele für das Eingreifen des Apostels in Fragen der gemeindlichen Ordnung bietet[67]. Als Testfall figuriert vor allem der Ausschluß des Blutschänders 5, 1 ff., eine Stelle, bei der im einzelnen freilich „vieles dunkel und umstritten" bleibt[68]. Die Gemeinde muß durch den Geist selbst heilig gehalten werden. Aber wer hat in der Sicht Pauli als unmittelbares Organ des Geistes zu fungieren? Der vor und unabhängig von der Gemeinde entscheidende Apostel oder diese selbst? Zur Tragweite der vom Apostel in 1 Kor getroffenen Verordnungen und Entscheidungen, speziell der über den Ausschluß des Blutschänders, hat katholischerseits vor allem K. Kertelge Stellung bezogen. Paulus treffe in 1 Kor 5, 1 – 5 in Sachen des Blutschänders eine Entscheidung, deren Übernahme durch die korinthische Gemeindeversammlung er erwartet. „Paulus nimmt hier das Urteil der Gemeinde vorweg, das schon längst in ihrer Mitte – wohl von ihren Propheten, durch die die Stimme des in der Gemeinde wirkenden Geistes zu Gehör kommt – hätte gefällt werden sollen. Er nimmt also zusammen mit der Gemeinde und auch schon im voraus zu ihr eine rechtliche Funktion wahr, die nicht in Gegensatz zum Charisma tritt, sondern dieses gerade in

---

[64] So auch A. LEMAIRE, Les épîtres de Paul, in: J. Delorme, Ministère 68f.   [65] Amt 50f.

[66] A. M. RITTER – G. LEICH, Wer ist die Kirche? (Göttingen 1968) 32, mit weiterer Literatur.

[67] Der augenfälligste Beleg dafür, daß sich in der Auffassung des Paulus ein Prophet oder Geistbegabter seiner – in diesem Fall zugleich durch ein Gebot des Herrn begründeten – Entscheidung fügen muß, nämlich 1 Kor 14, 37f., entfällt, weil es sich, wie zuletzt G. DAUTZENBERG endgültig nachgewiesen haben dürfte, um eine nachpaulinische Interpolation handelt (Tradition, paulinische Bearbeitung und Redaktion in 1 Kor 14, 26–40, in: Tradition und Gegenwart [Festschr. für E. Schering] [Frankfurt a. M. 1974] 17–29).

Der interpolatorische Charakter des (absoluten) Schweigegebotes für die Frauen bestätigt nach Dautzenberg nicht nur, daß die in nachapostolischer Zeit noch wirkenden Pneumatiker und Propheten und Prophetinnen bereits irgendwie suspekt wurden, sondern auch, daß für Paulus selbst „der Geist . . . die eigentliche Autorität der Gemeinde (war)": a.a.O. 27.

[68] O. KUSS, Paulus (Regensburg 1971) 126 A. 1.

einem besonderen Fall konkretisiert und aktualisiert. Was Paulus in diesen Fällen und auch bei seinen Anordnungen zum Phänomen des Zungenredens (12 – 14) in Anspruch nimmt, ist nicht ein außerhalb des Charisma liegendes Disziplinarrecht, das man gelegentlich gerne in besonderer Weise der apostolischen Autorität auch schon des Paulus zuschreiben möchte, sondern es ist, wie gerade 1 Kor 5, 4 f. deutlich zeigt, das ‚durch Charismatiker vermittelte eschatolische Gottesrecht‘, das Paulus hier subsidiär ausübt, wie überhaupt jede rechtliche Machtausübung in der Gemeinde subsidiären Charakter hat."[69] In der gleichen Richtung äußern sich unter anderen Autoren[70] auch F. Hahn[71] und G. Bornkamm: „Wohl kann Paulus in extremen Fällen die Gemeinde an ihre vom Geist gegebene disziplinarische Pflicht und Vollmacht – bis hin zum Ausschluß notorischer Frevler – erinnern (1 Kor 5, 3 ff.) . . ."[72] Wenn man die korinthischen Verhältnisse nicht als Normalfall einer paulinischen Gemeinde anzusehen hat und diesen „Sonderfall" etwa dahin kennzeichnen will, daß der „Ablösungsprozeß", an dessen Ende die „Mündigkeit" der Gemeinde zu stehen hätte, hier noch nicht begonnen hat bzw. auf ein falsches Gleis zu geraten drohte[73], dürfte die Hypothese vom „subsidiären" Charakter des ordnenden und entscheidenden Eingreifens Pauli in die innere Ordnung einer Gemeinde der Wirklichkeit doch am nächsten kommen. Paulus würde in diesem Fall jeder Gemeinde die prinzipielle Fähigkeit, durch das Zusammenspiel ihrer charismatischen Begabungen auch mit auftretenden Schwierigkeiten fertig zu werden, zuschreiben und mit seinem eigenen Eingreifen auf dieses Ideal voller Funktionsfähigkeit hinwirken wollen[74].

4. Die unterschiedlichen Konsequenzen ergeben sich von selbst. Wird die eben genannte Subsidiaritätshypothese akzeptiert, so mag man zwar auch für die nachapostolische Zeit eine lebendige regulierende und applizierende Instanz, als die Paulus, wenigstens in „Notfällen", in Funktion trat, als wünschenswert, ja als praktisch notwendig erachten. Von einer „prinzipiellen" Notwendigkeit könnte in diesem Fall aber nicht die Rede sein. Anders, wenn Paulus den möglichen Einsatz seines apostolischen Charismas als ein für die Wahrung und eventuelle Wiederherstellung der inneren Ordnung einer Gemeinde konstitutives Ordnungsprinzip angesehen hätte, dessen Grenze erst „dort gegeben ist, wo die Ordnung nicht mehr aus dem geoffenbarten Evange-

---

[69] Gemeinde 113; vgl. auch 115: „Am ‚ordnenden Wort des Apostels‘ besteht kein Zweifel. Aber es ist nicht der absolute Ausdruck der Wahrnehmung des ‚pneumatischen Regulativs‘ in der Gemeinde; es absorbiert nicht die übrigen ‚Worte‘ der gegenseitigen Belehrung und Ermahnung (vgl. Röm 12, 7 f.), sondern hilft diesen auf und aus".

[70] A. JAUBERT, Les épîtres de Paul: Le fait communautaire, in: J. Delorme, Ministère 18 f.; A. LEMAIRE, Les épîtres de Paul: La diversité des ministères, a.a.O. 64. J. HERTEN, Charisma, in: J. HAINZ, Kirche 80 – 90.

[71] Paulus könne „den Apostolat unter die Gemeindeämter einordnen, da es ihm auch sonst um die Selbständigkeit und Selbstverantwortung der Gemeinden geht": Das Amtsverständnis im Neuen Testament, in: Pfälzisches Pfarrerblatt 61 (1970) 3.

[72] Paulus 190.   [73] J. ROLOFF, Apostolat 134.

[74] Vgl. auch E. KÄSEMANN zum Charismenabschnitt Röm 12: „Trotz aller sich schon meldenden Schwierigkeiten wird auf die einigende und leitende Macht des Geistes vertraut, aus der heraus auch der Apostel konkrete Anweisungen gibt": Römer 328.

lium deduziert werden kann"[75]. In diesem Fall wäre durch das paulinische Gemeindekonzept selbst die Stellung und Beantwortung der Frage gefordert, wer in der nachapostolischen Zeit anstelle des Apostels die dem apostolischen Charisma entsprechende Ordnungs- und Leitungsvollmacht ausüben soll. Insofern legt sich als nächster Schritt die Frage nahe, was die nachapostolische Entwicklung, so weit sie sich in unseren dürftigen Quellen widerspiegelt, in dieser Hinsicht zu erkennen gibt.

Wie von einem Autor vom Format Schürmanns nicht anders zu erwarten, läßt er es – im Gegensatz zu vielfach recht kurzschlüssigen Redeweisen von der weitergehenden Wahrnehmung der apostolischen Vollmacht – an jeder nur wünschenswerten Vorsicht nicht fehlen. So sehr ihm an der Idee liegt, „daß die nachapostolische Kirchenordnung" – die ohnedies anders aussehen müsse als eine noch durch das allumfassende apostolische Charisma bestimmte (253) – „eine Entfaltung der apostolischen ist und nur zu akzentuierter Ausreifung bringt, was in dieser schon keimhaft grundgelegt war" (265), wird die Existenz eines allzeitigen lebendigen Applikationsprinzips in der nachapostolischen Zeit ihm zufolge von „der Selbstidentität der nachapostolischen Kirche mit der der Apostelzeit verlangt" (265). Er beruft sich also keineswegs kurzerhand auf die faktische nachapostolische Existenz eines dem apostolischen Charisma entsprechenden lebendigen Applikationsprinzips. Er statuiert vielmehr ein Postulat und gibt auch die Schwierigkeiten zu verstehen, vor die sich der Versuch des Nachweises der Realisierung jenes Postulates in der nachpaulinischen Generation gestellt sieht, wenn er im unmittelbar folgenden Satz die normative Geltung des neutestamentlichen Kanons in Rechnung stellt: „Und wer den Kanon der neutestamentlichen Schriften nicht antastet, wird als Exeget auch für die nachapostolische Kirche in apostolischer Nachfolge stehende, ordnende Ämter anerkennen müssen" (265).

Es sei versucht, die von unserem Autor aufgeworfene Problematik, deren Einzeldiskussion ohnedies das eigentliche Anliegen seines Beitrags[76] überschritten hätte, wenigstens für eine Teilstrecke des abzuschreitenden Weges aufzunehmen und zu beleuchten.[77]

---

[75] H. Merklein, Amt 303.

[76] Diesem geht es um die betonte Konsequenz, daß alle „Leitungsgewalt" der Kirche „immer eingebettet (bleibt) in ein umfassenderes pneumatisches Geschehen, durch das der Herr seine Kirche auf mannigfache Weise durch die verschiedenen Gaben und Anregungen selbst leitet (wie uns das die Überraschungen des II. Vatikanischen Konzils unvergeßlich vor Augen gestellt haben)": 266. 265–267.

[77] Ein dem apostolischen Charisma entsprechendes Ordnungsprinzip für die paulinischen Gemeinden würde sinnvollerweise wenn schon nicht *einen* übergemeindlichen Funktionsträger so doch eine personal bestimmte und eindeutig abgrenzbare Gruppe von Funktionsträgern in den einzelnen Gemeinden erfordern. Die Voraussetzung für die Erfüllung dieser Forderung hätte schon zu Lebzeiten Pauli bestanden, wenn seine Gemeinden Presbyterkollegien gehabt hätten, was H. Schürmann zunächst für wahrscheinlich hielt (Testament 331). Inzwischen räumte auch er der Sache nach ein, daß die Existenz der presbyteralen Verfassung in den paulinischen Gemeinden nicht nur „weithin verborgen" bleibt (a.a.O. 331 f. A. 120), sondern sich als solche noch nicht anzeigt. In seiner letzten Bearbeitung des Beitrags „Die geistlichen Gnadengaben" sagt er deshalb nur, in den „Leitungsdiensten" von 1 Kor 12, 28, den „Vorstehenden" von Röm 12, 8 und 1 Thess 5, 12 sowie an Stellen wie 1 Kor 16, 15 f.; Röm 16, 5; Phil 1, 1 gebe „sich so etwas wie eine ‚Prä-

V

Als nicht leicht zu überschätzendes Moment ist zuvörderst *das Faktum paulinischer Pseudepigraphie* zu beachten. Die umstrittene Frage, welcher Brief das erste und älteste Beispiel dieser Art ist, muß hier auf sich beruhen bleiben. Es genügt hier, von dem fast allgemein als deuteropaulinisch anerkannten Eph auszugehen[78], der für das Ende der ersten nachpaulinischen Generation eine auffallend eigenständige Entwicklung ekklesialer Funktionen bezeugt, deshalb aber gewiß nicht weniger Interesse beanspruchen darf. Nach nächstliegender Annahme war sein Verfasser selbst einer der Lehrer, deren Existenz er nach 4, 11 in den Gemeinden voraussetzt. Unbestreitbar statuiert und praktiziert er das Prinzip der Kontinuität und der Sukzession in der Verkündigung und Auslegung der apostolischen Lehre. Man kann H. Merklein sehr wohl beipflichten: bestes Beispiel dafür, daß die Ämter der nachapostolischen Gegenwart wie die Kirche als solche auf die Norm des Apostolischen verwiesen sind, sei „der Verfasser des Eph, der – selbst ein Lehrer (und Hirte?) – seine Lehre als ,apostolische' Lehre ausweisen muß, was er durch Pseudonymität bewerkstelligt" (395; vgl. auch 355. 397). Daraus wird aber schwerlich die richtige Folgerung gezogen, wenn darüber hinaus behauptet wird, die Pseudonymität sei ihrerseits „Zeichen für den amtlichen Charakter und Anspruch, mit dem der Verfasser als Verkünder auftritt" (231). Oder sogar – wie Merklein in seinem abschließenden „Ausblick" sagt – : Die Ansicht, „daß das Lehramt (konkret die Bischöfe) in der Nachfolge der Apostel stehe, wird hinsichtlich ihres theologischen Gehaltes durch zwei Beobachtungen dieser Untersuchung gestützt. Einmal zeigt die Pseudonymität des Eph, daß das je gegenwärtige Lehramt in der Verkündigung des apostolischen Evangeliums mit apostolischer Autorität aufzutreten berechtigt ist. Zum anderen konnte als Motiv und Kriterium der institutionellen Ausprägung des nachapostolischen Amtes die Norm des Apostolischen ausgewiesen werden" (400).

Was das erste Argument betrifft, belegt die Pseudonymität des Eph wohl die Überzeugung, daß jedes lehrende und ordnende Wort in der nachapostolischen Zeit am aspostolischen Evangelium ausgerichtet sein muß. Daß die 4, 11 genannten Lehrer darüber hinaus „mit apostolischer Autorität" aufzutreten

---

struktur' des Presbyteramtes zu erkennen" (Gnadengaben 258 A. 123). Gegenüber H. MERKLEIN, der im Interesse einer möglichst geradlinigen Entwicklung die ποιμένες von Eph 4, 11 als Wechselbezeichnung für ἐπίσκοποι, d. i. „für die leitenden (und lehrenden) Männer in der Gemeinde" erklärt und die Stunde der Presbyter erst um die Jahrhundertwende gekommen sieht, als nämlich die im kleinasiatischen Raum verbreitete „Episkopen"-Verfassung von der „Presbyter"-Verfassung überlagert worden sei (Amt 385 f.), wird SCHÜRMANN sicher mehr Zustimmung erhalten, insofern er das in einem wohl fließenden Übergang erfolgende Eindringen des Presbyterinstituts in Gemeinden des paulinischen Missionsbereichs näher an Paulus heranrückt. Apg 20; 1 Petr 5 und 1 Clem (Korinth!) fordern nun einmal den Schluß, daß sich das Presbyterinstitut schon im Laufe der ersten nachpaulinischen Generation durchsetzte.

[78] Zu einem guten Stück gewinnt die Kontroverse um die Verfasserschaft des Eph ihren Impuls aus der im Hintergrund aufscheinenden theologischen Sachproblematik („Frühkatholizismus"). Darauf verwies jüngst treffend H.-J. KLAUCK (Das Amt in der Kirche nach Eph 4, 1 – 16: Wissenschaft und Weisheit 36 [1973] 81 – 110), der selbst auch zum zwingenden Schluß kommt, daß der Eph nicht von Paulus selbst stammt (84 – 86).

berechtigt sind, belegt die Pseudonymität gerade nicht. Der Verfasser verbirgt sich nun einmal völlig hinter der Person und Autorität des Apostels Paulus.[79] Und das bedeutet doch wohl: Seine Position als Lehrer ist offenbar nicht so qualifiziert, daß er es wagt, aufgrund seiner Amtsstellung oder auch mit Berufung auf eine Mehrzahl solcher Lehrer (und Hirten) wie Paulus selbst das Christusgeheimnis auf die Gegenwart hin zu verkünden und auszulegen. Das hätte er doch eigentlich tun können, ja müssen, wenn er das Bewußtsein gehabt hätte, „in der Verkündigung des Evangeliums mit apostolischer Autorität" auftreten zu können. So sehr gerade auch im Hinblick auf ein schon in der altbiblischen Welt verbreitetes und im Urchristentum weiterwirkendes Wahrheitsverständnis[80] die Verwendung der Pseudepigraphie, in diesem Fall die fiktive Beanspruchung des Apostels Paulus, als gut begreiflich gelten kann, darf man diesen Umstand doch nicht zu einer baren Selbstverständlichkeit herunterspielen, als ob es ebensogut möglich gewesen wäre, daß sich gegen Ende der ersten nachpaulinischen Generation ein kirchlicher Amtsträger oder auch eine Gruppe solcher unter eigenem Namen mit einem Lehrschreiben an eine Gemeinde bzw. an Gemeinden gewandt hätte.

VI

Wenden wir uns sodann den einschlägigen Aussagen des *Eph* selbst zu.

Wie unter anderen neueren Autoren[81] besonders H.-J. Klauck[82] und J. Herten[83] herausgestellt haben, wurden im Eph „wenigstens äußerlich Rahmen, Idee und Intention des von Paulus entworfenen Modells beibehalten . . ."[84]. Statt der restriktiven Interpretation von 4, 7 („Einem jeden von uns")[85] befürworten sie mit guten Gründen die Auslegung, daß der Verfasser mit diesem Vers zwar auch schon auf die in V. 11 hervorgehobenen Dienste vorausblickt, jedoch nicht nur diese, sondern die Gläubigen insgesamt im Auge hat[86]. Nachdem er die Einheit der Kirche betont und theologisch begründet hat, liegt ihm daran, daß diese Einheit zugleich in der Vielgestalt individueller Aktivitäten zum Ausdruck kommen müsse; „jeder einzelne Teil" des Leibes kann und soll nach dem ihm geschenkten „Maß" zum Wachstum des Leibes Christi beitragen (4, 16). Die hauptsächlichsten Unterschiede zu den paulinischen Charismenlisten sind auf den ersten Blick ersichtlich. Die in 3, 5 als Offenbarungs-

---

[79] Das betonte Interesse an der Autorität des Apostels dürfte der Verfasser in der Tat auch damit verraten, daß er entgegen seiner Vorlage (Kol 1, 1) Timotheus nicht in sein Präskript aufnimmt: H. MERKLEIN, Amt 334.

[80] Nämlich das „sehr schlicht gedachte Argument", daß alle relevante Wahrheit „schon am Anfang in ihrem ganzen Umfang" mitgeteilt wurde und in ihrem integren Bestand zu überliefern ist: N. BROX, Falsche Verfasserangaben zur Erklärung der frühchristlichen Pseudepigraphie (SBS 79) (Stuttgart 1975) 118 f.

[81] Z. B. J. GNILKA, Epheserbrief 205 – 214, und J. ERNST, Philipper 350 – 356.

[82] Vgl. den o. Anm. 78 zitierten Aufsatz.

[83] Charisma, in: J. HAINZ, Kirche 84 f.   [84] J. HERTEN a.a.O. 85.

[85] So z. B. H. SCHLIER, Der Brief an die Epheser (Düsseldorf 1975) 191; H. MERKLEIN, Amt 61 f.

[86] Vgl. auch F. HAHN in seiner nachträglich erschienenen Rezension von H. Merkleins Band: ThR 41 (1976) 17.

empfänger gekennzeichneten „Apostel und Propheten" werden zugleich als Fundament der Kirche bezeichnet (2, 20). Sie sind also, wie auch fast allgemein anerkannt wird, als Größen der Vergangenheit verstanden, auf die der Verfasser zurückblickt. Außer ihnen werden in 4, 11 sodann als Gnadengaben Christi nicht mehr beliebig viele, sondern nur drei ausdrücklich genannt, nämlich die allem Anschein nach an bestimmte Personen gebundenen Dienste der Evangelisten, der Hirten und Lehrer. Diese werden gewiß mit Recht auf aktuelle, in der Gegenwart existente und tätige Größen gedeutet. Da die unter einen Artikel zusammengefaßten, also eng zusammengehörenden „Hirten und Lehrer"[87] für die Einzelgemeinden zu reklamieren sind, kommt ihnen im besonderen die Aufgabe zu, die Gläubigen für eine je eigenverantwortliche „Dienstleistung zum Aufbau des Leibes Christi" instandzusetzen und sie vor Unsicherheit, Irrtum und Verderbnis zu bewahren (4, 12 – 14). Dem ekklesialen Engagement und der Verantwortlichkeit aller Gemeindeglieder entspricht auch, daß sich die Ermahnungen an die Gesamtheit richten (4, 1 – 3. 22 – 5, 2; 5, 21; 6, 10). Insofern „die Hirten und Lehrer" als durch besondere Autorität und Verantwortung ausgezeichnete Charismenträger den übrigen Gemeindegliedern gegenüberstehen, wird man trotzdem mit J. Ernst sagen können, nach dem Eph überlasse die Kirche „die ihr gemäßen Funktionen nicht dem freien Charisma . . ."[88].

1. Für den unter dem Namen des Paulus schreibenden Verfasser des Eph steht, wie zutreffend beobachtet wurde, „die Gestalt des Paulus repräsentativ für ,die Apostel und Propheten' der ersten Generation"[89]. Trotzdem wird im Hinblick auf unsere Fragestellung nicht völlig ignoriert werden dürfen, daß neben den Aposteln auch die christlichen Propheten das Fundament der Kirche bilden, so daß vom Standpunkt des Eph eigentlich von der „apostolisch-prophetischen" Kirche zu reden wäre[90]. Die Bedeutung der Miterwähnung der Propheten läßt sich gewiß durch die Erwägung abschwächen, die Apostel seien „direkte", die Propheten hingegen nur „mittelbare", „pneumatische" Offenbarungsempfänger; deshalb könnten „Apostel und Propheten als eschatologische Offenbarungsempfänger (Traditionsnorm) nebeneinandergestellt werden, ohne daß der absolute Charakter des Apostolischen in Frage gestellt wird"[91]. Trotzdem bleibt der Eindruck bestehen, daß der Verfasser hinsichtlich der Fundamentfunktion nicht an einem exklusiven Privileg der Apostel interessiert ist. Bedeutsam ist zum zweiten jedenfalls, daß „die Apostel und Propheten" als Offenbarungsempfänger der Vergangenheit, dem Anfang der Kirche zugehören[92] und als solche „im Gegensatz zu anderen kirchlichen Institutionen – das Merkmal der Einmaligkeit und Unwiederholbarkeit" bekom-

---

[87] Beide Bezeichnungen wirken bereits technisch, sind aber wohl „in diesem Stadium noch keine ausgesprochenen Amtstitel, sondern Funktionsbezeichnungen": H. MERKLEIN, Amt 378.

[88] Von der Ortsgemeinde, in: J. Hainz, Kirche 130.

[89] K. KERTELGE, Gemeinde 132 f.

[90] Wie auch H. MERKLEIN einräumt: Amt 361.

[91] H. MERKLEIN, Amt 385 f.

[92] Nach J. ERNST sind – im Unterschied zu den Aposteln – die Propheten „keine Größen der Vergangenheit": Philipper 323.

men[93]. Das Bild vom Fundament ist sichtlich anders ausgerichtet als etwa bei der Kirchenbauverheißung Mt 16, 18 (19). Während diese auf eine besondere Qualifikation des Fundaments als „Fels" abhebt, der den unerschütterlichen Bestand des Baus zu sichern vermag, ist das hier und 1 Kor 3, 11 gebrauchte θεμέλιος einfach „der Baugrund, nicht der felsige, sondern der aus vier zusammenhängenden Mauerzügen bestehende, auf denen das übrige Gebäude aufruht". Die fundamentale Funktion „der Apostel und Propheten"[94] ist deshalb dahin zu präzisieren, daß diese als einstige Offenbarungsempfänger ein für allemal „dem Bau Richtung und Gestalt gegeben haben"[95]. Daraus darf man selbstverständlich als Auffassung des Verfassers erschließen, daß alle Späteren, die zum Bau der Kirche beizutragen haben, alle Gläubigen und die 4, 11 genannten drei aktuellen Dienste „Evangelisten, Hirten und Lehrer" im besonderen sich nach der fundamentalen, normierenden Christusverkündigung der Apostel und der Propheten zu richten haben. Aber auch nicht mehr! Der Gedanke einer Übertragung dieser Fundamentfunktion auf Nachfolgende liegt keinesfalls in der Konsequenz des hier verwendeten Bildes. Wollte man trotzdem von einer der fundamentalen Funktion der Apostel (und Propheten)" entsprechenden Instanz, vom „Lehramt der Gegenwart" als „Fortsetzung der apostolischen Autorität" sprechen[96], würde sich diese Instanz, diese „apostolische Autorität" nach 4, 11 übrigens auf zwei Gruppen aufteilen: auf „Evangelisten" = missionierende Wanderprediger einerseits und auf die den Ortsgemeinden zuzuordnenden „Hirten und Lehrer" andererseits. Diese Konsequenz ist vorweg zu bedenken gegenüber einer gleich zu nennenden Tendenz, im Endeffekt nur „die Hirten und Lehrer" als Repräsentanten des mit apostolischer Autorität ausgestatteten kirchlichen (Lehr- und Leitungs-)Amtes zu beanspruchen (s. u. 4).

2. Soweit sich dem Eph eine Reflexion und direkte Aussage zur Legitimation der ekklesialen Dienste der nachpaulinischen Zeit abgewinnen läßt, zielt diese eindeutig auf die Christusunmittelbarkeit aller Funktionsträger. Durch seine christologische Interpretation eines Psalmtextes hat der Verfasser zunächst die Vollmacht Christi, seiner Gemeinde Geschenke zu geben, abgesichert (4, 7 ff.), um dann in 4, 11 die für ihn wichtigsten Gaben ausdrücklich zu nennen: „Und eben dieser gab die einen als Apostel . . ." Sowohl die gegenüber 1 Kor 3, 10 f. neue Sehweise, der zufolge das Bild vom Baugrund auf die Apostel und Propheten als Offenbarungsempfänger angewandt wird, als auch die Inanspruchnahme paulinischer Verfasserschaft machen es voll begreiflich, daß er hier auch jene fundamentalen und fundamental bleibenden Größen der Vergangenheit nennt, und das natürlich an erster Stelle. Sein Hauptinteresse gilt in diesem Zusammenhang aber fraglos der Gegenwart: daß nämlich der erhöhte Herr auch für die nachapostolische Zeit die notwendigen Dienste erweckt. Und das bedeutet eben: In bezug auf Herkunft und Legitimität sieht

---

[93] Wie auch H. MERKLEIN unmißverständlich feststellt: Amt 350.

[94] Christus selbst wird durch ἀκρογωνιαῖος wohl nicht als „Eckstein", „Grundstein", sondern als „Schlußstein" bezeichnet; vgl. etwa J. GNILKA, Epheser 158; zuletzt auch F. HAHN a.a.O. (Anm. 86) und H. CONZELMANN, Der Brief an die Epheser (NTD 8) (Göttingen [14]1976) 101.

[95] J. GNILKA, Epheser 156.   [96] H. MERKLEIN, Amt 395.

der Verfasser die „offiziellen" Charismenträger der Gegenwart – wie übrigens auch alle je mit einem Charisma beschenkten Einzelchristen – auf gleicher Stufe mit den Aposteln und Propheten: als „die Gabe des Erhöhten, durch die er selbst Einheit und Aufbau der Kirche gewährleistet"[97]. Und dies doch offenbar deshalb, weil er von der paulinischen Charismentheologie (vgl. 1 Kor 12, 28) inspiriert ist. Von daher brauchte sich die Frage einer zusätzlichen „Legitimierung" der gegenwärtigen Funktionsträger durch den (die) Apostel bzw. durch „die Apostel und Propheten" dem Verfasser des Eph überhaupt nicht zu stellen.[98]

3. Erlaubt uns der Eph, hinsichtlich der Legitimationsfrage noch einen Schritt weiterzugehen? Es bedarf ja vor allem einer Erklärung, warum trotz der Betonung des ekklesialen Engagements jedes einzelnen nur zwei innergemeindliche „Charismen" genannt werden, was doch eine ungleich stärkere Schrumpfung der Charismenliste darstellt, als sich in Röm 12 gegenüber 1 Kor beobachten läßt. Ohne hier auf die Details des imponierenden Erklärungsmodells von H. Merklein eingehen zu können, müssen hier doch seine Spitzenergebnisse zur Sprache kommen: In der nachapostolischen Zeit haben die Gemeinden den Normbegriff des Apostolischen geschaffen und aufgrund dieses objektiven Maßstabes bestimmten, nämlich durch das Charisma der Lehre und Leitung besonders ausgezeichneten Gemeindegliedern die Prärogative autoritativer Überordnung zuerkannt. „Je mehr . . . an die Stelle des Apostels der Begriff des Apostolischen trat (nachapostolische Zeit), um so mehr verlagert sich das Gewicht der Autorität von der persönlichen Begabung auf die kirchliche Anerkennung. Das Charisma bekommt immer stärkere Tendenzen, sich zu institutionalisieren" – nämlich in „Hirten und Lehrern", wobei die „gleichsam offiziell in der Leitungsfunktion anerkannte Lehrfunktion das Übergewicht über die reine Lehrfunktion (bekam)" (380 f.). Die genannte Anerkennung bestimmter Charismatiker ist „zumindest für die erste Zeit" als faktische, nicht schon als „ausdrückliche Einsetzung seitens der Gemeinde" zu denken. „Die führenden Leute wuchsen automatisch in diese Stellung hinein" (381). Dieses „im kirchlichen Bewußtsein existierende Modell eines Hirten und Lehrers" berechtigte immerhin dazu, „von einer latenten oder ideellen Institution zu sprechen, da Hirt und Lehrer zu sein nur innerhalb dieses Bewußtseinsmodells möglich war" (381). Auch dem Umstand, „daß die kirchliche Institution – wenigstens nach katholischer Auffassung – sich auf göttliche Anweisung zurückführen lassen muß, in der Sprache des Kirchenrechts also juris divini sein muß", komme der Eph entgegen. Da die „kirchliche Institution" der Hirten und Lehrer in Eph 4, 11 auf den erhöhten Christus zurückgeführt wird, „bahnt sich zumindest das Bewußtsein göttlicher Anweisung oder eines Iuris-divini-Charakters des Amtes an" (382). Zur Begründung dieses Charakters macht Merklein vor allem einen zwischen 1 Kor 12, 28 und Eph 4, 11 bestehen-

---

[97] H. MERKLEIN, Amt 229.

[98] Unverständlich ist mir die Schlußfolgerung von S. SCHULZ: „Im Gegensatz zum allgemeinen Priestertum aller Gläubigen, wie es Paulus vertritt . . ., wird im Epheserbrief das Charisma bereits bestimmten Ämtern zugeordnet, muß also von der *apostolischen* Amtsgnade gesprochen werden": Mitte 96 f.

den Unterschied geltend. 1 Kor 12, 28 handle es sich kaum um „ein grundsätzliches Urteil", sondern „eher um ein pragmatisches Urteil, in dem die konkret vorhandenen Funktionen in der Kirche auf Gottes Wirken zurückgeführt werden. Hier ist die Aussage von Eph 4, 11 doch etwas anderes, sie hat tatsächlich grundsätzlich-dogmatischen Charakter". Die Zurückführung der als „kirchliche ‚Urinstitution'" verstandenen Apostel und Propheten auf Christus sei ein „grundsätzliches Urteil". „In dieselbe Grundsätzlichkeit werden dann auch die zur Zeit des Eph aktuellen Ämter, Hirten und Lehrer, einbezogen, so daß es tatsächlich so aussieht, als würden Hirten und Lehrer auf eine Einrichtung Christi zurückgehen, die es immer schon gegeben hat und die es in der Kirche immer geben muß. Das deckt sich mit dem Ergebnis unserer Exegese, welches von dem für die Kirche konstitutiven Charakter der 4, 11 genannten Ämter sprach" (381 f.).

4. Wesentliche Punkte dieses Entwurfs verdienen m. E. volle Zustimmung. So vor allem die von Merklein oft betonte Grundthese, daß „Amt" Folge und Funktion des zu tradierenden Evangeliums ist und im besonderen die Funktionen der Verkündigung und Leitung als für die Kirche konstitutiv gelten müssen. Es ist auch nicht zuviel gesagt mit dem Satz, die im Eph sich anbahnende Institutionalisierung sei „im Grunde nichts anderes als die Festlegung der als ekklesiologisch bedeutsam erkannten Charismen auf die Grenzen des Evangeliums und der Tradition" (383). So schwierig es sein mag, das Verhältnis der unter *einem* Artikel zusammengefaßten „Hirten und Lehrer" exakt zu klären[99], werden zum Hervortreten und zur sich anbahnenden Institutionalisierung dieser beiden Gruppen von innergemeindlichen Funktionsträgern vor allem die von Merklein genannten Momente zusammengewirkt haben: die für das Funktionieren und den Fortbestand der Gemeinden schlechthinige Notwendigkeit von Lehre und Leitung, die besondere Begabung und Bewährung gewisser Männer hinsichtlich dieser Gnadengaben und schließlich deren faktische Anerkennung seitens der Gemeinde.

Da „der Universalismus in zeitlicher und räumlicher Erstreckung" als hervorstechendes Merkmal der Kirche des Eph gelten kann[100], bezweifle ich auch nicht, daß es die von Christus geschenkten drei aktuellen Dienste nach Auffassung des Verfassers des Eph geben wird oder sogar muß, solange die Kirche existiert. Mehr besagt aber doch die Behauptung „einer dogmatischen Rückführung der amtlich strukturierten Kirche auf Christus", die − wie unser Autor bezeichnenderweise einschränkend formuliert − „mit Gewißheit für das Hirten- und Lehramt (Episkopen bzw. Presbyter)" gelte (400). Seine zum Iuris-divini-Charakter des kirchlichen Hirten- und Lehramtes führende Argumentation scheint den Eph ungebührlich theologisch zu überfrachten. Da der Verfasser ausgerechnet in 4, 11 die Apostel und die Propheten nicht unter

---

[99] Die im Verlauf seiner Arbeit mehr und mehr Bestimmtheit gewinnende Vermutung, das Charisma der Lehre habe sich − eben als unmittelbare Konsequenz des zu tradierenden, auszulegenden und anzuwendenden Evangeliums − in erster Linie zur umfassenderen Funktion der Gemeindeleitung qualifiziert, weshalb die Hirten vor den Lehrern genannt würden (363−368. 381), ist zumindest in sich einleuchtend.

[100] J. Ernst, Von der Ortsgemeinde, in: J. Hainz, Kirche 127.

einem Artikel zusammenfaßt, sondern durch τοὺς μέν – τοὺς δέ separiert, ist bereits höchst zweifelhaft, ob er hier die beiden Größen als institutionelle Einheit, als „kirchliche ‚Urinstitution'" verstehen lassen und schon damit auf den institutionellen kirchenamtlichen Charakter „der Evangelisten, der Hirten und Lehrer" bzw. – wie Merklein in den oben aus S. 381 f. zitierten Sätzen lieber einschränkend formuliert – der „Hirten und Lehrer" abheben will. Wenn der Eph als „Funktion und Konsequenz des Evangeliums und seiner Tradition" die nachapostolische Konzeption „der ‚kirchlichen Institution Apostel" bezeugen soll und man dieser „kirchlichen Festlegung, wie wir ihr in Eph begegnen, den Charakter ‚göttlichen Rechts' zugestehen müssen (wird)" (349), müßte der Verfasser an der für Merkleins Beweisführung entscheidenden Stelle 4, 11 auf die Propheten verzichten oder zumindest Apostel und Propheten unter einem Titel zusammenfassen. Da er weder das eine noch das andere tut, bliebe doch wohl nur der zweifelhafte Ausweg, er denke bei den Propheten von 4, 11 im Gegensatz zu den beiden früheren Stellen nicht an Offenbarungsempfänger der Vergangenheit, die zusammen mit den Aposteln das Fundament der Kirche darstellen, sondern an gegenwärtig wirksame Propheten.

Sodann erlaubt das vom Verfasser des Eph gebrauchte Verbum berechtigten Zweifel, ob Eph 4, 11 der Sache nach „grundsätzlicher", „dogmatischer" gemeint ist als 1 Kor 12, 28: „Gott hat in der Gemeinde eingesetzt die einen . . ." Statt des 1 Kor 12, 28 begegnenden ἔθετο, das an sich eher das Moment des Festlegens, des Institutionalisierens bestimmter Funktionen und Funktionsträger beinhalten kann, verwendet er ἔδωκεν (4, 11), womit das den Ausgangsvers 4, 7 einleitende ἑνὶ δὲ ἑκάστῳ ἡμῶν ἐδόθη ἡ χάρις aufgenommen wird. Gewiß ist die Verwendung von διδόναι durch den angezielten Schriftbeweis (V. 8: ἔδωκεν δόματα τοῖς ἀνθρώποις) mitbedingt. Es wäre aber reine Willkür, in 4, 11 einer institutionell-rechtlichen Interpretation zuliebe ἔδωκεν nicht in dem 4, 7 und 4, 8 gebrauchten eindeutigen Sinn des Schenkens, sondern im Sinn von „Verordnen", „Einsetzen" o. ä. zu verstehen. Zumindest dann, wenn gegen Merklein festgehalten werden muß, daß der Verfasser in V. 7 außer den in V. 11 hervorgehobenen Funktionsträgern grundsätzlich alle Gläubigen, nämlich deren Begnadung zu einer Dienstleistung in der Kirche, im Auge hatte; und das wird eben unter anderem durch den wiederholten Hinweis auf das Maß, mit dem den Einzelnen gegeben wurde (V. 7 und 16), bestätigt. Im Grunde sperrt sich schon das prinzipielle Festhalten des Verfassers am Ideal der „charismatischen" Gemeinde gegen die Idee einer institutionell-rechtlichen Ausgliederung der 4, 11 genannten Dienste[101], so sehr diese, eben auch die drei Dienste der Gegenwart, einen Vorrang besitzen, der sie in einem Paulus unbekannten Grad zwischen Christus und die übrigen „Charismatiker" der Gemeinde treten läßt. „Grundsätzlich-dogmatischen Charakter" – wenn man schon mit dieser Qualifikation operieren will – hat sodann die Aussage von 1 Kor 12, 28 nicht weniger als die von Eph 4, 11 und umgekehrt. Auch der

---

[101] „Les ministres énumérés en Eph 4, 11 n'accaparent point l'œuvre de construction de l'Église. Chaque membre a reçu sa part de grâce et le corps tout entier réalise sa propre croissance grâce à l'énergie reçue du Christ et répartie à la mesure de chacun": J. DELORME, Diversité, in: DERS. u. a., Ministère 301 f.

Verfasser von Eph 4, 11 gibt sich doch wohl damit zufrieden, die von ihm vorausgesetzten Funktionsträger der Gegenwart — wie die von ihm früher der Vergangenheit zugewiesenen Apostel und Propheten — als Frucht der Initiative des erhöhten Christus zu begreifen, der nicht aufgehört hat und nicht aufhört, für das Wachstum seines Leibes zu sorgen[102].

Soll Eph 4, 11 aber schon für „eine dogmatische Rückführung der amtlich strukturierten Kirche auf Christus" (400) herhalten, müßten zu dieser Amtsstruktur auch „die Evangelisten" gezählt werden, zumal das oben erwähnte Bild von der betont universalen, räumlich und zeitlich ausholenden Kirche sicherstellt, daß die Missionare für den Verfasser nicht nebensächlich sind. Diese zugunsten „der Hirten und Lehrer" unter den Tisch fallen zu lassen, wie das faktisch geschieht, vor allem je mehr es den Schlußformulierungen zugeht, ist inkonsequent und gerät zudem in Konflikt mit der von unserem Autor postulierten Praktizierung der regula des Apostolischen durch die Kirche. Was die den Einzelgemeinden zuzuordnenden „Hirten und Lehrer" betrifft, existierte in der Einzelgemeinde sehr wohl eine vorgegebene Instanz, die ausgezeichnete „Charismatiker" an der Norm des Apostolischen messen bzw. — wie vielleicht angemessener zu sagen ist — aufgrund des Eindrucks, daß sich diese im Rahmen dessen bewegten, was im Bewußtsein der Gläubigen als überkommenes apostolisches Evangelium galt, faktisch anerkennen konnte. Diese Voraussetzung traf für die „Evangelisten" aber zumindest insofern nicht zu, als diese nicht bloß in schon bestehenden Gemeinden auftraten, sondern auch als neue Gemeinden gründende Missionare zu gelten haben. So sehr der Eph die Kirche als ideelle Einheit kennt, hilft die Berufung auf das Normbewußtsein der Kirche in diesem Fall nicht weiter. Diese bestand ja noch nicht als organisatorische Einheit, und eine konkrete Instanz, die für die kirchliche Anerkennung missionarischer Wanderprediger zuständig gewesen wäre, läßt sich nun einmal nicht nennen.

5. Das vorrangige Interesse des Eph gilt nicht mehr der konkreten Gemeinde mit der Vielzahl ihrer Charismen. So eindeutig seine betont universale Kirche auf dem Weg zur institutionellen Verfestigung von tragenden, für sie „konstitutiven" Funktionen ist, hat der Verfasser aber doch die paulinische Grundidee von der Begnadigung aller Christen zum ekklesialen Engagement bewahrt. Trotz der konzeptwidrigen Unterscheidung zwischen sozusagen „persönlichen" und „offiziellen", quasiamtlichen Aktivitäten und einer dem charismatischen Gemeindemodell Pauli nicht bekannten Voordnung der letzteren hält er am prinzipiell charismatischen Charakter auch der drei offiziellen ekklesialen Dienste, die er für die Gegenwart anzuführen weiß, fest. Wenn die oben befürwortete Auslegung von 4, 7 zutrifft, sieht er diese ja in gleicher Weise dem erhöhten Christus verdankt wie die jedem Christen zuteil werdende Gnadengabe. Das gilt eben auch von den allein ausdrücklich als innergemeindliche Manifestation der χάρις genannten Funktionen („Hirten und Lehrer"),

---

[102] Auch F. HAHN äußert erhebliche Bedenken, dem Verfasser des Eph das Bewußtsein des Iurisdivini-Charakters des Amtes zuzuschreiben und seine heilsgeschichtliche Begründung eines sich konstituierenden Amtes „kirchen-rechtlich" zu interpretieren: a.a.O. (Anm. 86) 20f.

obwohl ihre Träger nun in einer für das paulinische Gemeindekonzept nicht vorauszusetzenden Weise mit exzeptioneller Verantwortung ihren Gemeinden gegenüberstehen, nämlich die übrigen Gläubigen aktivieren, ja instandsetzen sollen, durch ihre je persönliche χάρις zum Wachstum des Leibes Christi beizutragen. Die drei genannten aktuellen Funktionsträger lassen sich aus der Sicht des Eph als „Nachfolger" der Apostel und Propheten bezeichnen, in dem Sinn nämlich, daß sie diesen zeitlich nachfolgen und in ihrem Wirken auf das normative apostolische Evangelium, genauer auf die „den Aposteln und Propheten" zuteil gewordene Offenbarung des Christusgeheimnisses verwiesen sind. Daß jene drei Gruppen von Funktionsträgern oder – inkonsequenterweise – doch die beiden letztgenannten („die Hirten und Lehrer") darüber hinaus mit apostolischer Vollmacht aufzutreten berechtigt, also wenigstens de facto Amtsnachfolger der Apostel seien, sogar in dem sich anbahnenden Sinn einer göttlich gesetzten Rechtsinstitution, läßt sich hingegen exegetisch nicht ausreichend begründen. Erst recht fehlt jeder Anhalt für den Gedanken an eine Bevollmächtigung der genannten aktuellen Dienste durch den Apostel Paulus oder durch einen seiner Mitarbeiter bzw. durch „die Apostel und Propheten". Das hat gerade auch H. Merklein durch seinen Entwurf erneut bestätigt. Denn das historische und theologische Prius, das er in der ersten nachpaulinischen Generation vom kirchlichen Bewußtsein hervorbringen und die zu seinem Ergebnis führende Entwicklung in Gang setzen läßt, ist die Norm des „Apostolischen", auf die sich die Kirche in allen ihren Lebensvollzügen verwiesen sah und die sie „die kirchliche ‚Institution Apostel'" habe konzipieren und festlegen lassen.

VII

Im Hinblick auf die Entwicklung ekklesialer Funktionen und Strukturen legt von den urchristlichen Schriften am meisten der wohl nicht viel nach dem Eph (80 – 90), möglicherweise sogar ziemlich gleichzeitig geschriebene *1 Petr* einen Vergleich mit jenem nahe. Obwohl der Verfasser beträchtlich in paulinischer und deuteropaulinischer Tradition steht und sich außerdem an Gemeinden richtet, die jedenfalls zum Teil paulinisches Missionsgebiet waren, schreibt er unter dem Namen des Apostels Petrus, um, wie immer noch am plausibelsten erklärt wird, die Lehreinheit zwischen den beiden Hauptaposteln zu unterstreichen. Auch er bekundet somit in einer recht originellen Weise die seiner Zeit selbstverständliche Überzeugung vom fundamentalen, normativen Charakter des von den Aposteln verkündeten Evangeliums[103]. Vor allem: auch er bewegt sich noch in den Spuren der paulinischen Charismentheologie. Dem Verfasser des Eph vergleichbar, redet er 4, 10f. Gemeinden an, „in der jeder ein individuelles Gnadengeschenk (Charisma) empfangen hat, das der vielge-

---

[103] Abgesehen davon, daß christliche „Propheten" in 1 Petr nirgends erwähnt werden, somit unbekannt bleibt, ob sie im Vorstellungshorizont des Verfassers eine Rolle spielen und welche etwa, ist zu berücksichtigen, daß die Zuordnung der Propheten zu den Aposteln im Eph durch das diesem wichtige Moment der Offenbarung des Christusgeheimnisses (3, 4f.) bedingt oder jedenfalls mitbedingt ist.

staltigen Gnade (charis) Gottes entstammt und zum Dienst aller an allen verwendet werden soll. Die Betonung der Verschiedenheit wie der Herkunft aus göttlicher Gnade verweist deutlich auf Röm 12, 7"[104]. Sämtliche Elemente, die in 1 Petr 4, 10f. von Bedeutung sind, lassen sich bei Paulus nachweisen[105]. Wie der Verfasser des Eph kennt auch der des 1 Petr aus der Gemeinde herausragende Funktionsträger – freilich mit nicht geringen Unterschieden.

Auch die Liste von Eph 4, 11 nennt aktuelle Funktionsträger, die bis auf „Lehrer" so in den paulinischen Charismenlisten nicht begegnen, nämlich die „Evangelisten", die die missionarische Aufgabe des Apostels weiterführen, und die „Hirten", die sich wohl zum Teil wenigstens mit kybernetischen und fürsorgenden Diensten der Charismenlisten in Deckung bringen lassen. Völlig neu gegenüber dem Eph ist die Verbindung des charismatischen Gemeindekonzepts mit einem Presbyterkollegium (5, 1ff.), das als einzige Gruppe von Funktionsträgern – statt zweier, wohl nicht nur der Bezeichnung nach unterschiedener Gruppen („die Hirten und Lehrer") – genannt und vorausgesetzt wird. Gegenüber dem paulinischen Idealbild einer charismatischen Gemeinde und der Tendenz zur Institutionalisierung, die schon der im Eph erreichten Weiterentwicklung und Modifizierung des paulinischen Modells anhaftet, markiert ein Presbyterkollegium ein neu ansetzendes Gemeindekonzept, da es, wie sich schon von der synagogalen Vorgeschichte her annehmen läßt, auf die Institutionalisierung bestimmter gemeindlicher Funktionen angelegt ist. Damit ist zu rechnen, obwohl das frühe Aufkommen des Presbyterinstituts in ehemals paulinischen Gemeinden kaum als schlagartiger Vorgang zu denken ist. Es mochten in erster Linie die „ersten" Christen einer Gemeinde, also die „ältesten" Gemeindeglieder gewesen sein, denen im besonderen charismatische Begabungen für Lehre, Paraklese und Leitung zuerkannt wurden und die deshalb im Zug eines zunehmenden Bedürfnisses nach einer eindeutigen und stabilen Leitungsinstanz zu „Ältesten" im Sinne des besonders verantwortlichen Kollegiums wurden[106]. Über den konkreten Prozeß, der zu christlichen Presbyterkollegien führte, informiert uns 1 Petr freilich so wenig wie die übrigen etwas jüngeren oder auch ungefähr gleichzeitigen Zeugen. Wie schon in der Apg und dann im Jak sind „die Presbyter" jedoch unverkennbar als anerkannte Einrichtung vorausgesetzt. Das ergibt sich indes nicht schon aus der Übernahme des höchstwahrscheinlich älteren Traditionsstückes 5, 2f.[107], das mit seiner, traditionelle Motive verwendenden Gemeindeleiterparänese[108] zwar bereits Ermüdungserscheinungen und die Gefahr einer Perversion des Hirtendienstes voraussetzt, den terminus „Presbyter" jedoch noch nicht bezeugt. Einen ausreichenden Beweis liefert aber der Schlußabschnitt 5, 1 – 11. Das

---

[104] J. HERTEN, Charisma, in J. Hainz, Kirche 85 f.   [105] Vgl. H. GOLDSTEIN, Petrusbrief 12 – 17.

[106] Vgl. F. HAHN, Grundlagen 26; H. v. CAMPENHAUSEN, Amt 82 – 86.

[107] Daß hier eine schon weitgehend formulierte Instruktion übernommen wurde, hat vor allem W. NAUCK begründet: Probleme des frühchristlichen Amtsverständnisses (I Ptr 5, 2f.): ZNW 48 (1957) 200 – 212.

[108] Vgl. dazu jetzt besonders P.-R. TRAGAN, La Parabole du „Pasteur" et ses explications: Jean 10, 1 – 8. La genèse, les milieux littéraires, Thèse d. Kath. theol. Fakultät Strasbourg 1976, 249 – 252.

einleitende οὖν verrät die Absicht des Verfassers, aus den Mahnungen und Aufmunterungen, die er bis jetzt angesichts der die Gemeinde bedrängenden Prüfungen ausgesprochen hat, nun die praktischen Konsequenzen für die Gemeinden zu ziehen. Höchst selbstverständlich setzt er mit diesen speziellen Folgerungen bei „den Ältesten" ein. In der vorausgesetzten schweren Situation erachtet er eine effektive pastorale Führung, welche die Achtung der Gemeinde verdient und dieser als Vorbild dienen kann, als unerläßlich[109].

Unser Brief erlaubt es allerdings kaum, die Kompetenzen der Presbyter im einzelnen zu bestimmen. Doch empfiehlt bereits das Bild vom Weiden der Herde keine zu restriktive Auslegung, so daß man mit gutem Gewissen von Gemeindeleitern sprechen kann. Obwohl der Verfasser an der Stelle 4, 10 f. – im Unterschied zum Eph – wenigstens zwei allgemein gehaltene Beispiele charismatischer Aktivitäten der Gemeindeglieder („Reden" und „Dienen") nennt, gilt zumindest, daß er den Presbytern innerhalb der Gemeinden „eine größere Gewichtigkeit einräumt als ihren charismatischen Momenten"[110]. Der Institutionscharakter und die starke Hervorhebung der pastoralen Verantwortung gegenüber dem Gesamt der Gemeinde (5, 1 – 4) lassen sogar auf einen beträchtlichen Grad der Überordnung der Presbyter schließen[111]. Umsomehr darf uns die Frage interessieren, ob sich eine Vorstellung des Verfassers hinsichtlich der Legitimation der vorausgesetzten Presbyterkollegien gewinnen läßt.

1. Im Unterschied zum Eph äußert sich der Verfasser nicht über die Existenzbegründung seiner gemeindlichen Funktionsträger. Diese werden weder auf Gott (1 Kor 12, 28) noch auf den Geist (Apg 20, 28) noch – jedenfalls nicht ausdrücklich – auf den erhöhten Christus (Eph 4,11) zurückgeführt. Die Selbstbezeichnung des fiktiven Petrus als συμπρεσβύτερος verleitet verständlicherweise immer wieder zu der Annahme, der Verfasser verstehe das Presbyteramt vom Apostolat her; dieses lebe „im Presbyteramt weiter in der Art, daß die Presbyter die Führungsaufgabe der Apostel übernehmen und ausüben". Das Presbyteramt werde hier „apostolisch autoritisiert"[112]. Letztere Zuspitzung dürfte das eigentliche Aussageanliegen aber doch überschreiten[113]. Zunächst verdient Beachtung, daß an der früheren Stelle 2, 25 der erlösend gestorbene und erhöhte Christus als „der Hirt und Hüter (ἐπίσκοπος)" der Gläubigen bezeichnet wird. Der Verfasser will daselbst den Lesern die tröst-

---

[109] So gut J. N. D. KELLY, Peter 196.

[110] H. GOLDSTEIN, Petrusbrief 24.

[111] Die von 1 Petr bezeugte Koexistenz von charismatischem Prinzip und presbyteraler Verfassung wäre anders zu beurteilen, wenn die Hypothese von F. SCHRÖGER zuträfe. Ihm zufolge ist das Schreiben aus einem ersten (1, 1 – 4, 11) und einem späteren, unter Umständen von einem anderen verfaßten Gemeindebrief (4, 12 – 5, 11) zusammengesetzt. Während der erste die paulinische Auffassung von den Charismen durchhalte, wolle der zweite den kleinasiatischen Gemeinden dringend nahelegen, „angesichts der sich ausbreitenden Verfolgung zu der in diesem Falle besseren presbyteralen Verfassung überzugehen": Die Verfassung der Gemeinde des ersten Petrusbriefes, in: J. Hainz, Kirche 239 – 252; besonders 240 f.

[112] R. ZOLLITSCH, Amt und Funktion des Priesters (Freiburger theol. Studien 96) (1974) 69 f.

[113] Daß hinter dem sich als „Mitpresbyter" bezeichnenden Verfasser schon der Episkopos als Vorsitzender des kollegialen Presbyteriums stehe, wagt auch R. ZOLLITSCH nur als „Vermutung" auszusprechen: a.a.O. 72; vgl. auch 74.

liche Versicherung geben: Was sie auch immer an Schwierigkeiten und Verfolgungen treffen mag, haben sie, die als einstige Heiden „irrenden Schafen" glichen, im erhöhten Christus einen wahrhaften Beschützer. Will er darüber hinaus zu verstehen geben, „daß Christus selbst im Amt der Kirche anwesend ist und wirkt"[114], die Existenz und Autorität des Presbyteramtes also christologisch begründet ist? Die Beantwortung dieser Frage ist zunächst mit folgendem Sachverhalt verknüpft: Das altbiblische Hirtenbild und die auch zwischentestamentarisch nachweisbare Verbindung von ἐπισκεπ-/ποιμ in atl. Stellen, an denen die Hirtenfunktion im übertragenen Sinn als ἐπισκέπτεσθαι beschrieben wird, ist sicher auch bei der Erklärung der ekklesialen Bezeichnung „die Hirten" und der unbestritten in Apg 20, 28 bezeugten Verbindung des Weidens der Herde mit der ἐπίσκοποι-Bezeichnung in Anschlag zu bringen[115]. Hat der hellenistische, aus paulinischer Tradition stammende Episkopen-Titel als ideelle Brücke zur gemeindlichen Funktionsbezeichnung „Hirten" gewirkt? Oder ist erst ποιμένες und ποιμαίνειν geläufige Funktionsbezeichnung geworden, die die Verwendung und Verbreitung des Episkopentitels mitbedingt? Im Interesse einer geradlinigen Entwicklung die Hirten- und Episkopenbezeichnung geradezu „als historisch und sachlich parallel anzusehen", ist auch nach F. Hahn „von den neutestamentlichen Texten her völlig unberechtigt"[116]. Dazu kommt die Frage nach dem Verhältnis von christologischer und ortsgemeindlicher Hirtenbezeichnung. H. Merklein wird zurecht besonders aus 1 Petr 5, 2ff. schließen, „daß der Gemeindeleiter-Hirt ursprünglich keine Übertragung der christo-logischen Hirtenbezeichnung ist"[117].

Läßt sich aber nun aus der Bezeichnung Christi als ἐπίσκοπος in 1 Petr 2, 25 eine christologische Begründung des Presbyteramtes (5, 2ff.) erschließen? Das wäre möglich, wenn der Verfasser ἐπίσκοπος im technischen Sinne versteht, somit auf den Episkopentitel als Gemeindeleiterbezeichnung anspielt[118]. Obwohl letztere zur Zeit der Abfassung des Briefes schon geläufig sein konnte (vgl. Apg 20, 28), bleibt eine bewußte Aufnahme der Gemeindeleiterbezeichnung unsicher. Einmal ist die Lesart ἐπισκοποῦντες in 5, 2 nicht gesichert, sogar wahrscheinlich sekundär[119]. In der singulären Wendung „der Hirt und

---

[114] K. H. Schelkle, Theologie des Neuen Testaments 4, 2: Jüngergemeinde und Kirche (Düsseldorf 1976) 78; vgl. auch G. Stählin: „. . . Stellvertreter Christi im Hirtendienst (vgl. 1 Petr. 5, 4 mit V. 2f.)": Die Apostelgeschichte (NTD 5) (Göttingen ²1966) 269; B. Sesboué: „La continuité du vocabulaire du berger qui va du Christ aux presbytres souligne que leur ministère est une participation à la fonction et à la mission du Christ sur son Église. Nous retrouvons la correspondance qui s'exprimait dans Hébreux à travers la vocabulaire du guide et du ‚précurseur' Jésus": Ministères, in: J. Delorme u. a., Ministère 388.

[115] Dazu jetzt vor allem H. Merklein, Amt 365 – 378.

[116] In seiner Anm. 86 zitierten Rezension: 20.   [117] Amt 372.

[118] So außer K. H. Schelkle auch G. Bornkamm (mit H. v. Campenhausen und A. M. Farrer), Art. πρεσβύτερος: ThWNT VI 666 Anm. 90, und H. Merklein, Amt 372.

[119] Das syntaktisch nicht notwendige und sachlich nichts Neues besagende ἐπισκοποῦντες kann sehr wohl unter dem Einfluß ποιμὴν καὶ ἐπίσκοπος von 2, 25 hinzugefügt worden sein. Das ist wohl wahrscheinlicher, als daß das Verb gestrichen wurde, weil es später „die Funktion eines Bischofs ausüben" besagte und dies für Presbyter als unpassend empfunden wurde: vgl. J. N. D. Kelly, Peter 200, und B. M. Metzger, A textual commentary on the Greek New Testament (1971) 695f.

ἐπίσκοπος eurer Seelen" kann sodann das artikellos angeschlossene „Hüter eurer Seelen" sehr wohl Lesern, die mit dem altbiblischen „Hirten"-bild weniger vertraut sind, den Titel „der Hirt" erläutern wollen; dann hat ἐπίσκοπος hier nicht technischen, sondern den ursprünglichen Sinn von „one who inspects, watches over, protects"[120].

Damit ist die Angelegenheit indes noch nicht abgetan. Denn sicher hat der Verfasser am Schluß seiner Presbyterparänese (5, 4) zur Bezeichnung des zum Gericht kommenden Christus auf sein erstes früheres Christusprädikat ποιμήν (2, 25) zurückgegriffen, wobei er die Einmaligkeit der Hirtenwürde Christi durch das steigernde ἀρχιποίμην = „Oberhirte", „Chefhirte" unterstrich[121]. Durch diesen Rückgriff kann der Verfasser sehr wohl den Presbytern zum Bewußtsein bringen wollen, daß sie ihr Amt als Delegaten Christi ausüben und als solche Christus verantwortlich sind. Insofern ist aus 1 Petr – auch unabhängig von der Interpretation der zweiten Christusprädikation (ἐπίσκοπον τῶν ψυχῶν ὑμῶν) – am ehesten eine christologische Begründung und Legitimierung des Presbyteramtes herauszulesen. Das könnte man m. E. geradezu mit Sicherheit geschehen lassen, wenn der Verfasser in 5, 2 von „der Herde Christi" sprechen würde. Er behält jedoch den ihm wohl schon vorgegebenen Begriff „Herde Gottes" bei, der in der „Vorsteher"-Paränese offenbar geläufig war, wie auch die Parallelisierung der Hirten der ganzen Herde mit dem „Weiden der Kirche Gottes" in der Presbyterparänese Apg 20, 28 bestätigt.

Auch wenn 1 Petr die Idee der christologischen Legitimierung des Presbyteramtes impliziert, ist diese sicher nicht der einzige, ja nicht einmal der vorrangige Punkt, der unserem Verfasser hinsichtlich der Beziehung zwischen dem „Oberhirten" Christus und den zum Weiden der Herde Gottes verpflichteten Presbytern vorschwebt. Das ist vor allem dem redaktionellen Vorspann 5, 1 zu entnehmen, mit dem der Verfasser das paränetische Fragment 5, 2 in seinen Kontext, näherhin in eine durch Leiden gezeichnete Situation integriert. Der Makrokontext wie der Mikrokontext 5, 1 – 4 sprechen dafür, daß er Christus letztlich als verpflichtendes Vorbild jeder Ausübung der Hirtenaufgabe verstanden haben will. Das schließt natürlich keineswegs aus, daß Christus als „der Oberhirte" bei seiner Parusie das Urteil über die Hirten der Gemeinden spricht, näherhin – wie die abschließende Motivierung zum Befolgen der voraufgehenden Mahnungen besagt – denselben zur Belohnung „den unverwelklichen Kranz der Herrlichkeit" geben können soll (5, 4).

2. Mit dem Vorspann 5, 1 führt der hier redende Petrus nun aber zunächst und direkt sich selber ein. Wie geschieht das? Nach den einen läßt der Verfasser den Apostel Petrus mit der Selbstbezeichnung „Mitpresbyter" die Presbyter als „Amtskollegen" an seine Seite stellen, das Presbyteramt also sozusagen

---

[120] J. N. D. KELLY, Peter 125.
[121] Dieses ntl Hapax-legomenon hat eine Parallele in der Bezeichnung Christi als „des großen Hirten der Schafe" in Hebr 13, 20, wo diese Bezeichnung die Einzigartigkeit Christi gegenüber allen anderen Hirten Israels, besonders Mose, anzeigt.

aufwerten[122]. Nach den anderen läßt er den Apostel im Bescheidenheitsstil sich an die Seite der örtlichen Gemeindeleiter stellen, seinen apostolischen status also herunterspielen[123]. Abgesehen davon, ob und inwieweit der Verfasser von dieser alternativen Fragestellung bewegt war, darf zunächst eine Fehlanzeige ausgesprochen werden: Exegetisch ist jedenfalls nicht zu begründen, der hier redende Petrus berufe sich auf die ihm eigene apostolische Vollmacht und hege die Absicht, das Presbyteramt apostolisch zu autorisieren, dasselbe als Übernahme und Ausübung der ihm zuteil gewordenen apostolischen Vollmacht zu qualifizieren. Nichts berechtigt uns, für den Verfasser etwa die Kenntnis der Bestellung Petri zum Hirten der Schafe Christi von Joh 21, 15 – 17 vorauszusetzen und dann zu argumentieren, der hier redende Petrus verstehe sich als „Oberhirten", dem die Presbyter als an seiner Oberhirtenvollmacht partizipierende und dieser zugleich verantwortliche Hirten bzw. Unterhirten zugeordnet sind. Petrus leitet seine Instruktion in 5, 2 ja nicht ein mit „Weidet die Herde *Christi* bei euch". Zumindest „Christi" statt „Gottes" wäre zu erwarten, wenn der Gedanke an den Joh 21, 15 – 17 ausgesprochenen Auftrag Christi an Petrus im Hintergrund stünde. Dieses Auftragswort weist zudem auch nicht andeutend auf weitere Hirten hin, da es nur zwischen den Christus gehörenden Schafen (= den Gläubigen) und Simon als dem Hirt unterscheidet. Im übrigen wird in 1 Petr ja Christus, nicht etwa Petrus, als „der Oberhirte" bezeichnet (5, 4).

Mit dieser negativen Feststellung steht die Selbstbezeichnung „Mitältester" erneut zur Erklärung an. Positiv ist sicher zu sagen, daß sich der fiktiv redende Petrus mit den Gemeindepresbytern solidarisiert[124] und „ihr Amt als vergleichbar empfunden ist"[125], nämlich mit dem Dienst des Apostels. Die entscheidende Frage lautet deshalb, worauf die Vergleichbarkeit hinzielt, welche Absicht der hier redende Petrus mit seiner Solidarisierung verfolgt. Zur Beantwortung dieser Frage sind zunächst seine voraufgehenden Ausführungen zu beachten. Diese wiesen immer wieder auf schwere Bedrängnisse und sich anzeigende Verfolgungen hin (vgl. 1, 6 – 12; 3, 15 f.; 4, 14 – 19). Um die Gemeinde für die Bewältigung der leidgeprüften Gegenwart zu stärken, hatte der hier sprechende Petrus deshalb schon vorher des öfteren, besonders in 4, 12 – 14, versichert, daß die Gemeinschaft mit dem Leiden Christi auch die Anteilnahme an seiner kommenden Herrlichkeit verbürgt. Diese Konsequenz läßt der Verfasser den fiktiven Petrus zur Einleitung seiner Presbyterinstruktion auf sich

---

[122] Nur vom Standpunkt seiner Hypothese (s. o. Anm. 111) ist die spezielle Auffassung F. Schrögers zu verstehen: der Verfasser wolle „innerlich einen gewissen Druck auf die Gemeinden ausüben, in Zukunft nichts gegen eine presbyteriale Struktur der Gemeinden einzuwenden, da ja schließlich auch der von allen akzeptierte und verehrte ‚Apostel' selbst als Presbyter fungiert hat" (Die Verfassung 251).

[123] Ganz wie Ignatius von Antiochien, der von den Diakonen der Kirche als seinen „Mitknechten" spricht: J. N. D. Kelly, Peter 198.

[124] Der Verfasser mag sehr wohl den Presbytern insinuieren wollten, „that the great Apostle shoulders the same responsibilities as they and can sympathize their difficulties": J. N. D. Kelly, 198.

[125] K. H. Schelkle, Petrusbriefe 128.

selbst und seinen Zeugendienst für Christus anwenden: „(Ich), der Mitälteste und Zeuge der Leiden Christi, der auch teil hat an der bald offenbar werdenden Herrlichkeit (ermahne euch)" (5, 1). „Zeuge der Leiden Christi" will der am besten begründbaren und auch sich durchsetzenden Auslegung zufolge[126] besagen: Petrus hat die allen Christen auferlegten Leiden Christi nicht nur mit Worten bezeugt, sondern für dieses Zeugnis auch Leiden auf sich genommen. Nicht ohne Grund steht „der Mitälteste und Zeuge für die Leiden Christi" unter *einem* Artikel. Die zweite Selbstbezeichnung will eben den speziellen Aspekt markieren, unter dem der hier sprechende Petrus sich mit den Gemeindepresbytern solidarisiert und diese mit ihm solidarisch werden sollen. Aufgrund seiner existentiellen Bezeugung der Leiden Christi, die er für seine Ausübung des apostolischen Dienstes beanspruchen kann, sieht er sich dazu berechtigt, die Presbyter zu einer echt pastoralen Ausübung ihres Dienstes zu ermahnen, die sie zu „Vorbildern" für ihre Herden werden läßt (5, 3) und es dem zum Gericht erscheinenden „Oberhirten" ermöglicht, auch sie an seiner Herrlichkeit teilhaben zu lassen (5, 4). Letztlich geht es ihm darum, seine Mahnungen zu freudig-hingebungsvoller, uneigennütziger und aller Herrschsucht baren Ausübung des Hirtendienstes[127] nicht nur mit seinem eigenen Beispiel, sondern auch mit dem Vorbild des bis zur Lebenshingabe leidenden „Oberhirten" zu motivieren.

3. Es ist somit nicht begründbar, der Verfasser des 1 Petr wolle das Presbyteramt geradezu als Übernahme und Fortsetzung apostolischer Vollmacht qualifizieren. Eher könnte eine christologische Begründung der Wirksamkeit und Verantwortung des Presbyteramtes impliziert sein. Soweit der Verfasser den Apostel Petrus sich zwischen Christus und den Presbytern einordnen läßt, hebt er einzig auf des Apostels existentielles Christuszeugnis als „Legitimation" für seine pastorale Ermahnung und damit auch als Vorbild echt pastoralen Verhaltens ab. Näherhin kann man sagen: die sonst separat vorkommenden Motive − Christus (Mk 10, 45 par; Joh 10, 11 − 15; 13, 12 − 17; Eph 5, 2) und der Apostel (Apg 20, 18 − 35; 2 Tim 3, 10 f.; vgl. 1 tim 4, 12; Tit 2, 7) als vorbildliche Paradigmen − sind hier miteinander verbunden.

VIII

Schon wegen der zeitlichen Nähe muß noch die wohl um einige Jahre ältere *Apostelgeschichte* zu Wort kommen, die noch direkter als der Eph die Reflexion widerspiegelt, wie es in nachapostolischer Zeit weitergeht und weitergehen soll. Das wird vor allem durch die im ganzen vom Verfasser nach dem Genus der „Abschiedsrede" geschaffene Milet-Rede des Apostels vor den ephesinischen Presbytern (20, 17 − 34)[128] ermöglicht. Denn eine Abschiedsrede erlaubt es, die von den pseudepigraphischen Apostelbriefen vorausgesetzte

---

[126] Vgl. etwa C. Spicq, Pierre 165; J. N. D. Kelly, Peter 198 f.; W. Schrage, Die katholischen Briefe (NTD 10) (Göttingen 1973) 113.

[127] Zum einzelnen vgl. etwa auch C. Spicq, 165 − 169; J. N. D. Kelly, 199 − 201.

[128] Jüngste zusammenfassende Untersuchung von H.-J. Michel, Abschiedsrede, bes. 23 − 97.

Transponierung der Situation der nachapostolischen Kirche in die Zeit des/ der Apostel(s) noch deutlicher zum Ausdruck zu bringen. Sie kann Paulus ausdrücklich die Wende von seiner zu der nachapostolischen Zeit ankündigen und die Funktion der Amtsträger testamentarisch festlegen lassen. Im Unterschied zu Eph und 1 Petr kommt das typisch paulinische Konzept der charismatischen Gemeinde nicht zum Zug, so sehr der Geist als prägende Kraft der Kirche und aller Gläubigen im Vordergrund steht und etwa „gegenüber den Pastoralbriefen das Element des enthusiastischen Geistes in unvergleichlicher Weise lebendig ist"[129]. Wie der Verfasser von 1 Petr denkt auch der uns unbekannte Verfasser der Apg vom Presbyterinstitut her, das er als bekanntes und anerkanntes organisatorisches Element voraussetzt, ohne etwa bei seinem erstmaligen unvermittelten Auftreten in Jerusalem (11, 30) über Woher und Wann Auskunft zu geben. Es entspricht seinem betonten Kontinuitätsprinzip, „daß er sie [d. i. die Presbyter] für eine möglichst frühe Zeit [nämlich für die Urgemeinde] und für einen möglichst weiten Umkreis geltend machen will"[130]. Während für 1 Petr eine beginnende Verbindung von Presbyter- und Episkopeninstitut unsicher bleibt, zeigt sich diese in der Apg unbezweifelbar an. Denn ihr Verfasser verwendet den aus paulinischer Tradition stammenden Episkopentitel als Funktionsbezeichnung (Aufseher, Wächter, Hüter) zur generellen Kennzeichnung der Aufgabe der Presbyter (20, 28)[131]. Da er die eigentliche Bedeutung von ἐπίσκοπος durchscheinen läßt, ist vielleicht sogar die Annahme erlaubt, die Verbindung der presbyteralen und der sogenannten episkopalen Gemeindeordnung sei „von Lukas sehr vorsichtig und locker hergestellt, weil wohl der sachliche Unterschied beider Begriffe noch bekannt war"[132]. Obwohl der Autor wie der von 1 Petr „Presbyter" als den selbstverständlichen Titel der für die Einzelgemeinden Verantwortlichen voraussetzt, interpretiert er deren Aufgabe eben doch mit dem Episkopentitel – was sich von 1 Petr keineswegs sicher behaupten ließ. Der Weg, auf dem der Phil 1, 1 bezeugte Episkopentitel zu Verbreitung und Bedeutung im paulinischen Missionsgebiet gelangte, liegt immer noch im Dunkeln. Gegenüber Phil 1, 1 erfuhren die Episkopen in der ersten nachpaulinischen Generation jedenfalls eine Potenzierung der Funktion, was ja auch hinsichtlich des Presbyterinstituts (vor allem gegenüber einer möglicherweise schon frühen Rolle in palästinischen Gemeinden) anzunehmen ist. Diese Anhebung des Episkopentitels bezeugt Apg 20 wohl bereits durch die Kennzeichnung der Funktion der Presbyter = Episkopen als Hirtenaufgabe (20, 28), sodann und vor allem durch die erstmals hier den gemeindlichen Funktionsträgern ausdrücklich zugeschriebene Aufgabe, die apostolische Tradition wachsam zu wahren, gegenüber den von außen (V. 29) wie von innen (V. 30) andringenden Irrlehrern[133].

---

[129] H. STEICHELE, Geist und Amt als kirchenbildende Elemente in der Apostelgeschichte, in: J. Hainz, Kirche, 186 – 192. 203.

[130] H.-J. MICHEL, Abschiedsrede 94.

[131] Vgl. R. SCHNACKENBURG, Schriften zum Neuen Testament (München 1971) 248 ff.

[132] H.-J. MICHEL, Abschiedsrede 92.

[133] Eph 4, 7 – 16 ist nur indirekt ausgesprochen, daß die kirchlichen Funktionsträger die Gläubigen auch zur Bewahrung vor Irrlehren zurüsten müssen.

1. Woher gewinnen die Presbyter ihre Legitimation? Die Frage ist vor allem durch eine Zusammenschau der Notiz 14, 23 einerseits und der Milet-Rede anderseits gestellt, im besonderen durch die „Einsetzungs"-Aussage 20, 28 sowie die „Übergabe"-Aussage 20, 32. Der Kürze halber kann ich auf die doxographische Zusammenfassung der neueren Diskussion verweisen, die von meinem Schüler H.-J. Michel in seiner 1973 erschienenen Dissertation vorgelegt[134] und die inzwischen kaum durch neue Gesichtspunkte bereichert wurde. Die Interpretationen evangelischer Autoren reichen von G. Kleins Behauptung der Apg 20 bezeugten „Ratifikation des Prinzips apostolischer Sukzession"[135] über alle möglichen Zwischennuancen — unter die sich auch zurückhaltende Auffassungen katholischer Autoren wie J. Dupont (Amtsübertragung nicht ausgeschlossen) und H. Schürmann (keine Amtsübergabe) einreihen — bis zur These H.-J. Michel's, die Milet-Rede enthalte „nicht die geringste Anspielung auf eine ihnen [den Presbytern] übertragene Amtsvollmacht. Im Gegenteil, nur vom ‚Herrn und dem Wort seiner Gnade' wird aller Bau der Gemeinde erwartet"[136]. Die stark differierenden Meinungen der Kommentatoren rechtfertigen in der Tat die Vermutung H.-J. Michel's, „daß der Text keine eindeutige Antwort bereithält"[137].

Durch die 14, 23 erwähnte Einsetzung von Gemeindepresbytern durch Barnabas und Paulus sieht jetzt auch wieder S. Schulz das lukanische „Prinzip apostolischer Sukzession" bestätigt.[138] Einsetzung der Presbyter durch den Geist (20, 28) ist, wie man zunächst einräumen darf, mit der Einsetzung durch den Apostel „durchaus vereinbar"[139]. Gehen wir also von der Einsetzungsnotiz 14, 23 aus. Angesichts des Umstandes, daß der Verfasser in den Gemeinden der Gegenwart Ältestenkollegien voraussetzt, und zwar als *das* „Amt" der nachapostolischen Zeit, ist es voll verständlich, daß er, nachdem er — gleich, mit welchem historischen Recht — von „den Presbytern" in der frühen Jerusalemer Urgemeinde gesprochen hatte, aufgrund seines Interesses am Kontinuitätsprinzip an einer Stelle seines Buches unbedingt zum Ausdruck bringen wollte, daß das urgemeindliche Presbyterinstitut in der ganzen Kirche, eben auch in den Gemeinden ihres Hauptmissionars gilt. Eine denkbar gut passende Gelegenheit bot doch wohl die sogenannte erste Missionsreise, näherhin die Erwähnung, daß Barnabas und Paulus den Rückweg über von ihnen gegründete Gemeinden nahmen (14, 21 ff.), die durch den Abschied der beiden, zunächst jedenfalls, sich selbst überlassen werden. Es versteht sich für den Verfasser gewiß von selbst, daß Paulus auch auf seinen weiteren Missionsreisen in den von ihm gegründeten Gemeinden Älteste bestellte, ohne daß dies jeweils gesagt werden müßte. Könnte sich der Zweck der Notiz 14, 23 in dem genannten Anliegen sogar erschöpfen? Diese Erwägung ist vielleicht auch deshalb nicht abwegig, weil der Verfasser kein Interesse verrät, für die Existenz des urgemeindlichen Presbyterkollegiums die „zwölf Apostel", die für ihn doch die

---

[134] Abschiedsrede 93 – 97.   [135] Apostel 182.
[136] E. Schweizer, Gemeinde 197.
[137] Abschiedsrede 93.
[138] Mitte 114. 141.   [139] H. Merklein, Amt 168 f.

offiziellen Garanten der christlichen Tradition sind, verantwortlich oder doch mitverantwortlich zu machen.

Trotzdem könnte er noch ein weiteres Moment zum Ausdruck bringen wollen. Das 14, 23 gebrauchte Verbum χειροτονεῖν meint „Auswahl und Bestallung"[140]. Abgesehen davon, daß sich eine Ordination im eigentlichen Sinne auch für Stellen, an denen ausdrücklich von „Handauflegung" die Rede ist (6, 6; 13, 3), nicht wahrscheinlich machen läßt, denkt der Verfasser bei der Verwendung dieses Verbums schwerlich an einen Ordinationsritus, zumal dieses Verbum erst im 4. Jahrhundert den Vorgang der Handauflegung (statt des Aufhebens der Hand) = Ordination bezeichnet. Trotzdem könnte er mit 14, 23 auch auf den Gesichtspunkt abheben wollen, daß es wenigstens neben den „Zwölf" stehende „Apostel" (14, 4. 14) waren, die die Ältestenkollegien in den hellenistischen Gemeinden bestellten.

Erlaubt deshalb die Milet-Rede, die die Presbyter doch unbestreitbar mit der Bewahrung des apostolischen Evangeliums in der Zeit nach dem Tod des Apostels betraut, nicht doch, noch einen Schritt weiter zu gehen und von der Übertragung des „Apostelamtes" zu sprechen und damit den Paulus von Apg 20 das Prinzip der apostolischen Amtssukzession praktizieren zu lassen[141]? Das wäre am ehesten zu bejahen, wenn der Apostel von 20, 28 zu den ja schon im Presbyteramt Befindlichen sagen würde: „in der [d. i. der ganzen Herde] ich euch zu Episkopen *einsetze*". Denn das würde die Vorstellung erlauben, daß der Apostel in dem Augenblick, da er endgültig von seiner Funktion und Stellung, die er gegenüber den Gemeinden innehatte, zurücktritt, die Presbyter mit einer zusätzlichen, diesen bislang noch abgehenden Vollmacht und Verantwortung, eben der von ihm selbst ausgeübten, ausstattet. In diesem Fall würden „Episkopen" die spezifisch nachapostolische, mit apostolischer „Voll"-macht ausgestattete Stellung der Presbyter bezeichnen. Läßt der Verfasser an diesem Wendepunkt, von dem an Wohl und Wehe der Gemeinden in seiner Sicht faktisch vom persönlichen und dienstlichen Verhalten der Presbyter abhängen wird, den Apostel aber dann wenigstens auf 14, 23 zurückgreifen, also wenigstens präterial von der durch diesen erfolgten Einsetzung der Presbyter sprechen? Nicht einmal das tut er. Dabei läßt er Paulus in seiner Rechenschaftsablage vor (VV. 18 – 27) und nach V. 28 (VV. 31 – 35) doch so betont in der Ich-Form von seinem vorbildlichen missionarischen und seelsorglichen Dienst sprechen. Beachten darf man auch, daß er im besonderen die schon V. 20 ausgesprochene topische Beteuerung – wie deren gleichzeitig aktuelle Spitze auch zu bestimmen sein mag – unmittelbar vor V. 28 wiederholt: „Denn ich habe mich der Pflicht nicht entzogen, euch den ganzen Willen Gottes kundzutun" (V. 27). Insofern könnte man durchaus erwarten, daß er auch die Einsetzung der für die Bewahrung der unversehrten apostolischen Lehre fortan verantwortlichen Presbyter als eine von ihm wahrgenommene Aufgabe bezeichnet, somit in der Ich-Form fortfährt: (Habt acht auf euch und die gan-

---

[140] W. BAUER, WB (⁵1958) s. v. χειροτονέω: 1742.
[141] Ob auch H. MERKLEINS Formulierung „Die Presbyter werden testamentarisch in die Funktion des Apostels eingesetzt" (Amt 368) das sagen will, wage ich nicht zu entscheiden.

ze Herde), in der *ich* euch zu Episkopen eingesetzt habe . . ." Warum läßt der Verfasser also ausgerechnet an dieser Stelle Paulus den heiligen Geist und nur diesen als die Presbyter bestellende Größe nennen? Das spricht doch nächstliegend dafür, daß die vorliegende Einsetzungsaussage nicht von der speziellen Absicht bestimmt ist, auf die durch ihn erfolgte Einsetzung des Presbyteramts und damit auf eine geradlinige Herleitung desselben von seinem Apostolat abzuheben.

Dafür, daß die Milet-Rede „ein die apostolische Sukzession garantierendes Ereignis" ist, machte G. Klein – aus einem unverkennbaren Zugzwang seiner Gesamtschau des lukanischen Doppelwerks – vor allem das παρατίθημι von V. 32 geltend[142], auf das sich jetzt wieder S. Schulz im gleichen Sinn beruft. „‚Übergabe', ‚übergeben' sind traditionelle Stichworte innerhalb der apostolischen Amtsnachfolge. Verwenden aber die mit dem lukanischen Paulus aufs engste verwandten Pastoralbriefe dieses Wort für den Akt der Übergabe der kirchlichen Wahrheit von einem Amtsträger an den andern (1 Tim 1, 18; 2 Tim 2, 2), also im Sinne der apostolischen Tradition, so der lukanische Paulus im Sinne der apostolischen Sukzession: Menschen werden ‚übergeben'"[143]. Diese Argumentation kann schon deshalb schwerlich tragen, weil παρατίθεμαι nicht Amtsübergabe bedeutet, sondern eine Abschiedsformel ist, wie auch Apg 14, 34. 36; 15, 40 belegt[144].

2. Sodann kann auch die gegenüber H.-J. Michel geltend gemachte Auffassung, bereits die Verwendung der Gattung „Abschiedsrede" als solche zeige, daß die Presbyter als „Nachfolger" der Apostel verstanden sind[145], nicht weiterhelfen. Diese generelle Behauptung empfiehlt sich nicht, sofern die verschiedenen motivlichen Möglichkeiten, die gerade Michel anhand seiner wohl annähernd erschöpfenden Sammlung von „Abschiedsreden" belegt hat[146], zur Kenntnis genommen werden. Es gibt sehr wohl einige altbiblische Vergleichsstellen, die eine förmliche Einsetzung oder Inthronisation des Nachfolgers aussprechen. Von einer förmlichen Einsetzung der Presbyter durch Paulus kann aber, wie man Michel nicht abstreiten kann, in Apg 20 sowenig die Rede sein wie von dem ebenso vereinzelt begegnenden Motiv der Benennung des Nachfolgers; nach 20, 28 sind die Presbyter ja schon in ihr Amt eingesetzt. Es bleiben nur noch zwei andere topische Vorstellungen, die sich in Apg 20 entdecken lassen: einmal, „daß Paulus in Verbindung mit V. 32 einen Zuspruch an die Ältesten in ihrer Funktion als Amtsträger richtet und ihnen göttlichen Beistand verspricht"; sodann die Nähe der Einsetzung der Episkopen durch den heiligen Geist zur altbiblischen Vorstellung, „daß der Nachfolger immer schon zuvor von Gott auserwählt ist" – eine Analogie, die für Michel zu Recht nicht ausreicht, für Apg 20 die Vorstellung der apostolischen Amtsnachfolge vorauszusetzen. „Die Ältesten werden nirgends als Nachfolger apostrophiert, auch nicht implizit, denn es ist kein Amtsvorgänger genannt,

---

[142] Apostel 179. 178 – 184.   [143] Mitte 116.

[144] H.-J. MICHEL, Abschiedsrede 93; vgl. auch J. ROLOFF, Apostolat 229 Anm. 213.

[145] F. MUSSNER in seiner Rezension: BZ NF 20 (1976) 131 f.

[146] Vgl. zu unserem Fragepunkt die Zusammenfassung 70 mit Belegverweisen.

dem sie nachfolgen könnten. Als Leiter einer Einzelgemeinde können sie nicht *die* Nachfolger des Paulus in seiner universalen Funktion sein"[147].

Oder könnte es schließlich einen ganz simplen Grund haben, daß 20, 28 nicht von der durch Paulus erfolgten Einsetzung der Presbyter die Rede ist? Unterstellen wir folgende Möglichkeit: Vom Standort seiner Gegenwart ausgehend, könnte der Verfasser der Apg annehmen, die Ältesten von Ephesus, in denen er selbstverständlich zugleich die Ältesten der übrigen Gemeinden ansprechen läßt, seien personell nicht mehr dieselben wie in den Tagen Pauli. Um dieser Situation Rechnung zu tragen, lasse er Paulus in der Milet-Rede – im Unterschied zu 14, 23 – nicht von der durch ihn erfolgten Einsetzung der Presbyter sprechen, sondern von der Bestellung durch den heiligen Geist, womit er zugleich die Frage offen lassen könne, durch welches – etwa noch unterschiedliches – Verfahren Presbyterkollegien in den Gemeinden seines Gesichtsfeldes ergänzt bzw. in neu gegründeten Gemeinden bestellt werden. So diskutabel die Ingredienz des letztgenannten Gesichtspunktes sein mag, so fraglich ist die oben supponierte Möglichkeit. Gerade jene Erwägung brauchte sich dem Verfasser nicht nahezulegen. Selbst wenn er auf die Möglichkeit oder Wahrscheinlichkeit reflektiert hätte, daß einige der von Paulus eingesetzten ephesinischen Presbyter nicht mehr am Leben sind, kann man jedenfalls nicht behaupten, das habe ihn davon abhalten müssen, Paulus in 20, 28 von seiner Einsetzung der Presbyter sprechen zu lassen. Denn die Gattung der Abschiedsrede, der der Verfasser stärkstens verpflichtet ist, erlaubt es nun einmal, Vertreter der gegenwärtigen Generation anzusprechen. Eben weil die Milet-Rede von ihrer Gattung her es durchaus erlaubt hätte, Paulus ausdrücklich auf seine Einsetzung der Presbyter hinweisen bzw. von der Übertragung seines Amtes sprechen zu lassen, sollte man auch aus diesem Grund die von ihm gewählte Formulierung von V. 28 nicht als bloß oder mehr zufällig ansehen. Schwerlich kann man diese ohne Willkür etwa dahin nivellieren: aufgrund seines Bewußtseins, aus der Kraft des Geistes zu sprechen und zu handeln, könne der Apostel zur Abwechslung ebensogut mit der Formulierung von V. 28 die durch ihn erfolgte Einsetzung der Presbyter zum Ausdruck bringen.

3. Zweifelsohne gilt es nach Apg 20 als vornehmste „Amts"-Pflicht der Presbyter, die echte, unversehrte apostolische Überlieferung zu hüten. Der Traditionsgedanke ist hier mit dem Amtsgedanken verbunden, so wie auch „Institution und Geist . . . verbunden (sind)"[148]. Und niemand bestreitet: „Insofern sollen sie [die Presbyter] dasselbe tun, was Paulus zu seinen Lebzeiten getan hat [nämlich „gegenüber den Irrlehrern das apostolische Wort zur Geltung zu bringen"], und können, *so gesehen,* als seine ‚Nachfolger' angesprochen werden"[149]. Was strittig ist, ist doch einzig das Verständnis dieser „Nachfolge", ob diese hier als Fortführung apostolischer Amtsvollmacht verstanden ist. Und was diesen Punkt angeht, hat H. Schürmann längst doch wohl richtig erkannt, daß in Apg 20 eine Amtsübergabe nicht ausgesprochen ist. H.-J. Michel behauptet m. E. nicht zuviel und auch nicht zu wenig: „Ein Modellfall

---

[147] A.a.O. 70.   [148] H. CONZELMANN, Apostelgeschichte 118 f.
[149] Zitat mit Sperrung aus F. MUSSNER's Rezension: a.a.O. 132.

einer Sukzession liegt in Apg 20, 17 ff. nicht vor; wohl aber ist der Gedanke herauszulesen, daß es zur Sicherung der wahren apostolischen Lehre eine berufene Institution geben muß"[150], als die die Apg eben ortsgemeindliche Presbyterkollegien kennt.

Eine Bestätigung erfährt dieses Ergebnis schließlich durch die bereits angedeutete paränetische Ausrichtung unserer Presbyterinstruktion[151]. Sosehr diese Paulus als den herausstellt, der allen, wie auch den angesprochenen Presbytern selbst, das unversehrte Evangelium vermittelte, verzichtet sie darauf, ihn auf seine Autorität und Vollmacht als Apostel abheben zu lassen. Sie zeichnet ihn als den in jeder Hinsicht vorbildlichen, keine Gefahr und schmerzliche Not scheuenden, jegliche Mühe und Arbeit auf sich nehmenden Evangeliumsverkünder und Seelsorger, der keine andere Rücksicht kannte, als zum Heil aller „das Evangelium von der Gnade Gottes zu bezeugen" (V. 24). Auch die gattungsgemäße Ansage seines kommenden Endes ist geprägt vom Gedanken der vorbildlichen Bereitschaft, in Ausübung dieses Dienstes alles bis zur Hingabe des Lebens auf sich zu nehmen (VV. 22 – 25). Nachdem der hier redende Paulus toposgemäß die Presbyter auf die sie und ihre Herde überkommenden schweren Gefährdungen angesprochen hat (VV. 28 – 30), erinnert er diese noch spezieller an sein dreijähriges, unermüdliches, jedem einzelnen nachgehendes seelsorgerliches Wirken in Ephesus (V. 31). Und selbst nach dem Vermächtniswort des V. 32 läßt er sich noch ausdrücklich die beispielhafte Uneigennützigkeit seines Abmühens bescheinigen (VV. 33 – 35). Es geht dem Verfasser somit offensichtlich darum, die Ausübung des Dienstes Pauli, den dieser „von dem Herrn Jesus" erhielt (V. 24), als verpflichtendes, ideales Vorbild für den Dienst der Gemeindeleiter zu zeichnen – nicht aber darum, eine Kette der Amtsübertragungen zu statuieren, die vom Kyrios Jesus ausgeht und über den von diesem berufenen Apostel zu den von diesem bestellten Presbytern führt.

Auch die Rückführung des Hirten- und Wächteramtes der Presbyter auf den heiligen Geist will nicht theoretisch belehren oder gar die Existenz des Presbyteramtes formaljuridisch begründen. Es geht um das Wie der Amtsführung. Schon das einleitende „Habt acht auf euch selbst" avisiert an erster Stelle die Möglichkeit des Versagens der Amtsträger. Deshalb will die Erwähnung der Bestellung durch den heiligen Geist in ebenfalls paränetischer Ausrichtung den Presbytern die Größe und hohe Verantwortung ihrer Aufgabe zum Bewußtsein bringen. Das ganze Gewicht der Bestellungs-Aussage ergibt sich aus der geradezu überladenen Kennzeichnung des Objekts: „. . . die Gemeinde Gottes zu weiden, die er durch ~~sein (eigenes) Blut~~ das Blut des Eigenen erworben hat."[152]

Es ist das von Gott als sein höchstpersönliches und unveräußerliches Eigentum erworbene Volk, dessen Leiter und Hüter die Presbyter sind. Deshalb beschwört dieser Paulus die höchste Instanz, die den Dienst der Presbyter be-

---

[150] Abschiedsrede 97.

[151] Zur Verwendung traditioneller Motive der nachapostolischen Vorsteherparänese vgl. jetzt besonders P.-R. Tragan, La parabole (Anm. 108) 258 mit Anmerkungsteil.

[152] H. Conzelmann, Apostelgeschichte 118.

gründet und ermöglicht und vor der diese die Verwaltung ihres Amtes verantworten müssen[153]. Wenn der Verfasser anstelle des erhöhten Herrn „den heiligen Geist" nennt, entspricht das zugleich − wie im Anschluß an den schon zitierten Beitrag von H. Steichele formuliert werden darf − seiner ausgeprägten Betonung von „Geist und Amt als kirchenbildenden Elementen". Wie die Apostel derselben Autorin zufolge in der Apg nicht als „Kontrolleure" des Geistes verstanden sind, sondern als seine besonders bevollmächtigten „Werkzeuge", so auch die Presbyter als die nachapostolischen Amtsträger[154]. Diese stehen, wie die Apg auch zu sagen erlaubt, „in unmittelbarem Berufungsverhältnis zum erhöhten Kyrios"[155].

Abschließend versuche ich, die für unsere Fragestellung wesentlichen Ergebnisse dieses bruchstückhaften Durchgangs zu resümieren:

1. Die Apostolizität des Amtes und das Prinzip der Amtssukzession läßt sich weder durch Berufung auf engere (den Gemeinden von außen gegenübertretende) Mitarbeiter Pauli, denen als Gesandten und Nachfolgern die Repräsentation des Apostels obliege, noch durch die Berufung auf (innergemeindliche) Mitarbeiter im weiteren Sinne (näherhin auf die Episkopen von Phil 1, 1) in der Intention des Apostels Paulus verankern.

2. Statt von der Voraussetzung, Pauli Theologie der konkreten Gemeinde und aller deren Dienste sei primär eine Komponente seines Apostolatsverständnisses, ist nach wie vor von der Charismentheologie als dem grundsätzlichen und adäquaten Ausdruck des paulinischen Konzepts und Ideals einer Gemeinde auszugehen. Obwohl dieses charismatische Gemeindemodell gewisse Elemente liefert, bei denen eine spätere, zur Hervorhebung und sogar Institutionalisierung bestimmter ekklesialer Funktionen führende Tendenz ansetzen konnte, ist jenem eine Unterscheidung zwischen charismatischen und nichtcharismatischen Diensten oder gar die Idee einer statischen Über- und Unterordnung der vielfältigen Gnadengaben fremd.

3. Der wohl bestbegründeten Interpretation zufolge schrieb Paulus jeder Gemeinde die prinzipielle Fähigkeit zu, durch das Zusammenspiel ihrer charismatischen Begabungen ihre Lebensvollzüge zu ordnen bzw. die gestörte Ordnung wiederherzustellen, und verstand er sein Entscheidungen fällendes Eingreifen in die innere Ordnung einer Gemeinde als subsidiäre Akte, durch die er dieser zur vollen Funktionsfähigkeit verhelfen wollte.

4. Daraus lassen sich im Hinblick auf die nachpaulinische = nachapostolische Zeit zwei Folgerungen ziehen:

a) In negativer Hinsicht: Da Paulus die Möglichkeit, sein apostolisches Charisma bzw. seine apostolische Autorität zur Wahrung oder eventuellen Wiederherstellung der innergemeindlichen Ordnung einzusetzen, nicht als ein Konstitutivum der charismatischen Gemeindestruktur, somit nicht als ein prinzipielles Erfordernis ansah, ist die Stellung der Frage, wer statt des Apostels in „Notfällen" entscheidend und ordnend eingreift, durch das pauli-

---

[153] Das hat zuerst J. Dupont gut herausgestellt: Paulus an die Seelsorger (Düsseldorf 1966) 118 – 129; vgl. auch H.-J. Michel, Abschiedsrede 97.
[154] Geist und Amt, in: J. Hainz, Kirche 199 – 203.   [155] J. Roloff, Apostolat 231.

nische Gemeindekonzept selbst nicht gefordert – so sehr die nachpaulinische Existenz einer regulierenden und applizierenden Instanz bereits im Hinblick auf das faktische Eingreifen des Apostels als wünschenswert, ja als praktisch notwendig erachtet werden mag.

b) In positiver Hinsicht: Insofern Paulus die Selbständigkeit und Selbstverantwortung der einzelnen Gemeinden anerkennt und erstrebt, kann man seinem Gemeindekonzept doch eine gewisse prinzipielle Offenheit für die Möglichkeit nicht absprechen, daß aufgrund allgemein anerkannter geschichtlicher Notwendigkeiten gewisse „Charismen" und Charismenträger gegenüber dem eigenverantwortlichen Engagement aller Gemeindeglieder eine zunehmende Hervorhebung und bis zur Vor- und Überordnung führende Potenzierung erfuhren. Überdies läßt sich wohl auch sagen: Wenn nachpaulinische Gemeinden einer begrenzten Zahl von Männern (zu denen jeweils im besonderen auch die „ältesten" Gemeindeglieder zählen mochten), die sich durch das Charisma des verkündigenden, lehrenden, mahnenden und leitenden Wortes ausgezeichnet und bewährt hatten, die Prärogative besonderer Autorität und Verantwortung zuerkannten und es dadurch schließlich zur organisatorischen Etablierung einer mehr und mehr der Gemeinde gegenüberstehenden, schließlich sogar ihr übergeordneten Instanz kam, kann man immerhin von einer gewissen Entsprechung zum nachhelfenden und regulierenden Eingreifen des Apostels selbst sprechen – so sehr diese Entwicklung zugleich mit einem früh einsetzenden Schwund bzw. auch einer Minderung der vielfältigen charismatischen Aktivitäten der übrigen Gemeindeglieder gleichbedeutend war und das Ideal des charismatischen Organismus mehr und mehr an Zugkraft verlieren ließ. Die für unseren Aspekt entscheidende Frage ist jedenfalls, ob und wie diese faktische personale, ja institutionelle (Presbyterinstitut) Stabilisierung von ekklesialen Funktionen – sowohl einer übergemeindlichen (wie der der Evangelisten) als auch und besonders der innergemeindlichen („die Hirten und Lehrer", „die Presbyter") – in den besprochenen Schriften vom Ausgang der ersten nachpaulinischen Generation begründet wird.

5. Die Forderung der Kontinuität und der Nachfolge in der Verkündigung und Auslegung des von dem (den) Apostel(n) bezeugten normativen Evangeliums ist in 1 Petr implizit und vom Paulus der Apg ausdrücklich ausgesprochen. Sie wird vom Verfasser des Eph durch die fiktive Beanspruchung des Apostels Paulus zwar unmißverständlich praktiziert, jedoch insofern nicht so deutlich ausgesprochen, als er sich dort, wo die ergangene Christusoffenbarung als für die ganze Kirche (für alle ihre Glieder und für die 4, 11 hervorgehobenen Funktionsträger im besonderen) richtunggebend bezeichnet wird, am exklusiven Privileg der Apostel hinsichtlich der fundamentalen und normierenden Rolle nicht interessiert zeigt. Daß die ekklesialen Dienste („Evangelisten, Hirten und Lehrer") oder doch die ortsgemeindlichen Funktionsträger („Hirten und Lehrer – die Presbyter") in Ausübung ihres Dienstes mit apostolischer Vollmacht aufzutreten berechtigt sind, insofern de facto als Amtsnachfolger des/der Apostel(s) zu verstehen wären, oder gar von dem/den Apostel(n) durch direkte Einsetzung bzw. Amtsübertragung legitimiert sind, läßt sich nicht als Aussageintention unserer Verfasser nachweisen und

trotz Apg 14, 23 auch für die Apg nicht wahrscheinlich machen. Auch die Selbstbezeichnung des fiktiven Petrus von 1 Petr 5, 1 rechtfertigt schwerlich den Schluß, der Verfasser wolle das Presbyteramt geradezu als Übernahme und Fortsetzung apostolischer Vollmacht qualifizieren. Der spezielle Versuch, mittels der Hypothese von der in der ersten nachapostolischen Generation erfolgten Festlegung „des kirchlichen ‚Institut Apostel'" die Eph 4, 11 genannten Funktionsträger bzw. wenigstens die innergemeindlichen „Hirten und Lehrer" als direkte Fortführung der apostolischen Autorität zu beanspruchen, beruht auf einer kaum tragfähigen Konstruktion.

6. Soweit Texte unserer Schriften als Aussagen zur Existenzbegründung und Legitimierung nachapostolischer Funktionsträger in Betracht kommen, werden über-apostolische Autoritäten genannt, nämlich der erhöhte Christus – so ausdrücklich Eph 4, 11 und implizit möglicherweise in 1 Petr, wo die Absicht einer christologischen Begründung des Presbyteramtes freilich nicht sicherzustellen ist – und der heilige Geist; so in der Apg, wo das Presbyterinstitut trotz 14, 23 in der gewichtigeren Einsetzungsaussage 20, 28 nicht auf den Apostel, sondern auf den heiligen Geist zurückgeführt wird. Während diese Nennung des heiligen Geistes dem ausgesprochenen Interesse der Apg an Geist und „Amt" als kirchenbildenden Kräften entspricht, ist die Kennzeichnung der Eph 4, 11 genannten Funktionsträger (aus Vergangenheit und Gegenwart) als Frucht der Initiative Christi von der paulinischen Charismentheologie inspiriert (wie der Kontext 4, 7 – 16 zeigt) – ein Umstand, der neben anderen Gründen kaum dazu berechtigt, die Christusunmittelbarkeit der gegenwärtigen Funktionsträger bzw. speziell der gemeindlichen Hirten und Lehrer (Lehr- und Leitungsamt) institutionell-rechtlich, im Sinne eines sich anbahnenden Iuris-divini-Charakters verstehen zu lassen.

7. Ein hervorstechender Zug ist die paränetische Ausrichtung, ein geradezu vordergründiges Interesse an der verantwortungsvollen, echt pastoralen Ausübung des Gemeindeleiterdienstes, das in zwei der besprochenen Schriften, nämlich in 1 Petr und Apg 20, in unterschiedlicher Weise zum Ausdruck kommt. Auch wenn 1 Petr die christologische Begründung des Presbyteramtes impliziert, geht es dem hier sprechenden Apostel Paulus in erster Linie darum, seine Mahnung zu der in allem vorbildlichen Ausübung des Hirtendienstes der Presbyter mit seinem eigenen Beispiel als existentieller Zeuge der Leiden Christi und hintergründig mit dem Vorbild des bis zur Lebenshingabe leidenden „Oberhirten" Christus zu motivieren. Noch ausdrücklicher und betonter erscheint das in jeder Hinsicht vorbildliche missionarische und seelsorgerliche Wirken Pauli in Apg 20 als verpflichtendes Ideal und Vorbild der angesprochenen Presbyter. Auch hinter der Rückführung ihres Hirten- und Wächteramtes auf den heiligen Geist (20, 28) steht letztlich die Absicht, den Gemeindeleitern der Gegenwart Größe und Verantwortung ihrer Aufgabe zum Bewußtsein zu bringen.

Damit konnte die im katholischen Bereich erstmals von unserem Jubilar sehr grundsätzlich und klar aufgeworfene Problemstellung freilich nur ein begrenztes Wegstück verfolgt werden, dies aber doch für die grundlegende Epoche von Paulus bis zum Ausgang der ersten nachapostolischen Generation.

Die drei zuletzt befragten Schriften dürften immerhin die wichtigsten positiven Zeugnisse für den am Ausgang dieser Generation erreichten Entwicklungsstand liefern. Der Versuch einer Gesamtbeurteilung würde freilich die Befragung der übrigen neutestamentlichen Spätschriften erfordern, und zwar derer, die keine unmittelbaren Aussagen über ekklesiale Funktionsträger machen, gewiß nicht weniger als der übrigen Dokumente aus der Zeit um und nach der Jahrhundertwende.

Literatur

Bouyer, L.: Ministère ecclésiastique et succession apostolique: NR Th 105 (1973) 241—252.

Bornkamm, G.: Paulus, Stuttgart 1969.

Brockhaus, U.: Charisma und Amt, Wuppertal 1972.

Campenhausen, H. v.: Kirchliches Amt und geistliche Vollmacht in den ersten drei Jahrhunderten (BHTh 14), Tübingen [2]1963.

Congar, Y.: Die Wesenseigenschaften der Kirche, in: Mysterium Salutis. Grundriß heilsgeschichtlicher Dogmatik (hrsg. von J. Feiner und M. Löhrer), IV/1, Einsiedeln—Zürich—Köln 1972, 535—594.

Conzelmann, H.: Grundriß der Theologie des Neuen Testaments, München 1967.

Ders.: Die Apostelgeschichte (HNT 7), Tübingen [2]1972.

Delorme, J. u.a.: Le ministère et les ministères selon le Nouveau Testament, Paris 1974.

Dupuy, B. D.: Theologie der kirchlichen Ämter, in: Mysterium Salutis. Grundriß heilsgeschichtlicher Dogmatik (hrsg. von J. Feiner und M. Löhrer), IV/2, Einsiedeln—Zürich—Köln 1973, 488—525.

Ernst, J.: Die Briefe an die Philipper, an Philemon, an die Kolosser, an die Epheser (RNT), Regensburg 1974.

Fischer, K. M.: Tendenz und Absicht des Epheserbriefes (FRLANT 111), Berlin—Göttingen 1973.

Gnilka, J.: Der Philipperbrief (HThK X/3), Freiburg i.Br. 1968 (Nachdr. Leipzig 1968).

Ders.: Der Epheserbrief (HThK X/2), Freiburg i.Br. 1971 (Nachdr. Leipzig 1971).

Goldstein, H.: Paulinische Gemeinde im Ersten Petrusbrief (SBS 80), Stuttgart 1975.

Hahn, F.: Neutestamentliche Grundlagen für eine Lehre vom kirchlichen Amt, in: F. Hahn u.a., Dienst und Amt, Regensburg 1973, 7—40.

Hainz, J. (Hrsg.): Kirche im Werden. Studien zum Thema Amt und Gemeinde im Neuen Testament, München—Paderborn—Wien 1976.

Käsemann, E.: An die Römer (HNT 8a), Tübingen [3]1974.

Kelly, J. N. D.: A Commentary on the Epistles of Peter and of Jude (Black's NTC), London 1969.

Kertelge, K.: Gemeinde und Amt im Neuen Testament, München 1972 (Nachdr. Leipzig 1975).

Klein, G.: Die zwölf Apostel (FRLANT 77), Göttingen 1961.

Lohmeyer, E.: Der Brief an die Philipper (MeyerK IX/1), Göttingen [13]1964.

Merklein, H.: Das kirchliche Amt nach dem Epheserbrief (StANT 35), München 1973.

Michel, H.-J.: Die Abschiedsrede des Paulus an die Kirche Apg 20,17—38 (StANT 35), München 1973.

Roloff, J.: Apostolat — Verkündigung — Kirche, Gütersloh 1965.

Schelkle, K. H.: Die Petrusbriefe (HThK XIII, 2), Freiburg i.Br. 1961 (Nachdr. Leipzig 1967).

Schlier, H.: Ekklesiologie des Neuen Testaments, in: Mysterium Salutis. Grundriß heilsgeschichtlicher Dogmatik (hrsg. von J. Feiner und M. Löhrer), IV/1, Einsiedeln—Zürich—Köln 1972, 101—214.

Schulz, S.: Die Mitte der Schrift. Der Frühkatholizismus im Neuen Testament als Herausforderung an den Protestantismus, Stuttgart—Berlin 1976.

Schürmann, H.: Das Testament des Paulus für die Kirche (Apg 20, 18—35) (1962), in: Ders., Traditionsgeschichtliche Untersuchungen zu den synoptischen Evangelien, Düsseldorf 1968, 310—340.

Ders.: Die geistlichen Gnadengaben in den paulinischen Gemeinden (1966), in: Ders., Ursprung und Gestalt, Düsseldorf 1970, 236—267.

Schweizer, E.: Gemeinde und Gemeindeordnung im Neuen Testament (AThANT 35), Zürich 1959).

Spicq, C.: Les Épitres de Saint Pierre (Sources Bibliques), Paris 1966.

Stuhlmacher, P.: Evangelium — Apostolat — Gemeinde: KuD 17 (1971) 28—45.

NACHTRAG

Aus den ntl. orientierten Arbeiten zur Frage der Apostolizität des Amtes und zur Amtssukzession ist der originelle und in seiner Art mutigste Diskussionsbeitrag hervorzuheben, den H. Schürmann unter dem Titel „Auf der Suche nach dem Evangelisch-Katholischen" erstmals 1981 veröffentlichte[1] und inzwischen auch im „Ökumenisch-Theologischen Arbeitskreis" der DDR zur Diskussion stellte[2]. „Es wird", womit Schürmann nur zu sehr recht haben wird, „keine Einheit geben, wenn es nicht als Zielvorstellung die ‚Utopie' des ‚Evangelisch-Katholischen' und ‚Katholisch-Evangelischen' gibt" (360). Der Autor zielt deshalb auf „das für alle Kirchen immer maßgeblich bleibende ‚Vorkatholische'", das „von allen unmaßgeblichen ‚Katholizismen' und ‚Protestantismen' zu unterscheiden" sei (375); oder nach anderer Formulierung: es geht um das, was „‚schriftgemäß-katholisch', also doch wohl noch evangelisch und katholisch zugleich" ist (364).

Auch diese „Suche nach dem Evangelisch-Katholischen" ist geleitet von dem von ihm früher (s.o. 240) statuierten Postulat, daß die Selbstidentität der nachapostolischen Kirche mit der Apostelzeit die Existenz eines allzeitigen lebendigen Applikationsprinzips in der nachapostolischen Zeit erfordere. Zu diesem Postulat können sich auch evangelische Exegeten bekennen. „Die Wahrheit der Kontinuität" (nämlich des christlichen Glaubens der Glaubensgemeinschaft) — als „eine im Sendungsauftrag Jesu Christi enthaltene und insofern theologisch begründete Aufgabe" — kann auf Dauer allerdings nur bewahrt werden, wo es ein besonders Amt gibt, das dafür verantwortlich ist[3]. Wie soll dieses Amt aber aussehen? Der bis heute fortdauernde Dissens betrifft das Verständnis der Funktion eines solchen Amtes, angefangen mit der oben behandelten Frage, inwieweit und in welchem Sinne von einer Legitimierung der nachapostolischen Entwicklung ekklesialer Funktionen die Rede sein kann. Schürmann geht von der wohl zutreffenden Auffassung aus, es lasse sich „trotz aller Hinweise kein unanfechtbar geschichtlicher Beweis erbringen, daß der Monepiskopat der Alten Kirche von Anfang an in geradliniger Suk-

---

[1] P.-G. MÜLLER — W. STENGER (Hrsg.), Kontinuität und Einheit, FS F. Mußner, Freiburg i.Br. (1981) 340—375; die Studie wird im folgenden danach zitiert.

[2] Schürmanns Artikel ist mit weiteren Referaten und einem Arbeitsbericht, der aber leider die jeweiligen Gesprächspartner nicht nennt, abgedruckt in dem von J. ROGGE und G. SCHILLE herausgegebenen Band „Frühkatholizismus im ökumenischen Gespräch" (Berlin 1983) 71—107.

[3] F. HAHN, Frühkatholizismus als ökumenisches Problem: Cath(M) (1983) 35.

zession durch Handauflegung bis auf die Urapostel oder Paulus zurückgeführt werden kann"[4]. Dieses Defizit der Beweisbarkeit erweist sich für ihn als
irrelevant. Warum, besagt ein Satz, der zugleich die Hauptstichworte seines
diesen Mangel kompensierenden Argumentationsversuches nennt: Eine durch
Handauflegung weitergegebene Sukzession von den Aposteln her an Männer
der 2. und 3. Generation „(war) in der der noch werdenden Kirche (des noch
nicht abgeschlossenen Offenbarungsvorganges) auch nicht notwendig; sie
konnten ihre ‚Weihe' bzw. ‚Ordination' wohl noch unmittelbar pneumatisch
bekommen" (356). Daß sich das Interesse an der personalen apostolischen
Sukzession der Bischöfe als Garantie für die Bewahrung der apostolischen
Lehre erst ab Mitte des 2. Jahrhunderts zu Wort meldet, ist theologisch uner-
heblich für die verbindliche Geltung des episkopalen Lehramtes, aus dem
schon genannten Grund: die Kirche befand sich diesem ökumenischen Diskus-
sionsmodell zufolge bis zum Abschluß des biblischen, speziell ntl. Kanons im
4. Jahrhundert (= dem Zeitpunkt der „gewordenen" Kirche) „noch in einem
unfertigen Werdezustand . . ., der theologisch als Offenbarungsgeschehen
verstanden werden muß" (371); die Kirche war „als werdende Kirche noch Offenbarungsempfängerin" (373). Und das Ergebnis dieses Werdeprozesses: Mit
dem (vorläufigen) Abschluß der eschatologischen Christusoffenbarung und
deren Bezeugung im ntl. Kanon hat die Kirche als „gewordene" Kirche „zu ihrer wesenhaften Identität" gefunden; nämlich damit, daß „sie die Fähigkeit
und Organe hat, die kanonischen Schriften ‚amtlich' mit Verbindlichkeit festzustellen und sie letztverbindlich auf das Evangelium, die Christusbotschaft,
hin auszulegen" (360f). Oder nach einer noch dezidierteren Formulierung:
„Der Kanon der Neutestamentlichen Schriften bezeugt durch sein Dasein ein
Amt mit irreversibler Entscheidungsvollmacht" (357 Anm. 67), eben „ein zu
gesamtkirchlich verbindlichen Lehrentscheidungen" befugtes „episkopales"
Amt (357). *„Das kritische Neben- und Miteinander von freien und amtlichen*
Diensten in den urkirchlichen Gemeinden" wird freilich auch von Schürmann
nachdrücklich als „ein maßgeblich verpflichtendes Ordnungsprinzip für die
Kirche aller Zeiten" bezeichnet (372.371-374). So sehr er deshalb unterstreicht,
daß freie pneumatische Sendungen „sich schwer auswirken können, wo der
Monepiskopos sich praktisch als unicus legislator gebärdet", liegt ihm indes
nicht weniger an der Feststellung, ein Monepiskopos könne „seine ihm zu-
kommenden amtlichen Charismen mit ihrer Verantwortung nicht ins Spiel
springen, wenn er nicht die volle Entscheidungsgewalt (als plena potestas im
Rahmen seines Amtes) hat" (359).

    1. Die Tragweite dieses aufs ganzen gehenden Entwurfs für das ökumeni-
sche Gespräch liegt auf der Hand. Fände er Zustimmung, wäre damit die

---

[4] 356 mit Anm. 63. Diese Auffassung vertraten zwischenzeitlich u.a. J. ROLOFF (Art. Amt/Äm-
ter/Amtsverständnis IV, TRE 2 [1978] 526f.), H. VON LIPS, Glaube-Gemeinde-Amt,: FRLANT
122 [1979] 277f.) und katholischerseits W. TRILLING (Zum „Amt" im Neuen Testament. Eine methodologische Besinnung, in: U. Luz-H. WEDER (Hrsg.), Die Mitte des Neuen Testaments, FS E.
Schweizer, Göttingen, 1983, 321f.) — so sehr auch diese Autoren mit Schürmann in den Spätschriften, besonders in den Past, die Sukzession in der apostolischen Lehre, die successio fidei betont sehen.

„konstitutive Notwendigkeit" eines „zu gesamtkirchlich verbindlichen Lehrentscheidungen" befugten episkopalen Amtes (357) als „das für alle Kirchen immer maßgeblich bleibende ‚Vorkatholische'" (375) anerkannt, als das, was „noch evangelisch und katholisch zugleich" ist (364)[5]. Der logische Zwang, mit der Existenz bzw. Verbindlichkeit des ntl. Kanons[6], auch die Legitimität des altkirchlichen episkopalen Lehramtes anzuerkennen, steht und fällt freilich bereits mit der Gültigkeit der Prämisse, nämlich mit der Beurteilung der Kanonisierung.

a) Er kann überhaupt nicht zur Diskussion stehen, wo die Auffassung vertreten wird, der Kanon sei „nichts anderes als der Anfang dieser Geschichte, in der sich der Herr selbst gegen alle Verdrehungen, allen Widerstand und alle allzu billige Begeisterung durchgesetzt" habe, und wo darüber hinaus geltend gemacht wird, daß man im Unterschied zur Zeit der Reformation und vor allem der Gegenreformation heute „den Kanon nicht schlechterdings von der weitergehenden mündlichen und sich schriftlich niedergeschlagenen Tradition abheben kann"[7]. Jener Zugzwang entfällt auch für Autoren, die an einer normativen Dignität des ntl. Kanons festhalten, jedoch dessen „Selbstdurchsetzung" behaupten. Diese zweite Hypothese hat freilich ein gutes Stück historischer Wahrheit für sich. Angefangen mit der der Sicherung und aktualisierenden Weitergabe dienenden schriftlichen Fixierung der Jesustradition in Q und in den Evangelien sowie mit der Sammlung von Paulusbriefen und der interpretierenden Literarisierung der als normativ verstandenen apostolischen

---

[5] Das im 4. Jahrhundert bezeugte Selbstverständnis des Bischofs von Rom im Sinne des „Petrus"-Amtes wird von unserem Autor nicht berührt. Die indirekte Bedeutung seiner Argumentation für dieses Spitzenproblem der ökumenischen Amtsdiskussion ist aber nicht zu verkennen. Mit der Bildung und Anerkennung des episkopalen Lehramts und des (von der Mitte des 2. Jahrhunderts an) geltend gemachten Prinzips der lückenlosen apostolischen Sukzession der Bischöfe als Garantie für die unverfälschte Lehrkontinuität war ja auch die entscheidende theologische Voraussetzung für die aufkommende Begründung des Primats des Bischofs von Rom mit Mt 16,18f. gegeben (Zu den unterschiedlichen Auslegungen dieser Stelle bis um die Wende vom 4. zum 5. Jh. vgl. etwa P. STOCKMEIER, Das Petrusamt in der frühen Kirche: Denzler u.a. (Hrsg.), Petrusamt und Papstamt [Stuttgart 1970] 70—75; G. G. BLUM Art. Apostel/Apostolat/Apostolizität 2: TRE 3, 458—462 bzw. 464). Das bestätigte jüngst auch R. PESCH, der im Schlußkapitel seiner teilweise sehr hypothesenfreudigen Monographie „Simon-Petrus. Geschichte und geschichtliche Bedeutung des ersten Jüngers Jesu Christi" (Päpste und Papsttum 15 [Stuttgart 1980]) exkursartig auf *„einige* historische (und theologische) Probleme der Fortsetzung eines „Petrusamtes" im Primat des römischen Bischofs" zu sprechen kommt (7.168—170). Als einen maßgeblichen Faktor der Entwicklung bezeichnet er zu Recht die Konzeption der Bischöfe als „Nachfolger" der Apostel, derzufolge ja auch die Nachfolge des Petrus in den Sukzessionslisten der römischen Bischöfe „zunächst nur als Nachfolge in dem von ihm begründeten Episkopat konzipiert (wird), noch nicht als spezielle Nachfolge in einem ‚Petrusamt'" (166). Insofern die Nachfolge im Petrusprimat, nämlich seiner übertragbaren Funktionen (163.167f.), aber ein bzw. „der Spezialfall" der älteren Auffassung von der apostolischen Sukzession der Bischöfe ist (166), entscheide sich mit der Frage nach deren Legitimität auch die nach der Legitimität jenes später auftauchenden Anspruchs auf den Petrusprimat.

[6] „Wer den Kanon als verbindlich annimmt, nimmt damit auch dieses Amt der alten Kirche mit seiner Entscheidungsvollmacht (in irgendeiner Form) an, weil er sonst kein verbindliches Neues Testament mehr in Händen hält: SCHÜRMANN, a.a.O. 357 A.65.

[7] E. SCHWEIZER, Kanon? in: EvTh 31 (1971) 351.354-356.

Heilsbotschaft durch fiktive Paulusbriefe bis hin zu der zwischen den einzelnen Kirchengebieten sich vollziehenden Angleichung hinsichtlich der kanonischen Wertung einiger noch umstrittenen Schriften, ergeben sich Ansätze und Tendenzen, die zusammen mit äußeren Anstößen (Marcion, Gnostiker, Produktion apokrypher Evangelien und Apostelgeschichten) den zum neutestamentlichen Kanon führenden Prozeß als innerlich konsequente, ja notwendige geschichtliche Entwicklung begreifen lassen[8]. Es ist auch zuzugeben, daß man um die Wende vom 2. zum 3. Jahrhundert von „einem Kanon des Neuen Testaments sprechen kann", der Kanon jetzt „grundsätzlich vorhanden ist)"[9], der als solcher mit gut 21 Schriften schon die weitaus meisten der zum abgeschlossenen Kanon gehörenden Bücher umfaßt.

b) Zur ganzen historischen Wahrheit gehört aber nun einmal ein weiterer Befund. Die Kanongeschichte zeigt beispielsweise auch für W. G. Kümmel, „daß der zweiteilige Kanon aus Evv. und Apostelschriften sich . . . im Laufe des 2. Jahrhunderts innerhalb des kirchlichen Lebens spontan gebildet hat . . ."[10]. Als nicht zutreffend bezeichnet Kümmel aber „die oft" — nämlich von Protestanten wie Katholiken — „wiederholte Behauptung . . ., die Kirche habe nur *festgestellt,* welche Schriften sich schon als kanonisch durchgesetzt hatten, also schon kanonisch *waren.* Die Kirche hat vielmehr für einen *Teil* der Schriften des NT die vom Ende des 2. Jahrhunderts an da und dort anerkannte, anderswo aber abgelehnte Geltung von der Mitte des 4. Jahrhunderts an durch ihre amtlichen Entscheidungen erst *festgelegt.*"[11] Im gleichen Sinne ist etwa auch bei E. Lohse zu lesen, die Abgrenzung des ntl. Kanons sei „durch Entscheid des Bischofsamtes zum Abschluß gebracht worden"[12]. Die ausdrückliche Anerkennung einer kirchenamtlichen Entscheidung berechtigt Schürmann also zweifellos dazu, das alte katholische Anliegen, nämlich die prinzipielle Bewertung des Entscheids der den Kanon festlegenden Bischöfe und Synoden des 4. Jahrhunderts erneut aufzunehmen. Daß hier eine nicht unbegründete Anfrage an unsere reformatorischen Gesprächspartner vorliegt, verrät schon die bisweilen zu beobachtende Vermeidung von „Amts"-begriffen. So spricht z.B. W. Schneemelcher in seiner schon zitierten eindringlichen Studie zwar nicht ausdrücklich von der Selbstdurchsetzung des Kanons; er vermeidet es aber auch, die Kanonfestlegung konkret durch Bischöfe, kirchenamtliche Organe o.ä. erfolgen zu lassen. Es liegt ganz auf der Linie seines Bemühens, die von Anfang an sich zeigenden und verstärkenden Tendenzen als konsequent in den Kanon einmündenden Prozeß darzustellen (s.o. A. 8), wenn er zur Erklärung eines abgeschlossenen Kanons auf die Entstehung der „Reichskirche" verweist, mit der „auf vielen Gebieten die Tendenz zu einer Vereinheitlichung zwangsläufig gegeben" war, und die deshalb auch bezüglich der Anzahl normativer Schriften die als störend empfundene Vielfalt „nicht

---

[8] Vgl. etwa W. Schneemelcher, Art. Bibel III: Die Entstehung des Kanons des Neuen Testaments und der christlichen Bibel, in: TRE 6 (1980) 22—47.

[9] W. Schneemelcher, a.a.O. 43.46.

[10] Einleitung in das Neue Testament (Heidelberg ²¹1983) 448.   [11] A.a.O. 448.

[12] Entstehung des Neuen Testaments, Theol. Wiss. 4 (1972) 17.

mehr dulden konnte. Die Reichskirche hat auch hier das vollendet, was in den vorhergehenden Jahrhunderten im Ansatz angelegt war"[13].

c) Trotz solcher Reserve darf Schürmann weitgehende Zustimmung erwarten zu seinem Satz, die Kanonfestlegung sei dem *„Zusammenspiel von Rezeption und Episkope"* verdankt; oder wie er zusätzlich formuliert: dem Zusammenspiel der „freien und amtlichen pneumatischen Wirksamkeit" (354). Insofern der Autor durch die Existenz des Kanons die „konstitutive Notwendigkeit" des mit „irreversibler Entscheidungsvollmacht" ausgestatteten episkopalen Amtes bezeugt sieht (357 Anm. 67), basiert seine amtstheologische Folgerung jedoch auf einer Voraussetzung, die evangelischerseits nicht ausdrücklich akzeptiert bzw. direkt bestritten wird; letzteres auch von Autoren, für die „keine ernsthafte Möglichkeit (besteht), die Entscheidung der alten Kirche über den Umfang des Kanons durch Ausscheidung einzelner Schriften zu verbessern."[14]. Als repräsentativ darf wiederum W. G. Kümmel zitiert werden: „die altkirchliche Abgrenzung des Kanons, die sich ja auch in manchen Teilen der Kirche nur zögernd durchgesetzt hat und deren Anerkennung in der Alten Kirche keine Frage der Rechtgläubigkeit war", könne „nicht als unbedingt verpflichtend angesehen werden"; u.a. deshalb nicht, weil die im 4. Jh. „in der Hauptsache mit der Frage der Apostolizität getroffenen endgültigen Entscheidungen der alten Kirche über die Kanonsgrenze grundsätzlich überprüfbar" seien und „das Kriterium der Apostolizität" sich als „historisch und dogmatisch unbrauchbar" erwiesen habe[15].

2. Den Umstand, daß nach heutiger Erkenntnis „der Bestand an wirklich apostolischen Schriften innerhalb des NT erheblich geringer ist, als die alte Kirche geglaubt hat"[16], und die dadurch auch ermöglichte Bestreitung der unbedingten Verbindlichkeit des ntl. Kanons wird Schürmann mit im Blick haben, wenn er für die Kanonisierung einen nicht mehr überbietbaren Grad theologischer Legitimation beansprucht. Er gibt sich nicht damit zufrieden, die Kanonisierung gemeinchristlich letztendlich als Frucht des die Kirche leitenden heiligen Geistes zu betrachten. Einen wesentlichen Unterschied erblickt er darin, daß nach seinem „dogmatischen Vorverständnis (das neutestamentlich sein dürfte)" die „werdende" Kirche, die mit der verbindlichen Festlegung des ntl. Kanons durch das bischöfliche Lehramt zu ihrem Zielpunkt gelangte,

---

[13] A.a.O. 43.46f. Auch die „Gesprächstendenzen" des DDR-Arbeitskreises vermeiden in diesem Zusammenhang Amtsbegriffe und sprechen statt dessen von der „Kirche", die die 27 Schriften als kanonisch erkannte und anerkannte und sich damit an den Kanon band u.ä. (Frühkatholizismus 127). Obwohl der Begriff „Amt" in anderem Zusammenhang des Arbeitsberichts wie in den Referaten sehr wohl eine Rolle spielt, versichert der Schlußsatz ausdrücklich, die Sachfrage des Amtes sei „nicht diskutiert worden" (a.a.O. 128).

[14] W. G. Kümmel, a.a.O. 450.

[15] A.a.O. 449. So sehr der DDR-Arbeitskreis die Aussonderung normativer Schriften „auf Grund des vom Geist geleiteten Lebens der Kirche" erfolgen läßt, und sogar betont, die Selbstbindung der Kirche an den Kanon sei „nicht nur ein historisches Faktum . . ., sondern eine dogmatische, glaubensrelevante Entscheidung" (Frühkatholizismus 123), verzeichnet er zugleich die Auffassung, „unüberholbar sei nur das Christusereignis, die Schrift jedoch nur weil und insofern sie auf diese Unüberholbarkeit bezogen ist" (124).

[16] J. Schmid, Einleitung in das Neue Testament (Freiburg i.Br. 1973) 64.

„noch Offenbarungsempfängerin war", während in der „gewordenen" Kirche „die viva vox dann nicht mehr als noch ergehende Offenbarung erklingen (kann), sondern nur noch pneumatisch (charismatisch-frei und zugleich institutionell geordnet) rückbezogen auf die in der Schrift bezeugte Offenbarung . . ." (373). Der Vorschlag zwischen „werdender" und „gewordener" Kirche zu unterscheiden, wirft echte, aber auch schwer zu entscheidende Fragen auf, wie auch der „Arbeitsbericht" des erwähnten „Ökumenisch-theologischen Arbeitskreises" bestätigt[17].

Wir können und müssen uns hier auf das Characteristikum beschränken, mit dem unser Autor die Unterscheidung zwischen werdender und gewordener Kirche begründet. Die Berechtigung zu dieser Unterscheidung und damit auch zur Forderung, mit dem verbindlichen ntl. Kanon auch ein zu irreversiblen Lehrentscheidungen befähigtes episkopales Amt anzuerkennen, ergibt sich für ihn, wie schon erwähnt, ja daraus, daß die ganze bis zum faktischen Kanonabschluß sich erstreckende Zeit als Zeit der noch lebendigen Christusoffenbarung zu verstehen sei. Diese Zuspitzung ist eine ebenso heikle wie anspruchsvolle hermeneutische Voraussetzung. Das läßt unter anderem[18] auch der Bericht des DDR-Arbeitskreises durchblicken[19]. Es sei gefragt worden, „ob zwischen dem Kanonproblem und dem Offenbarungsverständnis nicht doch stärker unterschieden werden muß, als es im Vortrag von Schürmann geschehen ist". Weil auch „der Empfänger der Offenbarung (die Apostelgeneration? die ‚Urkirche'?) irgendwie in das Offenbarungsereignis hinein (gehört)", sei zu fragen, „ob nicht Differenzierungen in den Begriff eines ‚Abschlusses' der Offenbarung eingetragen werden müssen"[20].

a) Sicher ist insofern von einem Weitergehen des Offenbarungsgeschehens bis zum definitiven Abschluß der Parusie zu sprechen, als die volle Offenbarung erst da vorliegt, wo das erfolgte Heilshandeln Gottes durch und an Jesus verkündigt und im Lebensvollzug der Gläubigen dank der ihnen geschenkten Gnade voll realisiert wird. Demgegenüber fehlt es aber keineswegs an gewichtigen Anhaltspunkten, die zu jener Frage berechtigen. Das Mt-Evangelium läßt beispielsweise den erhöhten Kyrios den Elfen seine Gnadengegenwart „bis zur Vollendung der Weltzeit" versichern (28,20b), die für den Evangelisten mit dem definitiven Abschluß der Offenbarung, dem Offenbarwerden Christi zu Gericht und Heilsvollendung identisch ist. Der Gedanke, hinsichtlich der

---

[17] Derselbe kommt auch nicht hinaus über Anfragen und unterschiedliche Meinungsäußerungen: „Kirche, die noch nicht die Schrift hat, ist nicht (oder: noch nicht) Kirche" — „Kirche gab es schon im Vollsinn, als es noch keine Schrift gab" (Frühkatholizismus 116f.). Gegenüber den Versuchen, eine zeitliche Grenze zu ermitteln, hatte zuvor schon W. Trilling in einem Referat „Bemerkungen zum Thema ‚Frühkatholizismus'" kritische Fragen angemeldet. Eine fundamentale Schwierigkeit erblickt er bereits darin, daß eine „werdende" Kirche nur definiert werden könne, wenn die essentiellen Elemente mitgenannt werden, welche die Kirche des Anfangs zur Kirche auf Dauer machen, diese aber gerade in wichtigen Fragen kontrovers" seien: a.a.O. 65, mit Verweis auf S. 62f.

[18] Weder W. G. Kümmel in seiner notgedrungenen kurzen Besprechungsnotiz (s.u. A. 35) noch J. Roloff in seiner Besprechung des Bändchens „Frühkatholizismus" (ThLZ 109 [1984] 600—602) berührt diesen Punkt.

[19] Vgl. auch seine u. in A.26 zitierte Formulierung.   [20] A.a.O. 117.

271

bis zur Parusie Christi währenden Zeit der Kirche zwei Perioden zu unterscheiden, deren erste durch die weitergehende „Christusoffenbarung" ausgezeichnet und geprägt sei, lag dem Evangelisten sicher absolut fern. Nach dem universalen Missions- und Taufbefehl sowie dem Auftrag, alle Völker auf das von Jesus Gebotene zu verpflichten, wird die abschließende Verheißung vielmehr im Sinne der Anfangsverheißung (1,23) vom „Immanuel" („ = Mit-uns-Gott") versichern wollen, der in gottgleicher Seins- und Wirkmacht existente Jesus werde den Jüngern bei der Erfüllung ihres Auftrags, alle Völker als seine Heilsgemeinde zuzurüsten, beistehen.

Oder: Faßt man alle einschlägigen Stellen zusammen, dürfte das die bleibende Anwesenheit und Wirksamkeit des Geistes stärkstens betonende Johannesevangelium ebensowenig das vorgeschlagene Zwei-Perioden-Schema rechtfertigen, wenn „sich die Verkündiger und Lehrer in der johanneischen Gemeinde . . . als vom heiligen Geist erleuchtete Tradenten und Interpreten der Christusoffenbarung (betrachten), ganz in der Linie des ‚geliebten Jüngers', der ihre ‚bleibende' Autorität ist (vgl. 21,23 und 24)"[21]. Der die nachpaulinische, somit nachapostolische Zeit in den Blick nehmende Verfasser des Eph-Briefes nennt zusammen mit „den Aposteln (und) den Propheten" auch die aktuell-gegenwärtigen Dienste „der Evangelisten, der Hirten und Lehrer" als Frucht der Initiative des erhöhten Christus (4,11), der nicht aufhöre, für das Wachstum seines Leibes zu sorgen. Für die Vorstellung, ekklesiale Funktionsträger der nachapostolischen Zeit seien wie die Apostel noch Empfänger der noch weitergehenden nachösterlichen Christusoffenbarung, ließe sich auch diese Stelle nicht in Anspruch nehmen, weil der Verfasser „die Apostel und die Propheten" zuvor als „das Fundament", auf das die angesprochenen Christen der zweiten christlichen Generation aufgebaut sind, eindeutig der Vergangenheit zugewiesen hat, und zwar (vgl. auch 3,5) als direkte und mittelbar-pneumatische Offenbarungsempfänger (s.o. 242-249).

Da wir die Anzahl, das Lebenswerk und Lebensende „aller" vor Paulus vom Auferstandenen berufenen „Apostel" (1 Kor 15,7) nicht kennen, ist es nur zu wahr, daß die traditionelle Angabe der Schule, „mit dem Tod des letzten Apostels" sei die Christusoffenbarung abgeschlossen, „historisch nicht faßbar (ist)"[22]. Von den anerkannten Paulusbriefen abgesehen, vermögen wir in den ntl. Schriften auch nicht eine scharfe Trennung zwischen apostolischer und nachapostolischer Verkündigung zu ziehen, zumal die Überlieferung über Wirken und Verkündigung der vor und außer Paulus wirkenden Apostel als sehr fragmentarisch gelten muß. Diesem Mangel stehen aber Fakten gegenüber, denen für die Beantwortung unseres Fragepunktes beträchtliches Gewicht zuerkannt werden muß. Es ist das im letzten Drittel des 1. Jahrhunderts einsetzende, allerseits anerkannte Bestreben, das Apostolische als normativ herauszustellen, „die maßgebende apostolische Überlieferung zu fixieren und in schriftlicher Gestalt weiterzugeben." Es war, wie F. Hahn treffend be-

---

[21] R. Schnackenburg, Das Johannesevangelium. Ergänzende Auslegungen und Exkurse (HThKNT IV/4) (Freiburg i.Br. 1984) 58; vgl. ebd. 33—58.
[22] Schürmann, a.a.O. 348 Anm. 35.

merkt, eine ausgesprochen rückwärts gewandte Intention, die mit dieser Verschriftlichung der bisher mündlichen Überlieferung verbunden war"[23].

Ein eindrucksvoller Beleg dieser rückwärts gewandten Intention ist ja auch das lukanische Bemühen um den bestmöglichen Rekurs auf die von „den Augenzeugen" überlieferten „Ereignisse" (Lk 1,1—4) wie die Voraussetzung der ununterbrochenen, von der Johannestaufe bis zum Tag der Himmelfahrt reichenden Augenzeugenschaft des Wirkens Jesu, die der nachzuwählende Apostel Agp 1,21f. zufolge erfüllen muß, um seine Zeugenfunktion ausüben zu können. Das markanteste Beispiel liefern die nachapostolischen Pastoralbriefe. Die paulinische Überlieferung, „die gesunde Lehre", wird als „Paratheke", als anvertrautes Gut bezeichnet. Als der für die Past maßgebende Apostel wird Paulus selbst „als vorbildlicher Wächter über die Paratheke dargestellt . . . (II Tim 1,12)"[24], die in der nachpaulinischen Zeit unversehrt zu „bewahren" ist (1 Tim 6,20; 2 Tim 1,14), wobei der hier fiktiv redende Apostel „überzeugt" ist, daß Gott „die Macht hat, das mir anvertraute Gut bis zu jenem Tag [= dem Tag der Parusie Christi] zu bewahren" (2 Tim 1,12b). Der wohl gut zwanzig Jahre später schreibende fiktive Petrus von 2 Petr ist nicht weniger informativ. Den mit ihm das gleichwertige Glaubensgut teilenden Adressaten (1,1) will er durch sein testamentarisches Dokument die Möglichkeit schaffen, sich nach seinem Tod jederzeit auf die ihnen zuhandene Glaubenswahrheit besinnen zu können (1,12—15)[25]. Oder der um die gleiche Zeit wirkende Bischof Papias von Hiarapolis will, ausgesprochen rückwärts gewandt, über ihm bekannte schriftliche Evangelien hinaus aus mündlicher Überlieferung Worte und Taten Jesu sammeln und erklären.

Erinnert darf nochmals werden an den seit Mitte des 2. Jahrhundert einsetzenden Trend einzelner Gemeinden bzw. Regionalkirchen, gegenüber gnostischen Gruppen und Schulen, die einen direkteren Zugang zu den Quellen christlicher Wahrheit, wie z.B. auch die Belehrung durch den Auferstandenen, beanspruchten, ihre Gründung auf einen Apostel zurückzuführen und als Beweis für die Kontinuität in der apostolischen Lehre Listen aufzustellen, die vom ersten, von einem Apostel eingesetzten Bischof an die nachfolgenden Bischöfe in lückenloser Folge verzeichneten. Diese ostentative Berufung auf die apostolische Sukzession der Bischöfe wie das Bemühen um die Aussonderung von als maßgeblichen Zeugnissen der Heilsbotschaft geltender Schriften sprechen sicher eher gegen als für die Vorstellung, die Christusoffenbarung würde sich über die Zeit der Apostel hinaus bis ins 2., 3., und 4. Jahrhundert erstrecken[26].

---

[23] Frühkatholizismus als ökumenisches Problem, a.a.O. 28.

[24] J. ROLOFF, Art. Amt, a.a.O. 527.

[25] Vgl. meine u. folgende Studie „Die Schriftwerdung der apostolischen Paradosis nach 2 Petr 1,12—15".

[26] Dieser Ansicht scheint auch der DDR-Arbeitskreis Ausdruck geben zu wollen, wenn er im abschließenden Abschnitt „Gesprächstendenzen" erklärt wie folgt: „Wie immer man das Problem eines ‚Abschlusses' der Offenbarung terminologisch erfaßt und differenziert, es gibt die Abgeschlossenheit des Christuszeugnisses auf Grund seines eschatologischen Charakters und die Vorgegebenheit einer Grundstufe seiner Annahme, die mit dem apostolischen Zeugnis der neutestamentlichen Schriften verbunden und von allem nachfolgenden abgesetzt ist": Frühkatholizismus 127.

Sollte man sich also doch mit der (prinzipiell) fortdauernden Wirksamkeit des Geistes in der Kirche als „dogmatischem Vorverständnis" zufrieden geben?

b) Als problembewußter Autor avisiert Schürmann übrigens selbst vorweg das methodische Risiko seines ökumenischen Bemühens. Er sei sich bewußt, daß die Frage nach der „Legitimität" des Gestaltwandels der Kirche „mit hermeneutischen Voraussetzungen arbeiten muß, die historisch höchstens als adäquat qualifiziert werden können" (344). Zu diesen hermeneutischen Voraussetzungen rechnet er doch wohl auch selbst in erster Linie die Qualifizierung der bis zum Kanonabschluß reichenden Zeit als Zeit der noch erfolgenden eschatologischen Christusoffenbarung. Diese hermeneutische Voraussetzung seines Entwurfs ist denn auch das fundamental Neue gegenüber dem wohlbekannten Argument, die Anerkennung eines verbindlichen Kanons fordere konsequenterweise auch die Anerkennung einer exzeptionellen episkopalen Lehrvollmacht.

3. Auch wenn der ntl. Kanon uneingeschränkt als dogmatische Größe anerkannt wird, kann die historische Betrachtung leider nicht eine allgemein anerkannte Gemeinde- und Amtsstruktur als Ergebnis der in seinen Schriften faßbar werdenden Entwicklung konstatieren, ob wir für die Entstehungszeit dieser Schriften (bis ca. 120—130) dogmatisch nun die Fortdauer der lebendigen Christusoffenbarung oder den durch den Geist seine Kirche leitenden erhöhten Herrn in Anschlag bringen.

a) Angesichts des primären Anliegens unseres Autors, unsere evangelischen Gesprächspartner für die Anerkennung der Legitimität exzeptioneller episkopaler Lehrvollmacht zu gewinnen, ist seine grundlegende hermeneutische Voraussetzung verständlich. Dadurch, daß er die bis zum faktischen Kanonabschluß sich erstreckende Zeit als die Zeit der „werdenden", als solche weiterhin „Offenbarung" empfangenden Kirche qualifiziert, möchte er offensichtlich nicht nur Zeit für die zum episkopalen Lehramt führende Entwicklung gewinnen, sondern auch und vor allem die Folgerung, der ntl. Kanon würde durch sein Dasein ein Lehramt mit irreversibler Entscheidungsvollmacht bezeugen, durch die gewissermaßen höchstgradige Legitimierung der geschichtlichen Entwicklung stützen.

Wie sehr der Autor seiner fundamentalen hermeneutischen Voraussetzung geradezu entscheidende Beweiskraft zumißt, läßt er unmißverständlich durchblicken. Der Umstand, daß wir „selbst noch in der Spätzeit der Urkirche, in der die nachpaulinischen Schriften entstanden, . . . von Gemeinde zu Gemeinde einen Pluralismus von kirchlichen Ordnungen (finden)", „muß" ihm zufolge *„nicht eine ernste Anfrage an den ökumenischen Dialog beinhalten* (Unterstreichung von mir).

Und warum? Zum einen, „weil die Urkirche noch im Zustand des Werdens war . . ." (372). Zum anderen, weil der erwähnte Pluralismus seiner weiteren Argumentation zufolge geradezu belanglos wird. So bereits durch seine historische Wertung des ntl. Befunds, nämlich durch seine sehr runde These, der altkirchliche Monepiskopat liege *„ohne Zweifel* in der Linie" der in der apostolischen und nachapostolischen Zeit sich zeigenden „Tendenzen" (357;

Unterstreichung von mir). Sodann und vor allem durch die zusätzliche Berufung auf ein hermeneutisches Vorverständnis, das sich bereits in den ntl. Schriften anbiete. „Es bedarf" nach einem Selbstzitat des Autors „einer ‚amtstheologischen Hermeneutik', einer Unterscheidungsgabe und Vorentscheidung, wenn in den neutestamentlichen Gemeindestrukturen nicht der wechselhafte Pluralismus als das Maßgebliche, sondern das auf Zukunft hin Bleibende verbindlich erkannt werden soll" (357). Diese hermeneutische Vorentscheidung darf selbstverständlich als absolut konsequente Folgerung aus seiner hermeneutischen Grundvoraussetzung gelten. Wenn das den Kanon festlegende und dessen Schriften verbindlich interpretierende episkopale Lehramt das Zielergebnis der bis zum Ende des 4. Jahrhunderts sich erstreckenden eschatologischen Christusoffenbarung ist, kann „verbindlich" nur *ein* ntl. Ansatz als für die weitere Entwicklung „maßgeblich", als das auf Zukunft hin Bleibende erkannt und anerkannt werden: eben die von unserem Autor geltend gemachten „Tendenzen". Wird die grundlegende hermeneutische Voraussetzung der fortdauernden eschatologischen Christusoffenbarung ernstgenommen, erfordert diese ja eine zielstrebige, um nicht zu sagen, eine von Anfang an geradlinige Entwicklung. Diese Zielstrebigkeit unterstreicht der Autor übrigens noch durch den riskanten Vergleich mit einer organisch-naturgesetzlichen Entwicklung, nämlich der Entwicklung vom Embryo zum Kleinkind und heranwachsenden Kind[27].

b) Trotz seiner These, der altkirchliche Menepiskopat liege „ohne Zweifel" in der Linie der im NT selbst, nämlich in dessen apostolischen und nachapostolischen Schriften sich zeigenden Tendenzen, konzediert auch unser Autor nebenbei, daß von den ntl. Schriften her „auch andere Entwicklungen denkbar gewesen wären" als die zum episkopalen Lehramt führende (367)[28]. Schon was die Beanspruchung Pauli für jene „Tendenzen" betrifft, ist in der Tat Vorsicht geboten. Gewiß hat schon Paulus „im Apostolat neben der Einmaligkeit seiner geschichtlichen Stellung die Modellhaftigkeit und Erstmaligkeit im Blick auf die Evangeliumsverkündigung herausgestellt (vgl. bes. 2 Kor 2,14—6,10)", was in analoger Weise auch die Zeugnisse der nachapostolischen Zeit tun[29]. Das oben (233 bzw. 239—240) besprochene Anliegen, vom paulinischen Apostolat (als Zusammenfassung aller „Ämter" und „Charismen") her ein analoges, an der geistlichen Vollmacht des Apostels partizipierendes Amt in der gewordenen Kirche zu begründen, kommt über ein Postulat aber leider

---

[27] „Wie die menschliche Gestalt nicht schon am Embryo, sondern am Kleinkind erkannt wird, so werden die konstitutiven Gestaltelemente der Kirche nicht alle schon an der werdenden Urkirche ablesbar sein; sie können erst in der frühen Alten Kirche, also in der ‚Frühkirche', voll sichtbar werden . . ." (347 mit Anm. 31).

[28] Vgl. zum diesbezüglichen Quellenbefund auch den jüngeren, ebenfalls die neueren Arbeiten anziehenden Artikel von W. Trilling, Zum „Amt" im Neuen Testament. Eine methodologische Besinnung, in: U. Luz-H. Weder, Die Mitte des Neuen Testaments, FS E. Schweizer (Göttingen 1983) 316—344; bes. 320—323.331f.

[29] F. Hahn, Einheit der Kirche und Kirchengemeinschaft in neutestamentlicher Sicht, in: F. Hahn u.a., Einheit der Kirche. Grundlegung im Neuen Testament (QD 84) (Freiburg i. Br. 1979) 50.

nicht hinaus[30]. Was sodann die nachapostolischen Schriften angeht, lassen sich die Gesichtspunkte, die für die Auffassung[31], daß vom NT her auch andere Entwicklungen denkbar gewesen wären, ebenso wenig leicht abtun, sowohl was die angeblich repräsentative Bedeutung der Pastoralbriefe hinsichtlich der institutionellen Ordnung der Ortsgemeinde betrifft, als auch was die Gestalt der ortsgemeindlichen Ordnung angeht[32].

c) Die unter Ziffer 3b) zitierte Konzession Schürmanns wird von diesem freilich zugleich als belanglos zur Seite geschoben, eben mit seiner schon erwähnten Behauptung, der ntl. Pluralismus von kirchlichen Ordnungen müsse keineswegs „eine ernste Anfrage an den ökumenischen Dialog" beinhalten. Mit der faktischen Ablehnung einer solchen Anfrage wird, was man ehrlicherweise nicht übersehen kann, der speziell vom NT her geführte ökumenische Dialog an seinem neuralgischen Punkt getroffen. Denn gerade auch ökumenisch engagierte Gesprächspartner betonen die Chance, die die verschiedenen, noch nicht zur Wirkung gekommenen Ansätze institutioneller Ordnung im NT bieten[33].

4. Was die Diskussion der Amtsfrage nicht zuletzt kompliziert, ist der Umstand, daß mit der Frage nach der Relevanz der ntl. Ansätze für Gestalt und Funktion des Amtes bzw. der Ämter die theologische Frage nach dem Verbindlichkeitsgrad des ntl. Kanons gestellt wird und umgekehrt[34].

---

[30] Vgl. auch W. TRILLING, Zum „Amt" (325 f.).

[31] So meint W. TRILLING, zugleich unter Berufung auf weitere katholische Autoren, urteilen zu müssen: 332: „Sicher dürfen die Apostelgeschichte und die Pastoralbriefe nicht als repräsentativ für die Spätschicht der neutestamentlichen Schriften noch für den entsprechenden Zeitabschnitt angesehen werden": a.a.O. 332.

[32] Zur Frage, wieweit die nachfolgende Entwicklung in der Ausbildung kirchlicher Ämter als eine notwendige und unumkehrbare angesehen werden muß, erklärt F. HAHN zunächst: „Der Charakter der späteren Ämter zeichnet sich in den Pastoralbriefen lediglich in seiner Grundgestalt ab, aber eine Festlegung hinsichtlich der Ausgestaltung ist noch keineswegs erfolgt. Die Pastoralbriefe lassen deshalb eine Weiterentwicklung in vielerlei Hinsicht zu" (Einheit 50 A.103). W. TRILLING resümierte jüngst: „Im Blick auf die Konzeptionen von ‚dem einen Amt in der Kirche' und auf bestimmte Inhalte eines solchen Amtes muß m.E. die Situation, die sich in den neutestamentlichen Schriften spiegelt, grundsätzlich offengehalten werden auf verschiedene Realisierungsformen eines solchen Amtes (bzw. mehrerer Ämter) hin. Aus dem geschichtlichen Prozeß als solchem ist keine Eindeutigkeit zu gewinnen, außer in der genannten Bindung jeder Art von Amt oder Dienst an die Verkündigung und Bewahrung des Evangliums": Zum „Amt" 332.

[33] Als repräsentativ sei F. HAHN zitiert, der sich unter den deutschen evangelischen Fachkollegen wohl am eingehendsten mit der Amtsfrage beschäftigte und unter Hinweis auf den von den Reformatoren immer wieder betonten „consensus quinquesaecularis" ausdrücklich feststellt, „daß es eine legitime Traditionsentfaltung über das Neue Testament hinaus geben kann." (Neutestamentliche Grundlagen über eine Lehre vom kirchlichen Amt, in: F. HAHN u.a., Dienst und Amt. Überlebensfrage der Kirche [Regensburg 1973] 31). Trotzdem stellte sich für ihn jüngst „erneut die Frage, ob wir nur auf eine gegenseitige Anerkennung unserer bestehenden Ämter zugehen sollen oder ob nicht doch eine veränderte, gemeinsam anzustrebende Ordnung unseres kirchlichen Amtes Ziel sein müßte". (Berufung, Amtsübertragung und Ordination im ältesten Christentum, in: A. GANOCZY U.A. (Hrsg.), Der Streit um das Amt in der Kirche. Ernstfall der Ökumene, [Regensburg 1983] 55).

[34] Nicht weniger als katholische Exegeten, die sich vor allem auf die Past-Briefe als den für die Ämterentwicklung maßgeblichen ntl. Ansatz berufen, illustrieren scharf kanonkritisch eingestellte evangelische Kollegen diese Interdependenz. Je mehr und eindeutiger diese in ntl. Spätschriften

a) H. Schürmann stellt sich dieser Interdependenz, indem er die ntl. Schriften hinsichtlich ihrer „kritischen" Funktion folgendermaßen einander zuordnet: Natürlich müssen sich „in besonderer Weise alle nachpaulinischen Schriften — einschließlich der Evangelienredaktion — kritisch von den genuin *apostolischen Zeugnissen* her befragen lassen, ob sie das eschatologische Heil . . . sachgerecht zur Sprache bringen" (364). Nicht weniger betont er, daß „die nachapostolischen Schriften auch als kritische Prinzipien für die apostolischen notwendig" seien (365). „Das Evangelium", „die Mitte" der Schrift des NT bestimme sich deshalb auch von dessen Umfang her. „Die ,Mitte' ist inhaltlich nicht ,das Ganze', aber ohne das Ganze ist die Mitte eben nicht die Mitte" (368). Dem entsprechend formuliert er zusammenfassend: „Ein ,innerer Kanon' im ,äußeren Kanon' kann nur im Neben-, Mit-, Für- und manchmal auch Gegeneinander der genannten beiden kritischen Prinzipien bestimmt werden. Die apostolischen Überlieferungen bestimmen maßgeblich und kritisch die nachapostolischen Schriften des Neuen Testaments, diese wiederum maßgeblich und kritisch die apostolischen Überlieferungen" (366). Daß unser Autor die nachapostolischen Schriften als kritisches Prinzip für die apostolischen geltend macht, kann im Hinblick auf seine erwähnte These, der altkirchliche Monepiskopat liege ohne Zweifel in der Linie der in den apostolischen und nachapostolischen Schriften sich zeigenden „Tendenzen" (357), zunächst überraschen, wird aber zugleich verständlich. Denn wenn das NT einen Anhaltspunkt für diese These liefert, dann — und dem scheint eben auch er Rechnung tragen zu wollen — sind es nicht die anerkannten Paulusbriefe, sondern die deuteropaulinischen Pastoralbriefe mit dem als primus inter pares (= den Gliedern des ortsgemeindlichen Presbyterkollegiums) sich abzeichnenden „episkopos".

b) H. Schürmann ist gewiß selbst nicht überrascht, daß seine scharfe These, die nachapostolischen Schriften des NT würden auch „maßgeblich und kritisch die apostolischen Überlieferungen bestimmen", Widerspruch fand[35]. Diesen zu erwartenden Widerspruch hatte er vermutlich schon im Sinn, als er zuvor ein besonders dringliches Desiderat anmeldete: „Ein ökumenisches Dokument über ,Mitte und Umfang des Kanons' oder — was deckungsgleich sein dürfte —: über das ,schriftgemäß verstandene Evangelium' dürfte ein besonders dringliches und weiterhelfendes Erfordernis sein" (351 Anm. 45). Die Frage nach der Mitte des Kanons[36] wird auch von katholischen Exegeten anerkannt. Auch reformatorische Kollegen ringen indes bis heute noch um eine

---

„frühkatholisches" Amtsverständnis bezeugt sehen, desto dezidierter machen sie diesen gegenüber das hermeneutische Prinzip des „Kanon im Kanon" geltend; vgl. auch meinen u. folgenden Beitrag: „Keine Prophetie der Schrift ist Sache eigenwilliger Auslegung" (2 Petr 1,20b).

[35] „H. Schürmann möchte nach dem ,Evangelisch-Katholischen' suchen durch den Hinweis auf die Maßgeblichkeit des Ursprungs *und* die kritische Bedeutung der nachapostolischen Schriften, die Mitte der Schrift bestimme sich vom Ganzen der Schrift her (was ich nicht anerkennen kann)": So W. G. Kümmel: TR 47 (1982) 199.

[36] Zur Notwendigkeit dieser Frage vgl. auch O. Merk in seinem instruktiven Art. Biblische Theologie II; in: TRE 6 (1980) 471—474.

vollbefriedigende präzise Bestimmung dieser Mitte[37], wobei sie freilich Schürmanns Definition der Mitte nicht teilen. Ob als diese Mitte die Gestalt Christi selbst, die „ursprüngliche" oder „grundlegende" Christusverkündigung bezeichnet wird, ergeben sich für unser spezielles Anliegen indes mehr offene Fragen als Antworten. Wenn es einen Fragepunkt gibt, bei dem der Versuch, die Sachgemäßheit von Aussagen und Phänomenen nachpaulinischer Schriften von der „grundlegenden" Christusbotschaft her zu beurteilen, sich als besonders schwierig erweist, ist es die Ämterfrage. Dies schon deshalb, weil Paulus auch zur Zeit der Abfassung des Röm-Briefes aufgrund der von ihm festgehaltenen Naherwartung[38] offenbar keinen Anlaß sah, im Anschluß an seine charismatische Gemeindekonzeption und über diese hinaus selbst eine den Erfordernissen der nachapostolischen Zeit entsprechende Kirchenordnung, etwa die in den Past-Briefen bezeugte Ämterordnung zu entwerfen. Der gute Vorschlag, es gelte, „kirchliche Ordnung unter Rückgriff auf *die grundlegenden Prinzipien* des Neuen Testaments auszugestalten, was aber nur geschehen kann, unter Beachtung der Tradition, aus der wir kommen, und bei hinreichender Berücksichtigung der Situation, in der wir stehen" (Unterstreichung von mir)[39], bedarf eben auch einer Einigung darüber, was zu den „grundlegenden Prinzipien des Neuen Testamentes" zu rechnen ist und was etwa nicht.

c) Dem Anliegen Schürmanns, das seine überspitzte These „Die ‚Mitte‘ ist inhaltlich nicht ‚das Ganze‘, aber ohne das Ganze ist die Mitte eben nicht die Mitte" zum Ausdruck bringt (368), kommt von den evangelischen Gesprächspartnern, soviel ich sehe, am meisten F. Hahn entgegen. Freilich kommen wir auch ihm zufolge „um eine klare Zuordnung und Gewichtung der einzelnen Dokumente gerade dann nicht herum, wenn es um die Anerkennung des ganzen Kanons geht"[40]. Er betont aber auch an anderer Stelle, bei der Frage nach der Mitte der Schrift sollte es um „einen kritisch zu handhabenden ‚Kanon im Kanon‘ . . . jedenfalls nicht gehen"[41]. Und zur gegenseitigen Bindung von Tradition und Geist durch die Ordination des zur Wahrung der apostolischen Lehre verpflichteten Amtsträgers in den Past-Briefen erklärt er: „Dieser Schritt war in der nachapostolischen Zeit sachlich notwendig, und bleibt, sofern man sich in der Kirche um ein institutionell geordnetes Amt bemüht, unaufgebbar."[42] Die von Schürmann gewünschte Erarbeitung eines ökumeni-

---

[37] Vgl. jüngst bes. C. KINGSLEY BARRETT, The Centre of the New Testament and the Canon, in: U. LUTZ-H. WEDER (Hrsg.), Die Mitte des Neuen Testaments, FS. E. Schweizer (Göttingen 1983) 5—21.
[38] Vgl. meinen obigen Beitrag: Röm 13, 11—14 und die „Nah"-Erwartung.
[39] F. HAHN, Charisma und Amt. Die Diskussion über das kirchliche Amt im Lichte der neutestamentlichen Charismenlehre (Freiburger Gastvorlesung 1974); in: ZThK 76 (1979) 448.
[40] Einheit der Kirche 50, A.102.
[41] Urchristliche Lehre und neutestamentliche Theologie, in: P. EICHER u.a. (Hrsg.), Die Theologie und das Lehramt (Freiburg i.Br. 1982) 111.
[42] Neutestamentliche Grundlagen 29. Mit seiner Betonung, die Past-Briefe würden „eine Weiterentwicklung [des Amtes] in vielerlei Hinsicht" zulassen, und das geschichtlich Gewordene könne uns „nicht einseitig binden und festlegen", verband er schon 1979 auch das Votum: „Sicher darf bei unseren Erwägungen die tatsächliche geschichtliche Entwicklung nicht unberücksichtigt blei-

schen Dokuments über „Mitte und Umfang des Kanons" darf deshalb speziell im Hinblick auf die Ämterfrage als echtes Desiderat gelten.

Wie unser Autor abschließend erklärt, wollen seine positiven Darlegungen denn auch „weniger Behauptungen als Fragen für das *gemeinsame* Überlegen in den Raum stellen" (375). Es sind gewiß genug der Fragen, die das weitere gemeinsame Überlegen herausfordern. Freilich bedarf es zu ihrer Beantwortung der gemeinsamen geduldigen Anstrengungen aller theologischen Disziplinen, gerade auch was das Bemühen um eine Einigung auf Verständnis und Ausübung des Bischofsamtes betrifft[43].

---

ben, und das gilt nicht nur wegen der Kraft des Faktischen, sondern vor allem deswegen, weil die Väter der Kirche in ihrem Glauben und in ihrem Gewissen sich für die nach ihrer Meinung beste Lösung der konkreten Gestaltung des Amtes entschieden haben. Daran können wir nicht ohne weiteres vorübergehen, auch wenn noch so viele Fehlwege und eigenmächtige menschliche Entscheidungen damit verbunden gewesen sind": Einheit der Kirche 50f. A. 103.

[43] Diesbezügliche Schritte bringt das Dokument „Einheit vor uns" der gemeinsamen Römisch-katholischen/Evangelisch-lutherischen Kommission in Vorschlag. Dieselbe geht „von der Grundthese aus, daß es über eine gegenseitige Anerkennung der Ämter als Formen des von Christus gestifteten Amtes hinaus zu einer *gemeinsamen Ausübung des kirchlichen Amtes*, vor allem des Bischofsamtes, kommen müsse" (U. RUH, Lutherisch-Katholische Kommission: Wege zur Kirchengemeinschaft; in: Herder-Korrespondenz 39,6 (1985) 259; vgl. ebda. 260 zu den einzelnen Schritten dieses episkopalen Modells.

Die Schwierigkeiten, sich auf Verständnis und Ausübung eines kirchlichen, speziell bischöflichen Lehramtes zu einigen, melden sich bis heute kräftig zu Wort. Es sei nur verwiesen auf die jüngste Studie von T. KOCH (Die Freiheit der Wahrheit und die Notwendigkeit eines kirchenleitenden Lehramtes in der evangelischen Kirche: ZThK 82, 1985, 231–250) sowie auf die kritischen Bedenken gegenüber der Konvergenzerklärung des sogenannten Lima-Papiers zum kirchlichen Amt im 1. Heft des Jahrgangs 31 (1985) der Zeitschrift „Kerygma und Dogma" von R. SLENCZKA (13), F. BEISSER (31) und, ganz ausführlich, von E. HERMS (65–95). In seiner nachträglich erschienenen „Fundamentaltheologie" (Graz-Wien-Köln 1985) bietet katholischerseits H. FRIES den neuesten Überblick über die Amtsfrage in den wichtigsten ökumenischen Kommissionsdokumenten (448–461), wobei ihm beim Lima-Papier daran liegt, die das kirchliche Amt betreffenden Kernaussagen hervorzuheben (455–459); ebenda (459–461) verteidigt er seine Antwort auf die Frage: „Was heißt Anerkennung?"

2
Petrus und Paulus nach dem Zweiten Petrusbrief*

In seiner ökumenisch richtungweisenden Quaestio disputata „Petrus und Paulus – Pole der Einheit"[1] hat der Jubilar für den judenchristlichen wie für den heidenchristlichen Bereich überzeugend „eine enorme Aufwertung der Petrusgestalt und des Petrusdienstes nach dem Tod des Apostels Petrus" zur Darstellung gebracht[2]. Als wichtiges Ergebnis seiner Untersuchung des 2 Petr kann er feststellen: „Um das Jahr 120 n. Chr. herum gelten Petrus und Paulus bereits als brüderliches ‚Zweigespann'", náchdem schon der einige Jahrzehnte zuvor geschriebene 1 Petr Petrus „zum theologischen Bruder des Paulus" machte[3]. Was den Fortschritt von 2 Petr gegenüber 1 Petr „hinsichtlich der Autorität des Petrus" betrifft, resümiert F. Mußner treffend: „Petrus tritt in 2 Petr als Wächter des überlieferten orthodoxen Glaubens auf. Er beansprucht apostolische Autorität in der Auslegung der Schrift (vgl. 1, 20f.), ja sogar in der Auslegung der Briefe anderer Apostel wie des Paulus (vgl. 3, 15f.)."[4] Daß unser Brief einen Apostel in der 3, 15 b – 16 bekundeten Ausdrücklichkeit zum Verständnis bzw. sogar der brieflichen Äußerung eines anderen Apostels Stellung nehmen läßt, ist im nachapostolischen Schrifttum ein erstmaliges Phänomen, das eben deshalb besonderes Interesse weckt, weil es „Petrus" ist, der auf solche Weise (nicht etwa nur einem Zwölferapostel sondern) Paulus zugeordnet wird.

1. Aus dieser Zuordnung wird vereinzelt sogar die Konsequenz gezogen, die zwölf Apostel seien für den Verfasser „die oberste Instanz"[5]; sie seien „als fest umgrenzte Institution kanonisiert"[6], weshalb „Petrus" Paulus den Aposteltitel verweigere[7]. Diese These läßt sich nicht begründen, was erst recht von der einmalig kühnen Behauptung gilt, „für die Laien" werde die paulinische Theologie in 2 Petr „auf den Index gesetzt"[8]. Von „den zwölf Aposteln" ist weder 1, 1 noch 1, 16 – 18 die Rede. Die Bezeichnung Pauli als „unser geliebter Bruder" „entspricht vollkommen der Fiktion des 2 Petr als eines Apostelbriefes"[9]. Da

---

* Erstveröffentlichung des durchgesehenen Beitrags: P.-G. Müller – W. Steger (Hrsg.), Kontinuität und Einheit, FS F. Mußner (Freiburg 1981) 223 – 239.
[1] Freiburg i. Br. (1976).   [2] F. Mussner, a.a.O. 69.
[3] F. Mussner, a.a.O. 67.   [4] F. Mussner, a.a.O. 65f.
[5] J. Wagenmann, Die Stellung des Apostels Paulus neben den Zwölf in den ersten zwei Jahrhunderten (Gießen 1926) 172.
[6] S. Schulz, Die Mitte der Schrift (Stuttgart – Berlin 1976) 296.
[7] G. Klein, Die zwölf Apostel. Ursprung und Gehalt einer Idee (FRLANT 77) (Göttingen 1961) 105. 113; S. Schulz, a.a.O. 114f. 296. 306f.
[8] S. Schulz, a.a.O. 306, unter Berufung auf G. Klein, a.a.O. 104.
[9] A. Lindemann, Paulus im ältesten Christentum (BHTh 58) (Tübingen 1979) 93.

„Petrus" Paulus somit als „Amtsbruder", als „Apostelkollege" bezeichnet[10] und abschließend auf dessen Übereinstimmung mit seiner Parusieverkündigung sichtlich größten Wert legt (3, 14 – 16), ist es innerlich höchst unwahrscheinlich, daß er aus dem „Wir" der Apostel von 1, 1, mit denen die Adressaten den gleichwertigen Glauben teilen, Paulus ausnehmen will, auch wenn er daselbst im Blick auf sein Argumentationsverfahren schon im besonderen an die beiden Mitzeugen des Verklärungsgeschehens (1, 16 – 18) gedacht haben könnte. Man kann den 2 Petr also nicht dadurch als „kanonisch" indiskutables Produkt aus der Diskussion ausscheiden, daß man ihn Paulus den apostolischen Rang absprechen läßt. Richtiger ist demnach zu fragen, ob 2 Petr eine Differenz zwischen den beiden Aposteln Petrus und Paulus hinsichtlich der Lehrvollmacht bezeugt.

2. Wenigstens hintergründig scheint bisweilen eine Überlegung mitzuspielen, die schon eines äußeren Befundes wegen die Bejahung dieser Frage favorisiert. Es existiere keine neutestamentliche Spätschrift, die den umgekehrten Fall bezeugen würde, daß nämlich ein paulinischer Pseudepigraph, unter ausdrücklicher Nennung des Namens Petri, die autoritative Auslegung von dessen brieflichen Äußerungen für sich beansprucht. Auf dieses argumentum e silentio sollte man guten Gewissens verzichten. Selbst wenn 1 Petr als allem nach einziger vor 2 Petr existierender „Petrus"-Brief schon bald nach 70 geschrieben wäre, hätte er um die Jahrhundertwende und danach sicher nicht die Brisanz besessen, die den Paulusbriefen zukam. Es wirkt zweifellos überraschend, daß sich „Petrus" nach Abschluß seiner Verteidigung des Parusieglaubens noch auf Paulus als bestätigende apostolische Autorität beruft und zu diesem Zweck die wohlüberlegte Parusieparänese 3, 14 – 15 a formuliert (s. u. 6 c). Das muß einen triftigen Grund haben, zumal schon ältere Schriften nicht bezweifeln lassen, daß Petrus als gesamtkirchliche apostolische Autorität Paulus nicht nachsteht. Und der Grund für jene unerwartete Hinzufügung kann nur die 3, 16 bc ausgesprochene Behauptung sein, die Parusieleugner würden manche „schwerverständliche" Aussagen der Paulusbriefe sinnentstellend auslegen. Bei den „Unwissenden und Ungefestigten" muß in erster Linie an die betont heterodoxen Parusieleugner gedacht sein. Außer dem Kontext sprechen dafür wahrscheinlich auch die beiden zitierten Kennzeichnungen und noch deutlicher der Zusatz „zu ihrem eigenen Verderben (ἀπώλειαν)"; ἀπώλεια ist wie φθορά für 2 Petr eine charakteristische Bezeichnung des Treibens (2, 1 b) und des endgerichtlichen Schicksals der Irrlehrer (2, 1 c. 3; 3, 7. 16).

Der Umstand, daß sich die Parusiespötter im besonderen auf (die) Paulusbriefe beriefen, ließe nächstliegend erwarten, daß der Autor Paulus selbst den Parusieglauben gegenüber der verfälschenden Exegese der Gegner verteidigen läßt. Es wäre ja nicht der erste Fall, daß Äußerungen des Apostels gegen Mißverständnisse und Verfälschungen abgesichert werden mußten, wie anerkannt authentische und auch jüngere Briefe des Corpus Paulinum bezeugen (Röm 3, 8; 6, 1; Phil 3, 3; 2 Thess 2, 2; 2 Tim 2, 18). Gehörte zu den 3, 16 genannten

---

[10] So mit fast allen Autoren auch W. Schrage, Der zweite Petrusbrief (NTD 10) (Göttingen 1973) 148.

Paulusbriefen auch 2 Thess, hätte der Verfasser einen Brief gehabt, der Paulus speziell ein die Parusie betreffendes Mißverständnis ausräumen läßt (2, 1 – 12). Wegen der teilweise unsicheren Datierung von Spätschriften, wie der Past und noch mehr unseres 2 Petr selbst, ist auch nicht sicher, ob er die Apg und die Past kannte. Jedenfalls: die sicher vor 2 Petr verfaßte Apg (20, 18 – 35) und 2 Tim (3 – 4) lassen den Apostel Paulus ebenfalls in Testamentform das Auftreten von Irrlehrern voraussagen und im Hinblick auf die seinem Tod nachfolgende Zeit sein apostolisches Lehramt ausüben. Was die zeitliche Entfernung zu dem dem Autor wohl bekannten Martyrium Petri und Pauli betrifft, war diese zudem für beide gleich. Warum schreibt er also nicht unter dem Namen des Apostels Paulus?

3. Auch für die amerikanische lutherisch-katholische Gemeinschaftsstudie „Peter in the New Testament"[11] ist das keine überflüssige Frage. Zu dem Satz: „Der Verfasser war der Meinung, daß die Berufung auf die Vollmacht des Petrus überzeugend ihre [der Gegner] Berufung auf die Vollmacht des Paulus korrigieren würde", merkt die Studie an, man könne fragen, warum der Verfasser nicht einen deuteropaulinischen Brief schrieb, um seine Gegner zu berichtigen. „Ein Grund dafür mag gewesen sein, daß bereits eine feste Sammlung von Paulus-Briefen bestand (‚alle seine Briefe' – 2 Petr 3, 16)."[12]

Es ist unbestritten, daß 2 Petr 3, 15b – 16 wenigstens den Anfang der Bildung eines neutestamentlichen Kanons bezeugt; ebenso, daß die Paulusbriefe aufgrund des dem Mitapostel Paulus zuerkannten Geistbesitzes für „Petrus" den gleichen autoritativen Charakter haben, den dieser für seine(n) Brief(e) beansprucht. Daß er die Paulusbriefe – gleich wie viele er kannte, etwa ohne Hebr und Past – auch als „kanonisch" im technischen Sinne dieses Wortes voraussetzt, kann auch die Bezeichnung „die übrigen Schriften" nicht sicherstellen, wie vor allem T. Fornberg betont[13]. Wir können uns auf die Frage beschränken, ob der Autor die ihm bekannten Paulusbriefe als abgeschlossenes corpus von quasi-kanonischem Status voraussetzt, so daß er die Rezeption eines weiteren, den Namen Pauli tragenden Briefes von vornherein für aussichtslos halten müßte. Das wäre am ehesten anzunehmen, wenn er statt 3, 15b – 16 nur kurz und bündig sagen würde: wie auch . . . Paulus . . . in allen (seinen) Briefen geschrieben hat. Schon weniger sicher wäre jene Voraussetzung zu bejahen, wenn er mit 3, 15b die Leser auf einen bestimmten Brief verweisen wollte, der an Gemeinden einer von ihm besonders angezielten Region gerichtet war. Dann ließe sich seine Aussage dahin verstehen: was Paulus in dem an euch adressierten Brief schrieb, steht „auch in allen (seinen) Briefen". Bei dieser Gegenüberstellung wäre indes eher „in seinen anderen, übrigen Briefen" bzw. sogar: „auch in allen übrigen Briefen" zu erwarten, wenn ihm an der

---

[11] Hrsg. von R. E. Brown u. a. (Minneapolis – New York 1973); hier zitiert nach der deutschen Übersetzung von E. Füssl, Der Petrus der Bibel (Stuttgart 1976).

[12] Der Petrus 136. 233 Anm. 333.

[13] Ihm zufolge betrachtet der Verfasser die Paulusbriefe sehr wohl als „inspiriert", aber nicht als „kanonisch": An Early-Church in a Pluralistic Society. A Study of 2 Peter (CB, NT Series 9) (Lund 1977) 22 f.; vgl. auch A. Lindemann, Paulus 94.

Vorstellung einer festen, abgeschlossenen Sammlung gelegen hätte. Daß „Petrus" in 3, 15 b einen verlorengegangenen Brief oder auch nur einen bestimmten Brief aus unserem Pauluskanon im Auge hatte[14], ist nicht zu beweisen und darf als höchst unwahrscheinlich gelten[15]. Mit der vertrackt wirkenden Formulierung 3, 15 b. 16 a will „Petrus" wahrscheinlich sagen: dieselbe Mahnung, die ich brieflich an euch richte, hat auch unser Mitapostel Paulus brieflich an „euch" gerichtet. Wie im übrigen Brief will „Petrus" mit dem „euch" von 3, 15 b, der „katholischen" Briefadresse 1, 1 entsprechend, alle Gemeinden, „die ganze Kirche"[16] ansprechen. Dabei setzt er als selbstverständlich voraus – was er nach unserer heutigen Kenntnis auch guten Gewissens tun konnte –, daß die Gemeinden jedenfalls mehrere Paulusbriefe besitzen und diese nicht mehr nur den jeweils genannten Adressaten, sondern allen Gemeinden gehören und gelten. Mit 3, 16 a verdeutlicht und unterstreicht er sodann, daß die Briefe hinsichtlich der als paulinisch beanspruchten Mahnung einander stützen und bestätigen. Diese Feststellung konnte der Verfasser auch deshalb für angebracht halten, weil sich ein Einzelbrief, in dem Paulus die Mahnung 3, 14 – 15 a in auch nur annähernd gleicher Formulierung aussprechen würde, nicht entdecken läßt (s. u. 6 c). „Presumably 3, 16 a is intended to emphasize that what is said in VV. 14 – 15 a really is Pauline. He says this in all his letters, insofar as such questions are treated . . ."[17] Es ist somit zumindest zweifelhaft, daß der Verfasser die Vorstellung eines dem Umfang nach abgeschlossenen paulinischen Briefcorpus voraussetzt.

Unterstellen wir aber einmal, die Vorstellung eines feststehenden, nicht erweiterungsfähigen Briefcorpus sei ein Grund oder sogar der entscheidende Grund gewesen, aus dem der Verfasser auf das Pseudonym „Paulus" verzichtete. Daraus ließe sich selbstverständlich nicht im geringsten folgern, die Lehrautorität des Apostels Paulus würde in seiner Sicht nicht mehr ausreichen. Denn daß „Paulus" nicht zum Zug kam, wäre in diesem Fall in einem Umstand begründet, der die Anerkennung der gesamtkirchlichen Lehrautorität Pauli voraussetzt. Und so überflüssig es klingt, darf man freilich hinzufügen: der erwogene Hinderungsgrund wäre für „Petrus" schon deshalb nicht in Betracht gekommen, da eine feste Briefsammlung Petri sicher nicht existierte.

4. Davon abgesehen, inwieweit und ob überhaupt die Vorstellung eines abgeschlossenen Corpus Paulinum den Autor an der Abfassung eines deuteropaulinischen Briefes hinderte, kann man den oben zitierten Satz der amerikanischen Gemeinschaftsstudie, der Verfasser des 2 Petr sei „der Meinung, daß die Berufung auf die Vollmacht des Petrus überzeugend ihre [der Gegner] Be-

---

[14] Auf der Suche nach diesem Brief dachte man wegen 3, 15 a (die auf Umkehr bedachte göttliche Langmut) schon an den Röm. Die als paulinisch beanspruchte Mahnung umfaßt jedoch beide Verse: 3, 14 und 15 a: vgl. J. N. D. KELLY, A. Commentary on the Epistles of Peter and of Jude (Black's NTC) (London 1969, Reprinted 1976) 371 f.

[15] J. N. D. KELLY, a.a.O. 371 – 373.   [16] W. SCHRAGE, a.a.O. (s. Anm. 11) 148.

[17] T. FORNBERG, Early Church 23. Dem pflichtet auch A. LINDEMANN in treffender Formulierung bei: 3, 16 besage im Sinne von 2 Petr, „daß ,Petrus' nicht etwa mit irgendeiner Randbemerkung in irgendeinem der paulinischen Briefe übereinstimmt, sondern mit der paulinischen Theologie schlechthin" (Paulus 93).

rufung auf die Vollmacht des Paulus korrigieren würde", doch unbedenklich unterschreiben. Auf diese Feststellung wird aber darüber hinaus die Folgerung gestützt: „Zu der Zeit, als der 2. Petrusbrief geschrieben wurde, und in den Kreisen, die er widerspiegelt, begann die Entwicklungslinie des Petrus die des Paulus zu überholen."[18] Und in den gemeinsamen „Schlußfolgerungen der Untersuchung" heißt es nochmals: „Wir können zum mindesten Anfänge dieser Entwicklung" – daß nämlich „in der christlichen Geschichte nach der Zeit des Neuen Testaments, besonders im Westen, die Entwicklungslinie des Petrus schließlich die der anderen Apostel überholt (hat) (z. B. die der Zwölf und sogar die des Paulus)" – „schon im 2. Petrusbrief sehen, wo das Bild des Petrus heraufbeschworen wird, um diejenigen, die sich auf Paulus berufen, zurechtzuweisen"[19]. Der abschließende „wo"-Satz klingt in diesem Kontext so, als wolle 2 Petr die Lehrvollmacht des Petrus als solche der Pauli überordnen[20]. Diesen Eindruck scheint das Arbeitsteam (oder doch ein Teil desselben) jedoch abschwächen, wenn nicht verwischen zu wollen, indem im Anmerkungsteil ein weiteres Mal[21] besonders die Beanspruchung Pauli durch die Gegner zu bedenken gegeben wird:

„Wenn der 2. Petrusbrief den Apostel Petrus über Paulus zu stellen scheint, so ist diese Einschätzung durch die Tatsache ins richtige Licht gerückt, daß seine Gegner sich auf Paulus berufen. Eine ganz ähnliche Lage spiegelt sich auch in den frühen Schichten der pseudo-clementinischen Literatur wider. Aber wie in der Untersuchung über die patristische Zeit sich zeigen wird, war es in der späteren Überlieferung recht leicht möglich, daß Petrus und Paulus wieder Seite an Seite gestellt wurden, ohne daß der eine gegenüber dem anderen das Übergewicht gehabt hätte."[22]

In der Tat ist es ein großer Unterschied, ob „Petrus" eine Berufung auf die Paulusbriefe überhaupt ablehnt oder ob er eine bestimmte Auslegung derselben als falsch zurückweist.

5. Die Ambivalenz oder doch ein gewisses Schwanken des amerikanischen Votums ist wohl auch in Verbindung mit einem weiteren Gesichtspunkt zu sehen und zu verstehen, den die Studie zaghaft – nämlich mit einem „vielleicht" – in die Diskussion einbringt. Sie meint, angesichts der in 2 Petr bezeugten Vollmacht des Petrus, „Auslegung der Schrift, ja selbst die Schriften eines anderen Apostels, zu beurteilen", könne man jetzt „von einem ‚Lehramt des Petrus' sprechen, das vielleicht in Verbindung steht mit der Binde- und Lösegewalt, die wir bei Mattäus gefunden haben"[23]. Nehmen wir an, der Verfasser habe die klassischen Auftragsworte Mt 16, 18 f. und Joh 21, 15 – 17 oder doch eines derselben nicht nur im Kopf, sondern verstehe sie auch im Horizont des Gegenüber von Simon und seiner Mitjünger. Dann könnte er von der Voraus-

---

[18] Der Petrus (s. Anm. 12) 136.   [19] A.a.O. 147.

[20] Bei einer Feststellung wie dieser – meinte ein Rezensent – „zeigt sich freilich ein Interpretationsansatz, der eine spätere Sicht solcher Entwicklungslinien vorwegzunehmen scheint": K. KERTELGE, in: Ökum. Rundschau 26 (1977) 385. Zu einigen anderen Punkten finden sich kritische Anmerkungen in der sonst ebenfalls zu Recht sehr anerkennenden Besprechung der Originalausgabe durch R. SCHNACKENBURG, in: CBQ 36 (1974) 577–580.

[21] Vgl. schon a.a.O. 136.   [22] A.a.O. 234 Anm. 350.   [23] A.a.O. 135.

setzung ausgehen, daß Petrus der Apostel ist, der aufgrund seiner ihn auszeichnenden Fundamentfunktion bzw. als der stellvertretende Hirte Christi schlechthin, als der Oberhirt, eine privilegierte Lehrvollmacht besitzt, die nicht nur die der Zwölf, sondern auch die des Apostels Paulus überragt. Das grundsätzliche Recht dieser Fragestellung ist selbstverständlich nicht zu bestreiten. Insofern historisch aber in erster Linie nach dem diesbezüglichen Verständnis des Verfassers des 2 Petr zu fragen ist, wird man zugeben müssen, daß sich positive Anhaltspunkte für die genannte Voraussetzung nicht dingfest machen lassen und auch die Bezugnahme auf 1 Petr in dieser Hinsicht nicht weiterhelfen kann. Denn dieser Brief erlaubt schwerlich die Folgerung, „Petrus" wolle sich daselbst unter dem Gesichtspunkt der Lehrvollmacht zwischen „dem Erzhirten" = „dem obersten Hirten" Christus und den gemeindlichen „Presbyter"-Hirten als apostolischer Oberhirte einordnen und sich insofern als die die übrigen Apostel überragende Lehrautorität vorstellen[24]. Dem nachapostolischen Interesse an der Bezeugung der einen Lehre durch das ganze Apostelkollegium entsprechend, schließt sich „der Knecht und Apostel Jesu Christi" in der Briefanschrift durch „wir" mit den Mitaposteln zusammen (1, 1). Desgleichen spricht er 3, 15 von Paulus als „unserem geliebten Bruder", wobei er „unserem" sicher nicht als pluralis majestaticus (statt „meinem") versteht. Über das dem testamentarischen Genus gemäße eigene Vorauswissen des nahen Todes hinaus begründet „Petrus" die Abfassung seines dokumentarischen Lehrvermächtnisses sodann noch zusätzlich durch eine diesbezügliche Eröffnung (ἐδήλωσεν) Christi (1, 14), was die Joh 21, 18 f. bezeugte Überlieferung reflektieren wird und auch dem toposartigen Wissen eines Märtyrers um seinen baldigen Tod entspricht. Die ausdrückliche Autorisierung des Lehrdokuments durch Christus wird somit weder mit der durch göttliche Offenbarung (Mt 16, 17: ἀπεκάλυψεν) geschenkten Christuserkenntnis, die die Verheißung der Petrusfunktion auslöst (Mt 16, 16 – 19), in Verbindung gebracht; noch wird sie auf die Bestellung Simons zum Hirten von Joh 21, 15 – 17 gestützt[25]. Des weiteren handelt es sich bei dem Offenbarungsgeschehen, das „Petrus" als fundamentale Begründung des Parusieglaubens geltend macht (1, 16 – 18), nicht um eine Petrus allein zuteil gewordene „Offenbarung" wie in Mt 16 und Joh 21. Durch das „wir" von 1, 16 – 18 schließt sich „Petrus" mit den beiden Mitaposteln, die der Jesusüberlieferung zufolge mit ihm Augen- und Ohrenzeugen der Verklärung waren, zusammen, ohne sich diesen gegenüber hervorzuheben.

---

[24] Vgl. R. Schnackenburg, Die Stellung des Petrus zu den anderen Aposteln, in: A. Brandenburg – H. J. Urban (Hrsg.), Petrus und Papst (Münster 1977) 33; A. Vögtle, Exegetische Reflexionen zur Apostolizität des Amtes und zur Amtssukzession (1977), jetzt oben S. 253 f.; L. Goppelt, Der erste Petrusbrief, hrsg. von F. Hahn (Göttingen 1978) 318 – 330; N. Brox, Der Erste Petrusbrief (EKK XXI) (Zürich – Neukirchen 1979) 226 – 230; E. Grässer, Neutestamentliche Grundlagen des Papsttums?, in: Papsttum als ökumenische Frage (hrsg. von der Arbeitsgemeinschaft ökumenischer Universitätsinstitute) (München – Mainz 1979) 56 f.

[25] Eine unmittelbare oder implizite Bezugnahme ließe sich nur durch die überaus kühne Annahme begründen, der Verfasser setze die Joh 21, 15 – 19 vorliegende Verbindung des Hirtenauftrags mit der Voraussage des Martyriums voraus, weshalb Christi Voraussage des Martyrertodes Simons den Hinweis auf die vorausgehende Bestellung zum Hirten einschließe.

Wir werden zugeben müssen: Anhaltspunkte dafür, daß der Verfasser die Lehrvollmacht Petri vorgängig in einem petrinischen Auftragswort begründet sieht, lassen sich nicht entdecken. Wir haben deshalb zu fragen, ob er, unabhängig von dieser Möglichkeit, die sich mit Sicherheit nicht ausschließen, aber auch nicht als Tatsache oder auch nur als Wahrscheinlichkeit verifizieren läßt, für Petrus gegenüber Paulus nicht doch ein Übergewicht hinsichtlich der Lehrautorität beanspruchen will.

6. Ehe wir dieser Frage nachgehen, sollte man einen freilich recht selbstverständlichen Sachverhalt bedenken. Sosehr unser Verfasser ausschließlich Petrus sprechen läßt[26], er seine eigene Überzeugung, daß die Großkirche die wahre apostolische Lehre und die richtige Auslegung der Schriften besitzt, somit durch den Apostel Petrus bekunden läßt, darf man keinen Augenblick vergessen: es war nicht Petrus selbst, sondern ein uns unbekannter Mann − sicher eine führende Lehrerpersönlichkeit −, der den Gedanken- und Argumentationsgang des Briefes konzipiert hat. Deshalb versuchen wir, uns anhand der Briefangaben in seine Situation zu versetzen.

Der Kardinalpunkt, den der Brief von Anfang an im Blick hat, ist deutlich die Verspottung des Parusieglaubens. Ob diese − nach meist vertretener Auffassung − letztlich in gnostisch beeinflußter Denkweise begründet war oder nicht[27], ob sich die Gegner zugunsten einer rein präsentischen Eschatologie auch auf Texte der paulinischen Pneuma- und Freiheitslehre beriefen, was immerhin als wahrscheinlich gelten darf (vgl. bes. 2, 19), ist auch deshalb nicht sicher zu entscheiden, weil der Autor nicht sagt, was in „einigem", das die Gegner falsch auslegen (3, 16b), inbegriffen ist. Meines Erachtens ist zwar damit zu rechnen, daß die Formulierung der 3, 4c genannten gegnerischen Begründung für die Ablehnung des großkirchlichen Parusieglaubens wenigstens z. T. auf das Konto des Autors geht, der vor allem mit dem Zusatz „wie seit Anfang der Schöpfung" seine nachfolgende Argumentation mittels der typologischen Verwendung des Sintflutgerichts vorbereiten konnte. Aber auch dann ist nicht zu bezweifeln, daß die Spötter die Nichterfüllung der Parusieerwartung der ersten Generation, das faktische Ausbleiben der Parusie geltend machten, das bekanntlich schon 1 Clem 23, 3f. beklagen läßt. Würde der Autor Paulus selbst die sich auch und besonders auf ihn berufenden Parusiespötter bekämpfen lassen, müßte er die von diesen beanspruchten Äußerungen Pauli, zu denen so gut wie sicher auch betonte Naherwartungsaussagen gehörten, erwähnen und sich mit denselben auseinandersetzen. Wie hätte ein

---

[26] Das schließt freilich nicht aus, daß er oft genug seinen faktischen, zweifellos nachpetrinischen Standpunkt verrät, so z. B. auch, wenn er, der fiktiven Verfasserschaft entsprechend, das Auftreten von „falschen Lehrern" = Parusiespöttern für die Zukunft voraussagt (2, 1 – 10a; 3, 3), bei der ausführlichen Schilderung ihres Weges und ihrer Verkommenheit hingegen vom Futur in das von der Jud-Vorlage gebotene Präsens übergeht (2, 10b – 12ff. 20) und zwischendurch sogar im Praeteritum spricht (2, 15. 22).

[27] So entschieden J. H. NEYREY in seiner mir nachträglich erreichbar gewordenen Yaler Dissertation „The Form and Background of the Polemic in 2 Peter" (1977) (Microfilm); vgl. 60 f.: „Their scepticism over the cosmology of the parousia results in an accommodation both temporally and morally with this world, such that they are free from fear of punishment and of any future."

damaliger Autor, der nicht über die heutigen historischen Kenntnisse und Methoden verfügte, das halbwegs überzeugend tun können, ohne übrigens gleichzeitig noch befürchten zu müssen, daß er durch solche Einlassungen bei den Lesern eher Schwierigkeiten wachruft als ausräumt? Wie hätte er die Behauptung, die Voraussage der Parusie habe sich weder zu Lebzeiten Pauli noch in der nachfolgenden Generation erfüllt, widerlegen sollen? Die Parusiespötter wie die von diesen bedrohten Gläubigen können auch, wenigstens der Sache nach, die synoptische Jesusüberlieferung gekannt haben. Zu „den übrigen Schriften", die jene auch verfälschend auslegen, können um 120 bzw. eher noch ein Jahrzehnt später sehr wohl die synoptischen Evangelien, vor allem das des Markus, gehört haben. Der Verfasser käme vermutlich in nicht geringe Verlegenheit, wenn er die bleibende Gültigkeit von Parusieaussagen, die der gegenwärtigen Generation Jesu das Erleben des Endgeschehens garantieren (Mk 13, 30) oder doch „einige" der Generation Jesu das Gekommensein der Gottesherrschaft sehen lassen (Mk 9, 1), plausibel machen müßte. Sein Argumentationsverfahren dürfte denn auch verraten, daß ihm an einer Widerlegung der Parusiespötter liegt, die ohne eine Auseinandersetzung mit konkreten, von diesen reklamierten Paulustexten und insbesondere ohne ausdrückliche Hinweise auf überlieferte Parusieworte auskommt und die jede Anspielung auf Naherwartungsaussagen, speziell auf solche des Apostels Paulus vermeidet. Das kann hier nur ganz grob skizziert werden.

a) Will der Autor den Glauben an die Parusie Christi einigermaßen überzeugend begründen, so muß er das natürlich irgendwie von Jesus Christus und dem authentischen Apostelzeugnis her versuchen. Das tut er, indem er „Petrus" – möglicherweise gegenüber dem gegnerischen Einwand, der Parusieglaube sei ein Phantasieprodukt (1, 16) – die Augen- und Ohrenzeugen der Verklärung als in das wahre göttliche Geheimnis Eingeweihte (ἐπόπται) das Verklärungsgeschehen als Garantie der machtvollen Parusie (δύναμιν καὶ παρουσίαν) des erhöhten Christus, der von „der majestätischen Herrlichkeit" (τῆς μεγαλοπρεποῦς δόξης) = von Gott „die Majestät" (μεγαλειότης) und „Herrlichkeit" (δόξα) erhalten und durch das ausdrückliche Wort Gottes (1, 17c) bestätigt bekommen hat, beanspruchen läßt (1, 16 – 18). Damit ist die großkirchliche Parusieverkündigung in einem von den Aposteln authentisch bezeugten Offenbarungsgeschehen begründet.

Wie fährt „Petrus" aber nun fort? Obwohl hinter der Formulierung 1, 16 (und 1, 17) synoptische Prophetien vom Kommen des Menschensohnes in „Macht" und „Herrlichkeit" (Mt 24, 30 par; vgl. Mk 9, 1 par) stehen können, sagt er nicht etwa, dadurch seien die Parusieworte Christi und/oder der Apostel bekräftigt worden o. ä.; vielmehr: „so haben wir [die Apostel und die Gläubigen] das prophetische Wort sicherer", bis dessen Erfüllung durch die Parusie Christi alle Zweifel erledigen wird (1, 19). Mit dem Ausdruck „das prophetische Wort" wird er sogar in erster Linie das Alte Testament als Prophetie des Endgeschehens meinen, zumal er sich zur weiteren Begründung des Parusieglaubens und der Widerlegung seiner Bestreiter ganz überwiegend alttestamentlicher Stoffe bedient, angefangen mit dem typologisch auf „Pseudolehrer" vorausweisenden Phänomen von „Pseudopropheten" im alten Gottesvolk (2, 1). Er könnte und wird sogar in den Ausdruck „das prophetische Wort" jedoch auch Parusieworte der Jesusüberlieferung und der Apostel, speziell des Paulus, miteinschließen wollen[27a], da er bei der anschließenden belehrenden Warnung vor eigenmächtiger Auslegung von Prophetien einer Schrift (1, 20f.) schon die Parusieleugner im Auge hat, die nach 3, 16b außer den Paulusbriefen auch „die übrigen Schriften" falsch auslegen. An dieser Stelle ist noch zu beachten, daß der Verfasser schon im ausführlichen Briefeingang eine Wechselwirkung zwischen sittlicher Lebensführung und „Erkenntnis" Christi behauptete: daß nämlich die sittlich sich immer mehr Bewährenden in der Erkenntnis und Anerkenntnis Christi wachsen und einst „in das ewige Reich unseres Herrn Jesus Christus" eintreten dürfen, nämlich bei der Parusie, während jene, denen die sittliche Bewährung abgeht, die volle Wirklichkeit Christi nicht in den Blick bekommen und hinsichtlich der Heilserlangung scheitern werden (1, 3 – 11). Damit, daß hier schon gesagt wurde, daß eine sündige Lebensführung eine defiziente Christologie verrät, wurde die Argumentationskraft der folgenden, im Anschluß an Jud gegebenen Schilderung der sittlichen Verkommenheit und Gerichtsverfallenheit der Parusieleugner (2, 2 – 22) im voraus sichergestellt.

b) Kaum zufällig läßt sich aus 1, 19 – 20 aber nicht mehr als ein impliziter Hinweis auf „christliche" Parusieankündigungen heraushören. Daß er diese nicht direkt ins Spiel bringen will, bestätigt er vor allem durch 3, 2f. Nachdem „Petrus" nach der langen Schilderung der Gerichtsverfallenheit und sittlichen Verkommenheit der Irrlehrer (2, 2 – 22) in dem Neuansatz 3, 1 das wichtige Stichwort des In-Erinnerung-Bringens zum Zweck des Wachhaltens der Leser aus der früheren Zweckbestimmung seines Briefes wiederaufgenommen hat (vgl. 3, 1 mit 1, 12f.), um die Widerlegung der bis jetzt noch nicht ausdrücklich als Parusieleugner gekennzeichneten Falschlehrer weiterzuführen, greift er die Mahnung Jud 17 in einer sehr aufschlußreichen Neufassung auf. Um das Phänomen der Parusiespötter selbst beurteilen zu können, sollen sich die Gläubigen nun aber nicht an „die von *den Aposteln* unseres Herrn Jesus Christus vorausgesagten Worte" (Jud 17) erinnern – womit im vorliegenden Kontext die Worte von der kommenden Parusie und vom Gericht in Erinnerung gerufen worden wären –, sondern: an „die von *den heiligen Propheten* vorausgesagten Worte – womit „Petrus" den Gedanken der durch die Verklärung bestätigten Beweiskraft der alttestamentlichen Prophetie im Hinblick auf die nachfolgenden alttestamentlichen Beweistexte bis hin zur deutero-jesajanischen Verheißung eines neuen Himmels und einer neuen Erde (3, 5 – 13) erneut aufgreifen kann. Die Jud 17 genannten „Apostel unseres Herrn Jesus Christus" bringt er freilich auch zum Zug, nämlich als zweites Objekt des Sicherinnerns; aber mit dem Satz: ihr sollt euch erinnern an *„das Gebot* eurer Apostel, das des Herrn und Retters" (3, 2b), also an das von den Aposteln überlieferte Gebot Christi. Aus dem übrigen Brief[28] ergibt sich, daß mit „dem Gebot" der für den Eintritt „das ewige Reich unseres Herrn und Retters Jesus

---

[27a] Vgl. meine Korrektur dieser Auffassung in einem späteren Beitrag: s. u. 309f. mit Anm. 28.
[28] Vgl. 1, 4 – 11; 2, 2. 15; besonders 2, 20f.

Christus" (1, 11) geforderte Lebenswandel gemeint ist. Diese Erinnerung an „das Gebot" (statt an „die Worte") impliziert nur indirekt den Gedanken an die Parusie Christi, vermeidet also einen direkten Hinweis auf Voraussagen der Parusie.

Verständlicherweise läßt sich der Autor sodann die Jud 17 f. den Aposteln in den Mund gelegte Voraussage des endzeitlichen Auftretens von Spöttern, die nach ihren eigenen gottlosen Begierden wandeln, nicht entgehen. Mit Hilfe dieser Voraussage kann er ja auch die von ihm in gleicher Weise als libertinistische Spötter qualifizierten Gegner zu Wort kommen und diese sich ausdrücklich als Verspotter des Parusieglaubens vorstellen lassen (3, 3 f.). Im Unterschied zu Jud 17 f. läßt er jene Voraussage aber nicht die Apostel aussprechen. Weil er dieselbe durch die Apostel, speziell durch die Briefe Pauli, nicht belegt sieht? Oder weil er, in Übereinstimmung mit seiner schon 3, 2 bekundeten Absicht, es vermeiden will, daß schwierige Parusieworte Pauli und der Jesusüberlieferung im Denkhorizont auftauchen? Anstatt sich auf eine diesbezügliche Voraussage der Apostel zu berufen, appelliert er an eine Erkenntnis, die die Gläubigen selbst aus dem eben in Erinnerung Gerufenen (3, 2) als erste Folgerung gewinnen sollen (3, 3: τοῦτο πρῶτον γινώσκοντες). Das Alte Testament kennt ja zur Genüge jene Gottes Gebote ignorierenden Spötter, die, oft sogar mit dem typischen „Wo ist . . .?", ein strafendes Eingreifen Gottes vermissen und denen das Strafgericht angedroht wird. Im Licht der alttestamentlichen Prophetie und der von Christus durch seine Apostel gebotenen rechtschaffenen Lebensführung sollen die Gläubigen selbst das Auftreten von Leuten, die nach ihren eigenen Begierden leben und den Glauben an die Parusie Christi verspotten, verstehen und beurteilen können[29]. Den Gedanken, daß sich die Parusieleugner bereits durch ihren gebotswidrigen Lebenswandel als Irrlehrer ausweisen, als Leute, denen wirkliche Erkenntnis Christi abgeht, hatte „Petrus" ja schon im Briefeingang vorbereitet, indem er die Wechselbeziehung zwischen sittlicher Lebensführung und der Erkenntnis (und Anerkenntnis) Christi[30] in positiver und negativer Hinsicht konstatierte (1, 3 bzw. 8 – 9; ebenso 2, 20 f.), weshalb auch die im Stil der Ketzerpolemik freilich massiv auftragende Schilderung der skandalösen Verkommenheit der Parusieleugner (2, 10 b – 22) als integrierender Teil seiner Widerlegung der Parusieleugner zu gelten hat.

c) Besonders interessieren muß die Art und Weise, in der „Petrus" den Apostel Paulus als bestätigenden Zeugen seines Parusieglaubens einbringt (3, 14 – 15). Diesen Rekurs auf Paulus hatte er schon mit im Auge, als er 3, 2 b von „dem Gebot eurer Apostel" sprach. Aus dem Vorhergehenden greift er als paulinische Äußerung wohl die Mahnung auf, in Erwartung des vernichtenden Gerichts und des Endheils sich um einen makellosen Lebenswandel zu bemü-

---

[29] Die Vermeidung des Henoch-Zitats Jud 14 und die Tilgung von Anspielungen auf apokryphe Schriften seitens des Autors schließt nicht aus, daß bei der Voraussage des Auftretens libertinistische Spötter, wie schon Jud 18, auch der jüdisch-christliche Gemeinplatz von der Kennzeichnung der Endzeit durch religiösen Abfall und moralischen Niedergang im Hintergrund stehen wird.
[30] Zur Bedeutung der ἐπίγνωσις Jesu Christi in 2 Petr vgl. treffend K. H. SCHELKLE, Zweiter Petrusbrief (Herders ThKNT XIII 2) (Freiburg ⁴1976) 217 f.

289

hen, um im Gericht bestehen zu können (3, 14), nicht aber die Mahnung, durch die Intensivierung heiliger Lebensführung die Ankunft „des Tages Gottes", der ebensogut „der Tag des Herrn" = Christi heißen kann (3, 10), zu „beschleunigen" (3, 11). Obwohl der Gedanke, daß die Christen durch ihre Lebensführung auf den göttlichen Terminplan einwirken können, bei Paulus nicht begegnet, hätte letztere Mahnung doch Paulusworte wachrufen können, die den Aufruf zum neuen Lebenswandel mit der Kürze der verbleibenden Zeit und mit der Nähe der Parusie begründen. Da der Verfasser die Verzögerung der Parusie aber anerkennen muß und sie als Beweis der göttlichen Langmut, die den Menschen noch Zeit zur Bekehrung läßt, verteidigt (3, 9), fügt er der Aufforderung von 3, 14, die anerkanntermaßen der Sache nach von Paulus voll gedeckt wird und sogar eine gewisse terminologische Nähe zu 1 Thess 3, 13 (auch 5, 23) aufweist, die motivierende Mahnung hinzu: „und haltet die Langmut unseres Herrn für Heil" (3, 15a). Die Mahnung, Gottes auf Umkehr und Heil bedachte Langmut nicht zu mißbrauchen, findet sich auch bei Paulus (vgl. besonders Röm 2, 4; 9, 22f.), freilich nicht, um die „Verzögerung" der Parusie verständlich zu machen. Man kann sich schwerlich dem Eindruck entziehen, daß „Petrus" eine Bestätigung seiner Verteidigung des Parusieglaubens durch Paulus gesucht hat, die die Provozierung von Schwierigkeiten und Einwänden, die die Irrlehrer und auch die ihm sicher in erster Linie angelegenen bedrohten Gläubigen von den Paulusbriefen, speziell von ihren Naherwartungstexten her erheben könnten, vermeiden soll.

d) Diesen Eindruck kann die nachfolgende globale Ablehnung der gegnerischen Paulusexegese (3, 16) nur bestätigen. Man kann darüber streiten, ob ἀστήρικτοι Haltlosigkeit hinsichtlich der in der Kirche anwesenden Wahrheit (1, 2) bezeichnen soll, oder aber sittliche Haltlosigkeit[31], wofür man sich vielleicht auch auf „die ungefestigten Seelen" (2, 14b) = die kaum dem Heidentum entflohenen Neubekehrten (2, 18) berufen kann. Da der Verfasser von Anfang an eine prinzipielle Wechselbeziehung zwischen fehlender sittlicher Bewährung und fehlender Erkenntnis Christi statuierte (1, 8f.; 2, 20f.), könnte er bei der Prädizierung „Ungefestigte" hier sehr wohl den Ton auf die sittliche Haltlosigkeit legen und durch die zweifache Qualifizierung der Gegner als „Unwissende und Ungefestigte" somit zu verstehen geben, daß von solchen Leuten, denen beides – wirkliche Erkenntnis Christi und die von Christus gebotene (3, 2) sittliche Bewährung – schuldhafterweise abgeht, die richtige Auslegung der Briefe Pauli und der übrigen Schriften gar nicht zu erwarten ist. Auch dann, wenn er mit den beiden abqualifizierenden Kennzeichnungen den gewissermaßen prinzipiellen Grund nennen wollte, aus dem sich die Pseudoexegese der Parusieleugner erklärt, konnte er sich mit einer globalen Ablehnung derselben aber nur dann zufriedengeben, wenn er es vermied, konkrete, von den Gegnern falsch ausgelegte Aussagen Pauli über die Parusie, die Heilsgegenwart, die Freiheit des Christen (oder was an Bezugnahmen noch in Betracht käme) zu nennen, und er statt dessen lediglich von „einigem Schwerverständlichen" in den Paulusbriefen sprach.

---

[31] So eindeutig nach K. H. Schelkle, a.a.O. 238.

7. Diese Beobachtungen lassen erneut die Frage nach der *Relevanz der Wahl des Pseudonyms „Petrus"* stellen.

a) Da es eher unwahrscheinlich ist, daß die Vorstellung eines fest abgeschlossenen Corpus Paulinum wirklich existierte und bereits dieser Umstand dem Verfasser die Abfassung eines deuteropaulinischen Briefes vorweg verbot, kann ein Grund, sogar der entscheidende Grund für den Verzicht auf das Pseudonym „Paulus" sehr wohl beim Verfasser selbst zu suchen sein. Dann ist die Annahme gewiß nicht unbegründet, dieser habe auf die Widerlegung der Parusieleugner durch Paulus verzichtet, um sich nicht auf die von den Paulusbriefen her erhobenen und erhebbaren Einwände einlassen zu müssen, was er möglicherweise nicht konnte und/oder auch nicht wollte. Das würde bedeuten: der Umstand, daß der Autor die Gegner nicht durch „Paulus" selbst bekämpfen läßt, erlaubt keineswegs schon die Folgerung, es habe in seiner Sicht einer gewichtigeren apostolischen Autorität als der des Paulus bedurft.

b) Das skizzierte Argumentationsverfahren − daß der Autor nämlich in der Hauptsache mit dem prophetisch verstandenen Alten Testament argumentiert und die direkte Berufung auf ausdrückliche Parusie-Ansagen der Jesusüberlieferung und „der Apostel", im Fall Pauli jedenfalls eine Anspielung auf Naherwartungstexte sowie eine konkrete Auseinandersetzung mit der gegnerischen Auslegung seiner Briefe vermeidet − ist dadurch ermöglicht, daß er vom Verklärungsgeschehen als fundamentaler und entscheidender Begründung des Parusieglaubens ausging. Auch dann, wenn die Gegner den traditionellen Parusieglauben nicht als ausgeklügelte Erfindung angeprangert hätten (vgl. 1, 16a), hätte es bereits dem längst geläufigen Anliegen, die Heilsbotschaft durch die Erfahrung von Augen- und Ohrenzeugen des Christusgeschehens legitimieren zu lassen, entsprochen, daß der Autor einen authentischen Zeugen der Verklärung zu Wort kommen läßt. Auch aus diesem Grund mußte „Paulus" als Pseudonym ausscheiden, ebenso „Judas . . . der Bruder des Jakobus" (Jud 1), obwohl unser Verfasser die „im Judasbrief besonders deutlich ausgeprägte typisierend-schematisierende Art der Auseinandersetzung" mit seinen libertinistischen Spöttern übernimmt[32]. Als Augen- und Ohrenzeugen der Verklärung Christi erscheinen in der uns wie offenbar auch dem Autor bekannten Jesusüberlieferung außer Petrus die beiden Zebedaiden. Von diesen beiden konnte auch Johannes nicht ernsthaft als fiktiver Autor in Frage kommen. Ein Brief, der seinen Namen trug, hat so gut wie sicher nicht existiert, was erst recht von seinem schon gute zwanzig Jahre vor Petrus zu Tode gekommenen Bruder Jakobus gilt. Er hatte in der zweiten und dritten Generation offensichtlich auch nicht den Grad von Bedeutung für die ganze Kirche oder doch für weiteste Gebiete, den Petrus mehr und mehr erreichte. Auch im Hinblick auf die von der Überlieferung genannten Verklärungszeugen mußte die Wahl am ehesten auf Petrus fallen.

Die Frage, ob dessen unbestrittene Autorität unseren Autor auf die Idee

---

[32] F. Hahn hat die Eigenart und Bedeutung dieser typisierenden und generalisierenden Einordnung der Irrlehrer in die Geschichte des alttestamentlichen Gottesvolkes und die Geschichte der Kirche erkannt: Randbemerkungen zum Judasbrief, jetzt in: ThZ 37 (1981) 213−215.

brachte, das von Petrus miterlebte Offenbarungsgeschehen zum fundamentalen Ausgangspunkt seiner Argumentation zu machen, oder ob er von sich aus die Verklärung als „Parusie-Vorgang"[33] begriff und diese „Erkenntnis" sozusagen die Initialzündung war, die ihn auf „Petrus" als einzig in Betracht kommendes Pseudonym führte, oder ob er gar die sich nicht ohne weiteres aufdrängende Idee, das Offenbarungsgeschehen der Verklärung als Verbürgung der Parusie Christi zu verstehen, bereits in der Überlieferung vorfand[34], läßt sich kaum einigermaßen sicher beantworten. Immer ist jedenfalls die Gesamtposition Petri, der seit der Jahrhundertwende der unbestrittene Hauptapostel neben Paulus ist, in Anschlag zu bringen. Die Zuweisung der palästinischen Überlieferung an die „im hellenistischen Bereich verbreitete Petrustradition"[35], das besonders von F. Mußner beleuchtete enorme Wachsen der Autorität Petri sowie die Existenz eines seinen Namen tragenden Briefes, auf den sich unser Verfasser zudem ausdrücklich beruft (3, 1), waren sicher schon Grund genug, daß der Verfasser nicht etwa unter dem Namen des Apostels Johannes, sondern unter dem des Apostels Petrus schrieb. Damit ist indes noch nicht entschieden, was sich aus der „petrinischen" Verfasserschaft für den uns beschäftigenden Fragepunkt folgern läßt. Auch für den Fall, daß die Inanspruchnahme der Verklärung als Voranzeige und Garantie der Parusie Christi dem Verfasser von der Tradition vorgegeben war oder doch eine Überlieferung existierte, die Petrus als Zeugen der Verklärung hervorhob – was sich vielleicht eher annehmen läßt[36] –, ist bei der Bewertung jedenfalls mit in Anschlag zu bringen: weil der Verfasser vom Offenbarungsgeschehen der Verklärung als dem grundlegenden und entscheidenden Beweis für den Parusieglauben ausging, kam für ihn schon aus diesem Grund als Pseudonym ernstlich nur „Petrus" in Betracht, keinesfalls der von den Parusieleugnern als Gewährsmann reklamierte Apostel Paulus. Auch abgesehen davon, daß sich „Petrus" 1, 16ff. nicht im Ich-Stil als Offenbarungszeuge hervorhebt, halte ich es von diesem Umstand her gesehen für gewagt, auch nur etwa zu sagen,

---

[33] F. Mussner, Petrus (s. Anm. 1) 66.
[34] In beiden Fassungen (aeth. Übersetzung und griech. Fragment) der Apk Petr, der gegenüber dem 2 Petr freilich die sachliche Priorität zuerkannt wird, verbindet sich mit der Verklärung eine Vision des himmlischen Paradieses, wobei im griechischen Fragment der Nachdruck auf der Schilderung zweier Männer liegt, die als Erscheinungen in ewiger Herrlichkeit dargestellt werden. „Es liegt also ein Sachkomplex vor, der die feste Verankerung der Verklärung in der Petrus-Überlieferung erkennen läßt": W. Grundmann, Der Brief des Judas und der zweite Brief des Petrus (Berlin 1974) 82f. Anm. 54. Hingegen kann nicht davon die Rede sein, daß die Apk Petr die Verklärung als solche direkt als Voranzeige und Garantie der Parusie Christi deuten würde. Für die weit jüngere gnostische Petrusapokalypse aus Nag Hammadi ist Petrus der erste Apostel, die entscheidende Autorität, dessen Vorrangstellung in seiner „Berufung" zur vollkommenen Gnosis (gedacht ist an Mt 16, 16f.) begründet ist, die Paulus abgeht. Der Apostel wahrer Gnosis wird indes nicht mit dem Verklärungsgeschehen in Verbindung gebracht. Er erscheint hier vielmehr als „der alleinige Zeuge des ‚Passions'-Geschehens und zugleich der einzige Jünger, der über den Sinn dieses Geschehenen Kenntnis erlangt hat . . .": K. Koschorke, Die Polemik der Gnostiker gegen das Kirchliche Christentum. Unter besonderer Berücksichtigung der Nag-Hammadi-Traktate (NHSt XVIII) (Leiden 1978) 27. 27 – 29.
[35] F. Hahn, Randbemerkungen 217.
[36] Vgl. Anm. 34.

der Verfasser sei ein Glied „der frühchristlichen Gruppe . . ., die die wachsende Autorität des Petrus in der Kirche fördert und durchzusetzen sich bemüht"[37]. Daß der Verfasser die spezielle Absicht hat, die Autorität Petri in der ganzen Kirche oder, nach anderer Formulierung, auch im paulinischen Missionsgebiet durchzusetzen, läßt sich auch schwerlich durch den Rekurs auf den von einem anderen Autor stammenden 1 Petr sicherstellen[38].

c) Als Beleg für die Intention des Verfassers, Petrus gegenüber Paulus als die vorrangige apostolische Lehrautorität zur Geltung zu bringen, kommt im Grunde nur 3, 14 – 16 in Frage. Für diese Absicht soll sprechen, daß „Petrus" die authentische Auslegung der Paulusbriefe, „jeder Prophetie einer Schrift" (1, 20) und der Schriften überhaupt beansprucht und darüber hinaus von „einigem Schwerverständlichen" in den Paulusbriefen spricht. Hier klinge unüberhörbar ein kritischer Vorbehalt gegenüber Paulus an, mit dem sich „Petrus" als Hüter der Orthodoxie deutlich oder doch andeutungsweise Paulus überordne. Die Schlüssigkeit dieser Folgerung darf man bezweifeln. Unwillkürlich möchte man an dieser Stelle an die oben (Nr. 2) ausgesprochene Vermutung erinnern. Spielt im Hintergrund nicht auch das bedenkliche Argument mit, der umgekehrte Fall – daß nämlich „Paulus" als autoritativer Ausleger der Briefe bzw. eines Briefes Petri in Erscheinung trete – sei bezeichnenderweise nicht zu belegen? Zunächst aber: wenn meine Beobachtungen nicht fehlgehen, erlaubt der Umstand, daß der Verfasser die sich auf (die) Paulusbriefe berufenden Falschlehrer nicht durch Paulus selbst widerlegen läßt, keineswegs die Folgerung, dessen Autorität reiche in seiner Sicht nicht aus, um die Funktion des Wächters des überlieferten Glaubens wahrzunehmen. Gewiß sei hier nochmals konzediert: Wenn der Verfasser schon nicht „Paulus" selbst die sich auf ihn berufenden Parusieleugner widerlegen läßt, kam „Petrus" wie kein anderer bereits deshalb für diese Aufgabe in Betracht, weil er damals nicht weniger als Paulus, ja eher noch mehr in der ganzen Kirche als Lehrautorität anerkannt war. Nichtsdestoweniger bleibt aber der begründete Eindruck bestehen, daß der Verfasser nicht nur wegen der anerkannten Lehrautorität des Urapostels unter dessen Namen schrieb, sondern auch, ja sogar in erster Linie deshalb, weil für das ihm vorschwebende, ihm eben noch erschwingliche (darf man hinzufügen) Argumentationsverfahren ohnedies nur Petrus als fiktiver Autor ernstlich in Betracht kam.

Was die Meinung betrifft, „Petrus" bringe 3, 16 durch einen kritischen Vor-

---

37 W. GRUNDMANN, Der Brief (s. Anm. 34) 57.
38 Der Brief wendet sich als allgemeingültiges Rundschreiben an große, das paulinische Missionsfeld noch überschreitende Gebiete Kleinasiens, zu denen sich eine historische, etwa missionarische Beziehung Petri nicht nachweisen oder auch nur wahrscheinlich machen läßt. Sosehr der Brief für die gesamtkirchliche Anerkennung der Autorität spricht und somit die *faktische* „Durchsetzung" seiner Autorität in der ganzen Kirche belegen dürfte, wird man zugleich anerkennen müssen, „daß der Paulinismus des 1 Petr völlig unprätentiös ist" (N. BROX, Der Erste Petrusbrief [s. Anm. 25] 47; vgl. 47 – 51) und deshalb Behauptungen einer kirchenpolitischen Intention (wie z. B. Aufrichtung der Autorität Petri auch über die paulinischen Missionsgebiete, Unterstellung der gefährdeten paulinischen Gemeinden Kleinasiens unter die allein rechtgläubige Autorität des Petrus oder auch nur: Legitimierung des gefährdeten paulinischen Erbes durch die Lehrvollmacht des ersten Apostels) über das Ziel des Beweisbaren hinausschießen werden.

behalt den Anspruch einer gewissen Überordnung seiner Lehrvollmacht gegenüber der Pauli zum Ausdruck, ist vor allem der Zugzwang zu berücksichtigen, der zur Formulierung 3, 16 b c führte. Da sich die Gegner auf Aussagen der Paulusbriefe beriefen, konnte sich „Petrus" kaum zufriedengeben mit der Versicherung, die von ihm 3, 14 – 15 a ausgesprochene Parusie-Paränese sei ganz und gar paulinisch, ohne auch ausdrücklich den Gegnern das Recht, sich auf Paulus zu berufen, abzusprechen. Dann haben wir aber meines Erachtens allen Grund zu der Annahme, der Autor habe mit der Formulierung 3, 16 b c das für ihn geradezu optimale Verfahren gewählt. Was „schwerverständlich" ist, wird leicht mißverstanden. Indem der Verfasser von „einigem Schwerverständlichen" in den Paulusbriefen spricht, könnte er mit dieser Konzession, für die er sogar gewisse Anhaltspunkte in diesen selbst entdeckt haben könnte (s. o. Nr. 2), den Gläubigen auch zu verstehen geben wollen, warum das Phänomen von Falschauslegung nicht etwas Unbegreifliches ist, das als solches bestürzt machen müßte. Vor allem aber konnte er auf diese Weise die Paulusexegese der Gegner global als falsch abtun, ohne sich auf die Diskussion von Paulusaussagen, die jene geltend machten, einlassen zu müssen. Und genau dies wollte er vermeiden, wenn wir richtig beobachtet haben. Was man als kritischen Vorbehalt des „Petrus" gegenüber seinem Mitapostel Paulus werten möchte, dürfte weit eher einen „Vorbehalt" des wirklichen Verfassers verraten: daß dieser zu einer anderen, nämlich einer konkreten Auseinandersetzung mit der gegnerischen Paulusexegese nicht imstande, eventuell auch gar nicht willens war.

Sofern man sich zunächst den Blick auf die Wirkungsgeschichte versagt und den 2 Petr aus sich selbst zu erklären versucht, was methodisch und deshalb auch im Hinblick auf die Erarbeitung einer möglichst tragfähigen Grundlage des ökumenischen Gesprächs ein unerläßlicher Teilschritt ist, wird man das Risiko einer Überforderung der Intention des Verfassers nicht bestreiten können. Daß dieser die Überzeugung von einer Überordnung der Lehrvollmacht Petri über die der anderen Apostel und speziell über die des Paulus voraussetzt oder diese Überzeugung doch von sich aus zur Geltung bringen wolle, schiene mir eine sehr gewagte Folgerung zu sein[39]. Ebenso gewagt wäre deshalb die Behauptung, dem Verfasser liege daran, die „Entwicklungslinie" der Lehrvollmacht Pauli durch die Petri überholen zu lassen. Er stellt der Lehrautorität des Apostels Petrus die des Apostels Paulus zur Seite, ohne auf ein Übergewicht der Lehrvollmacht des einen gegenüber dem anderen abzuheben. Er bezeugt – um die treffende Formulierung des Jubilars zu wiederholen – Petrus und Paulus als „brüderliches Zweigespann" und in der Tat als „Pole der Einheit".

---

[39] Das bestätigt jetzt auch E. Dassmann, Der Stachel im Fleisch. Paulus in der frühchristlichen Literatur bis Irenäus (Münster i. W. 1979): „Das (nämlich die Bezeugung Petri, ‚daß Paulus in derselben Tradition steht wie er selbst') bedeutet keine Unterordnung des Paulus unter die urapostolische Autorität, wohl die Eingliederung des paulinischen Kerygmas in die Gesamtverkündigung" (125).

IV

Das Phänomen „kanonischer" Schriften und die Frage kompetenter Schriftauslegung

1

Die Schriftwerdung der apostolischen Paradosis nach 2. Petr 1, 12 – 15*

Mit seinem Bändchen „Die Tradition als exegetisches, historisches und theologisches Problem" (1954) hat mein verehrter Baseler Nachbar vor bald 20 Jahren wie wohl kein anderer die neuere Diskussion des alten Problems „Schrift und Tradition" befruchtet.[1] Um mit sich selbst identisch zu bleiben, habe sich die werdende Kirche der apostolischen Tradition als bleibender normativer Größe untergeordnet.[2] Was der pseudonyme Verfasser des 2. Petrus-Briefes in 1, 12 – 15 über Sinn und Zweck seines Schreibens sagt, dürfte diese Grundthese O. Cullmanns in einzigartiger Weise illustrieren und bestätigen. Der 2. Petrus-Brief ist m. E. auch dann noch ein beachtliches Dokument zum Phänomen der Schriftwerdung der apostolischen Paradosis, wenn er nicht schon um 90 n. Chr., vor Ende der Regierung Domitians,[3] sondern erst im „2. Viertel des 2. Jh.s" geschrieben wurde.[4]

* Erstveröffentlichung des durchgesehenen Beitrags: H. BALTENSWEILER – B. REICKE (Hrsg.), Neues Testament und Geschichte, FS O. Cullmann (Zürich – Tübingen 1972) 297 – 305.

[1] Die neuere Literatur bis 1968 ist gesammelt bei H. VON CAMPENHAUSEN, Die Entstehung der Bibel (Tübingen 1968) und K. H. OHLIG, Woher nimmt die Bibel ihre Autorität? (Düsseldorf 1970) 216 – 223.

[2] O. CULLMANN, Die Tradition 42 u. ö.

[3] Bo REICKE, The Epistles of James, and Jude (The Anchor Bible 37) (New York 1964) 144f. Nicht diskutabel erscheint die Hypothese von G. DE RU: 2. Petr sei bald nach dem Martyrium des Petrus in den letzten Jahren des 6. Jahrzehnts von einem Schüler des Apostels geschrieben worden: De authenticiteit van II Petrus, in: Ned Theol Tijd 24 (1969) 1 – 12.

[4] W. G. KÜMMEL, Einleitung in das Neue Testament (Heidelberg 1969), 317. Ist die Annahme nachmarkionitischer Abfassung des 2. Petr (so H. VON CAMPENHAUSEN, Die Entstehung, a.a.O. 169 A. 181) wirklich begründet und gefordert? Etwa durch die nachdrückliche Bestätigung der Gültigkeit „des prophetischen Wortes", also des AT durch das Christusgeschehen, konkret durch die Verklärung auf dem Berg (1, 19a) und die gewiß beachtliche gleichwertige Nebeneinanderstellung der alten und neuen Wortautorität in 3, 2? Es ist doch wohl auch zu bedenken, wie sehr sich der Verfasser auf die atl. und altbiblische Überlieferung angewiesen sieht, um sein Beweisziel zu erreichen (vgl. A. VÖGTLE, Das Neue Testament und die Zukunft des Kosmos [Düsseldorf 1970] 119 – 130). Am ehesten (eher als 3, 15f.) käme wohl 2, 21 (vgl. H. VON CAMPENHAUSEN, a.a.O. 195 A. 78) als Anhaltspunkt für nachmarkionitische Abfassung in Betracht. Die Inspiration des AT ist aber auch schon in dem sicher vormarkionitischen 2. Tim-brief (3, 16f.) ausgesprochen. Was 2. Petr 3, 15f. betrifft, wird man auch folgendes berücksichtigen müssen. Der fiktiv redende Petrus beruft sich zur Widerlegung der Parusieleugner auf „die durch eure Apostel vermittelte ἐντολή des Herrn" (3, 2). Offenbar liegt ihm an dem Gedanken, daß er in der Widerlegung der Parusieleugner auch die übrigen Apostel auf seiner Seite hat. Unter diesem Aspekt war die Berufung auf „unseren Bruder Paulus" und auf seine Briefe sehr naheliegend. Welchen anderen Apostel und Apostelbrief hätte er sonst nennen können? Auch der nachfolgende Hinweis auf die sinnentstellende und schädliche Verwendung der Paulusbriefe durch Ungefestigte muß nicht schon und speziell die markionitische Beanspruchung und Zurechtstutzung der Botschaft und

Dafür liefert uns einer der neuesten katholischen Kommentare eine interessante Bestätigung. Nachdem *C. Spicq* die bis heute versuchten Erklärungen des V. 1, 15 Revue passieren ließ, bietet er selbst folgende Hypothese: „Décidément les quatre vv 12 – 15, emphatiques et gauches, ne peuvent être de la même main que la 1ᵃ Petri et s'expliqueraient au mieux si leur auteur voulait suppléer par des considérations psychologiques et morales à l'absence d'autorité de son obscure personnalité."[5] Voraufgehend lehnte Spicq die heute sicher mit Recht überwiegend akzeptierte Auffassung ab, daß der fiktiv redende Petrus in V. 15 bzw. in VV. 12 – 15 an den vorliegenden Brief denke und diesen als sein „Testament spirituel" verstehe. Seine eigene Hypothese dürfte in der Tat nur als Versuch einer Ausflucht verständlich sein. Spicq hat sich offenbar gesagt: Wenn ein unter dem Namen des Petrus – und zwar des seines nahen Todes sicheren Petrus – schreibender Autor die Christen in der Zeit nach dessen Tod durch ein schriftliches Dokument belehren will, rechnet er offenbar nicht mit einem Nachfolger, nicht mit einem zweiten und dritten Petrus, der die Gläubigen der nachapostolischen Zeit durch sein Wort belehren würde. Spicqs Hypothese ist gut gemeint. Sie verfehlt aber sicher die Intention der VV. 12 – 15; und die beiden Gründe, die er für seine Ablehnung der Beziehung von V. 15 auf den vorliegenden Brief und damit der Testamenthypothese geltend macht, sind keineswegs überzeugend.

1. Zunächst macht er geltend, das Futur σπουδάσω erkläre sich schlecht, besonders an dieser Stelle des Briefes, wenn der Autor von diesem Brief reden wolle.[6] Gewiß fällt das Futur auf, wie jüngst auch J. N. D. Kelly bestätigte,[7] und als noch auffälliger wird auch von Vertretern der Testamenthypothese das Futur μελλήσω (ἀεὶ ὑμᾶς ὑπομιμνήσκειν) von V. 12 empfunden, zumal Mt 24, 6 keine exakte Parallele dazu ist. „No really satisfactory solution has been advanced."[8] Und doch dürfte die Lösung nicht schwerfallen. „Ich will mich (darum) bemühen, daß ihr auch nach meinem Tod bei jeder Gelegenheit die Möglichkeit habt, euch diese Dinge in Erinnerung zu rufen" (V. 15). Beim Futur σπουδάσω denkt der Verfasser kaum einfach nur an die Fortsetzung seines Briefes, wie bereits das rückbezügliche περὶ τούτων von V. 12 und das τούτων von V. 15 zeigen. Näher dürfte schon die Meinung kommen, der Briefschreiber denke an den Augenblick, da seine Leser den Brief erhalten und studieren.[9] Mit dem Futur σπουδάσω dürfte der Briefschreiber jedoch mehr sagen, nämlich die Ausrichtung und Geltung seines derzeitigen Bemühens für die Zukunft unterstreichen wollen: Sein Bemühen, die Gläubigen durch die

---

Briefe Pauli im Auge haben. Der Umstand, daß „orthodoxe" Schriftsteller wie Papias und Justin auffällig von Paulus schweigen, könnte damit zusammenhängen, daß die Paulusbriefe schon vor Markion besonders von Gnostikern beansprucht wurden. Im übrigen können Parusiespötter gerade auch die eindeutige „Naherwartung" der (echten) Paulusbriefe in die Diskussion geworfen haben.

5 Les Epîtres de Saint Pierre (Sources Bibliques) (Paris 1966) 218.

6 C. SPICQ, a.a.O. 218.

7 „Almost certainly the reference is to the epistle itself. The tense is admittedly difficult, but the whole pericope 12 – 15 is clumsily and pretentiously composed . . .": A Commentary on the Epistles of Peter and of Jude (Black's New Testament Commentaries) (London 1969) 315.

8 J. N. D. KELLY, a.a.O. 312.

9 So J. N. D. KELLY, a.a.O. 315.

Erinnerung an die ihnen bekannte Glaubenswahrheit wachzurufen (V. 12f.), gilt nicht nur für den vorliegenden konkreten Anlaß der Leser, nämlich für die Widerlegung der Parusiespötter — wozu er als einer der apostolischen Augen- und Ohrenzeugen der auf die Parusie vorausweisenden Verklärung auf dem Berg (1, 16ff.) ja besonders qualifiziert ist —, sondern auch für die nachapostolische Zeit, für alle Situationen und Gelegenheiten, in denen die von den Aposteln vermittelte Wahrheit zur Geltung gebracht werden muß.

Diese Auslegung dürfte eine Bestätigung erfahren durch V. 12a, bei dessen Formulierung dem Verfasser bereits derselbe Gedanke vorschwebte. Hätte er hier die Leser, nämlich die Christen überhaupt,[10] lediglich im Augenblick des Briefempfangs im Auge gehabt, wäre sowohl das Futur μελλήσω als auch das ἀεί unangebracht. Aus diesem richtigen Empfinden hat der Koine-Text erleichternd in οὐκ ἀμελήσω (= ich darf nicht vernachlässigen) geändert und ist auch schon an μελήσω (= σπουδάσω, φροντίσω) als ursprüngliche LA gedacht worden.[11] Das eine ist so überflüssig wie das andere. In Verbindung mit μελλήσω dürfte der Autor auch nicht bloß zu verstehen geben wollen, daß er sich hier nicht das erste Mal an die Leser wendet.[12] Das ἀεί ist hier gewiß nicht einfach hyperbolisch, sondern strikt zu verstehen: stets, in einem fort, immer wieder. Die Formulierung von V. 12a dürfte sich also voll befriedigend aus der Vorstellung des fiktiv redenden Petrus erklären, daß sein Brief die ihm zugedachte Funktion, die Gläubigen an die ihnen bekannten Glaubenswahrheiten zu erinnern, auch nach seinem Tod in einem fort erfüllen kann. Mit andern Worten, die Futura σπουδάσω wie μελλήσω (mit ἀεί) sind nicht nur kein Grund, die Beziehung von V. 15 auf den vorliegenden Brief zu bezweifeln; sie müssen sogar als nachdrückliche Bestätigung der Testamenthypothese gelten, näherhin also der Absicht des Verfassers, durch die vor seinem nahen Tode erfolgende schriftliche Erinnerung an die Glaubenswahrheit diese auch in der Zeit nach seinem Tode, immerfort, sooft es die Situation nur erfordert, verfügbar zu machen und zur Geltung zu bringen.

2. Mit der σπουδάσω-Aussage von V. 15 soll der Autor nach C. Spicq sodann auch deshalb schwerlich den vorliegenden Brief meinen können, weil die fast ausschließlich polemische Fortsetzung desselben kaum „le bréviaire de vie spirituelle" darstelle, das er so feierlich ankündigt.[13] Diese Behauptung dürfte weder dem Ganzen des Briefes, „der ja eine eindringliche Belehrung über rechten Glauben und rechten Wandel ist",[14] noch der authentischen Angabe des Briefzwecks von 1, 12 — 15 gerecht werden. Die Briefzuschrift kennzeichnete die Adressaten bekanntlich in der denkbar allgemeinsten Weise als solche, „welche die der unsrigen gleichwertige πίστις erlangt haben" (V. 1, 1). πίστις meint hier wie in Jud 3 und zahlreichen anderen Stellen der neutestamentlichen Spätschriften selbstverständlich den Glaubensinhalt, der dem des Petrus

---

[10] So treffend Bo REICKE: „The church in general": The Epistles 145f.
[11] Vgl. H. WINDISCH — H. PREISKER, Die katholischen Briefe (HzNT 15) (Tübingen ³1951) 87 z. St.
[12] Vgl. J. N. D. KELLY, Epistles 312f.   [13] Les Epîtres 215.
[14] K. H. SCHELKLE, Die Petrusbriefe. Der Judasbrief (HERDERS Theol. Kommentar zum NT XIII, 2) (Freiburg 1961) 196.

und seiner Mitapostel, also der apostolischen Augen- und Ohrenzeugen der Christusoffenbarung, völlig gleichwertig ist. Damit ist im voraus nachdrücklich versichert, daß die Christen der 3. und 4. Generation die apostolische Glaubenslehre besitzen, die deshalb gleichbedeutend ist mit τῇ παρούσῃ ἀληθείᾳ (V. 12b), mit „der (bei euch) vorhandenen Wahrheit".[15] „Der den Heiligen ein für allemal überlieferte Glaube (Glaubensinhalt)" von Jud 3 wird hier anspruchsvoller – und darin liegt ein Fortschritt gegenüber der Vorlage – als „die Wahrheit" schlechthin bezeichnet, wodurch die Idee einer christlichen Glaubenslehre als eines einheitlichen, klar begrenzten und autoritativen Corpus von Glaubensaussagen hervortritt. Und zwar ist dieses Corpus von Wahrheiten schlechthin da, verfügbar. Wie sodann schon dem fiktiv schreibenden Herrenbruder Judas an der Versicherung lag, daß die Leser „ein für allemal alles wissen", eben nicht nur seine nachfolgenden Beispiele ehemaliger Strafgerichte Gottes, sondern – entsprechend „dem ein für allemal den Heiligen überlieferten Glauben" (V. 3) – auch die ganze Fülle der göttlichen Offenbarung, so daß es sich für ihn nur darum handeln kann, an ein bereits bekanntes Ganzes zu erinnern (V. 5 a b), nicht aber den Gläubigen etwas ihnen bislang Unbekanntes, etwas Neues zu sagen (V. 5 a b), so nicht weniger unserem fiktiv redenden Apostel Petrus. Damit den Christen das Eingehen in das Reich Christi zuteil werde, will er sie durch sein Schreiben auch nach seinem Tode immerfort „an diese Dinge", an die Christusoffenbarung und das durch diese ermöglichte Endheil (1, 3 – 11) „erinnern, obwohl sie (das) wissen[16] und in der (bei ihnen) vorhandenen Wahrheit gefestigt sind" (V. 12). Da er die Gefährdung der Leser durch die Parusiespötter allem nach sehr ernst nimmt, ist das zuletzt genannte Kompliment, das über den Jud-Brief hinausgeht, wohl weniger Ausdruck der Genugtuung über die faktische Unanfechtbarkeit der Leser, sondern als paränetisch ausgerichteter Ausdruck des Vertrauens zu verstehen. Das hebt aber die grundsätzliche Tragweite seiner Äußerung keineswegs auf. Der fiktiv redende Apostel Petrus bestätigt sehr nachdrücklich, daß die Christenheit seiner Zeit, also die Christen der 3. bzw. 4. Generation, die volle, mit dem Glauben der Apostel identische Wahrheit besitzen, die er selbst nur in Erinnerung rufen kann, und zwar – durch die schriftliche Form dieses Erinnern – auch in der seinem Tod nachfolgenden Zeit „immerfort", nämlich bis zur Parusie, verfügbar machen will. Diese auf die nachapostolische Zeit ausblickende Verschriftlichung seines Erinnerns wird dem Autor eben durch das literarische Genus des Testaments[17] ermöglicht.

3. Zur Erläuterung seiner in V. 12 ausgesprochenen Absicht fährt der Autor deshalb fort: „Ich halte es für recht – (obgleich ihr die vorhandene

---

[15] Zur Sache und Ausdrucksweise ist Kol 1, 5f. zu vergleichen. Dort ist die Rede von τῆς ἀληθείας τοῦ εὐαγγελίου τοῦ παρόντος εἰς ὑμᾶς, von der Wahrheit des Evangeliums, das zu euch gekommen ist, wobei man beinahe übersetzen kann: das bei euch ist.

[16] Vielleicht will der Autor damit zugleich sagen, daß sie diese Dinge aus dem 1. Petrus-Brief wissen: vgl. J. N. D. KELLY, Epistles 312.

[17] Zu diesem vgl. außer den Kommentaren zuletzt N. BROX, Die Pastoralbriefe (RNT 7, 2) (Regensburg 1968) 60 – 66, und die demnächst erscheinende Dissertation meines Schülers H. J. MICHEL, Die Abschiedsrede des Paulus an die Kirche. Apg 20, 17 – 38.

Wahrheit kennt und in ihr gefestigt seid) –, solange ich (noch) lebe, euch durch Erinnern wachzuhalten (in eurem christlichen Denken und Empfinden)" (V. 13). Damit avisiert er bereits stilgemäß sein baldiges Ende. Ausdrücklich tut er das sodann in den angeschlossenen Sätzen mit εἰδώς (14a) und καθώς (V. 14b). Diese beiden Sätze verdienen noch unsere besondere Beachtung. Der Verfasser sagt zunächst: „da ich weiß, daß mein Tod nahe bevorsteht" (14a); dann fährt er fort: „wie auch unser Herr Jesus Christus mir kundgetan hat" (14b). Man darf das καί in V. 14b nicht übersehen.[18] Der fiktiv redende Petrus beruft sich für sein bevorstehendes Ableben somit zunächst auf sein Eigenwissen und dann auch noch auf eine Offenbarung bzw. Mitteilung (ἐδήλωσεν) Christi. Daß er von sich aus von seinem bevorstehenden Sterben weiß, entspricht einem generellen Topos der alttestamentlich-jüdischen Abschiedsrede bzw. des Testaments.[19] So läßt z. B. auch Apg 20, 25 Paulus zu den Ältesten von Ephesus sagen: „ἐγὼ οἶδα, daß ihr alle, unter denen ich als Künder des Reiches gewandelt bin, mein Angesicht nicht mehr sehen werdet." Warum dann aber hier, in 2 Petr 1, 14, noch die Behauptung des Autors, *auch* Christus habe ihm seinen bevorstehenden Tod geoffenbart?

Zunächst ist zu klären, woher die hier beanspruchte Offenbarung stammen könnte. Manchen Erklärern erscheint eine zeitlich bestimmtere, von Jo 21, 18 f. unabhängige Voraussage des Todes Petri durch den erhöhten Christus „möglich",[20] ja sogar „wahrscheinlich",[21] die von der Überlieferung sonst nicht bewahrt worden sei. Warum sagt der Verfasser dann aber nicht etwa: wie mir auch unser Herr Jesus Christus *jüngst, vor einiger Zeit, in dieser Zeit* o. ä. geoffenbart hat? In Wirklichkeit dürfte sich diese vermutlich von der Quo-vadis-Legende inspirierte Hypothese, für die man sich als ersten Beleg nur auf unsere sehr späte Stelle 2. Petr 1, 14 berufen könnte, ersparen lassen. Man sollte den Hinweis auf Jo 21, 18 f. nicht mit der Feststellung abtun, der Auferstandene verrate hier nicht den Zeitpunkt, sondern nur die Art des Todes Petri, und jedenfalls handle es sich um eine Äußerung, die bald nach der Auferstehung Christi, also viele Jahre vor dem Martyrium des Petrus, getan wurde.[22] In Wirklichkeit ist in Jo 21, 18 f. auch der Gedanke des Zeitpunkts vorhanden, da der Erscheinende das Martyrium doch dem greisen Petrus (γηράσῃς) verheißt. Genau diesen setzt aber auch unser fiktiv als Petrus spre-

---

[18] So, in offenbar historisierender Auslegung, auch J. Michl: Daß er bald sterben muß, „sagen ihm nicht sein vorgerücktes Alter oder die Umstände der Zeit (neronische Verfolgung), sondern eine an ihn ergangene Offenbarung des Herrn": Die Katholischen Briefe (RNT 8, 2) (Regensburg ²1968) 167.

[19] Belege in der in Anmerkung 17 genannten Dissertation von H. J. Michel.

[20] J. Schneider, Die Kirchenbriefe (NTD 10 (Göttingen 1967) 101.

[21] J. Michl, der freilich selbst das „wahrscheinlich" zu einem „vielleicht historisch richtig" abschwächt: Die Kath. Briefe 161. Früher schon H. Windisch – H. Preisker: „Besser denkt man an ein anderes (verlorengegangenes) Wort oder an eine Offenbarung des Erhöhten . . .": Kath. Briefe 88; vgl. zur Problematik besonders: G. H. Boobyer, The Indebtedness of 2 Peter to 1 Peter, in: NT Essays, Studies in Memory of Th. W. Manson (Manchester 1959) 44 – 46.

[22] K. H. Schelkle, Petrusbriefe 195; J. N. D. Kelly, The Epistles 313 f.; J. Michl, Kath. Briefe 167; vgl. auch W. J. Dalton, 2 Peter, in: A New Catholic Commentary on Holy Scripture (London 1969) 1254: 954b.

chender Autor von 1, 14b voraus. Dieser könnte sich also sehr wohl dazu berechtigt gesehen haben, aufgrund der ihm bekannten Überlieferung Jo 21, 18f. zu behaupten, auch Christus habe ihm seinen bevorstehenden Tod mitgeteilt, zumal seine Formulierung den Zeitpunkt dieser Mitteilung ja völlig offenläßt. Freilich wird man zur Erklärung von 2. Petr 1,14b nicht ausschließlich bei Jo 21, 18f. stehenbleiben und nicht unbedingt auf die literarische Bekanntschaft unseres Autors mit dem Nachtragskapitel Jo 21 als einzige Karte setzen müssen. Das Motiv, daß Gott den nahen Tod offenbart, ist bereits altbiblisch geläufig.[23] Die Apg läßt nicht nur Paulus von sich aus das Wissen um seinen baldigen Tod versichern (20, 25), sondern ihm auch durch einen Propheten seinen gewaltsamen Tod voraussagen (21, 11). Auch die spätere christliche Überlieferung ließ ihre Heroen des Glaubens die göttliche Voraussage ihres baldigen Martyriums empfangen.[24] Es handelt sich also um einen hagiographischen Topos, den unser Autor höchstwahrscheinlich nicht als erster auf Petrus übertrug,[25] wie eben das nie ohne das Nachtragskapitel 21 verbreitete Johannesevangelium belegen dürfte (21, 18f.). Mit Recht verweist man in diesem Zusammenhang auch auf den Tribut, den um das Jahr 95 der 1. Clemensbrief (5, 1 – 4) dem Martyrium des Petrus zollte.[26] Da es vom Genus des Testaments her auf das endgültige Abschiednehmen, also nur auf das Wissen vom bevorstehenden Tod ankommt, ist es voll verständlich, daß der fiktiv redende Petrus nur die Nähe seines Todes „auch" durch Christus geoffenbart sein läßt, nicht aber auch auf die Todesart, das Martyrium abhebt.[27]

Der Umstand, daß sich die Berufung des fiktiv redenden Petrus auf eine Offenbarung Christi sehr wohl erklären läßt, ändert indes nichts an der Auffälligkeit seines Verfahrens; daß er sich nämlich für das Bevorstehen seines Todes nicht nur auf sein Eigenwissen, sondern auch auf eine diesbezügliche Offenbarung Christi beruft. Letzteres hat er kaum nur dem Vorhandensein der genannten Petrusüberlieferung zuliebe getan. Durch diese zweite Aussage wird er vielmehr der ihn bewegenden Absicht, durch seine vorliegende schriftliche „Erinnerung" an die vorhandene Glaubenswahrheit diese auch in der Zeit nach seinem Tod verfügbar zu machen, das höchstmögliche Gewicht verleihen wollen: Seine Absicht wurde durch das Eingreifen der hier maßgebenden Autorität, nämlich „unseres Herrn Jesus Christus", selbst bestätigt.

---

[23] Vgl. Dt 31, 2b. 14. 16; Test Levi 1, 2; Test Isaak 1; Ps Philo 19, 6; Syr Bar 43, 2; 46, 1f. Die Offenbarung kann auch durch Michael (Vita Adam 43; Test Abraham 1, 7) oder im Traum (Jub 35, 6) erfolgen.

[24] Vgl. Mart. Polyc. 5, 2; Pass. Perp. et Felic. 4, 3 – 10; Vita Cypriani 12.

[25] Auch nicht das letzte Mal, wie die Weiterentwicklung des Motivs in der jüngeren Quo-vadis-Legende zeigt.

[26] J. N. D. KELLY, Epistles 314.

[27] Ein einigermaßen sicherer Hinweis auf das Martyrium läßt sich V. 14 m.E. nicht entnehmen, weder dem Ausdruck ἡ ἀπόθεσις τοῦ σκηνώματός μου noch dem ταχινή, das in unserem Zusammenhang nur „rasch herankommend, bald eintretend, nahe bevorstehend" (so auch W. BAUER, Wörterbuch s.v. 1597) bedeuten kann, also nicht die rasche, plötzliche Art = die Gewaltsamkeit des Sterbens zum Ausdruck bringt. Anders G. H. BOOBYER, der ταχινή beides besagen läßt und mit ἔξοδος (1, 15) auf das Martyrium (vgl. Lk 9, 31) hinweisen läßt (The Indebtedness, a.a.O. 45f.).

4. Der 2. Petrus-Brief dürfte somit mit aller nur wünschenswerten Deutlichkeit die Überzeugung bekunden: a) Die Christenheit der 3. und 4. Generation besitzt die volle Offenbarungswahrheit, die mit dem Glauben der apostolischen Augen- und Ohrenzeugen identisch ist, weshalb selbst der (fiktiv redende) Apostel dieses unantastbare Ganze der Offenbarungswahrheit nur in Erinnerung rufen kann. b) Der hier als Petrus redende Autor will durch seine schriftliche Belehrung zugleich ein Dokument schaffen, zu dem die Christen der nachapostolischen Zeit „immer", „bei jeder (erforderlichen) Gelegenheit" greifen können, um sich auf jene zu besinnen. Der Kanon des apostolischen Glaubens wird schriftlich dokumentiert. Und diese Absicht der fortwirkenden schriftlichen Dokumentation der apostolischen Heilsbotschaft sieht der fiktiv redende Petrus auch durch das offenbarende Eingreifen „unseres Herrn Jesus Christus" selbst bestätigt. Der Apostel „muß sein Amt in der gegenwärtigen Kirche weiter ausüben . . . *durch seine Schriften*".[28]

c) Unser Ergebnis kann das Urteil J. N. D. Kellys nur voll bestätigen: 2. Petr 1, 15 „savours of an epoch when the living witness of the apostles is no longer operative and the Church feels the need of written texts stamped with their authority".[29] 2. Petr 1, 12 – 15 ist zweifellos die Stelle des neutestamentlichen Corpus, an der sich das Prinzip der Schriftwerdung der apostolischen Tradition am ausdrücklichsten zu Wort meldet. Freilich wird diese als Dokumentation der Glaubenswahrheit beanspruchte Apostelschrift noch nicht ausdrücklich als „Heilige Schrift", als inspirierte Schrift gekennzeichnet, so eindeutig dies für das Alte Testament geschehen mag.[30] Auch an der späteren Stelle 2. Petr 3, 15 kann man wohl nicht von einer sicheren oder auch nur sehr wahrscheinlichen Einschätzung der Paulusbriefe als Hl. Schrift sprechen.[31] Die Formulierung, 2. Petr 3, 15 f. sei „the first explicit mention of the formation of a Christian canon of scriptures",[32] mag eine Idee zu weit gehen; der Brief bezeugt jedoch sicher einen beachtlichen Schritt zur Kanonisierung „apostolischer" Schriften. Das von den apostolischen Augen- und Ohrenzeugen wahrgenommene und als Hinweis auf die machtvolle Parusie Christi verstandene Offenbarungsgeschehen auf dem Berg wird als Bestätigung „des prophetischen Wortes", also der alttestamentlichen Weissagung des Christusgeschehens,[33] beansprucht (1, 16 – 19 a bzw. 21). Sodann sollen die Leser nach 3, 2 – 4 aufgrund der Voraussagen der Propheten und „der durch eure Apostel vermittelten Lebensordnung[34] des Herrn und Heilandes" im Auftreten libertinistischer Parusiespötter eine geradezu notwendige, selbstverständliche Erscheinung „am Ende der Tage" erkennen. An beiden Stellen werden „der Schrift" nicht mehr nur „die Worte des Herrn Jesus" gleichwertig zur Seite ge-

---

[28] O. Cullmann, Die Tradition 33.

[29] Epistles 315.

[30] Vgl. E. Käsemann, Exegetische Versuche und Besinnungen I (Göttingen 1960) 152 – 154.

[31] W. G. Kümmel hat wahrscheinlich recht: „II Pt 3, 16 ist noch kein Zeugnis für die Wertung der Paulusbriefe als γραφή": Einleitung 356.

[32] J. Dalton, 2. Peter, a.a.O. 1256: 954i.

[33] Vgl. bes. J. N. D. Kelly, Epistles 320 f.; C. Spicq, Les Epîtres 223.

[34] Zu dieser Bedeutung von ἐντολή vgl. J. Schneider, Kirchenbriefe 108.

stellt,[35] sondern auch die apostolische Vermittlung offenbarender Ereignisse des Jesusgeschehens (1, 19 ff.) und der Jesusworte (3, 2). Es liegt nur in der Konsequenz dieses Fortschritts, daß der kanonischen Wertschätzung der Jesusbücher der Evangelien jene der die Botschaft vom Herrn bezeugenden „Apostelschriften" folgen wird.

---

[35] Wie in 1 Clem 13, 1 f.; vgl. dazu W. G. KÜMMEL, Einleitung 352 f.

2

„Keine Prophetie der Schrift
ist Sache eigenwilliger Auslegung" (2 Petr 1, 20b)*

Der unter dem Namen des Apostels Petrus schreibende Verfasser bringt das Phänomen Schriftinterpretation besonders an zwei Stellen seines Briefes zur Sprache. Zuerst in den Versen 1, 19 – 21, in denen es um die Auslegung des prophetischen Alten Testaments geht; sodann in 3, 15b – 16. Das Besondere und Erstmalige dieser Verse im nachapostolischen Schrifttum liegt darin, daß der Verfasser einen Apostel sich auf briefliche Äußerungen eines anderen Apostels, nämlich Paulus, berufen und Petrus entgegen sinnverfälschender Auslegung das richtige Verständnis der Paulusbriefe und „der übrigen Schriften" für sich in Anspruch nehmen läßt. Diese Verse 15b – 16 gaben unter anderem Anlaß zur Diskussion der Frage, ob der Verfasser einer Überordnung der Lehrvollmacht Petri über die des Paulus das Wort reden will.

Im folgenden soll in erster Linie Sinn und Tragweite der ersten Stelle (1, 20f.) diskutiert werden. Zunächst seien Stellungnahmen evangelischer Autoren registriert. In seiner erstmals 1952 veröffentlichten Studie „Eine Apologie der urchristlichen Eschatologie"[1], in der E. *Käsemann* grundlegend vor allem bemängelte, daß die „rein anthropologisch" orientierte Eschatologie des zweiten Petrusbriefes (= 2 Petr) einen Abfall von der apostolischen Eschatologie darstelle, weil sie „jede christologische Orientierung . . . vermissen läßt", pflichtete er O. *Holtzmann* und P. *Feine* bei. Diese sähen im Sinne der katholischen Exegese, „die vom protestantischen Liberalismus nicht infiziert worden ist", mit Recht den Anspruch kirchlich-autoritativer Auslegung der Schrift bezeugt. Nach E. *Käsemanns* eigener, noch schärferer Formulierung will der Verfasser „einschärfen: Persönliche, vom einzelnen vorgenommene, vom kirchlichen Lehramt nicht autorisierte und vorgezeichnete Exegese ist nicht gestattet, weil der Geist, von dem allein die inspirierte Schrift verstanden und ausgelegt werden kann, in 2 Petr, nämlich im ‚Frühkatholizismus' an das Amt gebunden (ist)". Diese Auslegung wurde von anderen Autoren akzeptiert[2], zum Teil mit dem Hinweis auf Lehrer, die sich als Repräsentanten

---

* Erstveröffentlichung des durchgesehenen Beitrags: Kath. Bibelwerk e. V. (Hrsg.), Dynamik im Wort (Stuttgart 1983) 257 – 285.
[1] Jetzt in: E. KÄSEMANN, Exegetische Versuche und Besinnungen I (Göttingen 1960) 135 – 157.
[2] So von W. G. KÜMMEL, Einleitung in das Neue Testament (Heidelberg 1972, 41980) 381: „. . . da nicht jeder Christ den Geist hat, ist die Auslegung der Schrift dem kirchlichen Lehramt vorbehalten. Damit befinden wir uns zweifellos . . . im ‚Frühkatholizismus'" (381); W. GRUNDMANN, Der Zweite Brief des Petrus (ThHK 15) (Berlin) 86: Die Norm des Apostolischen, der die Auslegung der Prophetie der Schrift unterworfen wird, „wird verwaltet von dem sich bildenden Lehramt, das im 2. Petrusbrief zum Vorschein kommt." S. SCHULZ erklärt mit W. MARXSEN: „Die rö-

apostolischer Vollmacht verstehen[3]. Durch das „wir" von 1, 19a weist der fiktive Petrus nach *W. Marxsen* „auf einige Menschen" hin, die der Gemeinde („ihr": 1, 19bc) als „Autoritäten" gegenüberstehen. Diese „wir" seien „Petrus, die Apostel und ihre Nachfolger, kurz: das Amt ist die für die Auslegung zuständige Instanz"; und zu jenen „Nachfolgern" rechne sich auch der Verfasser des 2 Petr[4]. Ohne die Differenz von „wir" und „ihr" ins Spiel zu bringen, läßt *S. Schulz* 2 Petr als das „frühkatholischste aller frühkatholischen Dokumente im Neuen Testament"[5] sehr dezidiert den „geist-losen Laien" das Recht der Schriftauslegung absprechen. Zwar sei „von nachapostolischen Amtsträgern (Presbytern, Episkopen) und einer auf Ordination beruhenden apostolischen Sukzession nicht ausdrücklich die Rede. Aber die exklusive Herausstreichung der apostolischen Lehre einerseits und des kirchlichen Lehramts andererseits (1, 20) beweist, daß der 2. Petrusbrief typisch frühkatholisch den Geist an das Amt und an die Ordinierten, d.h. an die durch Handauflegung mit dem Geist begabten Amtsträger, und nicht an die geist-losen Laien bindet."[6] „Dem Klerus steht also die Gemeinde als die Schar der Laien ohne Geist gegenüber."[7]

Demgegenüber äußern sich andere Erklärer weit reservierter. *W. Schrage* meint zwar, Subjekt des „wir haben" (1, 19a) seien „die Apostel", da „das apostolische ‚wir' . . . erst im nächsten Satz vom ‚ihr' der Gemeinde abgelöst (wird)."[8] Er läßt den Verfasser sehr wohl den „Pseudolehrern" (2, 1) den zur Schriftauslegung befähigenden Geist absprechen. Hinsichtlich der Rechtgläubigen beschränkt er sich aber auf den Satz: „Eine andere Frage ist, ob damit alle Glieder der rechtgläubigen Gemeinde den Geist besitzen, der zur Auslegung befugt." Und er fährt fort: „Von einem kirchlichen Lehramt im späteren Sinn ist zwar noch nicht die Rede, wohl aber hat der Verfasser eine durch die Apostel und ihre Tradition autorisierte und durch die Kirche und ihre Rechtgläubigkeit domestizierte Interpretation im Auge."[9] Ähnlich zurückhaltend äußern sich auch *E. Fuchs* und *P. Reymond* in ihrem neuesten Kommentar. Gegenüber Leuten, die das Alte Testament als Menschenwerk betrachten und sich willkürlich erfundene Interpretationen erlauben, wolle der Verfasser mit 1, 20f. einschärfen: „das Zeugnis des Alten Testaments ist wesentlich". Deshalb würden Erklärer, die mit der traditionellen katholischen Exegese in 1,

---

misch-katholische Kirchenlehre kann sich für ihr Dogma, ‚daß Exegese Sache des Lehramtes' sei, zu Recht auf diesen Text (1 Petr 1, 20) berufen": Die Mitte der Schrift (Berlin 1976) 296 f.

[3] J. N. D. Kelly: Obwohl mehr angedeutet als ausgesprochen, lasse 1, 20 kaum bezweifeln, daß der Verfasser „is not thinking of the Spirit-endowed individual or prophet in the community, but rather of apostolic authority as embodied in the recognized ministers and charismatic teachers of the local churches who, as he understands it, bear the Spirit's commission. The notion of the official Church as the appointed custodian of scripture is evidently taking shape": The Epistles of Peter and of Jude (BNTC) (London 1969) 324.

[4] W. Marxsen, Der „Frühkatholizismus" im Neuen Testament (BSt 21) (Neukirchen 1958) 14–16.

[5] Schulz, Mitte 295.

[6] Schulz, Mitte 296.

[7] Schulz, Mitte 298.

[8] W. Schrage, Der Zweite Petrusbrief (NTD 10) (Göttingen 1973) 131 f.

[9] Schrage, Petrusbrief 132.

20f. den „Grundsatz" der durch die Kirche zu erfolgenden Schriftinterpretation erblicken, etwas zu rasch vorgehen, womit selbstverständlich nicht gesagt sein solle, daß 1, 20f. in der Folgezeit zu diesem Zweck verwendet werden konnte.[10] Noch entschiedener erklärte *U. Luz* schon Jahre zuvor: „Nun rekurriert der Verfasser . . . hier gerade nicht explizit auf ein kirchliches Amt, sondern auf den göttlichen Geist, durch den die Weissagungen zustandegekommen sind, so daß sie menschlicher Willkür entzogen bleiben. Der heilige Geist ist hier also gerade eine objektive Instanz, der subjektive und somit auch divergierende Auslegungen ausschließt. Weitere Konsequenzen wie etwa die, daß ein kirchliches Lehramt den objektiven Sinn alttestamentlicher Prophetie feststellt, oder die, daß es überhaupt keine Auslegung geben darf, sind gerade nicht ausgesprochen."[11]

Bis zu einem gewissen Grad legt sich der Eindruck nahe: Je umfassender Autoren in 2 Petr nachpaulinische Fehlentwicklungen bezeugt sehen und die Zugehörigkeit des 2 Petr zum „Kanon" in Frage stellen[12] bzw. beklagen, daß es statt zu einer „frühprotestantischen" Schriftwerdung (= „Kanon") gegen Ende des 2. Jahrhunderts zu einem „frühkatholischen" Kanon Neuen Testaments kam,[13] desto dezidierter lassen sie 1, 20f. das Prinzip des kirchlichen Lehramts als der einzig befugten Instanz der Schrifterklärung bezeugen.

Nicht weniger interessant und beachtlich ist der Umstand, daß die Stellungnahmen katholischer Exegeten ein ebenfalls widersprüchliches Bild ergeben. Mehrere sprechen auch nicht andeutend von einem hier vorausgesetzten oder sich bildenden Lehramt.[14] Aufgrund seines unten zu nennenden Verständnisses des „prophetischen Wortes" von 1, 19a scheidet auch für *J. H. Neyrey* ein Interesse des Verfassers am dogmatischen Fragepunkt „orthodoxe Schriftinterpretation gegen Privatinterpretation" aus.[15] Demgegenüber hat das Tridentinum nach *J. Chaine* den Sinn des das Konzil inspirierenden Verses 1, 20 entfaltet: „. . . nemo suae prudentiae innixus, in rebus fidei et morum . . . s. Scripturam ad suos sensus contorquens, contra eum sensum, quem tenuit et tenet sancta mater Ecclesia . . . ipsam Scripturam sacram interpretari au-

---

[10] E. Fuchs – P. Reymond, La deuxième épître de Saint Pierre – L'épître de Saint Jude (CNT 2. série, XIII b) (Neuchâtel 1980) 75 mit Anm. 12. Nach J. Schneider „kommt es dem Verfasser nur darauf an, den Gnostikern das Recht der Deutung prophetischer Aussagen zu bestreiten": Die Kirchenbriefe (NTD 10 (Göttingen ²1967) 102.

[11] U. Luz, Erwägungen zur Entstehung des Frühkatholizismus: ZNW 65 (1974) 88 – 111; hier 102.

[12] „Was ist es um den Kanon, in welchem der 2. Petr als klarstes Zeugnis des Frühkatholizismus Platz hat?": Käsemann, Versuche 157.

[13] Schulz, Mitte 430 – 431 bzw. 433. Im Unterschied zu Käsemann und erst recht zu Schulz versucht Marxsen freilich eine distinguierte Beurteilung der Zugehörigkeit des 2 Petr zum Kanon: „Frühkatholizismus" 7 – 21.

[14] Vgl. etwa W. Vrede, Der zweite Petrusbrief (HSNT IX) (Bonn 1932) 129; J. Reuss, Die Katholischen Briefe (Echter Bibel 7) (Würzburg 1957) 108; J. Michl, Die Katholischen Briefe (RNT 8/2) (Regensburg ²1968) 168f.; J. Schmid, Einleitung in das Neue Testament (Freiburg i. Br. 1972) 603 – 613.

[15] J. H. Neyrey, The apologetic use of the Transfiguration in 2 Petr 1, 16 – 21: CBQ 42 (1980) 505 – 519; hier 516.

deat."[16] Im gleichen Sinne äußerten sich *A. Charue,*[17] *C. Spicq*[18] und auch *K. H. Schelkle.* Obwohl es der Brief nicht ausspreche, sei es für den Verfasser „fraglose Gewißheit": „Nur die Auslegung der Großkirche (ist) gültig und sie hat also den Geist." Und unter gleichzeitiger Berufung auf *W. Marxsen* und *E. Käsemann* merkt er an: „Insofern hat also endlich katholische Exegese ihr Recht, wenn sie geneigt ist, 2 Petr 1, 20f. schon den Grundsatz der kirchlichen Schrifterklärung ausgesprochen zu finden, den später das Tridentinum (Sessio IV) so formulierte: Ecclesiae est iudicare de vero sensu et interpretatione S. Scripturae."[19] Wer könnte nun am ehesten recht haben? Die Frage ist gewiß nicht überflüssig.

1. Die Leugnung der Parusie Christi ist das „eigentlich Neue" und dem Verfasser des 2 Petr „offensichtlich besonders bedrohlich Erscheinende" an der von ihm bekämpften Irrlehre.[20] Schon zum Abschluß seines ausführlichen Briefeingangs hatte „Petrus" den Blick der Leser auf das Parusiegeschehen gerichtet, indem er die Gewährung „des Eintritts in das ewige Reich unseres Herrn und Retters Jesus Christus" als das Ziel ihrer sittliche Bewährung erfordernden Berufung bezeichnete (1, 3 – 11). Die Bekräftigung des überlieferten Parusieglaubens hatte er auch im besonderen im Auge, wenn er anschließend als Zweck seines Schreibens erklärt, angesichts seines baldigen Todes wolle er die Gläubigen durch die Erinnerung an die ihnen „vorhandene Wahrheit" wachrufen und zwar brieflich, damit sie sich auch nach seinem Hinscheiden die schriftlich hinterlegte Wahrheit jederzeit in Erinnerung rufen können (1, 12 – 15).

1.1 Nun setzt er auch schon ein mit seinem grundlegenden Argument für die Wahrheit der apostolischen Parusieverkündigung, nämlich dem von ihm und (den beiden hier nicht genannten) Mitaposteln als Augen- und Ohrenzeu-

---

[16] J. CHAINE, Les Epîtres Catholiques (EtB) (Paris 1939) 56.

[17] A. CHARUE, Les Epîtres Catholiques (La Sainte Bible XII) (Paris ³1951) 489.

[18] C. SPICQ, Les Epîtres de Saint Pierre: SBi (1966), 224 – 226.

[19] K. H. SCHELKLE, Zweiter Petrusbrief (HThK XIII/2) (Freiburg 1976) 202 mit Anm. 1. Vgl. auch die etwas vorsichtigeren Formulierungen von R. LECONTE, Les Epîtres Catholiques (La Sainte Bible 58 (Paris 1953) 93, und A. STÖGER, Der zweite Brief des Apostels Petrus (Geistliche Schriftlesung 21) (Düsseldorf 1962) 100.

[20] SCHRAGE, Petrusbrief 121. Nach J. H. NEYREY befürworteten die in 2 Petr bekämpften Gegner die in griechischen und jüdisch-heterodoxen Traditionen geläufige Leugnung des göttlichen Gerichts, eines postmortalen Lebens und postmortaler Vergeltung, die ausdrücklich mit dem „antiprovidence argument of delayed judgment and injustice" verbunden war. Es handle sich also nicht um einen speziellen Angriff auf die Christologie, die Parusie Christi zum Gericht, sondern auf die Theodizee, auf das göttliche Gericht im allgemeinen: The Form and Background of the Polemic in 2 Peter: JBL 99 (1980) 407 – 431; vgl. die Zusammenfassung 430f. Daß der angezogene historische Kontext die Parusieleugner mitinspirieren konnte, sei nicht bestritten. Für die Gesamtthese NEYREY's scheint auf den ersten Blick der Umstand zu sprechen, daß der Verfasser so stark mit altbiblischen Texten und Gerichtsbeispielen argumentiert und von sich aus direkte Hinweise auf überlieferte Ansagen der Parusie Christi vermeidet. Weil dieses Verfahren aber einen durchaus plausiblen Grund haben dürfte (s. u. 3. 2), ist doch an der gängigen Auffassung festzuhalten, daß die Gegner – aus möglicherweise mehr als einem Grund – speziell den Glauben an die Parusie Christi attackierten und es dem Verfasser um die Verteidigung dieses Glaubens ging.

gen erlebten Offenbarungsgeschehen „auf dem heiligen Berg"[21]: dieses manifestierte den durch die Gottesstimme noch ausdrücklich beglaubigten Besitz der göttlichen Machtherrlichkeit Jesu, die seine machtvolle Parusie voranzeigt und garantiert (1, 16 – 18).[22] Dieses Verständnis des Verklärungsgeschehens wird auch bestätigt durch die anschließende Folgerung: „Und (so) haben wir das prophetische Wort sicherer, und ihr tut gut daran, darauf zu achten wie auf eine Leuchte (Lampe), die am finsteren Ort (= in dieser durch Irrlehre, Zweifel und Prüfungen gezeichneten Welt) scheint, bis der Tag anbricht und der Morgenstern aufgeht in euren Herzen" (1, 19), d. h.: bis „das prophetische Wort" durch die Parusie in Erfüllung gehen und der offenbar werdende Christus in den Glaubenden jede Unsicherheit erledigen wird; oder wie *T. Fornberg* wohl noch besser formuliert: bis die Ganzoffenbarung das prophetische Wort überflüssig machen wird.[23] Daß das Aufgehen des Morgensterns in Wirklichkeit dem Tagesgrauen voraufgeht, brauchte den Verfasser nicht zu stören. Die unstimmige Abfolge ist durch die Aussageintention der hier verwendeten Bildsprache bedingt. Dem „finsteren Ort" als bildlicher Bezeichnung dieses Äons entspricht der anbrechende, die Finsternis aufhebende Tag (vgl. Röm 13, 12) als Bild des kommenden Heilsäons. Durch die Voranstellung des „bis der Tag anbricht" wird zugleich die Deutung „des Morgensterns" auf den wiederkommenden Christus sichergestellt. Das auf Num 24, 17 zurückgehende Bild vom Messias als einem „Stern" war jüdischer- und christlicherseits geläufig. Sogar das Bild vom Morgenstern ist keine Besonderheit des 2 Petr (Offb 22, 16: als Bezeichnung des erhöhten und wiederkommenden Christus; vgl. auch Ign Eph 19, 2), wohl aber die Wahl des Ausdrucks φωσφόρος = Lichtträger.[24] Genau auf diese Bezeichnung des erhöhten Christus kommt es dem Verfasser an. Denn nur durch diese ließ sich der Gedanke ausdrücken, daß der offenbar werdende Christus die Gläubigen die Wahrheit „des prophetischen Wortes" voll und ganz erkennen lassen wird.

1.2 Von größtem Belang für das Argumentationsverfahren des Verfassers ist das Verständnis des Ausdrucks „das prophetische Wort". Neuerdings vertrat *J. H. Neyrey* die schwerlich überzeugende Hypothese, der Verfasser denke bei diesem und in 1,20f. nicht an alttestamentliche Prophetien, sondern an neutestamentliche Prophetien der Parusie Christi und zwar im besonderen an das Verklärungsgeschehen als „the premier prophecy" der Parusie. Er wolle das als echte Prophetie verstandene Verklärungsgeschehen mit dem superlativisch zu verstehenden βεβαιότερον als „a *very firm* prophetic word" bezeich-

---

[21] *„Der heilige Berg"* (im Unterschied zu Mk 9, 2 – 9 par) unterstreicht die einzigartige Bedeutung dieses Ereignisses im Leben Jesu; vgl. T. Fornberg, An Early Church in a Pluralistic Society: A Study of 2 Peter (Diss. Uppsala 1977): NTSer 9 (1977) 146.
[22] Von den Einzelheiten der synoptischen Verklärungserzählung (Mk 9, 2 – 9 par) ist nur die im Anschluß an Mt 17, 5 formulierte Himmelsstimme genannt; freilich ohne das synoptische „ihn sollt ihr hören". „Im Mittelpunkt des Interesses steht nicht das Hören auf den Christus, sondern die Tatsache, daß die Apostel selbst die Gottesstimme gehört haben und ihre Tradition darum letztlich himmlischer Herkunft ist": Schrage, Petrusbrief 131.
[23] Fornberg, Early Church 85.
[24] Vgl. Fornberg, Early Church 84f.

nen.[25] Ernsthaft diskutieren läßt sich nur, ob der Verfasser unter „dem prophetischen Wort" lediglich die alttestamentliche Verbalprophetie versteht, oder im Anschluß an eine geläufige Redeweise das Alte Testament als ganzes, einschließlich seiner erzählenden Teile meint, wie die meisten neueren Erklärer zu Recht annehmen dürften. Mit der apostolischen und nachapostolischen Verkündigung kann er das Alte Testament sehr wohl als in allen Teilen prophetisch auf das Endgeschehen vorausweisende Schrift verstanden haben wollen. Dafür spricht, daß er, inspiriert von der Ketzerschelte des Judasbriefs, bereits in seinen anschließenden Ausführungen über die „Falschlehrer" (Kap. 2) auf drei typisch zu verstehende Gerichtsbeispiele altbiblischer Überlieferung rekurriert (die gefallenen Engel, die Sintflut, Sodom und Gomorra), von denen die beiden letzten, erst von ihm eingeführten Beispiele schon auf die zweifache Wirkung des kommenden Gerichts (= der Parusie) vorausweisen: Verderben für die Sünder (= die libertinistischen Irrlehrer) und Errettung für die Gerechten, nämlich die in Glauben und Lebensführung sich bewährenden Christen (2, 5 – 8 bzw. 9). Obwohl er in der späteren Aufforderung an die Leser, sich an „die von den heiligen Propheten vorausgesagten Worte (τῶν προειρημένων ῥημάτων)" zu erinnern (3, 2a), aus Jud 17 die Wendung τῶν ῥημάτων τῶν προειρημένων übernimmt und Jud 17 mit ῥημάτων nur „Worte" gemeint sind, ist nicht auszuschließen, daß der Verfasser auch mit ῥήματα in 3, 2a im Sinne des Begriffs „*debarim*"[26] Verbal- und Realprophetie zusammenfassen will. Daß er unter „dem prophetischen Wort" ausschließlich direkte Prophetien,[27] insbesondere messianische Weissagungen, die er sicher auch eingeschlossen haben will, verstehen müsse, läßt sich auch mit der Verwendung des Ausdrucks προφητεία in den mit 1, 19 schon syntaktisch (προσέχοντες – γινώσκοντες) eng verbundenen Versen 20f. nicht beweisen. Er spricht in Vers 21 ja allgemein von „Menschen", nicht ausdrücklich von „den Propheten". Obwohl im Alten Testament speziell die Inspiration der Propheten im Vordergrund steht, kann er somit auch mit dem „das prophetische Wort" (V. 19) aufnehmenden Ausdruck „Prophetie" (V. 20) sehr wohl Verbal- und Realweissagung meinen. Bei beiden Ausdrücken denkt er sicher nicht an prophetische Worte Jesu und der Apostel, auch nicht einschlußweise. Einmal weil in der Wendung „keine Prophetie der Schrift" „*die* Schrift" schwerlich schon als Bezeichnung für eine alttestamentliche und christliche Schriften umfassende Sammlung verwendet wird. Sodann weil die Aussage über den Inspirationscharakter (V. 21) wohl auf alttestamentliche Gottesmänner, nicht aber auf Jesus, dessen Verheißungen des Endgeschehens die Apostel überliefert haben, paßt.[28]

---

[25] NEYREY, The apologetic use, bes. 514 – 519.

[26] „. . . das im Wort festgehaltene und erzählte Ereignis . . .": O. PROCKSCH, Art. λέγω κτλ in: ThWNT IV, 91, 45 f.

[27] Was sprachlich auch möglich wäre: vgl. FORNBERG, Early Church 82, mit Anm. 3.

[28] Ich korrigiere damit meine frühere Äußerung, der Verfasser habe in den Ausdruck „das prophetische Wort" auch Parusieworte der Jesusüberlieferung und der Apostel, speziell des Paulus miteinschließen wollen: A. VÖGTLE, Petrus und Paulus nach dem Zweiten Petrusbrief, s. jetzt oben S. 287f.

2. Damit stehen wir bei den für unsere Frage unmittelbar einschlägigen Versen 1, 20f. Warum beläßt es „Petrus" nicht bei der Feststellung, daß „das prophetische Wort" durch das auf die Parusie Christi vorausweisende und diese garantierende Verklärungsgeschehen für uns sicherer, zuverlässiger geworden ist und die Leser deshalb bis zur Parusie Christi an jenem Wort Halt und Trost finden sollen (V. 19)? Warum fügt er die bis heute von manchen Exegeten[29] als überraschend empfundene Feststellung hinzu, daß und warum „keine Prophetie der Schrift"[30] Sache eigenmächtiger Auslegung ist?

2.1 Weil die Gegner als gnostisch orientierte Judenchristen speziell die Inspiration der nachmosaischen Propheten bestritten[31] oder prinzipiell dem ganzen Alten Testament die Inspiration und damit göttlichen Ursprung absprachen? Diese Auslegung von *E. Fuchs – P. Reymond*[32] ist durch folgende übergeordnete Hypothese bedingt: Das Hauptargument der Gegner sei die Bestreitung, daß die Welt erschaffen wurde und zerstört werden könne, somit die Behauptung der ewigen Permanenz des Kosmos. Aufgrund dieser Kosmologie würden die Gegner jede eschatologische apokalyptische Erwartung dezidiert bestreiten, während dieselbe beim Verfasser von 2 Petr an den Glauben an den Schöpfergott und dessen direktes Handeln an der Welt geknüpft ist. Deshalb hätten die Gegner selbst die Verzögerung der Parusie nicht als Problem empfunden. Im Gegenteil! Der Umstand, daß der Herr überhaupt nicht kommt, scheine ihnen gerade ihre These zu bestätigen, daß die Welt permanent ist, und sie selber jede eschatologisch-apokalyptische Perspektive mit Recht ablehnen[33]. Abgesehen davon, daß es kaum gelungen ist, diese Hypothese anhand von 3, 4–7 bzw. 10 zu verifizieren, rechtfertigt 1, 20f. nicht die Annahme, diese Verse würden sich grundlegend gegen die Bestreitung des inspirierten Charakters des Alten Testaments richten. Es gehe dem Verfasser hier weniger um die Frage, von wem und wie zu interpretieren ist, als um die Würde des zu interpretierenden Alten Testaments: daß es sich um ein Dokument handelt, dessen Autorität auf göttlicher Inspiration beruht. Mit 1, 20f. halte er den Irrlehrern entgegen: „le temoignage de l'AT est essentiel".[34] Gewiß ist auch dieser Gedanke in den Sätzen 1, 19ff. impliziert. Der Verfasser will aber noch etwas mehr sagen. Unbestreitbar ist doch die Interpretation der Gesichtspunkt, dessentwegen er auf die Inspiration der alttestamentlichen Prophetie zu sprechen kommt.

2.2 Wenn der Verfasser mit 1,20f. speziell und direkt die von ihm bekämpften Gegner attackieren will, kann es sich nur um den Vorwurf handeln, dieselben würden die alttestamentliche Prophetie bzw. das prophetische Alte

[29] Z.B. von Spicq, Les Epîtres, 226; Kelly, The Epistles 325.
[30] πᾶς . . . οὖ ist semitische Konstruktion, wie sie sich auch in LXX und in urchristlichen Schriften, z.B. Eph 5, 5; Apk 18, 22, findet.
[31] Da die von E. Molland für diese Hypothese angeführten PsClem Homilien zeitlich nicht weit von 2 Petr abliegen, hält es auch Kelly für möglich, daß die Irrlehrer dieselbe Geringschätzung der Prophetie überhaupt teilten: The Epistles 325.
[32] Fuchs – Reymond, La deuxième Epître 74f.
[33] Fuchs – Reymond, La deuxième Epître 109–114; vgl. dazu jetzt meine Recension in: ThRv 80 (1984) Sp. 198f.
[34] Fuchs – Reymond, La deuxième Epître 75.

Testament eigenwillig auslegen. Diese meist befürwortete Absicht[35] ließe sich schwerlich durch den unseren Abschnitt einleitenden Negationssatz 1, 16a belegen: „Denn nicht ausgeklügelten Mythen[36] sind wir gefolgt, (als wir euch die Macht und Parusie unseres Herrn Jesus Christus kundgetan haben)." Die Deutung ist bis heute umstritten. (1) Ist 1, 16 vorausgesetzt, daß die Irrlehrer den Orthodoxen vorwarfen, ihre Glaubenstradition, speziell ihr Parusieglaube, beruhe auf selbsterfundenen Mythen, Spekulationen? Falls „Petrus" diesen Vorwurf zurückweisen wollte[37], müßte sich die Annahme, diese selbsterfundenen Mythen – statt des Plurals wäre doch eher der Singular zu erwarten – würden nach der Behauptung der Irrlehrer auf eigenmächtiger Auslegung des prophetischen Alten Testaments beruhen, auf folgende zweifelhafte Exegese stützen: Es handle sich in 1, 16a und 1, 20f. um ein und denselben Vorwurf, nämlich den der eigenmächtigen Auslegung des Alten Testaments. Nachdem „Petrus" in 1, 16a den gegen ihn bzw. gegen die Parusieverkündigung erhobenen Vorwurf der Irrlehrer zurückgewiesen habe, kehre er diesen in 1, 20f. gegen die Irrlehrer selbst. Nun läßt sich aber nicht einmal wahrscheinlich machen, daß „Petrus" auch nur mit 1,20f. diesen Vorwurf gegen die Irrlehrer erheben will (s. u.). Und schon gar nicht fährt er nach 1, 16a etwa fort: „. . . als wir euch ‚die Schrift' auslegten oder auch verkündeten, was ‚die heiligen Propheten' vorausgesagt haben" o. ä. (2) Andere Autoren plädieren mehr für den umgekehrten Fall: „Petrus" wolle mit dem Negationssatz 1, 16a sagen, im Gegensatz zu ihm und den Mitzeugen des Verklärungsgeschehens würden die Parusieleugner selbsterfundene Mythen, Spekulationen einbringen.[38] Bezüglich des Inhalts dieser Erfindungen erwägen sie verschiedene Möglichkeiten,[39] versagen sich aber gewiß mit Recht die Annahme, in der Vorstellung des „Petrus" würden die Irrlehrer diese Spekulationen speziell auf das Alte Testament stützen. (3) Oder hat der Verfasser „zum wenigsten" Gegner im Auge, denen er die Fähigkeit, die den Glauben begründenden Ereignisse zu bezeugen, abspricht?[40] (4) Einer weiteren Sinnbestimmung zufolge „stehen in

---

[35] SCHRAGE möchte diese Absicht nicht ausschließen: Aus 1, 20 lasse sich „vielleicht" folgern, „daß die Häretiker auch die alttestamentliche Prophetie gnostisch umgedeutet haben": Petrusbrief 121. SCHELKLE läßt die Option zwischen den Hypothesen a) und b) offen: „Wenn sie (die Irrlehrer) die atl. Weissagung nicht geradezu leugneten oder das AT verwarfen, so legten sie es gemäß ‚eigener Auflösung' in einer Weise aus, die der Brief als Eigenmächtigkeit und Willkür beurteilt": Petrusbrief 201.

[36] Mit σεσοφισμένοι soll jedenfalls unterstrichen werden, daß es sich bei den μῦθοι um der Wahrheit bare Erfindungen handelt.

[37] So H. WINDISCH, Die Katholischen Briefe (HNT 15) (Tübingen 1951) 89; NEYREY, The apologetic use 506f.; vielleicht auch FORNBERG, Early Church 61. Diese Deutung möchten auch KELLY, The Epistles 316, und GRUNDMANN, Brief 80f., wenigstens nicht ausschließen (s. u. Anm. 39).

[38] SCHELKLE, Petrusbrief 197f.; SPICQ, Les Epîtres 218. 225; SCHRAGE, Petrusbrief 130f.; GRUNDMANN, Brief 80; KELLY, The Epistles 316: „. . . and his interpretation is almost certainly correct".

[39] Vgl. etwa SCHELKLE, GRUNDMANN und SCHRAGE z. St.

[40] So viel läßt sich nach FUCHS – REYMOND sicher sagen, die ihrerseits darüber hinaus freilich die Hypothese für sehr wahrscheinlich halten, die Gegner hätten die Christen wegen des Festhaltens an gewissen kultischen Observanzen der Kol 2, 16ff. genannten Art (vgl. 2, 10f.) lächerlich gemacht: La deuxième Epître 67.

2 Pt 1, 16 gewiß nicht bestimmte gnostische Irrlehren im Blick, sondern es geht ganz allgemein um eine Verwahrung gegen jeden Zusammenhang mit Irrlehren überhaupt, die ja doch nur ,Mythen' und nicht Offenbarungsqualitäten vermitteln können."[41] Geht es „Petrus" also − freilich im Blick auf die durch die Parusieleugner bedrohten Gläubigen − im Grunde nur darum, zu unterstreichen, daß die apostolische Verkündigung und Deutung des Offenbarungsgeschehens auf dem Berg nicht dem wohlbekannten Bereich ausgeklügelter phantastischer Mythen oder Spekulationen entstammt, sondern auf Augen- und Ohrenzeugenschaft,[42] also auf Historie beruht?[43] Bei diesen beiden Auslegungen (3) und (4), die die Intention des Verfassers sogar am ehesten treffen könnten, kann die Annahme, er wolle mit 1, 16a die Parusieleugner speziell der eigenmächtigen Deutung der alttestamentlichen Weissagungen bezichtigen, überhaupt nicht in Betracht kommen. Aber auch wenn man eine der beiden erstgenannten (1) und (2) Exegesen vorzieht, läßt sich aus 1, 16 kein Kapital schlagen für die Hypothese, der Verfasser wolle mit 1, 20f. diesen Vorwurf gegen die Parusieleugner und zwar direkt gegen diese erheben.

Für diese Absicht kann man sich eher auf den späteren Vorwurf berufen, die Irrlehrer würden „auch die übrigen Schriften" zu ihrem eigenen Verderben verdrehen (3, 16c). Wenn „Petrus" außer den Paulusbriefen, deren verfälschende Auslegung er den Gegnern vorwirft, auch „die übrigen Schriften" nennt, darf man das Alte Testament wahrscheinlich eingeschlossen sehen. Ganz sicher hat er aber nicht ausschließlich das Alte Testament im Blick[44] sondern auch christliche Schriften, vorab doch wohl die synoptischen Evangelien, mindestens Markus (wahrscheinlich sogar gewisse prophetische Logien wie 9, 1; 13, 30; 14, 62). Gewichtiger ist freilich, daß in 1, 20 andere, etwa τινες (einige, gewisse Leute: Jud 4), jedenfalls nicht genannt werden. Schon gar nicht ist in dieser geschlossenen Einheit 1, 16 − 21 die Rede von „Pseudolehrern", von „den . . . Herrn Verleugnenden" (2, 1), von „anmaßenden Frechlingen" (2, 10b), von „Spöttern" (3, 3), von „Unwissenden und Ungefestigten" (3, 16c) oder wie die Gegner noch apostrophiert werden mögen. In 1, 20 wird wohl gesagt, die Leser sollen erkennen, daß keine Prophetie der Schrift „unter eigene Deutung (fällt)"[45]; der Verfasser läßt Petrus aber nicht etwa ausdrücklich sagen: daß es keinem erlaubt ist, eine Prophetie der Schrift eigenwillig auszulegen, oder daß keine Prophetie der Schrift von jemand eigenwillig ausgelegt werden darf. In diesem Falle wäre entschieden anzunehmen, „Petrus" füge 1, 20f. ausschließlich im Blick auf andere hinzu, um diesen willkürliche Auslegung des Alten Testaments vorzuwerfen, nämlich nächstliegend den Parusieleugnern[46].

---

[41] U. WILCKENS, Art. σοφία κτλ: ThWNT VII 529, 2ff.

[42] Bei ἐπόπται schwingt vielleicht in Anlehnung an die Mysteriensprache der Gedanke der privilegierten Eingeweihten mit: vgl. bes. FORNBERG, Early Church 53. 123.

[43] So eindeutig auch G. STÄHLIN, Art. μῦθος in: ThWNT IV, 791, 19ff.

[44] Vgl. auch FORNBERG, Early Church 22 mit Anm. 6.

[45] So W. BAUER, γινώσκω 2.a in: Wörterbuch zum Neuen Testament, 318.

[46] Zu der von H. C. C. CAVALLIN versuchten Begründung, daß der Verfasser mit 1, 20f. die Gegner der eigenmächtigen Interpretation der atl. Prophetie anklagen wolle, vgl. u. 4.

2.3 Will der Verfasser mit 1, 20 f. dann etwa sagen, die authentische Auslegung des Alten Testaments stehe den Aposteln und den geistbegabten, in der Nachfolge der Apostel stehenden Lehrern der Gemeinden zu, allen anderen, eben auch den einzelnen Gliedern der rechtgläubigen Gemeinden aber nicht?

2.3.1 So gut wie sicher handelt es sich bei dem Verfasser um eine (uns unbekannte) Lehrerpersönlichkeit, die der Sache nach den Anspruch erhebt, die apostolische Verkündigung weiterzugeben und das prophetische Alte Testament authentisch auszulegen. Indes läßt sich ebensowenig bestreiten, daß er diesen Anspruch auf Lehrvollmacht als solchen nicht zum Ausdruck bringt. Weder für sich, weil er sich völlig unter dem Namen des Apostels Petrus verbirgt; noch für andere, weil er Petrus Lehrer, Presbyter, Hirten, Episkopen, Vorsteher usw. auch nicht andeutungsweise als für die Verkündigung des apostolischen Glaubens, für die richtige Auslegung der Schriften und für den Kampf gegen die Irrlehrer verantwortliche Funktionsträger nennen und ansprechen läßt, obwohl er für die nachapostolische Zeit, konkret für seine eigene Zeit, ausdrücklich das Auftreten von „Pseudolehrern" ansagen läßt (2, 1). Einen Hinweis auf die Pflicht von „Lehrenden", die man in den damaligen Gemeinden mit einigem Grund voraussetzen darf, könnte man zum Beispiel nach 3, 16 erwarten, aber auch im Zusammenhang von 3, 2, wie *O. Knoch* vermerkt.[47] Da Petrus, der „Urapostel" schlechthin, „im Brief als höchster Amtsinhaber in Person (fungiert)", war nach *F. Mußner* „ein eigener Hinweis auf das ‚Amt' oder einen Amtsinhaber wie ‚Presbyter' . . . unnötig"[48]. Diese Erklärung geht von der Voraussetzung aus, der Verfasser wolle Petrus als höchste, nämlich Paulus und den anderen Aposteln übergeordnete Autorität fungieren lassen.[49] Diese Voraussetzung ist freilich kaum beweisbar.[50] Einmal muß man zugestehen, daß ein diesbezüglicher Anspruch „Petri" nicht sichtbar wird. Dieser begründet die Abfassung seines schriftlichen Lehrvermächtnisses über sein dem testamentarischen Genus gemäßes eigenes Vorauswissen des nahen Todes hinaus wohl noch zusätzlich mit einer diesbezüglichen Eröffnung Christi (1, 14) – was die Joh 21, 18 f. bezeugte Überlieferung reflektieren dürfte – aber nicht etwa mit der Bestellung zum Hirten schlechthin (Joh 21, 15 ff.) oder mit der durch eine göttliche Offenbarung ausgelösten Verheißung der Petrus-Funktion (Mt 16, 16 – 19). Ebensowenig denkt dieser „Petrus" daran, sich aus dem „wir" der apostolischen Zeugen und Interpreten des Verklärungsgeschehens (1, 16 – 19 a) herauszuheben. Zum andern finden sich keine überzeugenden Anhaltspunkte dafür, daß der Verfasser die sich offenbar auf Paulus berufenden Parusieleugner deshalb nicht durch Paulus selbst bekämpfen läßt, weil er dessen Lehrautorität als nicht oder nicht mehr ausreichend be-

---

[47] O. Knoch, Die „Testamente" des Petrus und Paulus (SBB 62) (Stuttgart 1973) 79.

[48] F. Mussner, Petrus und Paulus – Pole der Einheit (QD 76) (Freiburg i. Br. 1976) 62 f.

[49] Der Fortschritt des dem Petrus verliehenen Ansehens sei gegenüber 1 Petr enorm. „Der ‚Primat' taucht bereits deutlich am Horizont auf": Mussner, Petrus 65 f. In der gleichen Richtung sprechen andere Autoren von der Absicht, Petrus als die führende apostolische Autorität auch im paulinischen Missionsgebiet durchzusetzen: Knoch, „Testamente" 68; etwas reservierter auch Grundmann, Brief, 57.

[50] Vgl. Vögtle, Petrus und Paulus, jetzt s., oben 280 – 294.

trachten würde und statt seiner mit Petrus die höhere apostolische Autorität zu Wort kommen lasse. Da er bewußt von der Augen- und Ohrenzeugenschaft des Offenbarungsgeschehens auf dem Berg als grundlegendem und entscheidendem Beweis für die Wahrheit der apostolischen Parusieverkündigung ausgeht und, wie sich noch zeigen wird, eine direkte Verteidigung von Parusieworten der Überlieferung, zu denen ja auch ausgesprochene Naherwartungsaussagen Pauli gehören, vermeiden will, kam die Abfassung eines deuteropaulinischen Briefes schon deshalb nicht in Betracht, weil er Paulus nicht als unmittelbaren Zeugen jenes Offenbarungsgeschehens beanspruchen konnte, wohl aber Petrus[51]. Neben anderen wahrscheinlichen Gründen − besonders der wachsenden Lehrautorität des Urapostels in der ganzen Kirche − ist jener Umstand sicher ein wesentlicher, wohl sogar der entscheidende Grund für die Wahl des Pseudonyms Petrus.[52] Mit größerem Recht könnte man sagen, weil dieser „Petrus" ganz darauf abzielt, die Kenntnis und Wahrung der apostolischen Lehre in der nachapostolischen Zeit durch ein schriftliches Dokument zu sichern, sei die Berufung auf Lehrautoritäten „unnötig". Da der Verfasser bei den Lesern sodann die Kenntnis des 1 Petr voraussetzt (3, 1), darf man annehmen, daß er in den Gemeinden auch das dort genannte Presbyterkollegium voraussetzt. Das ist indes auch kein vollgültiger Ersatz. In 1 Petr (vgl. 5, 2) wird jedenfalls nicht ausdrücklich gesagt, die Presbyter hätten die Gemeinden zu lehren und im besonderen als Hüter der apostolischen Tradition dieselbe gegen Irrlehren zu verteidigen. Diese Funktion kann auch die dortige Selbstbezeichnung „Petri" als „Mitpresbyter" nicht sicherstellen, weil sich „Petrus" mit dieser Bezeichnung den Gemeindepresbytern als Vorbild in der Leidensnachfolge Christi hinstellen will[53].

2.3.2 Als konkreter Anhaltspunkt für die Hypothese, der Verfasser wolle die Befugnis, in nachapostolischer Zeit die apostolische Lehre zu bezeugen und die Schriften, speziell auch das Alte Testament auszulegen, sich und anderen Lehrautoritäten vorbehalten, kommt nur der Wechsel von „wir" zu „ihr" in 1, 19 in Frage. Obgleich das im voraufgehenden Vers 18 verwendete betonte „wir (selbst)" der Zeugen der Himmelsstimme vor „wir haben . . ." (1, 19a) nicht wiederholt wird, sind mit diesem „wir" sicher in erster Linie, wenn nicht gar ausschließlich, Petrus und die apostolischen Mitzeugen des Offenbarungsgeschehens auf dem heiligen Berg gemeint. Nur die, die dieses selbst erlebten, sind autorisiert zu der Behauptung, daß durch dasselbe das prophetische Wort sicherer geworden, seine noch ausstehende Erfüllung durch die Parusie verbürgt ist. Diese Verbürgung gilt selbstverständlich auch für die angesprochenen Christen, eben aufgrund des apostolischen Zeugnisses. Wenn „Petrus" in-

---

[51] Einer der Zebedaiden, die die Synopse als Mitzeugen nennt, kam als fiktiver Autor des Briefes nicht ernsthaft in Betracht: Vögtle, a.a.O. 291.

[52] Zu der Frage, ob eventuell die Existenz einer festen Sammlung von Paulusbriefen ein Grund für den Verzicht auf die Abfassung eines deuteropaulinischen Briefes war, vgl. Vögtle, a.a.O. 282−283.

[53] Vgl. A. Vögtle, Exegetische Reflexionen zur Apostolizität des Amtes und der Amtsukzession, jetzt s. oben 253−254; doch vgl. H. Schürmann, „. . . und Lehrer", in: W. Ernst u.a. (Hrsg.), Dienst der Vermittlung (EThSt 37) (Leipzig 1977) 138 f.

sofern auch diese in das „wir haben . . ." einschließt, so zweifellos unterschiedslos alle Christen. Was „Petrus" für die Zeit nach seinem Tod bezeugt, gilt für die Lehrautoritäten der Gemeinden genauso wie für die übrigen Gemeindeglieder. Es kann nun nicht überraschen, daß er nicht in der 1. Person Pluralis fortfährt, also nicht sagt: und wir tun gut daran, auf dieses (= das prophetische Wort) zu achten als auf eine Leuchte . . . Denn sich selbst und seine Mitapostel braucht „Petrus" nicht einzuschließen und mitzuermahnen. Des mahnenden Aufrufs bedürfen aber sehr wohl die ihn überlebenden Leser, die er mit seinem hinterlassenen Brief in ihrem, von Irrlehrern bedrohten Parusieglauben stärken will. Der Wechsel von „wir" zu „ihr" ist also voll einsichtig und rechtfertigt nicht im geringsten die Folgerung, „Petrus" wolle mit dem „wir" die Apostel und die nachapostolischen Lehrautoritäten von den übrigen Gläubigen unterscheiden und mit 1, 20f. letzteren die Befähigung zur Auslegung des prophetischen Alten Testaments absprechen.

3. Aufgrund der bisherigen Beobachtungen empfiehlt sich der Verzicht auf die Auffassung, der Verfasser habe in 1, 20f. direkt Gegengrößen im Visier, denen die Befähigung zur Auslegung des Alten Testaments abzusprechen sei. Der oder ein Grund, warum sich die Leser nachdrücklich zum Bewußtsein bringen sollen, daß keine alttestamentliche Prophetie wegen ihrer göttlichen Herkunft Sache eigenwilliger Deutung ist (1, 20f.), wird, wie man ehrlich zugeben muß, nicht genannt. Mußte er einen ausdrücklichen Hinweis, warum er die Verse 20f. hinzufügt, aber überhaupt für notwendig halten?

3.1 Um weiterzukommen, fragen wir erst, warum „Petrus" das Verklärungsgeschehen als Verbürgung der Gültigkeit „des prophetischen Wortes" beansprucht. Weil er bei diesem etwa doch eine bestimmte Einzelstelle des Alten Testaments im Auge hat? Als mögliche Stellen werden vor allem genannt die jüdischer- und christlicherseits auf den Messias angewandte Bileam-Prophetie Num 24, 17 sowie die Menschensohn-Prophetie Dan 7, 13f., deren sich die neutestamentliche und spätere Parusieverkündigung bediente.[54] Ob man den Verfasser an eine Einzelstelle oder, wie meist richtiger befürwortet wird, an das ganze prophetische Alte Testament einschließlich seiner messianischen Weissagungen denken läßt, ist seine Behauptung, durch das Offenbarungsgeschehen auf dem Berg sei „das prophetische Wort" als noch zuverlässiger erwiesen, immerhin schon deshalb nicht gerade selbstverständlich, weil das Alte Testament noch nicht zwischen dem auf Erden verkündigenden und aus dem Tod zu Gott erhöhten Messias unterscheidet. Die Vorstellung, der Messias oder ein Heilsmittler werde in einem seiner messianischen Inthronisation voraufgehenden Erdenwirken durch göttliche Offenbarung für sein Kommen zu Gericht und Heilvollendung qualifiziert, ehe er als aus dem gewaltsam erlittenen Tod zu Gott Erhöhter als Richter und Heilbringer in Funktion treten wird, war dem Alten Testament wie der gesamten frühjüdischen Eschatologie absolut fremd. Für diese Vorstellung beansprucht der Verfasser aber das prophetische Alte Testament.

3.2 Es duldet keinen Zweifel, daß der Verfasser Voraussagen der Überliefe-

---

54 FORNBERG, Early Church 83.

rung vom Kommen des Gottesreichs, des Menschensohnes, des Herrn Jesus Christus kennt[55], auch wenn er bei „einigem Schwerverständlichen" in den Paulusbriefen, das die Parusieleugner verdrehen, nicht nur oder nicht einmal in erster Linie deren Naherwartungsaussagen im Blick hätte. Da „Petrus" das Offenbarungsgeschehen auf dem Berg als grundlegendes Argument für die sicher erfolgende Parusie Christi beansprucht, wäre nächstliegend zu erwarten, daß er in 1, 19a folgert: So ist „die Verheißung seiner Parusie" (3, 4a) für uns sicherer geworden; oder daß er irgendwie zum Ausdruck brächte: so ist die Erfüllung der von uns (den Aposteln) empfangenen Verheißungen Jesu verbürgt o. ä. Was wäre damit gewonnen gewesen? Gleich, ob bei den Parusieleugnern noch andere Gründe im Hintergrund oder sogar im Vordergrund standen, haben jene so gut wie sicher (auch) die Nichterfüllung der Naherwartungsaussagen geltend gemacht (3, 4), die ja schon 1 Clem 23, 3f. beklagen läßt. Mit obiger Formulierung hätte der Verfasser zugleich die Naherwartungslogien der Jesusüberlieferung und der Paulusbriefe in Erinnerung gebracht und deren Geltung verteidigen müssen. Hätte er das halbwegs überzeugend tun können, wo er ja selbst die faktische „Verzögerung" der Parusie anerkennen muß und sich bekanntlich damit behilft, ihren noch nicht erfolgten Eintritt mit Gottes andersartigem Zeitbegriff und mit der göttlichen Langmut, die den Menschen noch Zeit zur Bekehrung gewährt, zu erklären (3, 8f.)? Die einzige Formulierung, die einen direkten Hinweis auf eine oder mehrere Naherwartungsaussagen impliziert, begegnet bezeichnenderweise dort, wo sie offenbar unerläßlich war, nämlich im Munde der Parusieleugner: „Wo ist die Verheißung seiner Parusie?" (3, 4a). Daß er durch das Verklärungsgeschehen die größere Zuverlässigkeit des prophetischen Alten Testaments verbürgt sein läßt, ist sicher auch wesentlich in seiner Absicht begründet, von sich aus direkte Hinweise auf die Voraussagen der Parusie zu vermeiden. Der Fortgang seines Schreibens dürfte das durchaus bestätigen.

3.2.1 Einmal argumentiert er des weiteren überwiegend mit Materialien der alttestamentlichen und altbiblischen Überlieferung[56], angefangen mit dem einstigen Auftreten von „Pseudopropheten" als Vorausdarstellung der „Pseudolehrer" (2, 1), den schon erwähnten drei typologischen Gerichtsbeispielen sowie dem Vergleich mit dem Propheten Bileam (2, 15f.) bis zu dem auf die Totalvernichtung des Kosmos vorausweisenden Sintflutgericht (3, 5ff.), der Argumentation mit Ps 90, 4, „dem Tag des Herrn" bzw. „Gottes" (3, 10. 12) und schließlich mit der deutero-jesaianischen Verheißung eines neuen Himmels und einer neuen Erde (3, 13).

3.2.2 Besonders aufschlußreich ist der Neuansatz 3, 1ff. Nach der langen Schilderung der Gerichtsverfallenheit und sittlichen Verkommenheit der Irrlehrer (2, 1 – 22) nimmt „Petrus" aus der früheren Zweckbestimmung seines

---

[55] Synoptische Worte vom Kommen des Menschensohnes in „Macht und Herrlichkeit" (Mt 24, 30 par; vgl. Mk 9, 1 par) können sogar auf die Formulierung von 1, 16 (auch 1, 17) eingewirkt haben.
[56] Auf die apologetische Funktion der (mittels typologischer Verwendung atl. und apokrypher „Begebenheiten") typisierenden und generalisierenden Einordnung der Irrlehrer, die der Verfasser aus Jud übernimmt und weiterführt, hat F. HAHN erstmals hingewiesen: Randbemerkungen zum Judasbrief: ThZ 37 (1981) 213 – 215.

Briefes (1, 12f.) das ihm wichtige Stichwort des In-Erinnerung-Bringens zum Zweck des Wachhaltens der Leser wieder auf (3, 1), um die Widerlegung der bis jetzt noch nicht ausdrücklich als Parusieleugner gekennzeichneten Pseudolehrer weiterzuführen. Er greift die Mahnung Jud 17 in einer sehr bezeichnenden Neufassung auf. Die Gläubigen sollen sich nun nicht an „die von *den Aposteln* unseres Herrn Jesus Christus vorausgesagten Worte" (Jud 17) erinnern – womit im vorliegenden Kontext die Worte von der kommenden Parusie und Gericht in Erinnerung gerufen worden wären –, sondern: an „die von *den heiligen Propheten* vorausgesagten Worte" (3, 2a). Die Jud 17 genannten „Apostel unseres Herrn Jesus Christus" bringt er freilich auch zum Zug, nämlich als zweites Objekt des Sich-Erinnerns; aber mit dem Satz: ihr sollt euch erinnern an *„das Gebot* eurer Apostel, das des Herrn und Retters" (3, 2b), also an das von euren Aposteln überlieferte Gebot Christi. Die Meinung, der Verfasser gebrauche ἐντολή als Synonym für „Wort", für das überlieferte Wort, weil er lediglich gegenüber den vorgenannten ῥήματα im Ausdruck abwechseln wolle,[57] ist zu kurzschlüssig. Verständlicherweise tendieren die Erklärer bis heute dazu, mit ἐντολή die „christliche Lehre",[58] näherhin auch die „eschatologische Lehre" des Christentums[59] oder die „Pflicht des Glaubens", trotz der Verzögerung der Parusie allen Zweifeln standzuhalten,[60] oder auch Lehre und Ethik des christlichen Glaubens[61] bezeichnen bzw. auch die Bedeutung offen zu lassen: „die christliche Sitten- bzw. Glaubenslehre, die es zu halten gilt".[62] Mit Recht besteht das Empfinden, das mit ἐντολή Gemeinte müsse einen inneren Bezug zum Parusieglauben oder zu dessen Bestreitung haben. Es fragt sich nur, in welchem Sinne. Der Gesamtkontext des Briefes empfiehlt entschieden, den Hauptton auf den von Christus gebotenen Lebenswandel zu legen, näherhin das durch die Apostel vermittelte Gebot Christi von 3, 2b gleichzusetzen mit „dem Weg der Gerechtigkeit", mit dem auch den Irrlehrern „überlieferten heiligen Gebot", von dem „sie sich wieder abwandten", nämlich durch ihren in Kapitel 2 ausgiebig geschilderten unsittlichen Lebenswandel (2, 21), nachdem sie früher „durch die Erkenntnis unseres Herrn und Retters Jesus Christus den Befleckungen der Welt entronnen waren" (2, 20a). Hier wie in 3, 2b ist ἐντολή Bezeichnung „der durch Christus begründeten und alle Christen verpflichtenden Lebensordnung . . ."[63] Das Argument, daß sich die Gegner bereits durch ihren gebotswidrigen Lebenswandel als Irrlehrer ausweisen, als Leute, denen wirkliche Erkenntnis Christi abgeht, hatte „Petrus" ja

---

[57] So H. C. C. CAVALLIN, der den Verfasser daselbst an Voraussagen vom Auftreten falscher Propheten in der Endzeit (Mk 13, 22 par) denken läßt: The False Teachers of 2 Pt as Pseudo-Prophets (NT XXI) (Leiden 1979) 268 Anm. 28.

[58] U. a. auch G. SCHRENK, Art. ἐντολή in: ThWNT II 552, 31 ff.; weitere Autoren bei A. VÖGTLE, Die Zukunft des Kosmos (Düsseldorf 1970) 127 f.

[59] „. . . die als verbindliche Glaubensforderung und maßgebliches Lehrgesetz eingeschärft wird": SCHRAGE, Petrusbrief 142.

[60] SCHELKLE, Petrusbriefe 223 und zustimmend GRUNDMANN, Brief 109.

[61] FUCHS – REYMOND, La deuxième Epître 107.

[62] M. LIMBECK, Art. ἐντολή in: H. BALZ – G. SCHNEIDER (Hrsg.), Exegetisches Wörterbuch zum Neuen Testament I (Stuttgart 1980) 1125.

[63] SCHNEIDER, Kirchenbriefe 108. So auch KELLY, The Epistles 349f. 354.

schon in seinem Briefeingang vorbereitet, indem er die Wechselbeziehung zwischen sittlicher Lebensführung und der Erkenntnis (und Anerkenntnis) Christi in positiver und negativer Hinsicht konstatierte (1, 3 – 11),[64] weshalb auch die im Stil der Ketzerpolemik massiv auftragende Schilderung der skandalösen Verkommenheit der Gegner (2, 10b – 22) als integrierender Teil seiner Argumentation zu gelten hat.[65] Im Gedanken an jene Wechselbeziehung appelliert er jetzt eingangs an den „lauteren Sinn", an die moralisch reine Gesinnung der Adressaten (3, 1b), die sie instandsetzen soll, zu erkennen und zu beurteilen, um was es sich bei Leuten, die gleich den alttestamentlichen, das strafende Eingreifen Gottes vermissenden Spöttern ihr Leben nach ihren eigenen Begierden führen und die Verheißung der Parusie Christi zum Gericht verspotten (3, 3 – 4a), nur handeln kann: um Leute, deren sündiges Leben eine defiziente Christologie verrät. Bei der Formulierung von 3, 3 – 4a steht wohl auch noch – wie schon Jud 18 – der jüdisch-christliche Gemeinplatz von der Kennzeichnung der Endzeit („in den letzten Tagen") durch religiösen Abfall und moralischen Niedergang im Hintergrund. Indem der Verfasser das Auftreten der libertinistischen Spötter in der Endzeit nicht wie Jud 17f. durch „die Apostel unseres Herrn Jesus Christus" voraussagen läßt, sondern es als ein Phänomen einführt, das die Rechtgläubigen aufgrund einer sittlich reinen Gesinnung sowie im Licht der alttestamentlichen Prophetie und der Lebensordnung Christi als solches erkennen, verstehen und beurteilen sollen, kann er jedenfalls zugleich einen direkten Hinweis auf Parusieworte Jesu und der Apostel vermeiden, was allem nach auch seine Absicht ist.

3.2.3 Nicht weniger bezeichnend ist die Art und Weise, in der der Verfasser Petrus die (ihm bekannten und als solche in den Gemeinden vorausgesetzten) Briefe des Apostelkollegen Paulus[66] als Bestätigung seiner Verteidigung des

---

[64] Einleitend stellte er fest, daß die Gläubigen durch die Erkenntnis Christi alles geschenkt bekamen, was ein frommes, der verderblichen Begierlichkeit entfliehendes Leben ermöglicht, welches das verheißene Endheil erlangen läßt (1, 3f.). In der anschließenden Paränese (1, 5 – 11) zog er die praktische Folgerung aus dem Zusammenhang zwischen „Erkenntnis" und sittlicher Lebensführung: die Gläubigen sollen der „Tugendkette" von 1, 5 – 7 zufolge ihren ganzen Eifer daran setzen, um durch „die Tugend", durch ihr sittliches Bemühen „Erkenntnis" darzubieten, was ebenso bedeutet, daß sie aufgrund der „Erkenntnis" sich in der „Selbstbeherrschung" und allen anderen christlichen Verhaltensweisen bewähren sollen. Wenn sie diese in wachsendem Maß praktizieren, – so verdeutlicht der anschließende Vers 1, 8 – werden sie ihren Herrn Jesus Christus immer tiefer erkennen. Je frömmer, desto tiefere Erkenntnis und Anerkenntnis der das Christusgeschehen betreffenden Wahrheiten! Deshalb gilt eben auch umgekehrt: Wem die sittliche Bewährung abgeht, der ist „blind und kurzsichtig" (1, 9), der erkennt Christus nicht bzw. bekommt ihn wirklichen Christus nicht in den Blick; er verschließt die Augen vor der Wahrheit. Er hat seine Befreiung vom einstigen Südenschmutz vergessen und wird deshalb „scheitern", nämlich hinsichtlich der Heilserlangung (1, 9. 10b) – im Unterschied zu den Gläubigen, die sich durch ihre sittliche Anstrengung die Gnade des Eingehens in „das ewige Reich unseres Herrn und Retters Jesus Christus" sichern (1, 11).

[65] Die Behauptung eines inneren Zusammenhangs zwischen verwerflicher Lebensführung und fehlender Erkenntnis Christi war übrigens schon in seiner Vorlage enthalten (vgl. bes. Jud 4 mit Jud 10).

[66] Als Verweigerung des Aposteltitels ist die Bezeichnung Pauli als „unser geliebter Bruder" nicht zu deuten, wie auch A. Lindemann betont: Paulus im ältesten Christentum (BHTh 58) (1979) 93; vgl. auch Schrage, Petrusbrief 148.

Parusieglaubens einbringen läßt.[67] Nämlich kurz gesagt so, daß er, in sachlicher Entsprechung zu seiner früheren Aufforderung, an „das von euren Aposteln überlieferte Gebot . . ." zu denken (3, 2b), seine Parusieparänese (3, 14f.) als ganz und gar paulinische Theologie beansprucht, einen Hinweis auf Parusieworte Pauli jedoch vermeidet.[67a] Er sagt ja nicht, um welche Aussagen es sich handelt bei „einigem Schwerverständlichen", das „die Unwissenden und (sittlich) Ungefestigten zu ihrem eigenen Verderben verdrehen" (3, 16), obwohl er selbst sehr wohl an paulinische Parusieaussagen oder doch auch an solche gedacht haben wird. Er beläßt es bei dem Zugeständnis, einiges sei schwer verständlich, und verweist im übrigen mit jener Qualifizierung der Parusieleugner auch hier auf die Wechselwirkung zwischen fehlender Erkenntnis Christi und sittlicher Haltlosigkeit, wodurch er zugleich zu verstehen geben kann, daß von solchen Leuten die richtige Auslegung der Paulusbriefe und „der übrigen Schriften" gar nicht zu erwarten ist. Warum beläßt er es bei dieser sehr globalen Ablehnung der gegnerischen Paulusexegese? Weil er nicht willens war oder noch eher sich nicht imstande sah, sich auf eine konkrete Auseinandersetzung einzulassen? Es ist zumindest begründet zu vermuten, daß der Verfasser eine Bestätigung seiner Verteidigung des Parusieglaubens gesucht hat, die eine direkte Provozierung von Schwierigkeiten und Einwänden, die nicht nur die Parusieleugner sondern auch die ihm in erster Linie angelegenen bedrohten Rechtgläubigen von den Paulusbriefen, speziell von deren Naherwartungsaussagen her erheben können, vermeiden soll. Was man schon als kritischen Vorbehalt des „Petrus" gegenüber „Paulus" und damit als Abwertung des letzteren beurteilen wollte, dürfte lediglich den schon genannten Vorbehalt des Verfassers verraten: daß dieser zu einer konkreteren Auseinandersetzung nicht imstande war.

4. Warum also fügt „Petrus" hinzu, die Gläubigen sollen sich die Erkenntnis zu eigen machen, daß keine Prophetie des Alten Testaments wegen ihrer göttlichen Herkunft Sache eigenwilliger Auslegung ist (1, 20f.)? Die Beobachtungen, die der unmittelbare wie gesamte Kontext des Briefes machen ließ, scheinen mir eine plausible Antwort zu ermöglichen. Vergegenwärtigen wir uns noch einmal: Als Ausgangspunkt seiner Begründung des Parusieglaubens und als schlechthin entscheidenden Beweis für dessen Wahrheit beanspruchte

---

[67] Daß „Petrus" mit 1, 15b – 16 sagen wolle, Paulus stimme mit seiner Verteidigung des Parusieglaubens überein, wurde jüngst von FUCHS – REYMOND bestritten. Zwischen 3, 15a und 3, 15b bestehe eine Zäsur, weil der Verfasser zu einem neuen Problem übergehe, nämlich der Interpretation der paulinischen und der übrigen Schriften durch die Gegner. Mit 3, 15b – 16 wolle er lediglich generell die Einheit der Autorität und Predigt der beiden Apostel betonen und jene disqualifizieren, die Petrus unter Berufung auf Paulus widersprechen möchten (La deuxième Epître 123). Gewiß kann „Petrus" bei ‚einigem Schwerverständlichem' besonders oder doch auch Aussagen über die Heilsgegenwart und die „Freiheit" des Christen im Auge haben, auf die sich die Gegner für ihre „realisierte Eschatologie" und ihren Libertinismus berufen (a.a.O. 124). Aber auch in diesem Fall will „Petrus" mit 3, 16 diesen zweifellos das Recht absprechen, sich für die Leugnung der Parusie auf Paulus zu berufen. Die Zäsur-Hypothese der beiden Autoren erklärt sich aus ihrer schon erwähnten umfassenderen Hypothese, die Irrlehrer hätten in dem noch nicht erfolgten Eintritt der Parusie gerade eine Bestätigung ihrer Lehre von der Permanenz des Kosmos erblickt, mit der sie die Ablehnung der großkirchlichen Eschatologie begründet hätten.

[67a] Vgl. meinen früheren Beitrag: s. o. 289f. unter 6c – d.

er die von ihm und Mitaposteln als Augen- und Ohrenzeugen erlebte göttliche Ermächtigung Jesu zur Parusie.[68] Auch zur weiteren Verteidigung des Glaubens an das kommende, zu Bestrafung und Errettung führende Gericht will er sich aus dem oben (3.2) genannten Grund nicht auf Parusieworte der Jesusüberlieferung und der Paulusbriefe einlassen, will er vielmehr, wozu ihn auch seine Vorlage (Jud) anregte, in erster Linie mit Motiven des prophetischen Alten Testaments und − trotz der Tilgung des Henoch-Zitates (Jud 14f.) wie der deutlichen Bezugnahme auf die Assumptio Mosis − freilich auch mit solchen der außerkanonischen, besonders apokalyptischen Auslegungstradition argumentieren. Weil er deshalb sehr bewußt behauptete, durch das Offenbarungsgeschehen auf dem heiligen Berg sei die Zuverlässigkeit „des prophetischen Wortes", an das sich die Gläubigen bis zur Parusie Christi halten sollen, verbürgt (1, 19), lag ihm daran, diese für seine Argumentation fundamentale Inanspruchnahme „des prophetischen Wortes" mit 1, 20f. als unanfechtbare Interpretation abzusichern, indem er sich auf die altprophetische, im Judentum fast allgemein als Dogma anerkannte und auch urchristlich (vgl. Mk 12, 36; 2 Tim 3, 15f.) geteilte Überzeugung berief, daß jede (echte) Prophetie von Gottes Geist bewirkt wurde. *J. H. Neyrey* scheint mir recht zu haben mit dem Satz: „Die Person, die mit Interpretation zu tun hat, ist der Autor."[69] Meine Behauptung, „das prophetische Wort" sei durch das von uns authentisch bezeugte Offenbarungsgeschehen als „sicherer" erwiesen (1, 19a), entspringt keiner eigenwilligen, von menschlichem Wollen und Wünschen eingegebenen Auslegung des prophetischen Alten Testaments, weil − so ist „Petri" Begründung zu verdeutlichen − derselbe Gott, der auf dem heiligen Berg gesprochen hat, schon im prophetischen Alten Testament gesprochen, also das das Endgeschehen voraussagende „prophetische Wort" gewirkt hat. Nicht umsonst ließ der Verfasser Petrus zuvor nachdrücklich betonen, daß Jesu Ausstattung mit göttlicher Machtherrlichkeit von Gott stammt und durch das Wort Gottes ausdrücklich bestätigt wurde (1, 16b − 17). Dieses Wort Gottes ist dem Verfasser so wichtig, daß er den Satz 1, 17 nicht zu Ende führt, sondern noch einmal wiederholt, Petrus und seine Mitapostel hätten diese Stimme „aus dem Himmel" ergehen hören (1, 18), obwohl eben schon gesagt war, daß diese Stimme „von der hochverehrten Herrlichkeit", also von Gott an Jesus erging (1, 17). Dementsprechend betont er in 1, 21 ebenso ausdrücklich die göttliche Herkunft jeder Prophetie der Schrift. Zunächst negativ: niemals ist eine Weissagung menschlichem Wollen entsprungen. Nach der positiven Seite sagt er sodann nicht nur, daß Menschen „vom heiligen Geist getrieben" geredet haben, womit der göttliche Ursprung der Prophetien schon voll und ganz ausge-

---

[68] Außer acht bleiben für unsere Fragestellung konnte das Problem, ob der Verfasser eine Petrusüberlieferung kannte, die speziell Petrus mit dem Verklärungsgeschehen verband und dieses darüber hinaus schon auf die Parusie Christi bezog: vgl. zuletzt NEYREY, The apologetic use 511 − 513. Die daselbst genannte Literatur ist zu ergänzen u. a. durch K. KOSCHORKE (Die Polemik der Gnostiker gegen das Kirchliche Christentum. Unter besonderer Berücksichtigung der Nag-Hammadi-Traktate (NHSt XVII) (Leiden 1978), der beobachtet, daß in der gnostischen Petrusapokalypse der aufgrund von Mt 16, 18 geradezu exklusiv als Vermittler der Offenbarung verstandene Petrus nicht mit dem Verklärungsgeschehen in Verbindung gebracht wird (27. 27 − 29).

[69] NEYREY, The apologetic use 517.

sprochen wäre; er fügt noch ausdrücklich hinzu: „von Gott her".[70] Weil hier wie dort Gott selbst gesprochen hat, er selbst durch das Offenbarungsgeschehen auf dem heiligen Berg die alttestamentliche Prophetie vom Endgeschehen, konkret von der Parusie Christi bestätigt hat, kann „Petrus" zu Recht ein Doppeltes sagen: daß wir „das prophetische Wort" jetzt als etwas ganz Zuverlässiges haben (1, 19a) und daß eben diese Behauptung keine eigenmächtige Schriftauslegung ist (1, 20f.).

Die Auffassung, „Petrus" wolle mit 1, 20f. die für seine Argumentation grundlegende Beanspruchung des prophetischen Alten Testaments rechtfertigen, drängt sich freilich deshalb nicht auf den ersten Blick auf, weil 1, 20 nicht personal formuliert ist wie 1, 19a („So haben wir das prophetische Wort sicherer"). Würde der Verfasser Petrus in 1, 20 sagen lassen: Unsere Auslegung oder diese Auslegung des prophetischen Wortes ist nicht eigenwillig, wäre völlig eindeutig, daß er seine Behauptung von 1, 19a absichern will. Daß er diese Formulierung vermeidet, darf uns nicht befremden, weil es ja Petrus ist, den der Verfasser sprechen läßt. Im Blick auf Petrus und die apostolischen Mitzeugen versteht es sich von selbst, daß sich diese keiner eigenwilligen Deutung des prophetischen Wortes schuldig machen. Es ist wohl zu beachten: Nachdem „Petrus" inzwischen ja bereits die Leser, alle Gläubigen, angesprochen hat mit der Aufforderung, sich an das nun mehr verbürgte prophetische Wort zu halten (1, 19b), fordert er diese auf, sich der Erkenntnis bewußt zu werden, daß und warum keine Prophetie der Schrift Sache eigenwilliger Deutung ist (1, 20f.). Wenn der Satz 1, 20 nicht ausdrücklich auf Petrus und seine Mitzeugen als Ausleger der Prophetie abhebt, sondern generell, als prinzipielle Feststellung formuliert ist, so eben deshalb, weil „Petrus" nicht seinetwegen, sondern der Leser wegen sicherstellen will, daß er im folgenden statt mit Parusieworten Jesu und der Apostel mit Fug und Recht mit dem von ihm beanspruchten prophetischen Alten Testament argumentieren kann.

Der abschließende Satz von der echten, von Gott her kommenden „Prophetie" (1, 21) liefert dem Verfasser zugleich das Stichwort zur Einführung der von ihm nun zu schildernden Gegner: das einstige Auftreten von „Pseudopropheten" in Israel weist im voraus auf die Existenz von „Pseudolehrern" (2, 1 bzw. 2, 1 – 3a). Die Substitution von „Pseudopropheten" durch „Pseudolehrer" in 2, 1b soll nach *H. C. C. Cavallin* dafür sprechen, daß die Gegner zwar nicht die Gabe der Prophetie, wohl aber Lehrvollmacht beanspruchten, die sie zur Interpretation der alttestamentlichen Prophetie befähige.[71] Abgesehen von der zweifelhaften Vermutung, der eigentliche Grund für die Hinzufügung von 1, 20f. liege in der Absicht, die Pseudolehrer eigenmächtiger Auslegung der Prophetie zu bezichtigen,[72] läßt sich jene spezielle Folgerung aus dem Vergleich mit dem „Propheten" Bileam (2, 15f.)[73] schwerlich überzeugend begründen. Es geht hier ja nicht um den Vorwurf, eine Prophetie oder gar Prophetien überhaupt falsch auszulegen. Der Verfasser illustriert die Begehrlich-

---

[70] ἀπὸ θεοῦ ἄνθρωποι ist als ursprüngliche Lesart anerkannt.
[71] CAVALLIN, False Teachers 269.
[72] CAVALLIN, False Teachers 265.   [73] CAVALLIN, False Teachers 266f.

keit der Irrlehrer am Beispiel Bileams als dem Prototyp haltloser Leute, die für ungerechten Geldgewinn vor keiner Abscheulichkeit zurückschrecken, der dafür aber eine Lektion erteilt bekam[74]. Er kann in 1, 20f. freilich auch schon die Parusieleugner mit im Blick haben, insofern er diesen verdrehende Auslegung auch „der übrigen Schriften", also wohl auch des Alten Testaments, vorwirft (3, 16). Aber nur indirekt. Denn der primäre und eigentliche Grund für die Hinzufügung von 1, 20f. dürfte die Rechtfertigung seiner eigenen, für seine weitere Argumentation grundlegenden Beanspruchung des prophetischen Alten Testaments sein, nicht aber die spezielle Absicht, die Pseudolehrer eigenmächtiger Deutung des prophetischen Alten Testaments anzuklagen und ihnen hier damit die Befähigung zur Auslegung des Alten Testaments abzusprechen. Diese Hypothese scheint mir eben auch deshalb den Vorzug zu verdienen, weil sie darauf verzichtet, Personengruppen, die in den den Abschnitt abschließenden Versen 1, 20f. nicht genannt sind (die Irrlehrer) oder sich als angezielte (ebenfalls zur Deutung der Prophetien nicht befähigte) Gegengrößen (die von Lehrautoritäten zu unterscheidenden Gläubigen) nicht wahrscheinlich machen lassen, in den Text einzutragen.

5. Versuchen wir *abschließend* zu resümieren, *was sich hinsichtlich der Befähigung und Befugnis zur Schriftauslegung an möglichen Folgerungen erheben läßt.*

5.1 Zunächst ist zu beachten, daß in den Versen 1, 19 – 21 speziell von der Auslegung des prophetischen Alten Testaments, nicht auch schon von der der Paulusbriefe und anderer christlicher Schriften (3, 15f.) die Rede ist. (1) In 1, 19 praktiziert der Verfasser sehr markant den urchristlichen Grundsatz der interpretatio christiana des Alten Testaments, daß dieses nämlich auf die bereits erfolgte und noch zu erfolgende Christusoffenbarung verweise. (2) Er beschließt seine mit 1, 16 eingeleitete grundlegende Argumentation für die Wahrheit der apostolischen Parusieverkündigung mit den Versen 1, 20f., weil er sich aus guten Gründen gedrängt fühlt, seine christologische, nämlich auf die Parusie Christi bezogene Interpretation des Alten Testaments als sachgemäße Auslegung zu rechtfertigen (s. o. 4). Trotz dieser argumentativ bedingten Intention bringt er in 1, 20f. mit zum Ausdruck, das Alte Testament dürfe nicht subjektiv-eigenwillig ausgelegt werden.

5.2 Selbstverständlich ist sodann vorausgesetzt, daß Petrus das Alte Testament (1, 19 – 21) sowie die Paulusbriefe und andere Schriften des werdenden neutestamentlichen Kanons (3, 15f.) aufgrund seiner apostolischen Autorität authentisch auszulegen vermag. Wie schon in älteren neutestamentlichen Schriften[75] ist 1, 21 der heilige Geist als das im Alten Testament sprechende Subjekt genannt. Daß der Verfasser auch die Paulusbriefe und andere christliche Schriften als inspiriert betrachtet, ist 1, 15 b – 16 zufolge wahrscheinlich und wäre sicher, wenn er, wie sehr wahrscheinlich, in „die übrigen Schriften" auch das Alte Testament einschließt. Ist dann auch gesagt, die geistgewirkte

---

[74] Vgl. dazu KELLY (The Epistles 343 mit Verweis auf 267 f.) und FUCHS – REYMOND, La deuxième Epître 95 – 98.
[75] Vgl. E. PLÜMACHER, Art. Bibel II: TRE VI (1980) 19 f.

Prophetie des Alten Testaments und die normativ gewordenen (gleichfalls als inspiriert geltenden) christlichen Schriften würden in nachapostolischer Zeit nur mit Hilfe des Heiligen Geistes richtig ausgelegt werden können? Man darf diese Maxime wohl impliziert sehen. Auch deshalb, weil die „Pseudolehrer", denen später die sinnverfälschende Auslegung der Schriften vorgeworfen wird (3, 16), in 2, 1 als Entsprechung zu den einstigen „Pseudopropheten", die als solche ja nicht unter Antrieb des Geistes redeten, eingeführt werden. Man muß indes hinzufügen, daß der Verfasser Petrus seine christologische Interpretation „des prophetischen Wortes" (= des Alten Testaments) nicht ausdrücklich mit dem Besitz des zur Auslegung befähigenden Geistes rechtfertigen läßt, sondern durch die Behauptung eines objektiven Sachverhalts: Derselbe Gott, der in dem Jesus betreffenden Offenbarungsgeschehen auf dem heiligen Berg sprach, hat schon in den vom heiligen Geist getriebenen Menschen des Alten Testaments gesprochen (s. o. 4). Darüber hinaus wird das Recht oder gar die Methode spezifisch christlicher Auslegung des Alten Testaments nicht reflektiert.

5.3 Schwieriger ist zu klären, wer nach 2 Petr in nachapostolischer Zeit zur Auslegung des Alten Testaments sowie – nach 3, 15 f. – der Paulusbriefe und anderer christlicher Schriften befugt und etwa nicht befugt ist. Die Fragestellung selbst besteht voll zu Recht. Es war ja nicht der historische Petrus, sondern der (möglicherweise sogar erst im zweiten Viertel des 2. Jahrhunderts schreibende) Verfasser, der den Gedanken- und Argumentationsgang des Briefes konzipierte. Er versteht sich offensichtlich als Sprecher der rechtgläubigen Kirche, für die der dem Glauben der Apostel gleichwertige Besitz der Glaubenswahrheiten beansprucht wird (1, 1). Damit verknüpft ist der Anspruch, daß diese Großkirche dank ihrer apostolischen Tradition das Alte Testament und die als normativ gewerteten christlichen Schriften authentisch auszulegen vermag. Wie das Verhältnis der als „Falschlehrer" abqualifizierten Gegner auch zu bestimmen sein mag – eine völlige äußere Trennung von den Gemeinden scheint noch nicht erfolgt zu sein (vgl. 2, 13 und Jud 12) –, zählen sie jedenfalls nicht zu den Rechtgläubigen und wird ihnen jene Fähigkeit abgesprochen, da sie 3, 16 bc ausdrücklich der verfälschenden Auslegung der Paulusbriefe und „der übrigen Schriften" bezichtigt werden. Wer, welche konkreten Personen der orthodoxen Gemeinden sind aber zur Schriftauslegung befähigt und berechtigt?

5.3.1 Den einzelnen Gemeindemitgliedern wird diese Fähigkeit weder zuerkannt noch aberkannt. Letzteres läßt sich weder aus dem Wechsel von „wir" zu „ihr" in 1, 19 folgern (s. o. 2.3.1) noch mit 3, 16 belegen, da mit „den Unwissenden und Ungefestigten" so gut wie sicher die „Pseudolehrer" und die von diesen Verführten (2. 2 f. 14. 18 f.) apostrophiert (s. o. 3.2.3), schwerlich aber die von Lehrautoritäten zu unterscheidenden Glieder der rechtgläubigen Gemeinden getroffen werden sollen.[76] Die These, „von einzelnen vorgenom-

---

[76] Dem Vorschlag von G. Klein (Die zwölf Apostel [Göttingen 1961] 104), dem auch Schulz zustimmt (Mitte 306), die „Unwissenden" mit den einzelnen Gläubigen gleichzusetzen, hat auch Lindemann widersprochen: Paulus 95.

mene, vom kirchlichen Lehramt nicht autorisierte und vorgezeichnete Exegese" sei nach 2 Petr „nicht gestattet",[77] oder auch, der Brief stelle den Lehramtsträgern die „geist-losen Laien" gegenüber,[78] schießt deshalb über das Ziel des Beweisbaren hinaus.[79] Die Frage, ob auch „gewöhnlichen" Christen richtiges Schriftverständnis zuteil werden kann, muß von 2 Petr her gesehen, offen gelassen werden.

5.3.2 Unbestreitbar erhebt der Verfasser selbst den Anspruch, das sagen zu können, was der Apostel Petrus in der von den Parusieleugnern heraufbeschworenen Situation gesagt hätte, im besonderen auch, das prophetische Alte Testament, die Paulusbriefe und andere Schriften des werdenden Kanons authentisch auszulegen. Er wagt aber nicht, in eigener Person als Lehrautorität hervorzutreten. Die Fiktion der Abfassung des Briefes durch Petrus wird „von Anfang bis Ende konsequent" durchgehalten und „nirgendwo sonst im Neuen Testament so nachdrücklich zur Geltung gebracht . . ."[80] Ein Hinweis auf eine Legitimierung des Anspruchs des Verfassers ist nicht auszumachen. Nicht implizit, weil die Erklärung, er wolle sich und andere orthodoxe Lehrer der Gemeinden – im Unterschied und Gegensatz nicht nur zu den Parusieleugnern, sondern auch zu den einzelnen Gemeindegliedern – in dem die authentische Interpretation des Alten Testaments beanspruchenden Satz 1, 19 a durch das „wir" mit den apostolischen Zeugen zusammenschließen, nämlich im Sinne einer exklusiven Teilhabe an der apostolischen Vollmacht zur Schriftauslegung, exegetisch nicht tragfähig ist [s. o. 2.3.2]. Auch an dieser Stelle ist sodann zu wiederholen, daß er in 3, 16 bc nicht Glieder der rechtgläubigen Gemeinden im Blick hat, somit nicht speziell diesen die richtige Auslegung der Schriften absprechen will. Einen indirekten Hinweis auf den Legitimationsanspruch des Verfassers könnte man angezeigt sehen, wenn dieser Petrus in seinem testamentarischen Schreiben Funktionsträger erwähnen und diese auf ihre Verantwortung für die Wahrung des apostolischen Erbes und die Auslegung der Schriften ansprechen ließe. In diesem Fall wäre die Annahme erlaubt, er selbst rechne sich zu den von Petrus beauftragten Lehrautoritäten. Ein solcher Appell taucht aber auch nicht ansatzweise auf. Wie schon bemerkt, ist auch das Argument, der fiktive Petrus habe ja schon in seinem ersten Brief von den Gemeindepresbytern als Lehrbevollmächtigten gesprochen und setze deren Existenz in den Gemeinden somit voraus, sehr riskant. Freilich ist auch der Testamentscharakter des Briefes in Anschlag zu bringen. 2 Petr gehört wohl schon in eine Periode, da man nicht nur nach mündlich überlieferten Jesusworten, sondern auch nach schriftlichen Zeugnissen apostolischer Überlieferung Ausschau hielt. Dadurch, daß der Verfasser Petrus den an die Kirche insgesamt gerichteten Brief ausdrücklich als für die nachapostolische Zeit geltendes Lehrvermächtnis schreiben ließ, konnte er so-

---

[77] Käsemann, Versuche 153 f.
[78] Schulz, Mitte 296.
[79] Auch Spicq trägt einen vom späteren professionellen Auslegungsbetrieb inspirierten Gedanken ein mit der Behauptung, der Verfasser hege Mißtrauen gegenüber inkompetenten Autodidakten, die sich schnell zu Lehrern aufwerfen und die Texte nach ihrer façon auslegen: Les Epîtres 224.
[80] Schrage, Petrusbrief 118.

wohl der den Gemeinden bekannten Tatsache des längst erfolgten Ablebens des Apostels Rechnung tragen als auch beanspruchen, daß der Brief den – wenn auch noch nicht als „kanonisch", so doch – als normativ geltenden christlichen Schriften zugerechnet wird. Das verständliche Interesse des Verfassers, zumal in einer so schwierigen und heiklen Angelegenheit, den Apostel Petrus als Tradenten und Ausleger der Schrift zur Geltung zu bringen, darf gewiß als ein Grund dafür gelten, daß er Petrus nicht an Funktionsträger als Hüter der Orthodoxie appellieren läßt (s. o. 2.3.1).

Man kann diesen Verzicht aber nicht zu einem geradezu positiven Beleg für den Lehrprimat Petri aufwerten. Hier legt sich immerhin auch ein Vergleich mit anderen Spätschriften nahe, so sehr dieser zugleich hinken mag. Für den Verfasser des Epheserbriefs war Paulus sicher nicht weniger maßgebende Autorität für die nachapostolische Zeit und Kirche als es Petrus für unseren Verfasser ist. Und doch ließ jener Paulus „Evangelisten, Hirten und Lehrer" als vom erhöhten Herrn für den Aufbau der Kirche geschenkte Charismen nennen und den der Gründungszeit der Kirche zugehörigen „Aposteln und Propheten" (2, 20) zur Seite stellen bzw. nachordnen (4, 7 – 11), von den Pastoralbriefen einschließlich der Anweisungen des ebenfalls testamentarischen zweiten Timotheusbriefes für die Bekämpfung der Irrlehrer gar nicht zu reden. Was die Existenz und Aufgabe ekklesialer Funktionsträger in nachapostolischer Zeit betrifft, bleibt 2 Petr hinter den Zeugnissen so gut wie sicher älterer Paulinischer Pseudepigraphen, aber auch der Apostelgeschichte (20, 17 ff.) de facto zurück. Insofern ist die Reserve einiger evangelischer und katholischer Exegeten hinsichtlich der „Lehramts"-Frage in 2 Petr durchaus begründet. Und *U. Luz* hat zweifellos recht mit seinem eingangs zitierten Satz, daß der Verfasser 1, 20 f. „gerade nicht explizit auf ein kirchliches Amt (rekurriert)". Tut er es dann also implizit? Insofern es die unter dem Namen des Petrus sich verbergende Lehrerpersönlichkeit ist, die die authentische apostolische Tradition bezeugt sowie das Alte Testament und christliche Schriften verbindlich auslegt, ist der prinzipielle Anspruch auf Lehrvollmacht des Sprechers der Großkirche impliziert, sogar in einer einzigartigen Weise, weil er in seine Lehrvollmacht – für uns erstmals – ausdrücklich auch die Auslegung der Paulusbriefe und anderer Schriften des werdenden neutestamentlichen Kanons einschließt[81]. Man kann 2 Petr deshalb als Zeugen eines „sich bildenden Lehramts"[82] reklamieren, freilich mit der wesentlichen Einschränkung, daß über den prinzipiellen Lehranspruch des Sprechers der Großkirche hinaus eine Legitimierung und konkrete Handhabung dieses Anspruchs in 2 Petr selbst nicht sichtbar wird, da Lehrautoritäten überhaupt nicht in Erscheinung treten, weder der Verfasser selbst noch andere.

5.4. 2 Petr bezeugt vor allem mit 3, 15 f. die Notwendigkeit und auch die Not der Exegese. Diese Situation ergab sich besonders aus der zunehmenden

---

[81] Dieser Umstand darf schon insofern nicht überbewertet werden, als der umgekehrte Fall – daß nämlich ein unter dem Namen des Paulus schreibender Autor als autoritativer Ausleger brieflicher Äußerungen Petri in Erscheinung treten würde – im Hinblick auf die wahrscheinliche Abfassungszeit des 1 Petr wie auf dessen Inhalt ungleich weniger zu erwarten ist.

[82] GRUNDMANN, Brief 86; vgl. auch 61 und KELLY (s. o. Anm. 3).

Bindung an christliche Schriften, nicht zuletzt an die Paulusbriefe. Um die „exegetische" Fähigkeit des Verfassers voll beurteilen zu können, müßten wir freilich sicher wissen, mit welchen Texten die Gegner insgesamt argumentierten, ob sie speziell bei den Paulusbriefen, wie bis heute überwiegend angenommen wird, in erster Linie „gnostisch" bzw. „prägnostisch" von der Pneuma- und Freiheitslehre her (vgl. 2, 19) die volle Gegenwärtigkeit des Heils behaupteten und deshalb den Glauben an die Parusie Christi zu Gericht und Heilsvollendung bestritten. Daß sie letzteres taten, näherhin auch die Nichterfüllung der Parusieverheißung geltend machten, und die sichere Erfüllung dieser Verheißung das Spitzenanliegen des Verfassers ist, läßt sich nicht in Abrede stellen. Dann muß man sein exegetisches Bemühen einerseits geschickt nennen, insofern ihm die ebenso globale wie fundamentale Beanspruchung „des prophetischen Wortes" (= des Alten Testaments) als durch das Verklärungsgeschehen verbürgte Voraussage der Parusie die überwiegende Argumentation mit altbiblischen Stoffen und den Verzicht auf eine Argumentation mit Parusieworten der Jesusüberlieferung und der Paulusbriefe ermöglichte. So geschickt sich dieses Verfahren wie auch die fast beiläufige generelle Abqualifizierung der gegnerischen Exegese als Sinnverfälschung (3, 16b) ausnimmt, verrät beides andererseits auch die Grenze seines exegetischen Vermögens, da er einer konkreten Auseinandersetzung mit überlieferten Parusieworten und anderen von den Gegnern wahrscheinlich angezogenen Texten ausweicht und eine solche höchstwahrscheinlich auch gar nicht hätte leisten können. Daß er auch speziell den Naherwartungsaussagen hilflos gegenüberstand und die Naherwartung nicht mit der neuzeitlichen Exegese etwa als lediglich besonders intensive Form des Parusieglaubens oder gar als „Irrtum" beurteilte, wird ihm kein Vernünftiger übelnehmen.

Um diesem Sprecher der Großkirche ganz gerecht zu werden, wird man es aber doch nicht einfach bei der wohl zutreffenden Annahme belassen dürfen, daß er nicht fähig war, den Pseudolehrern mit exegetisch überzeugenderen Argumenten entgegenzutreten. Der geläufige Vorwurf, anstelle sachlicher Auseinandersetzung versuche er es mit der Beschimpfung der Gegner, ist auch nur die halbe Wahrheit, so wir sein gesamtes Argumentationsverfahren im wesentlichen richtig eruierten. Wenn er die gefährlichen Argumentationen der Gegner nicht ausbreitet und es im besonderen vermeidet, die Leser mit der Nase auf die problematischen Naherwartungsaussagen zu stoßen, weil er sich zu einer zwingenden Widerlegung nicht imstande sieht, muß man dies zugleich dem pastoralen Verantwortungsbewußtsein des Predigers zugute halten.

5.5 Daß der Verfasser so betont mit der Wechselwirkung von „Erkenntnis" Christi und Lebensführung argumentiert und die Parusieleugner unter Berufung auf den Zusammenhang zwischen gebotswidrigem Lebenswandel und mangelnder Erkenntnis Christi einer sinnverfälschenden Auslegung der Schriften bezichtigt (s. o. 3.2.2 und 3.2.3), ist in der von ihm betonten Schärfe Ausdruck und Mittel massiver Polemik und Apologetik. Trotz seiner vereinfachenden Übertreibung bewegt sich der Verfasser aber doch auf der Linie eines wohlbekannten Postulats biblischer Hermeneutik. Zur sachgemäßen Bezogenheit des Auslegers auf den Gegenstand der Auslegung gehört nach einer treffenden Formulierung von *M. Hengel* „die grundsätzliche Offenheit, die ihm im Neuen Testament begegnende Botschaft wirklich zu *vernehmen,* sich auf sie einzulassen und ihrem ‚Anspruch' zu ‚entsprechen'"[83]: zu entsprechen auch durch den dem Glaubenden ermöglichten und von ihm geforderten existentiellen Lebensvollzug.

---

[83] M. HENGEL, Zur urchristlichen Geschichtsschreibung (Calwer Paperback) (Stuttgart 1979) 112.